COLLECTION
FOLIO CLASSIQUE

Madame de Sévigné

Lettres de l'année 1671

Texte établi par Roger Duchêne

Édition de Roger Duchêne,
revue et présentée par Nathalie Freidel
Maître de conférences
à l'Université Wilfrid Laurier, Canada

Gallimard

Édition de Roger Duchêne
dérivée de la Bibliothèque de la Pléiade
et revue par Nathalie Freidel

PRÉFACE

Les lettres de Mme de Sévigné ne sont pas, comme on le pense fréquemment, le produit de l'amour maternel mais l'œuvre d'un grand écrivain dont il n'est pas aisé de cerner la personnalité aux multiples facettes. Dépourvue de la morgue d'une aristocratie à laquelle elle appartient par son père et son mariage, elle vit davantage selon le pragmatisme bourgeois du milieu dans lequel elle a été élevée. Femme de grande culture, de peu de préjugés, elle tient aussi bien sa place parmi les duchesses, lors de ses brefs passages à la cour, que dans les salons parisiens ou les compagnies moins raffinées des provinces. Caméléon, Mme de Sévigné l'est moins par stratégie[1] *que par inclination, sa liberté et son ouverture d'esprit lui faisant préférer la compagnie de son jardinier breton au cérémonial de la petite noblesse provinciale. Raffinée sans préciosité, savante sans pédanterie, elle n'a jamais revendiqué d'autre statut dans le monde des Lettres que celui d'amatrice éclairée. Esprit critique, elle préfère juger par elle-même plutôt que d'adhérer à une coterie ; fidèle à son goût plutôt qu'à celui du temps, c'est sans renier les romans héroïques ni les contes grivois de La Fontaine qu'elle*

1. A. Viala, *Racine. La stratégie du caméléon*, Seghers, 1990.

se découvre des affinités avec la morale de Port-Royal. Dans la vie comme dans ses lettres, elle montre qu'elle connaît les conventions et qu'elle sait s'en détacher et passer outre. On la trouve souvent là où on ne l'attendait pas. Elle s'attendrit facilement mais raille aussi sans douceur. Les courriers se suivent et ne se ressemblent pas, la mélancolie le cédant, du jour au lendemain, à un humour débridé. En honnête femme, elle ne se pique de rien et retourne fréquemment contre elle-même l'ironie qui lui est si naturelle, laissant voir des doutes et une fragilité qu'elle nomme ses « faiblesses ». Par ailleurs, elle juge la comédie humaine avec la finesse d'observation et l'insolence d'un Molière et en tire les réflexions d'un La Rochefoucauld. Elle donne voix aux affects avec l'intensité d'une Mme de La Fayette combinée à la finesse d'un La Fontaine. Elle continue enfin Montaigne et annonce Proust dans sa quête d'un moi éclaté et insaisissable, entamée selon le même mouvement de retrait du monde et de repli dans l'écriture.

Une retraite anticipée

En juillet 1670, en réponse à son cousin qui l'attaque sur le mode badin et galant qui a caractérisé leurs échanges jusqu'ici, Mme de Sévigné compose un autoportrait sans concessions, aux antipodes de la mondaine enjouée et coquette dont Bussy avait répandu le portrait dans le monde[1] *:*

> Ma vie est tout unie ; ma conduite n'est point dégingandée (puisque dégingandée il y a). Il n'est point question de moi. J'ai une bonne réputation. Mes amis

1. Dans l'*Histoire amoureuse des Gaules* (1665), éd. J. et R. Duchêne, « Folio classique », 1993.

m'aiment ; les autres ne songent pas que je sois au monde. Je ne suis plus ni jeune ni jolie ; on ne m'envie point. Je suis quasi grand-mère ; c'est un état où l'on n'est guère l'objet de la médisance. Quand on a été jusque là sans se décrier, on peut se vanter d'avoir achevé sa carrière[1] (t. I, p. 127).

À près de quarante-cinq ans, celle qui avait brillé par son esprit dans le cercle Fouquet et dans certains salons parisiens à la mode, comme celui des Plessis-Guénégaud à l'Hôtel de Nevers, et qui s'était ménagé quelques entrées à la cour dans l'entourage de Mademoiselle, prend sa retraite du monde. Elle renonce au personnage public qui a été le sien pendant les vingt années séparant son veuvage du mariage de sa fille (1651-1671), et qui a séduit tout le monde par son charme, son esprit et sa maîtrise de l'art de la conversation qu'ont célébrés Mme de La Fayette ou Mlle de Scudéry[2]*. L'anonymat revendiqué, l'existence de simple particulière que la marquise entend mener désormais correspond à la réalité de la condition à laquelle la destinait une enfance dans un milieu bourgeois et un mariage dans la petite noblesse provinciale. Biographe de Mme de Sévigné, Roger Duchêne a dénoncé l'erreur qui a longtemps consisté à faire de la marquise une femme de cour achevée*[3]*. Le jeu de réseaux*

1. Les citations de Mme de Sévigné renvoyant à l'édition complète établie par Roger Duchêne (Gallimard, « Bibliothèque de la Pléiade », 1972-1978) indiqueront, entre parenthèses, le tome suivi de la pagination ; les références renvoyant à la présente édition indiqueront, entre parenthèses, la page uniquement.

2. Dans la *Galerie des Portraits de Mlle de Montpensier* (1659) de Mme de La Fayette et dans *Clélie* (1654-1660), où elle apparaît sous le nom de *Clarinte*, et les *Conversations nouvelles* (1685) de Mlle de Scudéry.

3. R. Duchêne, *Naissances d'un écrivain. Mme de Sévigné*, Fayard, 1996.

d'alliances l'a certes amenée à maintes reprises à approcher au plus près les cercles du pouvoir. L'épistolière ne se prive pas, à l'occasion, de faire jouer d'anciennes relations comme Pomponne, ami de longue date, qu'elle avait gratifié d'un rapport journalier au moment du procès Foucquet et qui accède, en 1671, au ministère des Affaires étrangères. On la voit aussi à cette époque tenter d'intercéder dans les affaires de Provence auprès de l'évêque de Marseille, Forbin-Janson, dont elle avait fait la connaissance à l'hôtel de Nevers. Mais la marquise n'a jamais été de la cour, n'y ayant ni charge, ni logement, ni véritables entrées. Dans les années 1660, elle y accompagne sa fille, qui danse dans les ballets royaux ; en 1664, elle assiste, avec six cents courtisans, à la fête des plaisirs des Plaisirs de l'île enchantée *; au début des années 1670, elle se rend encore quelquefois à Saint-Germain, chez Mademoiselle. Toutefois, malgré les satisfactions qu'elles procurent, ces incursions dans le « tourbillon » curial s'achèvent bien souvent, comme dans la fable du pigeon, par le soulagement d'être revenu au logis « sans autre aventure fâcheuse ».*

À partir de 1671, le seul groupe dont elle se réclame ouvertement, le cercle de Mme de Lavardin, n'est ni très large ni très en vue. Ses visites à la cour se font « en passant » et le plus souvent pour des affaires liées à l'établissement de ses enfants. Cette posture de repli revendiquée par l'épistolière, qui estime avoir « achevé sa carrière », est certes beaucoup moins radicale que la fuite de La Vallière aux Carmélites ou le spectaculaire retrait des affaires du cardinal de Retz en mai 1675. Les lettres par lesquelles s'ouvre le présent recueil, toutes pleines de l'affaire retentissante du mariage manqué de Mademoiselle avec Lauzun, donnent l'impression factice d'une chroniqueuse fermement implantée aux premières loges du théâtre louis-quatorzien. En réalité, le début de l'échange suivi avec sa fille, Mme de Grignan, ne fait que confirmer un mouvement de retrait largement entamé, les affaires familiales occupant déjà l'essentiel des commerces avec Bussy et le comte de Grignan. Les lettres donnent l'exemple d'une participation à distance et expriment souvent les réserves et le peu d'attrait de la marquise pour la cour, « un pays qui n'est point pour moi » (t. II, p. 902).

Quelques mois plus tard, le départ de Mme de Sévigné pour ses terres bretonnes constitue une rupture plus radicale encore : éloignées du centre des nouvelles, les lettres s'élaborent dans le vase clos d'une existence retirée, la solitude étant jugée préférable à la médiocrité de la compagnie locale. Les potins parisiens font place aux « nouvelles des bois », les divertissements se limitent aux lectures en compagnie de son fils et aux visites intempestives d'un voisinage bien loin d'égaler la distinction des sociétés choisies de la capitale. Quand elle ne s'enferme pas dans sa chambre pour écrire, la marquise part dans ses allées pour de longues promenades en solitaire. Les débuts de l'échange suivi avec sa fille, dont les anthologies ont invariablement tiré les mêmes fragments d'un discours amoureux, relèvent davantage du discours de la retraite, dont Bernard Beugnot a montré l'importance décisive pour le XVII*e* *siècle*[1]*. La distance imposée par l'absente est aussi une distance conquise, qui « permet au moi défait, disloqué dans la succession de ses déguisements, de se reconstruire*[2] *». La geste épistolaire nous entraîne ainsi « loin du monde et du*

1. B. Beugnot, *Le Discours de la retraite au* XVII*e* *siècle. Loin du monde et du bruit*, PUF, 1996.
2. *Ibid.*, p. 10.

bruit[1] », *dans les replis de l'univers domestique et familier, dans l'ombre des parcs, dans le secret des cabinets.*

Des lectures multiples

Nous ne reviendrons que succinctement ici sur la multiplicité des lectures suscitées par une œuvre dont le succès éditorial ne s'est jamais démenti. L'ouvrage de Fritz Nies[2] *retrace l'histoire complexe de sa réception et met en évidence la diversité des horizons d'attente des lecteurs successifs. Selon lui, les lettres ne se réduisent pas au cadre de l'échange intime mais s'adressent d'emblée à un public plus large qui reconnaissait dans ces textes une série de valeurs et d'idéaux esthétiques auxquels il s'identifiait : le naturel, la négligence, le modèle conversationnel, le divertissement. Le* XVIII*e siècle, qui voit les premières éditions imprimées, nivellera et gommera cette bigarrure chère au public mondain afin de rendre les textes épistolaires plus conformes à l'idéal classique. Les lecteurs successifs ont ainsi, sans hésiter à expurger, corriger, réécrire les lettres, réussi à les faire correspondre à des valeurs fréquemment renouvelées. Certains se sont attachés à leur dimension « documentaire », venant satisfaire la curiosité du lectorat pour « l'histoire secrète » du règne, l'anecdotique et ce que la marquise appelle « le dessous des cartes » (t. II, p. 13-14). Pour d'autres, la correspondance livrait une forme d'autobiographie, histoire d'une âme, aventure morale et sentimentale. D'autres enfin lui attribuè-*

1. Selon l'expression de La Fontaine, « Le songe d'un habitant du Mogol », *Fables*, XI, IV.
2. F. Nies, *Les Lettres de Mme de Sévigné. Conventions du genre et sociologie des publics*, H. Champion, 2001.

rent des qualités pédagogiques, en faisant de cette œuvre un modèle d'écriture, un réservoir de maximes et de sentences morales, voire un itinéraire spirituel.

Pour Roger Duchêne, ces « métamorphoses[1] *» successives de l'œuvre de Mme de Sévigné sont le résultat d'un malentendu. Dès les premières éditions, on a omis de tenir compte du statut particulier de la lettre, assimilant indûment à la littérature épistolaire ce qui n'en faisait pas partie, travestissant l'épistolière en auteur épistolaire. L'éditeur de la* Correspondance *n'aura de cesse de défendre son « caractère vrai » et improvisé, son lien intrinsèque à la réalité vécue, c'est-à-dire avant tout à la relation affective qui unit la mère et la fille : « Rien de littéraire dans cette entreprise de compensation désabusée*[2]*. » Tout en établissant un texte le plus complet possible malgré les difficultés dues à la variété des sources et l'absence d'autographes, le dernier éditeur de Mme de Sévigné lègue à la critique un débat qui peut se révéler sans fin : l'épistolière était-elle l'auteur de la* Correspondance, *se savait-elle écrivain ? La question de la littérarité des lettres, conditionnelle ou constitutive, pour reprendre la distinction de Genette, semble avoir conduit les commentateurs dans une impasse.*

Mme de Sévigné est pourtant loin d'être le seul écrivain non déclaré d'une époque où ce statut commence tout juste à obtenir une reconnaissance[3]*. Nombreuses sont les œuvres du* XVII*e siècle, et non des moindres, à nous être parvenues après avoir circulé en leur temps sous forme de manuscrits, pour finir par être*

1. R. Duchêne, « Métamorphoses », *RHLF*, XCVI, 1996, p. 359-365.

2. Mme de Sévigné, *Lettres choisies*, éd. Roger Duchêne, « Folio classique », 1996, Préface, p. 15.

3. A. Viala, *Naissance de l'écrivain. Sociologie de la littérature à l'âge classique*, Les Éditions de Minuit, 1985.

imprimées sans l'assentiment ou après la disparition de l'auteur. L'œuvre épistolaire de la marquise ne constitue de ce point de vue ni un miracle ni une exception. Elle s'inscrit, quoique en s'en démarquant, dans une tradition littéraire de l'épistolaire au XVIIe *siècle, période qui a célébré cette forme d'écriture à travers l'éloquence d'un Guez de Balzac et l'esprit d'un Voiture. Enfin, elle n'est pas un cas isolé, comme le montre l'ampleur de la correspondance de Mme de Maintenon, récemment rééditée*[1].

Plutôt que de chercher à justifier la littérarité du texte épistolaire, il faut donc se donner pour tâche d'en multiplier les lectures. Les lettres offrent à l'analyse littéraire un matériau si riche qu'on est loin de l'avoir entièrement exploité. Elles se prêtent aussi bien aux lectures transversales qu'à la microlecture, gagnent à être mises en rapport les unes avec les autres et envisagées dans leur continuité, mais se peuvent aussi aisément isoler et découper, par séquences longues ou en un recueil de fragments. Le caractère fragmentaire de l'écriture épistolaire a maintes fois été souligné. Les lettres de Mme de Sévigné sont longues, beaucoup trop longues pour des lettres — n'en point achever la lecture serait plus excusable, plaisante-t-elle, que de demeurer au septième tome des romans de La Calprenède (p. 230). De même que chaque lettre se découpe aisément en rubriques, certaines pièces étant à l'évidence conçues comme des morceaux détachables, de même certains pans de l'échange, comme l'année 1671, semblent former une totalité cohérente.

1. Mme de Maintenon, *Lettres*, éd. H. Bots et E. Bost-Estourgie, H. Champion, 2009-2011, 6 vol.

Le journal d'une année

L'année 1671 s'ouvre sur le départ de Mme de Grignan en Provence et se clôt sur le retour de Mme de Sévigné à Paris, après un séjour de plusieurs mois aux Rochers, en Bretagne. Le mouvement est incessant : celui des lettres, lancées sur les chemins et confiées à d'inlassables postillons, celui des épistolières dont les déplacements donnent lieu à des développements géographiques mêlant connaissances livresques, souvenirs, rêveries et imaginaire des lieux. La marquise, soit qu'elle voyage elle-même, soit qu'elle accompagne en pensée sa fille ou les courriers, est toujours par les chemins. Les premières lettres après la séparation, outre les effusions dramatiques si souvent citées, multiplient les variations autour de la distance qui sépare désormais les correspondantes et créent une véritable poétique du mouvement. L'image récurrente du carrosse qui s'éloigne, le motif des « deux cents lieues », le thème de l'éloignement, sont les véritables « matrices stylistiques et formelles[1] » de l'œuvre naissante. De cette impulsion initiale semble naturellement dériver celle d'écrire ; quelque chose est mis en branle. L'échange s'ouvre sur le mouvement frénétique provoqué par les péripéties du voyage de la comtesse, la ronde des visites de la marquise, le flot des nouvelles, le parcours postal et la circulation des lettres dans un cercle d'intimes.

Autour des deux femmes s'organise une ronde de conversations, un va-et-vient de nouvelles et de compliments, la lettre se faisant l'écho des uns, le porte-parole des autres, transmettant inlassablement, sans

1. B. Beugnot, « Mme de Sévigné telle qu'en elle-même enfin ? », *French Forum*, V, 1980, p. 213.

ordre et sans mesure, un véritable fouillis d'informations. Les aspirations à la retraite semblent avoir fait long feu, à voir la presse des lettres parisiennes (« Je ne puis suffire à tous ceux qui vous font des baise-mains, c'est Paris, c'est la cour, c'est l'univers », p. 76-77) et le rythme du ballet épistolaire des déférences (« Je ferai vos compliments à Mme de Villars. Il y a presse à être nommé dans mes lettres. Je vous remercie d'avoir fait mention de Brancas », p. 85). Pour le lecteur moderne, il n'est pas toujours aisé de concilier ces préoccupations de pure civilité avec les déclarations d'amour enflammées, l'émotion qui accompagne la réception des lettres, la répétition des assurances d'affection, l'expression de la tendresse. La lettre du 6 février, qui commence comme une héroïde dans l'isolement du couvent, se poursuit dans l'atmosphère de complot du cercle amical (Mme de La Fayette, M. de La Rochefoucauld, Mme de Lavardin), où il est question d'accabler une certaine Mélusine, *et s'achève dans les colonnes du carnet mondain (mariage de Ventadour, retour de Mme de Mazarin à Paris, disgrâce de Mme d'Heudicourt). L'ironie du dernier paragraphe, qui feint l'admiration pour le « trait d'ingratitude » de cette femme, convaincue « d'une bonne galanterie » et de médisance, tranche sans doute avec l'incipit aux accents de religieuse portugaise (« Ma douleur serait bien médiocre si je pouvais vous la dépeindre »).*

Trop de commentateurs ont pourtant feint de l'ignorer : à côté des fragments d'un discours amoureux, la lettre sévignéenne cultive le potin, le ragot, la rumeur et la raillerie jusqu'à produire des chefs-d'œuvre du genre qui n'ont rien à envier au mordant d'un Tallemant des Réaux ou aux acidités de plume d'un Saint-Simon. Ce sont les « lanternes », qui consistent souvent en anecdotes, plaisanteries, bons mots : Courcel-

les, cocu notoire, se plaignant publiquement « d'avoir deux bosses à la tête, qui l'empêchaient de mettre une perruque », oblige les convives à sortir de table « de peur d'éclater à son nez » (p. 76) ; la jolie petite d'Houdancourt, qui doit épouser Ventadour, d'une laideur légendaire, se fait dire « qu'il n'y a pas d'apparence qu'elle refuse à d'autres ce qu'elle accordera à Ventadour » (p. 82).

En ce début d'année 1671, on perçoit encore les échos des fêtes galantes qui ont marqué la décennie précédente ; c'est le récit d'un duel à l'hôtel de Condé (p. 52), la description d'un bal à l'hôtel de Guise (p. 60), la fuite de La Vallière (p. 65), la somptueuse fête de Chantilly qui s'achève par le suicide de Vatel (p. 166). Cependant, à côté de cette version de la « belle galanterie », émanation de Tendre, à laquelle toute la bonne société se réfère encore, l'épistolière sacrifie volontiers à la veine égrillarde et libre qui caractérise l'autre manière galante. La vie dissolue des personnages en vue constitue un chapitre récurrent des lettres, dans la droite ligne de cette galanterie licencieuse qui est celle d'un Bussy, d'un Sorel ou d'un La Fontaine, dont la marquise ne se contente pas de citer les Fables *mais admire également et recommande les* Contes *(p. 182). À côté des extraits élégiaques, conformes au modèle tendre, sérieux et larmoyant, on découvre dans les débuts de l'échange suivi avec Mme de Grignan une verve gauloise et satirique, qui culmine dans le récit des extravagances de Charles, embarqué « sous les lois de Ninon » (p. 101) puis de La Champmeslé, empêché de célébrer les Pâques par la vision de « panérées de tétons ». Quant au procès des grossesses, mené à l'encontre du comte de Grignan et destiné à prévenir « les rechutes trop fréquentes d'un mal que vous faites souffrir » (p. 196), il est aussi caractéristique de ce ton ambigu, mêlant pudeur et impudeur, plaintes et gaillardises. Reconnaissons enfin que ce refus des pesanteurs du protocole qu'elle nomme son libertinage de plume conduit parfois l'épistolière à côtoyer un certain libertinage de mœurs : « Je hais les dessus de vos lettres où il y a : Madame la marquise de Sévigné, appelle-moi Pierrot. » L'allusion gaillarde renvoie ici au chancelier qui, selon une note du chansonnier Maurepas, « étant un jour enfermé avec une garce qui l'appelait toujours Monseigneur, lui dit, dans l'emportement du plaisir, de le nommer plutôt Pierrot » (p. 388).*

L'humour de Mme de Sévigné ne se réduit pas aux conventions du temps, ni à un badinage répondant, selon Fritz Nies, à la nécessité de divertir une société aristocratique menacée d'extinction lente. Il éclate dans la relation de l'incendie chez Guitaut, qui se solde par la description burlesque de ses voisins jetés hors de chez eux en pleine nuit et dans le plus simple appareil, triomphe dans le feuilleton des nourrices de Marie-Blanche et se raffine dans la satire des provinces. Certes, comme le rappelle l'épistolière, « on ne rit pas toujours » (p. 327), et bien des lettres font état d'une humeur sombre : le changement de lieux ramène des souvenirs de temps plus heureux, le retard du courrier plonge dans de bruyants désespoirs, les promenades solitaires « entre chien et loup » provoquent des réflexions mélancoliques — pour lesquelles l'épistolière forge l'expression « rêver noir » (p. 319). Ces changements de ton d'un courrier à l'autre participent à l'élaboration d'une poétique particulière.

On sera enfin sensible aux variations du rythme. La retraite à Livry, pour Pâques, interrompt brutalement le tourbillon parisien : à la cohue des sermons de Mascaron et de Bourdaloue succède la solitude et les « tristes pensées ». Le départ pour la Bretagne, en mai, met un terme au tourbillon de la vie parisienne, entrecoupée de visites à Saint-Germain. Le contraste est frappant ; les lettres opèrent aussitôt une mutation radicale, s'adaptant au changement du rythme postal et à l'absence de nouvelles. Celles-ci ne trouvent plus dans les lettres que des échos assourdis : l'épistolière ne commente la nomination de Pomponne comme ministre d'État que parce qu'elle espère que cela pourra être avantageux aux Grignan, se désintéresse royalement du mariage de Monsieur et, dans les dernières lettres, n'évoque que par allusions les préparatifs de la campagne de Hollande. Quoiqu'elle ne reçoive plus qu'un courrier hebdomadaire, le vendredi, la marquise décide de continuer à écrire deux fois la semaine, une réponse le vendredi et une « lettre sur rien » le mercredi, dans laquelle il faut se résigner à entretenir sa correspondante de « ce qui s'appelle la pluie et le beau temps » (p. 209). Loin de tarir, le commerce bénéficie de ce changement de décor et la lettre se renouvelle. La satire des provinces fournit des portraits dignes des Caractères, *la petite compagnie des Rochers, égayée par la présence de Charles, donne lieu à de fréquents comptes rendus de lecture, les promenades dans le parc et les conversations avec le jardinier révèlent la passion de planter, que l'épistolière compare non sans humour à ses dons maternels (« C'est une jeunesse que je prends plaisir d'élever jusqu'aux nues [...] je fais jeter de grands arbres à bas, parce qu'ils font ombrage ou qu'ils incommodent mes jeunes enfants », p. 226).*

Mère et fille échangent à présent des « Provinciales » d'un tour nouveau. Plus qu'un simple changement de théâtre, décor pittoresque où s'épanouirait un goût pour la nature, les provinces représentent un espace neuf, investi par l'imaginaire et l'écriture, aménagé pour les besoins de l'échange : « Je me suis fait une Provence, une maison à Aix, peut-être plus belle que celle que vous avez ; je vous y vois, je vous y trouve » (p. 220). À la géographie méditerranéenne fabuleuse, aux souvenirs de Cyrus *et de* Zaïde *viennent s'ajouter des réflexions sur le climat, la faune, les maladies et les coutumes, reprenant les mêmes motifs (la bise, la chaleur, la sécheresse) faisant de l'ailleurs un lieu familier : « la Provence est devenue mon vrai pays » (p. 343). On reconnaît, dans cette équivalence proustienne de l'ici et de l'ailleurs, le peu de foi accordée aux voyages par ceux dont l'imagination suffit à accomplir le trajet, et pour qui la puissance poétique, métaphorique, de déplacement et de transport est avant tout celle de l'écriture. En décembre 1671, le voyage de Mme de Sévigné en Provence se profile déjà, épopée à l'issue de laquelle il s'agirait de ramener Mme de Grignan à Paris. La sémiotique originale qui dans les lettres en est venue à signifier la Provence survivra par la suite au séjour de la marquise dans cette région. Réduire la lettre à l'expression d'expériences réelles et vécues, c'est négliger la somme du travail d'écriture, cette mise en place d'un réseau de codes, d'images et de signes, cette confiance accordée au pouvoir évocateur du langage.*

Quelles nouvelles ?

Pas une des lettres de Mme de Sévigné ne se dérobe à sa mission première, qui est la transmission des nouvelles[1]*. Quelles que soient les circonstances et au risque de faire double emploi puisqu'elle n'est pas la*

1. R. Duchêne, « La lettre et l'information. Le cas de Mme de Sévigné », dans *Mme de Sévigné et la lettre d'amour*, Bordas, 1970, rééd. Klincksieck, 1992, p. 389-400.

seule source d'information de Mme de Grignan, l'épistolière se fait un devoir de lester chaque missive des « dernières nouvelles », allant jusqu'à faire un tour en ville pour une ultime moisson avant de fermer son paquet. Pour prendre la mesure de l'importance de cette fonction de courroie de transmission, il faut se rappeler ce que l'éloignement du centre du pouvoir pouvait signifier dans le contexte de la société de cour. Synonyme de disgrâce ou de ruine économique, l'exil est alors vécu le plus souvent comme une déchéance. Même si ce n'est pas le cas de Grignan, forcé de s'établir en Provence par les obligations de sa charge, la hantise de l'éloignement de la cour explique la nécessité de le conjurer par cette participation à distance. Adopter la coiffure « hurlupée » en 1671, comme le port des tabliers en 1685, c'est revendiquer sa place parmi la noblesse de cour, faute d'être à la cour.

Toutes les nouvelles ne sont pas traitées de la même manière, certaines bénéficient d'un luxe de « détails », d'autres sont volontairement expédiées, d'autres encore demeurent elliptiques ; les unes sont reprises dans les lettres suivantes, les autres restent sans suite. Mme de Sévigné qui sait qu'elle n'est pas la seule source d'informations de sa fille n'hésite pas à affirmer sa supériorité face à ses concurrents. Elle raille ainsi le peu de discernement de D'Haqueville et l'accuse de charger son papier d'un « verbiage » qui « ne se dit point dans les bons lieux » (p. 151). Au demeurant, aucune hiérarchie n'est établie entre les nouvelles générales et les nouvelles particulières, celles du roi — le feuilleton des maîtresses royales — étant souvent rapportées sur le même ton que celles du quartier, tandis que certaines nouvelles de soi — la « belle narration, bien divertissante et bien nécessaire » dont fait l'objet « une colique très fâcheuse » de la marquise (p. 204-205) — bénéficient d'un « détail » qui conviendrait davantage aux gros titres de l'actualité. Le bulletin de santé, les « affaires », les « lanternes » et potins mondains s'entrelacent sur la tapisserie épistolaire.

Dans cette masse d'informations, il est parfois possible de repérer des courants. En 1671, la nouvelle de la grossesse de Mme de Grignan s'accompagne dans les lettres d'une vague de natalité sans précédent. Mariages, fêtes et promotions désertent le carnet mondain au profit des grossesses, fausses couches, naissances et même avortements (l'historiette de Catau). Enfin, la chronique familiale est particulièrement sollicitée dans la période qui nous intéresse, entre les nouvelles de la petite-fille à laquelle Mme de Sévigné prodigue des soins dignes d'une véritable « matrone » (p. 336), du fils dont les frasques et le dévergondage donnent lieu à des rapports moyennement édifiants, et des Grignan, par retour de courrier. On notera que le séjour breton fait la part belle aux nouvelles de soi — santé, dévotion, humeurs et états d'âme, emploi du temps, lectures —, Paris et la cour passant désormais à l'arrière-plan, sans que ce changement de décor affecte le débit de l'épistolière : « Dieu merci, voilà mon caquet bien revenu » (p. 221).

On a parfois fait la remarque que cette matière première de la lettre, la nouvelle, fait l'objet d'un discours ambivalent[1]*. Malgré les assurances garantissant la vérité et rien que la vérité, l'attrait de la rumeur l'emporte et l'épistolière se livre à des démentis qui ne manquent pas de piquant : « Rien ne dure cette année, pas même la mort de M. Vallot. Il se porte bien, et au lieu d'être mort, comme on me l'avait dit, il a pris*

1. L. Depretto, « Annoncer l'incertain : les fausses nouvelles dans les lettres de Mme de Sévigné », *Littératures classiques*, 71, p. 221-236.

une pilule qui l'a ressuscité » (p. 81-82). Le séjour en province entraîne un dégoût de l'événementiel. Depuis ses Rochers, l'épistolière se plaint aussi bien du manque d'intérêt des nouvelles de la cour et de Paris (« Ce qu'on me mande me fait mourir d'ennui. Il y a un mois qu'on me répète que la cour sera le 10ᵉ du mois à Saint-Germain. On est réduit à me conter des sorcelleries pour m'amuser », p. 236) que de la pauvreté de l'actualité bretonne (« c'est la nouvelle du pays, il faut que vous en passiez par là », p. 323). Les faits divers, auxquels la lettre, en d'autres temps, réserve une place de choix, sont désormais déclarés « assommants », comme la mort subite de Monsieur du Mans (« Nous ne demandons que plaie et bosse mais, en vérité, je trouve que cette fois, il y en a trop », p. 265). Mme de Sévigné laisse volontiers aux épistoliers comme d'Hacqueville, relais des gazettes, le pensum *des relations pour s'approprier l'art de la « brève », nouvelle isolée, elliptique, expéditive : « Le comte de Guiche est à la cour tout seul de son air et de sa manière, un héros de roman, qui ne ressemble point au reste des hommes ; voilà ce qu'on me mande » (p. 329). Elle ironise sur « ce qui s'appelle parler de la pluie et du beau temps », appliquant par jeu l'expression à la lettre : « Je commence donc par la pluie, car pour le beau temps, je n'ai rien à vous dire » (p. 209). Degré zéro de la nouvelle, la météorologie fait pourtant entrer la lettre dans une autre dimension.*

La gazette épistolaire est alors évincée par une formule inédite, la lettre sur rien, proche du journal, fragile éphéméride : « Je vous écris, ma bonne, avec plaisir, quoique je n'aie rien à vous mander » (p. 251). En Bretagne, la lettre du mercredi n'est pas une réponse mais au contraire anticipe sur celle de la fin de la semaine : « Vous voilà bien instruite, Dieu merci, de votre bon pays, mais je n'ai point de vos lettres et par conséquent point de réponse à vous faire ; ainsi, je vous parle tout naturellement de ce que je vois et de ce que j'entends » (p. 276). Réflexions, détails, bagatelles pallient la disette de sujets ; ces « riens » forment un combustible curieux, hétéroclite. La lettre est souvent commencée la veille, « par provision », quitte à y ajouter encore un mot le lendemain (p. 256), et les variations du style compensent l'absence de sujets. Pastichant les genres et ses auteurs de prédilection, Mme de Sévigné compose une historiette par-ci, une maxime par-là, un portrait, un dialogue de comédie, une scène comme dans les romans, un discours philosophique, un sermon, une fable, une réflexion morale... Des jeux et techniques variés de réécriture font échapper le matériau anecdotique au domaine de l'information pour le transposer en littérature. Les nouvelles de Vitré empruntent à la farce — Mlle du Plessis joue Le Tartuffe *au naturel — mais les promenades dans le parc des Rochers, plein des souvenirs de l'Arioste, nous entraînent du côté du pays des romans.*

En lisant, en écrivant

Le journal épistolaire de la marquise est un réservoir inépuisable de références livresques. Il faut se reporter à l'index établi par Roger Duchêne dans l'édition complète pour constater l'ampleur vertigineuse de la culture de cette femme de lettres. Tout lui est bon, fiction, mais aussi histoire, théologie, philosophie, morale ; les modernes aussi bien que les Anciens ; l'italien aussi bien que le français. Au savoir historique que convoque le texte épistolaire vient ainsi s'ajouter cette somme de références intertextuelles exi-

geant du lecteur de solides compétences. À la citation — fréquemment Molière et La Fontaine —, l'épistolière préfère l'allusion, qui présuppose la reconnaissance et parie tacitement sur les compétences génériques de sa lectrice. Lorsqu'elle constate par exemple que « les petits esprits se sont bien communiqués et sont passés bien fidèlement de Livry en Provence » (p. 149), elle fait une application familière (et fantaisiste) des « esprits animaux » de la philosophie de Descartes dont Mme de Grignan était entichée. Et lorsqu'elle demande à sa destinataire si sa « cartère » est toujours une « caverne de larrons », se vantant pour sa part d'en posséder une plus précieuse que Céladon, il nous faut non seulement faire appel à un savoir historique et linguistique (un cartère est un étui à lettres ; une caverne de larrons, un rendez-vous de voleurs), mais encore recourir à l'Encyclopédie galante que représentait encore L'Astrée, pour éclaircir l'allusion à la panetière où Céladon conservait les lettres d'Astrée, que les eaux du Lignon épargnent miraculeusement au cours de sa noyade.

La lettre fonctionne ainsi comme mémoire d'autres textes, que l'érudite évoque moins à titre de références, comme dans la rhétorique classique, que pour ouvrir le récit anecdotique à des modèles en apparence hétérogènes mais qui viennent enrichir la mise en récit et nourrir le texte épistolaire. Cette interdépendance de la lecture et de l'écriture est parfaitement reconnue et assumée : « Ceux à qui je parle ou j'écris ont intérêt à ce que je lise de bons livres » (p. 327). Or cet été-là, l'italianisante s'est replongée dans Le Tasse ; elle a aussi cédé à la prédilection de son fils pour des « bagatelles » — « des vers, des romans, des histoires » (p. 219) —, attendant son départ pour se replonger dans la « belle Morale » de Nicole (ibid.). Les renvois romanesques *vont dès lors alterner avec les réflexions profondes, la souplesse du texte épistolaire permettant la cohabitation improbable de* Cléopâtre *et de la morale augustinienne.*

La lecture, pierre de touche du loisir mondain[1], *revêt une importance vitale lorsque les pluies continuelles du printemps breton empêchent la promenade et jettent l'hôte des Rochers dans « une tristesse épouvantable » : « Nous lisons ; cela nous soutient la vie » (p. 210). Le pluriel attire notre attention. On découvre, en particulier dans les descriptions de l'emploi du temps breton, une pratique de lecture aux antipodes de l'activité solitaire et silencieuse qui nous est familière. Dans les lettres, la lecture est l'affaire du groupe et l'objet de représentations comme au théâtre. L'épistolière salue fréquemment le don de lecteur de son fils, qui en gratifie la petite compagnie des Rochers : « Mon fils nous lit des bagatelles, des comédies, qu'il joue comme Molière [...] il a de l'esprit, il entend bien, il nous entraîne [...] » (p. 219). Assimilée à un divertissement, la lecture est vue d'abord sous l'angle de la sociabilité mondaine, mais les lettres renferment également le portrait d'une lectrice passionnée qui cherche à faire partager ses goûts ainsi que sa méthode. Elle vitupère sa fille qui laisse ses lectures inachevées alors qu'elle-même lit « jusqu'à l'Approbation » (p. 208-209) et relit avec plaisir, en particulier les romans, grâce à son peu de mémoire.*

Ces représentations de la lecture dans les lettres sont décisives, non seulement pour comprendre les références intertextuelles dont le texte épistolaire est truffé, mais encore pour les rapprocher de l'écriture comme pratique qui, elle aussi, oscille entre les conven-

1. A. Génétiot, *Poétique du loisir mondain, de Voiture à La Fontaine*, H. Champion, 1997.

*tions sociales et une méthode personnelle, entre la sphère semi-privée et la sphère intime. Les lettres sont souvent émaillées de discours rapportés, d'interventions extérieures, du murmure polyphonique des conversations, d'allusions à d'autres échanges ; certains passages semblent avoir été écrits pour être lus en public par un acteur comme Charles, qui excellait en particulier à en rendre les dialogues. Mais l'épistolière se montre aussi fuyant la compagnie, se retirant pour écrire, s'isolant pour assurer une exclusivité jalousement gardée : « Je suis aujourd'hui toute seule dans ma chambre par l'excès de ma mauvaise humeur. Je suis lasse de tout ; je me suis fait un plaisir de dîner ici, et je m'en fais un de vous écrire hors de propos » (p. 86). Comme les dramaturges du XVII*e *siècle intégraient les didascalies dans le corps du texte théâtral, l'épistolière met en scène son texte à l'aide d'indications récurrentes sur les circonstances de son écriture : « je finirai tantôt ma lettre » (p. 63), « j'écris de provision » (p. 86), « je vous embrasse de tout mon cœur, mais sincèrement, et point du tout pour finir ma lettre » (p. 141), « je m'en vais fermer cette lettre » (p. 143), « J'achèverai cette lettre quand il plaira à Dieu » (p. 145). Le texte conserve ainsi les traces de la fabrique de l'œuvre, revenant constamment sur la question de ses conditions d'émergence, se montrant en train de s'écrire. Le geste épistolaire est celui d'une mise en abyme : la lettre qu'on écrit renvoie à celle qu'on a reçue et qui elle-même répondait à une lettre antérieure. Dans ce feuilletage, il faudrait encore distinguer la superposition des lettres reçues, non reçues, perdues, précédentes, à venir, des lettres envoyées ou reçues d'autres correspondants. Mme de Sévigné félicite sa fille de celle qu'elle a écrite à Guitaut, joint à son paquet celle de Monsieur de Marseille et sa réponse,* *commente celles que la Provençale reçoit de d'Hacqueville.*

Dédoublement, réflexivité, circularité sont des figures indissociables de l'art sévignéen, particulièrement marquées durant cette première année de l'échange avec Mme de Grignan, où se met en place un contrat épistolaire et où les correspondantes sont amenées à interroger leur pratique, à la comparer à d'autres, à tenter d'en dégager des règles. Cette exploration persistante et intensive d'un espace d'écriture renouvelle en profondeur l'esthétique d'un genre.

Une poétique de la lettre

La lettre comme genre littéraire a suivi au cours du Grand Siècle une évolution radicale, résultat de l'impact de grandes œuvres épistolaires comme celles de Guez de Balzac, Voiture ou Guilleragues, et de l'élaboration collective qu'on désigne sous le terme de « mondanité ». Dans le creuset des réseaux sociaux de cette époque, à travers le modèle de la conversation érigée au rang d'œuvre d'art, la culture mondaine a remis au goût du jour un système de conventions hérité de l'Antiquité, redécouvert par l'humanisme et récupéré par les théoriciens de l'honnêteté. Les lettres de Mme de Sévigné illustrent, au même titre que les Maximes, *les* Caractères *ou les* Fables, *cette nouvelle façon d'écrire : au discours frontal et linéaire,* more geometrico, *elles substituent un discours fragmentaire, par « essais », approches et approximations multiples. L'affaire du mariage manqué de Mademoiselle, après le spectaculaire effet d'annonce, fait l'objet de plusieurs reprises et « saisies » successives. Le discours épistolaire embrasse son sujet par un mouve-*

ment de convergence, voire d'enveloppement, tout en privilégiant l'imprévu, la rupture, la surprise.

Or cette conformité de la lettre à la culture mondaine est très loin de se traduire par un conformisme. Plutôt que dans les conventions, les scénographies, les figures imposées trop souvent invoquées, le modèle mondain se marque notamment dans la rupture du protocole traditionnel. Hormis la fameuse obligation de plaire, règle fort librement interprétée, l'auteur ne se voit plus imposer de parcours obligé ; mieux encore, on l'encourage à abandonner toute architecture rigoureuse au profit d'un « beau désordre ». Cette « déconstruction » procède certes souvent d'une savante planification mais n'en reste pas moins la voie ouverte à tous les circuits possibles. Libre à nous, lecteurs, d'organiser à notre guise des rencontres, des associations, de repérer des flux, une circulation entre de petites unités éparpillées. Il suffit de considérer les variations infinies et les interprétations libres auxquelles donnent lieu dans les lettres l'usage mondain du compliment pour admettre qu'il ne s'agit jamais pour l'épistolière de se contenter de reproduire des rituels langagiers[1].

Il n'est pourtant pas donné à quiconque de s'accommoder de cette souplesse du cadre et de cette forme déliée. Bussy-Rabutin, avec qui la marquise a mis au point l'art du rabutinage, *variation familiale du badinage, se plaint régulièrement des allures « irrégulières » du commerce de sa cousine ainsi que de sa manie de la « picoterie ». Les tensions qui ne cesseront de caractériser leurs échanges sont symptomatiques de l'ambi-*

1. C. Lignereux, « Scénographies mondaines et réglages polyphoniques dans les lettres de Mme de Sévigné : l'exemple des compliments », dans *Une langue à soi,* dir. C. Lignereux et J. Piat, Pessac, Presses Universitaires de Bordeaux, 2009.

valence d'un code sur lequel les correspondants ne parviennent pas à s'accorder. Alors que tous deux font preuve de la même virtuosité et jouent avec esprit et souplesse des deux registres de la galanterie, les malentendus se multiplient, l'humour ne parvient pas à pallier l'amertume. L'osmose, cet accord subtil et raffiné des esprits à l'horizon de la politesse mondaine, n'aura pas lieu. Une entente idéale semble au contraire s'établir entre l'épistolière et sa fille dès les premières lettres échangées, qu'on interpréterait à tort comme le résultat d'une union des cœurs. Il suffit pour s'en convaincre d'observer la fréquence des passages visant à définir un protocole aussi bien de lecture que d'écriture des lettres. Ce n'est pas la moindre des qualités de l'œuvre de Mme de Sévigné que ce guide poétique qui l'accompagne, sous la forme d'incessants commentaires sur son propre style, celui de sa correspondante, celui d'autres épistoliers. Les tournures figées sorties tout droit des manuels épistolaires (« les selles à tous chevaux » et le « style à cinq sols »), le « galimatias » dont certains chargent leurs missives (« la justice de croire et les respectueux attachements »), servent alors de puissants repoussoirs stylistiques.

Parmi le fourre-tout des nouvelles bretonnes, au détour d'une bagatelle, un coq-à-l'âne nous ramène soudain à la réflexion métalinguistique : « Je consens au commerce de bel esprit que vous me proposez » (p. 229). La boutade consiste à souligner, par l'ironie et l'antiphrase, tout ce qui sépare l'échange intime de ces commerces où il n'est question que de rivaliser de finesse et d'ingéniosité. Suit une maxime que la marquise a composée « sans y penser », comme le Bourgeois gentilhomme faisait de la prose sans le savoir. Faut-il attribuer cette trouvaille à la mémoire ou au jugement ? « L'ai-je lu ? l'ai-je rêvé ? l'ai-je imaginé ? » Façon plaisante d'interroger le mystérieux processus de la création littéraire. Cette tension permanente, dans le texte épistolaire, entre le recours à des figures imposées et la liberté indispensable à l'échange intime apparaît comme un des ressorts essentiels de l'art poétique sévignéen. Ainsi, la pratique du débat épistolaire, qui prend sa source dans l'esthétique galante, est omniprésente dans la correspondance avec Bussy et informe encore largement l'échange familier. Elle consiste par exemple à prendre à partie les époux Grignan sur le ton enjoué des querelles galantes, multipliant les gronderies, houspillant ce gendre qui a enlevé Françoise-Marguerite pour l'emmener au bout de la France, reprochant à cette fille son infidélité, enfin filant la métaphore de la rivalité amoureuse. Ces procédés ont beau sentir l'artifice, ils assurent une connivence immédiate tout en faisant sans cesse rebondir l'échange.

Il n'est pas toujours aisé non plus de faire la part des conventions et de la volonté affirmée de s'en libérer. La même ambiguïté pèse sur la question de la rhétorique épistolaire. À côté des libertés de plume, de la formidable invention langagière que Fritz Nies a mise en évidence à travers son relevé des néologismes de Mme de Sévigné[1]*, il est certain que l'épistolière était loin d'ignorer les règles du bien-dire. Le postulat de l'ignorance féminine en matière de rhétorique, restée l'apanage des collèges, est certainement à revoir dans le cas de celle qui, tout en qualifiant ses lettres de « rapsodies », compose pourtant à l'occasion de véritables morceaux d'éloquence. Ainsi, la séparation de 1671 est l'occasion d'un débat au cours duquel les deux femmes reviennent sur les malentendus passés. Ces passages, qui mettent en œuvre toutes les res-*

1. F. Nies, *Les Lettres de Madame de Sévigné. Conventions du genre et sociologie des publics*, *op. cit.*, p. 381-451.

sources des genres judiciaire, délibératif et démonstratif, tout en soignant l'invention et l'élocution, suggèrent que l'épistolière n'était pas complètement étrangère à la science de la suasoria. Sa plume alerte et indisciplinée montre qu'elle est capable, à l'occasion, de persuader avec art. Non seulement Mme de Sévigné n'ignore pas les préceptes des théoriciens et semble familière des ouvrages qui faisaient autorité sur le style et la langue, mais elle en a intégré les principes au point d'en faire un usage approprié et subtil. Toujours soucieuse d'indépendance, elle ne se soumet pas aux servitudes de la rhétorique mais en exploite habilement les potentialités.

La conformité de l'écriture sévignéenne avec des modèles rhétoriques est encore plus flagrante dans le cas de la « rhétorique nouvelle » dont Bouhours expose les principes dans ses Entretiens d'Ariste et d'Eugène[1], parus en 1671. Son style semble précisément incarner l'exigence de « naturel », le refus de « tout ce qui sent l'étude et a un air de contrainte », la grâce de la bagatelle qui constituent les principes de ce nouveau modèle. Cependant, il semble que l'appropriation par Mme de Sévigné des usages, des rituels et des codes a pour effet de renforcer la singularité de son écriture. La notion de négligence est souvent interprétée dans les lettres d'une façon qui n'est pas loin de la dénaturer complètement, revêtant des formes provocantes — turlupinades, sottises, lanternes, fagots, radoteries, verbiages — dont l'accumulation ostentatoire met à mal ce qui se veut au départ une stratégie de dissimulation. Le talent de celle qui n'avait que mépris pour les lettres qui donnent dans la « justice de croire » n'a pas consisté à se conformer au code en usage mais à

1. D. Bouhours, *Les Entretiens d'Ariste et d'Eugène*, éd. B. Beugnot et G. Declercq, H. Champion, 2003.

l'interpréter avec brio, à travers d'infinies variations, renouvelant sans cesse les formules sclérosées en les agrémentant et les assaisonnant. Tout est bon pour entretenir et réveiller l'attention d'une lectrice que la régularité des courriers, les répétitions, l'ennui dont l'épistolière se plaint elle-même risqueraient de lasser. Il faudrait constituer un répertoire des images plaisantes (tel dévot « avait la tête plus droite qu'un cierge », les pertes au jeu sont « une petite pluie continuelle »), des expressions familières (« s'épanouir la rate », « se ravigoter un peu ») ou proverbiales (« avaler le péché comme de l'eau, des jeux langagiers (« aller en Bavardin », c'est-à-dire bavarder chez Mme de Lavardin ; « mes petites entrailles » pour désigner Marie-Blanche, « fruit des entrailles » de Mme de Grignan, etc). Cette virtuose de la langue joue fréquemment sur plusieurs registres de style, allie le noble et le vulgaire, le subtil et le concret, et cultive volontiers la comparaison discordante — « il faut toujours avoir cette Morale *[de Nicole] dans les mains, comme du vinaigre au nez, de peur de s'évanouir (p. 314).*

Les formules plaisantes et les trouvailles renouvellent indéfiniment une forme d'écriture si balisée qu'il serait aisé de céder à des automatismes. Plus le passage est attendu, et risque de donner lieu à des banalités, plus le travail stylistique est soigné. L'incontournable « je suis à vous » est ainsi réinterprété inlassablement sur tous les modes et tous les tons. Les embrassements de clôture sont l'occasion de brillants exercices de style, du plus lyrique (« Adieu ma chère enfant, l'unique passion de mon cœur, le plaisir et la douleur de ma vie », p. 61) au plus prosaïque (« Je voudrais bien vous baiser. Mais quelle folie de mettre toujours cet habit bleu ! », p. 125). Au fil des lettres se crée une rhétorique personnalisée qui constitue un démenti des vertus de la rhétorique, trop commune, trop visible, trop attendue pour être convaincante.

*

En 1671, Mme de Sévigné ne forme pas le projet de révolutionner un genre mais détourne l'instrument épistolaire, configuré par la sociabilité mondaine, pour l'adapter au dialogue intime. À force de ruptures et en s'accumulant, les lettres finissent par circonscrire un nouvel espace théorique. Jouant sur tous les registres de l'imitation et de l'invention, effectuant de fréquents brouillages stylistiques, le texte épistolaire se tient en équilibre entre discours convenu et parole singulière. La lettre apparaît ainsi comme un formidable terrain d'expérimentation et d'innovation, où s'élabore une langue susceptible d'aborder à la première personne les régions de l'intériorité et de l'affectivité. Rares sont les textes du XVIIe *siècle qui nous permettent d'effectuer une telle plongée au cœur de la sphère intime, associant les trivialités quotidiennes et le questionnement spirituel, les états d'âme et les états des lieux, les réalités domestiques et les chimères de l'imaginaire.*

NATHALIE FREIDEL

NOTE SUR L'ÉDITION

On recense des centaines d'éditions et de réimpressions de l'œuvre épistolaire de Mme de Sévigné, mêlant recueils de lettres choisies, éditions complètes, réimpressions, traductions, *Sevigniana* et éditions augmentées[1]. Dans ce vaste corpus, l'édition critique de Roger Duchêne[2], qui constitue actuellement l'édition de référence pour les études sévignéennes, est le résultat d'un processus particulièrement complexe. En l'absence de lettres autographes — il n'en reste qu'une poignée —, l'établissement du texte s'est fait à partir de deux types de sources : les premières éditions, toutes posthumes, et les manuscrits. Parmi les éditions, il faut distinguer les furtives, sans privilège ni approbation (Troyes, 1725 ; Rouen, 1726) et les officielles (la première édition complète est celle de Perrin, 1734-1737). Au XIXe siècle, la divulgation de deux manuscrits, le Grosbois en 1820 et le Capmas en 1873 (plus complet et plus riche), apporte une contribution essen-

1. On trouvera la bibliographie la plus complète dans F. Nies, *Les lettres de Madame de Sévigné. Conventions du genre et sociologie des publics*, H. Champion, 2001.

2. Mme de Sévigné, *Correspondance*, éd. R. Duchêne, « Bibliothèque de la Pléiade », 1972-1978, 3 vol.

tielle à notre connaissance de cette œuvre, révélant en particulier l'ampleur des coupures et des transformations apportées aux lettres par Perrin, leur premier éditeur officiel, dans son désir de rendre le texte plus présentable aux yeux du public. La méthode de Roger Duchêne a consisté à utiliser toutes les sources en tenant compte de la spécificité de chacune. Les sources imprimées ne doivent pas être oubliées au profit des dernières découvertes. Le recours aux éditions Perrin est nécessaire, à condition d'en analyser les ressorts, les mécanismes et les travers : une recherche constante de clarté pousse en effet ce premier éditeur à renforcer l'armature logique du texte, ce qui revient à le dénaturer. Quant aux sources manuscrites, elles doivent elles aussi être maniées avec prudence : les lettres reproduites ont pu être modifiées par un copiste choqué de leurs audaces stylistiques. Il est alors nécessaire d'effectuer des recoupements, d'étudier les variantes et la manière dont chacune remonte différemment à la source afin d'avoir le plus de chances d'approcher du texte original.

La méthode éditoriale de Roger Duchêne a consisté à prendre le manuscrit Capmas comme texte de base, tout en signalant dans les notes les variantes dans les éditions Perrin, n'indiquant que par exception les variantes de mots entre crochets obliques < >. Les crochets droits [ ] sont employés pour corriger ou compléter le texte de base sans l'autorité d'une autre source. Par exemple, les millésimes ont été ajoutés dans les dates, Mme de Sévigné n'ayant pas l'habitude de porter cette indication en tête de ses lettres. Nous avons repris dans la présente édition le texte ainsi établi, en respectant l'orthographe, la syntaxe et la ponctuation de Mme de Sévigné, sauf en quelques très rares cas d'agrammaticalité.

Nous avons par ailleurs allégé l'appareil critique par la suppression des variantes et d'une partie des notes renvoyant à l'histoire, la topologie, l'historiographie, la chronique généalogique des innombrables personnages évoqués dans les lettres. En revanche, nous avons ajouté des notes susceptibles d'éclairer le contexte de l'année 1671, ou qui reflètent les développements récents des études sévignéennes. Nous reprenons la chronologie de Roger Duchêne dans la précédente édition Folio classique[1]. Enfin, nous avons actualisé la bibliographie, en répertoriant les principaux ouvrages et les articles postérieurs à la parution de notre édition de référence.

N. F.

1. Mme de Sévigné, *Lettres choisies*, éd. R. Duchêne, « Folio classique », 1988.

LETTRES DE L'ANNÉE 1671

1. À COULANGES[1]

À Paris, lundi 15 décembre [1670[2]].

Je m'en vais vous mander la chose la plus étonnante, la plus surprenante, la plus merveilleuse, la plus miraculeuse, la plus triomphante, la plus étourdissante, la plus inouïe, la plus singulière, la plus extraordinaire, la plus incroyable, la plus imprévue, la plus grande, la plus petite, la plus rare, la plus commune, la plus éclatante, la plus secrète jusqu'aujourd'hui, la plus brillante, la plus digne d'envie ; enfin une chose dont on ne trouve qu'un exemple dans les siècles passés, encore cet exemple n'est-il pas juste ; une chose que nous ne saurions croire à Paris (comment la pourrait-on croire à Lyon[3] ?) ; une chose qui fait crier miséricorde à tout le monde ; une chose qui comble de joie Mme de Rohan et Mme de Hauterive[4] ; une chose enfin qui se fera dimanche, où ceux qui la verront croiront avoir la berlue ; une chose qui se fera dimanche, et qui ne sera peut-être pas faite lundi. Je ne puis me résoudre à la dire. Devinez-la ; je vous le donne en trois. Jetez-vous votre langue aux chiens ? Eh bien !

il faut donc vous la dire : M. de Lauzun[1] épouse dimanche au Louvre, devinez qui ? Je vous le donne en quatre, je vous le donne en dix ; je vous le donne en cent. Mme de Coulanges dit : Voilà qui est bien difficile à deviner ; c'est Mlle de La Vallière — Point du tout, Madame. — C'est donc Mlle de Retz ? — Point du tout, vous êtes bien provinciale. — Vraiment nous sommes bien bêtes, dites-vous, <c'est Mlle Colbert ? — Encore moins. —> C'est assurément Mlle de Créquy[2] ? — Vous n'y êtes pas. Il faut donc à la fin vous le dire : il épouse, <dimanche, au Louvre,> avec la permission du Roi, Mademoiselle, Mademoiselle de... Mademoiselle... devinez le nom : il épouse Mademoiselle, ma foi ! par ma foi ! ma foi jurée ! Mademoiselle, la Grande Mademoiselle ; Mademoiselle, fille de feu Monsieur ; Mademoiselle, petite-fille de Henri IV ; mademoiselle d'Eu, mademoiselle de Dombes, mademoiselle de Montpensier, mademoiselle d'Orléans ; Mademoiselle, cousine germaine du Roi ; Mademoiselle, destinée au trône ; Mademoiselle, le seul parti de France qui fût digne de Monsieur[3]. Voilà un beau sujet de discourir. Si vous criez, si vous êtes hors de vous-même, si vous dites que nous avons menti, que cela est faux, qu'on se moque de vous, que voilà une belle raillerie, que cela est bien fade à imaginer ; si enfin vous nous dites des injures, nous trouverons que vous avez raison ; nous en avons fait autant que vous.

Adieu ; les lettres qui seront portées par cet ordinaire[4] vous feront voir si nous disons vrai ou non.

2. À COULANGES

À Paris, vendredi 19 décembre [1670].

Ce qui s'appelle tomber du haut des nues, c'est ce qui arriva hier au soir aux Tuileries ; mais il faut reprendre les choses de plus loin. Vous en êtes à la joie, aux transports, aux ravissements de la princesse et de son bienheureux amant. Ce fut donc lundi que la chose fut déclarée, comme vous avez su. Le mardi se passa à parler, à s'étonner, à complimenter. Le mercredi, Mademoiselle fit une donation à M. de Lauzun, avec dessein de lui donner les titres, les noms et les ornements nécessaires pour être nommés dans le contrat de mariage, qui fut fait le même jour. Elle lui donna donc, en attendant mieux, quatre duchés : le premier, c'est le comté d'Eu, qui est la première pairie de France et qui donne le premier rang ; le duché de Montpensier, dont il porta hier le nom toute la journée ; le duché de Saint-Fargeau, le duché de Châtellerault, tout cela estimé vingt-deux millions. Le contrat fut fait ensuite, où il prit le nom de Montpensier. Le jeudi matin, qui était hier, Mademoiselle espéra que le Roi signerait, comme il l'avait dit ; mais sur les sept heures du soir, Sa Majesté étant persuadée, par la Reine, Monsieur et plusieurs barbons[1], que cette affaire faisait tort à sa réputation, il se résolut de la rompre, et après avoir fait venir Mademoiselle et M. de Lauzun, il leur déclara, devant Monsieur le Prince, qu'il leur défendait de plus songer à ce mariage. M. de Lauzun reçut cet ordre avec tout le respect, toute la soumission, toute la fermeté, et tout le désespoir que méritait une si grande chute. Pour Mademoiselle, suivant son humeur, elle éclata en pleurs, en cris, en douleurs violentes, en plaintes excessives, et tout le jour elle a gardé son lit, sans rien avaler que des bouillons. Voilà un beau songe, voilà un beau sujet de roman ou de tragédie, mais surtout un beau sujet de raisonner et de parler éternellement. C'est ce que nous faisons jour et nuit, soir et matin, sans fin, sans cesse ; nous espérons que vous en ferez autant. Et sur cela je vous baise très humblement les mains.

3. À BUSSY-RABUTIN[1]

À Paris, ce [vendredi] 19e décembre 1670.

Voilà M. de Plombières[2] à qui je parlais de vous avec plaisir et déplaisir. Je ne vous fais pas valoir la douleur que j'ai de l'état de votre fortune ; ce serait vouloir escroquer des reconnaissances. Quand je vois des gens fort heureux, je suis au désespoir ; cela n'est pas d'une belle âme. Mais le moyen aussi de souffrir des coups de tonnerre de bonheur[3] comme il y en a, dit-on, pour les inclinations ! Je vous remercie de votre compliment sur l'accouchement de ma fille ; c'en est trop pour une troisième fille de Grignan[4].

Mais que dites-vous de la charge de grand maréchal des logis qu'on vient de donner à votre cousin de Thianges[5] ?

Chimène, qui l'eût cru ? — Rodrigue, qui l'eût dit[6] ?

Je me tais tout court ; j'irais trop loin si je ne me retenais. Je dirai encore pourtant que je suis au désespoir quand je vois des gens heureux sans raison, et vous en l'état où vous êtes. Je trouve mon intérêt si mêlé avec le vôtre, et l'amour-propre si confondu avec l'amitié, qu'il est impossible de les démêler.

Adieu, Comte ; c'est grand dommage que nos étoiles nous aient séparés. Nous étions bien propres à vivre dans une même ville. Nous nous entendons, ce me semble, à demi-mot ; je ne me réjouis pas bien sans vous, et quand je ris, cela ne passe pas le nœud de la gorge[1]. M. de Plombières me paraît passionné pour vous. Je voudrais bien, comme dit le maréchal de Gramont, que ce qu'il a dans la tête pour vous pût passer dans une autre tête que je dirais bien[2].

4. DE BUSSY-RABUTIN

À Chaseu, ce [mardi] 23e décembre 1670.

De la manière que je vois que ma mauvaise fortune vous touche, Madame, c'est à moi à vous consoler[3], car, pour mon particulier, je vous assure que j'en suis tout consolé, et plus je vois de choses extraordinaires sur la bonne fortune des autres, plus j'ai l'esprit en repos. Comme je vous disais l'autre jour, ces coups-là honorent les honnêtes malheureux, et font croire que le même caprice qui fait faire des fortunes prodigieuses à de certaines gens fait faire à d'autres de grandes disgrâces sans fondement. Telles et semblables réflexions, jointes à la nécessité, m'ont fait prendre le parti de ne me plus affliger de rien. Je vous conseille, ma chère cousine, d'en user de même, et je vous supplie de croire que la manière dont je soutiens les persécutions qu'on me fait depuis cinq ans me doit faire autant d'honneur que les plus belles campagnes que j'aie jamais faites. Mon cousin de Thianges a bien du mérite, mais il faut dire le vrai, il est bien heureux[1].

Il est vrai, ma chère cousine, que nous étions assez faits l'un pour l'autre, mais je ne désespère pas encore que nous ne passions une bonne partie de notre vie ensemble. Songeons seulement à vivre, et nous verrons bien des choses. Pour moi, j'ai une santé que je n'ai point eue depuis trente ans. Je vous veux surprendre quand je retournerai à Paris. Je m'en irai un beau matin chez vous sans livrées. Je vous ferai dire que c'est un gentilhomme breton dont vous ne connaissez pas le nom seulement ; il se terminera en *ec*. J'entrerai dans votre chambre ; je déguiserai ma voix. Je suis assuré que vous ne me connaîtrez pas et que, quand je me découvrirai, vous serez surprise de mon air jeune et de ma fraîcheur. On dirait à me voir que Dieu me veut remplacer en une longue vie ce qu'il m'ôte de fortune ; ce n'est pas tout perdre au moins.

Je crois que si ce qui est dans la tête de Plombières pour moi était dans celle que vous diriez bien, je serais un exemple de grande fortune aux siècles présents et à venir.

5. À COULANGES

À Paris, mercredi 24 décembre [1670].

Vous savez présentement l'histoire romanesque de Mademoiselle et de M. de Lauzun. C'est le juste sujet d'une tragédie dans toutes les règles du théâtre. Nous en réglions les actes et les scènes l'autre jour ; nous prenions quatre jours au lieu de vingt-quatre heures, et c'était une pièce parfaite. Jamais il ne s'est vu de si grands changements en si peu de temps ; jamais vous n'avez vu une émotion si générale ; jamais vous n'avez ouï une si extraordinaire nouvelle. M. de Lauzun a joué son personnage en perfection. Il a soutenu ce malheur avec une fermeté, un courage, et pourtant une douleur mêlée d'un profond respect, qui l'ont fait admirer de tout le monde. Ce qu'il a perdu est sans prix, mais les bonnes grâces du Roi, qu'il a conservées, sont sans prix aussi, et sa fortune ne paraît pas déplorée. Mademoiselle a fort bien fait aussi. Elle a bien pleuré. Elle a recommencé aujourd'hui à rendre ses devoirs au Louvre[1], dont elle avait reçu toutes les visites. Voilà qui est fini. Adieu.

6. À COULANGES

À Paris, mercredi 31 décembre [1670].

J'ai reçu vos réponses à mes lettres. Je comprends l'étonnement où vous avez été de tout ce qui s'est passé depuis le 15 jusqu'au 20 de ce mois[2] ; le sujet le méritait bien. J'admire aussi votre bon esprit, et combien vous avez jugé droit, en croyant que cette grande machine ne pourrait pas aller depuis le lundi jusqu'au dimanche. La modestie m'empêche de vous louer à bride abattue là-dessus, parce que j'ai dit et pensé toutes les mêmes choses que vous. Je dis à ma fille le lundi : « Jamais ceci n'ira à bon port jusqu'à dimanche » ; et je voulus parier, quoique tout respirât la noce, qu'elle ne s'achèverait pas. En effet, le jeudi le temps se brouilla, et la nuée creva le soir à dix heures, comme je vous l'ai mandé.

Ce même jeudi, j'allai dès neuf heures du matin chez Mademoiselle, ayant eu avis qu'elle s'en allait se marier à la campagne, et que le Coadjuteur de Reims faisait la cérémonie[1]. Cela était ainsi résolu le mercredi au soir ; car pour le Louvre, cela fut changé dès le mardi. Mademoiselle écrivait. Elle me fit entrer ; elle acheva sa lettre, et puis me fit mettre à genoux auprès de son lit. Elle me dit à qui elle écrivait, et pourquoi, et les beaux présents qu'elle avait faits la veille, et le nom qu'elle avait donné ; qu'il n'y avait point de parti pour elle en Europe, et qu'elle voulait se marier. Elle me conta une conversation mot à mot qu'elle avait eue avec le Roi. Elle me parut transportée de joie de faire un homme bienheureux ; elle me parla avec tendresse du mérite et de la reconnaissance de M. de Lauzun. Et sur tout cela je lui dis : « Mon Dieu, Mademoiselle, vous voilà bien contente ; mais que n'avez-vous donc fini promptement cette affaire dès le lundi ? Savez-vous qu'un si grand retardement donne le temps à tout le royaume de parler, et que c'est tenter Dieu et le Roi que de vouloir conduire si loin une affaire si extraordinaire ? » Elle me dit que j'avais raison ; mais elle était si pleine de confiance que ce discours ne lui fit alors qu'une légère impression. Elle retourna sur la maison et sur les bonnes qualités de M. de Lauzun. Je lui dis ces vers de Sévère dans *Polyeucte* :

Du moins ne la peut-on blâmer d'un mauvais choix :
Polyeucte a du nom, et sort du sang des rois[2].

Elle m'embrassa fort. Cette conversation dura une heure ; il est impossible de la redire toute. Mais j'avais été assurément fort agréable durant ce temps, et je le puis dire sans vanité, car elle était aise de parler à quelqu'un ; son cœur était trop plein. À dix heures, elle se donna au reste de la France, qui venait lui faire sur cela son compliment. Elle <attendit> tout le matin des nouvelles, et n'en eut point. L'après-dîner, elle s'amusa à faire ajuster elle-même l'appartement de M. de Montpensier. Le soir, vous savez ce qui arriva.

Le lendemain, qui était vendredi, j'allai chez elle ; je la trouvai dans son lit. Elle redoubla ses cris en me voyant ; elle m'appela, m'embrassa, et me mouilla toute de ses larmes. Elle me dit : « Hélas ! vous souvient-il de ce que vous me dîtes hier ? Ah ! quelle cruelle prudence ! ah ! la prudence ! » Elle me fit pleurer à force de pleurer. J'y suis encore retournée deux fois ; elle est fort affligée, et m'a toujours traitée comme une personne qui sentait ses douleurs ; elle ne s'est pas trompée. J'ai retrouvé dans cette occasion des sentiments qu'on ne sent guère pour des personnes d'un tel rang. Ceci entre nous deux et Mme de Coulanges, car vous jugez bien que cette causerie serait entièrement ridicule avec d'autres[1]. Adieu.

7. À MONSIEUR DE GRIGNAN

À Paris, vendredi 16 janvier [1671].

Hélas ! je l'ai encore, cette pauvre enfant et, quoi qu'elle ait pu faire, il n'a pas été en son pouvoir de partir le 10 de ce mois, comme elle en avait le dessein. Les pluies ont été et sont encore si excessives qu'il y aurait eu de la folie à se hasarder. Toutes les rivières sont débordées, tous les grands chemins sont noyés, toutes les ornières cachées ; on peut fort bien verser dans tous les gués. Enfin la chose est au point que Mme de Rochefort[1], qui est chez elle à la campagne, qui brûle d'envie de revenir à Paris où son mari la souhaite et où sa mère l'attend avec une impatience incroyable, ne peut pas se mettre en chemin, parce qu'il n'y a pas de sûreté et qu'il est vrai que cet hiver est épouvantable. Il n'a pas gelé un moment, et il a plu tous les jours comme des pluies d'orage. Il ne passe plus aucun bateau sous les ponts ; les arches du Pont-Neuf sont quasi comblées. Enfin c'est une chose étrange. Je vous avoue que l'excès d'un si mauvais temps a fait que je me suis opposée à son départ pendant quelques jours. Je ne prétends point qu'elle évite le froid, ni les boues, ni les fatigues du voyage ; mais je ne veux pas qu'elle soit noyée.

Cette raison, quoique très forte, ne la retiendrait pas présentement, sans le Coadjuteur qui part avec elle, et qui est engagé de marier sa cousine d'Harcourt[2]. Cette cérémonie se fait au Louvre ; M. de Lyonne est le procureur[3]. Le Roi lui a parlé (je dis à Monsieur le Coadjuteur) sur ce sujet. Cette affaire s'est retardée d'un jour à l'autre, et ne se fera peut-être que dans huit jours. Cependant je vois ma fille dans une telle impatience de partir que ce n'est pas vivre que le temps qu'elle passe ici présentement ; et si le Coadjuteur ne quitte là cette noce, je la vois disposée à faire une folie, qui est de partir sans lui. Ce serait une chose si étrange d'aller seule, et c'est une chose si heureuse pour elle d'aller avec son beau-frère, que je ferai tous mes efforts pour qu'ils ne se quittent pas. Cependant les eaux s'écouleront un peu.

Je veux vous dire de plus que je ne sens point le plaisir de l'avoir présentement. Je sais qu'il faut qu'elle parte ; ce qu'elle fait ici ne consiste qu'en devoirs et en affaires. On ne s'attache à nulle société, on ne prend aucun plaisir, on a toujours le cœur serré, on ne cesse de parler des chemins, des pluies, des histoires tragiques de ceux qui se sont hasardés. En un mot, quoique je l'aime comme vous savez, l'état où nous sommes à présent nous pèse et nous ennuie. Ces derniers jours-ci n'ont aucun agrément[1].

Je vous suis très obligée, mon cher Comte, de toutes vos amitiés pour moi, et de toute la pitié que je vous fais. Vous pouvez mieux que nul autre comprendre ce que je souffre, et ce que je souffrirai. Je suis fâchée pourtant que la joie que vous aurez de la voir puisse être troublée par cette pensée. Voilà les changements et les chagrins dont la vie est mêlée. Adieu, mon très cher Comte, je vous tue par la longueur de mes lettres ; j'espère que vous verrez le fonds qui me les fait écrire.

8. À BUSSY-RABUTIN

À Paris, ce [vendredi] 23e janvier 1671.

<Voilà, mon cousin, tout ce que l'abbé de [Coulanges] sait de notre maison, dont vous avez dessein de faire une petite histoire. Je voudrais que vous n'eussiez jamais fait que celle-là[2]. Nous sommes très obligés à M. du Bouchet ; il nous démêle fort et nous fait valoir en des occasions qui font plaisir. En vérité, c'est peu de n'avoir que moi pour représenter ici le corps des Rabutin. Je suis transplantée, et ce que l'on dit soi-même, outre qu'on ne voudrait guère souvent parler sur ce chapitre, ne fait pas un grand effet.>

On me vient de conter une aventure extraordinaire qui s'est passée à l'hôtel de Condé, et qui mériterait de vous être mandée, quand nous n'y aurions pas l'intérêt que nous y avons. La voici : Madame la Princesse[1] ayant pris il y a quelque temps de l'affection pour un de ses valets de pied nommé Duval[2], celui-ci fut assez fou pour souffrir impatiemment la bonne volonté qu'elle témoignait aussi pour le jeune Rabutin, qui avait été son page[3]. Un jour qu'ils se trouvaient tous deux dans sa chambre, Duval ayant dit quelque chose qui manquait de respect à la princesse, Rabutin mit l'épée à la main pour l'en châtier ; Duval tira aussi la sienne, et la princesse se mettant entre-deux pour les séparer, elle fut blessée légèrement à la gorge. On a arrêté Duval, et Rabutin est en fuite ; cela fait grand bruit en ce pays-ci[4]. Quoique le sujet de la noise soit honorable, je n'aime pas qu'on nomme un valet de pied avec Rabutin. Je vous avoue que je ne suis guère humble, et que j'aurais eu une grande joie que vous eussiez fait de notre nom tout ce qui était en vos mains[5].

Adieu, mon pauvre Rabutin, non pas celui qui s'est battu contre Duval, mais un autre qui eût bien fait de l'honneur à ses parents, s'il avait plu à la destinée. Je vous souhaite la continuation de votre philosophie, et à moi celle de votre amitié ; elle ne saurait périr, quoi que nous puissions faire. Elle est d'une bonne trempe, et le fond en tient à nos os. Ma fille vous fait mille compliments, et mille adieux. Elle s'en va au diantre en Provence ; je suis inconsolable de cette séparation. J'embrasse mes chères nièces.

9. DE BUSSY-RABUTIN

À Chaseu, ce [dimanche] 1er février 1671.

<Je viens de recevoir votre lettre et le mémoire de notre maison, dont je vous rends mille grâces et à Monsieur l'Abbé. Les pièces que vous avez, avec les miennes, font toutes les preuves que nous pouvons souhaiter, car, quoique votre cadet, j'en ai bien plus que vous[1].> Vous verrez un jour ce que j'en ai fait, et vous louerez plus mon entreprise que vous ne faites.

Mais ne sauriez-vous vous corriger de reparler toujours du passé quand il est désagréable ? Vous me mandez que vous voudriez que je n'eusse jamais fait d'autre histoire que celle de notre maison, et en suite du chagrin que vous témoignez du mélange des noms de Rabutin et de Duval, vous me dites que vous auriez eu une grande joie si j'avais voulu faire de mon nom tout ce qui était en mon pouvoir. Je n'ai que deux mots à vous dire là-dessus, sans entrer avec vous dans le détail de ma justification : ou je suis coupable et me suis attiré ma mauvaise fortune, ou seulement malheureux. Si c'est celui-ci, vous êtes injuste de me rien reprocher, et si je suis coupable, il est malhonnête à vous, dans tous les temps, de me le dire, mais particulièrement quand je suis accablé de persécutions. Personne que vous ne me parle ainsi, et si mes ennemis le disent en quelque lieu, je suis assuré qu'ils ne le pensent pas.

Je vois bien que c'est le départ de Mme de Grignan qui vous met en méchante humeur. Mais je remarque que vous avez, à point nommé, quand vous m'écrivez, des occasions de *picoterie* dont je me passerais fort bien. Regardez s'il vous serait agréable que je vous redisse souvent que, si vous aviez voulu, on n'aurait pas dit de vous et du surintendant Foucquet les sottises qui s'en dirent après qu'il fut arrêté ; je ne les ai jamais crues, mais aussi je ne vous ai pas donné le chagrin de les entendre[1]. Je vous prie donc, ma chère cousine, d'avoir les mêmes égards pour moi que j'ai pour vous ; car, quoique je ne puisse jamais m'empêcher de vous aimer, je n'aimerais pas que toute notre vie se passât en reproches et en éclaircissements ; c'est tout ce que nous pourrions faire s'il y avait de l'amour sur le jeu[2].

L'aventure de notre cousin n'est ni belle ni laide : la maîtresse lui fait honneur et le rival de la honte.

10. À MADAME DE GRIGNAN[3]

[À Paris,] lundi [2 février 1671].

Puisque vous voulez absolument qu'on vous rende votre petite boîte, la voilà. Je vous conjure de conserver et de recevoir, aussi tendrement que je vous le donne, un petit présent qu'il y a longtemps que je vous destine. J'ai fait retailler le diamant avec plaisir, dans la pensée que vous le garderez toute votre vie. Je vous en conjure, ma chère bonne, et que jamais je ne le voie en d'autres mains que les vôtres. Qu'il vous fasse souvenir de moi et de l'excessive tendresse que j'ai pour vous, et par combien de choses je voudrais vous la pouvoir témoigner en toutes occasions, quoi que vous puissiez croire là-dessus.

11. À MADAME DE GRIGNAN

À Paris, vendredi 6 février [1671].

Ma douleur serait bien médiocre si je pouvais vous la dépeindre ; je ne l'entreprendrai pas aussi. J'ai beau chercher ma chère fille, je ne la trouve plus, et tous les pas qu'elle fait l'éloignent de moi. Je m'en allai donc à Sainte-Marie, toujours pleurant et toujours mourant. Il me semblait qu'on m'arrachait le cœur et l'âme, et en effet, quelle rude séparation ! Je demandai la liberté d'être seule. On me mena dans la chambre de Mme du Housset, on me fit du feu. Agnès me regardait sans me parler ; c'était notre marché. J'y passai jusqu'à cinq heures sans cesser de sangloter ; toutes mes pensées me faisaient mourir[1]. J'écrivis à M. de Grignan ; vous pouvez penser sur quel ton. J'allai ensuite chez Mme de La Fayette, qui redoubla mes douleurs par la part qu'elle y prit. Elle était seule, et malade, et triste de la mort d'une sœur religieuse ; elle était comme je la pouvais désirer[2]. M. de La Rochefoucauld y vint. On ne parla que de vous, de la raison que j'avais d'être touchée, et du dessein de parler comme il faut à *Mélusine*[3]. Je vous réponds qu'elle sera bien relancée. D'Hacqueville vous rendra un bon compte de cette affaire[4]. Je revins enfin à huit heures de chez Mme de La Fayette. Mais en entrant ici, bon Dieu ! comprenez-vous bien ce que je sentis en montant ce degré ? Cette chambre où j'entrais toujours, hélas ! j'en trouvai les portes ouvertes, mais je vis tout démeublé, tout dérangé, et votre pauvre petite fille qui me représentait la mienne[5]. Comprenez-vous bien tout ce que je souffris ? Les réveils de la nuit ont été noirs, et le matin je n'étais point avancée d'un pas pour le repos de mon esprit. L'après-dîner se passa avec Mme de La Troche à l'Arsenal[1]. Le soir, je reçus votre lettre, qui me remit dans les premiers transports, et ce soir j'achèverai celle-ci chez M. de Coulanges, où j'apprendrai des nouvelles[2]. Car pour moi, voilà ce que je sais, avec les douleurs de tous ceux que vous avez laissés ici. Toute ma lettre serait pleine de compliments, si je voulais[3].

<Vendredi au soir.>

J'ai appris chez Mme de Lavardin les nouvelles que je vous mande[4] ; et j'ai su par Mme de La Fayette qu'ils eurent hier une conversation avec *Mélusine*, dont le détail n'est pas aisé à écrire, mais enfin elle fut confondue et poussée à bout par l'horreur de son procédé, qui lui fut reproché sans aucun ménagement. Elle est fort heureuse du parti qu'on lui offre, et dont elle est demeurée d'accord : c'est de se taire très religieusement, et moyennant cela on ne la poussera pas à bout. Vous avez des amis qui ont pris vos intérêts avec beaucoup de chaleur. Je ne vois que des gens qui vous aiment et vous estiment, et qui entrent bien aisément dans ma douleur. Je n'ai voulu aller encore que chez Mme de La Fayette. On s'empresse fort de me chercher et de me vouloir prendre, et je crains cela comme la mort.

Je vous conjure, ma chère fille, d'avoir soin de votre santé. Conservez-la pour l'amour de moi, et ne vous abandonnez pas à ces cruelles négligences, dont il ne me semble pas qu'on puisse jamais revenir. Je vous embrasse avec une tendresse qui ne saurait avoir d'égale, n'en déplaise à toutes les autres.

Le mariage de Mlle d'Houdancourt et de M. de Ventadour a été signé ce matin. L'abbé de Chambonnas a été nommé aussi ce matin à l'évêché de

Lodève. Madame la Princesse partira le mercredi des Cendres pour Châteauroux, où Monsieur le Prince désire qu'elle fasse quelque séjour. M. de La Marguerie a la place du conseil de M. d'Étampes, qui est mort. Mme de Mazarin arrive ce soir à Paris ; le Roi s'est déclaré son protecteur, et l'a envoyé quérir au Lys avec un exempt et huit gardes, et un carrosse bien attelé[1].

Voici un trait d'ingratitude qui ne vous déplaira pas, et dont je veux faire mon profit quand je ferai mon livre sur les grandes ingratitudes. Le maréchal d'Albret a convaincu Mme [d'Heudicourt], non seulement d'une bonne galanterie avec M. de Béthune, dont il avait voulu toujours douter, mais d'avoir dit de lui et de Mme <Scarron> tous les maux qu'on peut s'imaginer. Il n'y a point de mauvais offices qu'elle n'ait tâché de rendre à l'un et à l'autre, et cela est tellement avéré que Mme <Scarron> ne la voit plus, ni tout l'hôtel de Richelieu[2]. Voilà une femme bien abîmée ; mais elle a cette consolation de n'y avoir pas contribué[3] !

12. À MADAME DE GRIGNAN

À Paris, lundi 9 février [1671].

Je reçois vos lettres, <ma bonne[4],> comme vous avez reçu ma bague. Je fonds en larmes en les lisant ; il semble que mon cœur veuille se fendre par la moitié. Il semble que vous m'écriviez des injures ou que vous soyez malade ou qu'il vous soit arrivé quelque accident, et c'est tout le contraire. Vous m'aimez, ma chère enfant, et vous me le dites d'une manière que je ne puis soutenir sans des pleurs en abondance ; vous continuez votre voyage sans aucune aventure fâcheuse. Et lorsque j'apprends tout cela, qui est justement tout ce qui me peut être le plus agréable, voilà l'état où je suis. Vous vous amusez donc à penser à moi, vous en parlez, et vous aimez mieux m'écrire vos sentiments que vous n'aimez à me les dire. De quelque façon qu'ils me viennent, ils sont reçus avec une tendresse et une sensibilité qui n'est comprise que de ceux qui savent aimer comme je fais. Vous me faites sentir pour vous tout ce qu'il est possible de sentir de tendresse. Mais, si vous songez à moi, ma <pauvre bonne>, soyez assurée aussi que je pense continuellement à vous. C'est ce que les dévots appellent une pensée habituelle ; c'est ce qu'il faudrait avoir pour Dieu, si l'on faisait son devoir. Rien ne me donne de distraction. Je suis toujours avec vous. Je vois ce carrosse qui avance toujours et qui n'approchera jamais de moi[1]. Je suis toujours dans les grands chemins. Il me semble que j'ai quelquefois peur qu'il ne verse. Les pluies qu'il fait depuis trois jours me mettent au désespoir. Le Rhône me fait une peur étrange. J'ai une carte devant mes yeux ; je sais tous les lieux où vous couchez. Vous êtes ce soir à Nevers, vous serez dimanche à Lyon, où vous recevrez cette lettre.

Je n'ai pu vous écrire qu'à Moulins par Mme de Guénégaud[2]. Je n'ai reçu que deux de vos lettres ; peut-être que la troisième viendra. C'est la seule consolation que je souhaite ; pour d'autres, je n'en cherche pas. Je suis entièrement incapable de voir beaucoup de monde ensemble ; cela viendra peut-être, mais il n'est pas venu. Les duchesses de Verneuil et d'Arpajon me veulent réjouir ; je les prie de m'excuser encore. Je n'ai jamais vu de si belles âmes qu'il y en a en ce pays-ci. Je fus samedi tout le jour chez Mme de Villars à parler de vous, et à pleurer ;

elle entre bien dans mes sentiments[1]. Hier je fus au sermon de Monsieur d'Agen[2] et au salut et chez Mme de Puisieux, <chez Monsieur d'Uzès> et chez Mme du Puy-du-Fou, qui vous fait mille amitiés[3]. <Si vous aviez un petit manteau fourré, elle aurait l'esprit en repos.> Aujourd'hui je m'en vais souper au faubourg, tête à tête[4]. Voilà les fêtes de mon carnaval. Je fais tous les jours dire une messe pour vous ; c'est une dévotion qui n'est pas chimérique.

Je n'ai vu Adhémar qu'un moment. Je m'en vais lui écrire pour le remercier de son lit ; je lui en suis plus obligée que vous[5]. Si vous voulez me faire un véritable plaisir, ayez soin de votre santé, dormez dans ce joli petit lit, mangez du potage, et servez-vous de tout le courage qui me manque. <Je ferai savoir des nouvelles de votre santé.> Continuez à m'écrire. Tout ce que vous avez laissé d'amitié ici est augmenté. Je ne finirais point à vous faire des compliments et à vous dire l'inquiétude où l'on est de votre santé.

Mlle d'Harcourt fut mariée avant-hier ; il y eut un grand souper maigre à toute la famille. Hier un grand bal et un grand souper au Roi, à la Reine, à toutes les dames parées ; c'était une des plus belles fêtes qu'on puisse voir[6].

Mme d'<Heudicourt> est partie avec un désespoir inconcevable, ayant perdu toutes ses amies, convaincue de tout ce que Mme S <carron> avait toujours défendu, et de toutes les trahisons du monde[7].

Mandez-moi quand vous aurez reçu mes lettres. Je fermerai tantôt celle-ci.

Lundi au soir[8].

Avant que d'aller au faubourg, je fais mon paquet, et l'adresse à Monsieur l'Intendant à Lyon[9]. La distinction de vos lettres m'a charmée. Hélas ! je la méritais bien par la distinction de mon amitié pour vous.

Mme de Fontevrault fut bénite hier ; MM. les prélats furent un peu fâchés de n'y avoir que des tabourets[1].

Voici ce que j'ai su de la fête d'hier[2]. Toutes les cours de l'hôtel de Guise étaient éclairées de deux mille lanternes. La Reine entra d'abord dans l'appartement de <Mme> de Guise, fort éclairé, fort paré ; toutes les dames se mirent à genoux autour de la Reine, sans distinction de tabourets. On soupa dans cet appartement ; il y avait quarante dames à table. Le souper fut magnifique. Le Roi vint, et fort gravement regarda tout sans se mettre à table ; on monta en haut, où tout était préparé pour le bal. Le Roi mena la Reine et honora l'assemblée de trois ou quatre courantes, et puis s'en alla souper au Louvre avec sa compagnie ordinaire. Mademoiselle ne voulut point venir à l'hôtel de Guise. Voilà tout ce que je sais.

Je veux voir le paysan de Sully qui m'apporta hier votre lettre ; je lui donnerai de quoi boire. Je le trouve bien heureux de vous avoir vue. Hélas ! comme un moment me paraîtrait, et que j'ai de regret à tous ceux que j'ai perdus ! Je me fais des *dragons*[3] aussi bien que les autres. D'Irval a ouï parler de *Mélusine*. Il dit que c'est bien employé, qu'il vous avait avertie de toutes les plaisanteries qu'elle avait faites <à votre première couche,> que vous ne daignâtes pas l'écouter, que depuis ce temps-là il n'a point été chez vous. Il y a longtemps que cette créature-là parlait très mal de vous. Mais il fallait que vous en fussiez persuadée par vos yeux[4].

Et notre Coadjuteur, ne voulez-vous pas bien l'embrasser pour l'amour de moi ? N'est-il point encore *Seigneur Corbeau* pour vous ? Je désire avec passion que vous soyez remis comme vous étiez[1]. Hé ! ma pauvre fille ! hé ! mon Dieu ! a-t-on bien du soin de vous ? Il ne faut jamais vous croire sur votre santé. Voyez ce lit que vous ne vouliez point ; tout cela est comme Mme Robinet[2].

Adieu, ma chère enfant, l'unique passion de mon cœur, le plaisir et la douleur de ma vie. Aimez-moi toujours ; c'est la seule chose qui me peut donner de la consolation.

13. À MADAME DE GRIGNAN

À Paris, le <mercredi 11> février 1671.

Je n'en ai reçu que trois, de ces aimables lettres qui me pénètrent le cœur ; il y en a une qui me manque. Sans que je les aime toutes, et que je n'aime point à perdre ce qui me vient de vous, je croirais n'avoir rien perdu. Je trouve qu'on ne peut rien souhaiter qui ne soit dans celles que j'ai reçues. Elles sont premièrement très bien écrites, et de plus si tendres et si naturelles qu'il est impossible de ne les pas croire. La défiance même en serait convaincue. Elles ont ce caractère de vérité que je maintiens toujours, qui se fait voir avec autorité, pendant que le mensonge demeure accablé sous les paroles sans pouvoir persuader ; plus elles s'efforcent de paraître, plus elles sont enveloppées. Les vôtres sont vraies et le paraissent. Vos paroles ne servent tout au plus qu'à vous expliquer et, dans cette noble simplicité, elles ont une force à quoi l'on ne peut résister. Voilà, ma bonne, comme vos lettres m'ont paru.

Mais quel effet elles me font, et quelle sorte de larmes je répands, en me trouvant persuadée de la vérité de toutes les vérités que je souhaite le plus sans exception ! Vous pourrez juger par là de ce que m'ont fait les choses qui m'ont donné autrefois des sentiments contraires. Si mes paroles ont la même puissance que les vôtres, il ne faut pas vous en dire davantage ; je suis assurée que mes vérités ont fait en vous leur effet ordinaire[1].

Mais je ne veux point que vous disiez que j'étais un rideau qui vous cachait. Tant pis si je vous cachais ; vous êtes encore plus aimable quand on a tiré le rideau. Il faut que vous soyez à découvert pour être dans votre perfection ; nous l'avons dit mille fois. Pour moi, il me semble que je suis toute nue, qu'on m'a dépouillée de tout ce qui me rendait aimable. Je n'ose plus voir le monde, et quoi qu'on ait fait pour m'y remettre, j'ai passé tous ces jours-ci comme un loup-garou, ne pouvant faire autrement. Peu de gens sont dignes de comprendre ce que je sens. J'ai cherché ceux qui sont de ce petit nombre, et j'ai évité les autres[2]. J'ai vu Guitaut et sa femme[3] ; ils vous aiment. Mandez-moi un petit mot pour <eux. Deux ou trois Grignan[4]> me vinrent voir hier matin. J'ai remercié mille fois Adhémar de vous avoir prêté son lit. Nous ne voulûmes point examiner s'il n'eût pas été meilleur pour lui de troubler votre repos que d'en être cause ; nous n'eûmes pas la force de pousser cette folie, et nous fûmes ravis de ce que le lit était bon[5].

Il nous semble que vous êtes à Moulins aujourd'hui ; vous y recevrez une de mes lettres. Je ne vous ai point écrit à Briare. C'était ce cruel mercredi qu'il fallait écrire ; c'était le propre jour de votre départ. J'étais si affligée et si accablée que j'étais même incapable de chercher de la consolation en vous écrivant. Voici donc ma troisième, et ma seconde à Lyon[1] ; ayez soin de me mander si vous les avez reçues. Quand on est fort éloignés, on ne se moque plus des lettres qui commencent par *J'ai reçu la vôtre, etc.*[2]. La pensée que vous aviez de vous éloigner toujours, et de voir que ce carrosse allait toujours en delà, est une de celles qui me tourmentent le plus. Vous allez toujours, et comme vous dites, vous vous trouverez à deux cents lieues de moi. Alors, ne pouvant plus souffrir les injustices sans en faire à mon tour, je me mettrai à m'éloigner aussi de mon côté, et j'en ferai tant que je me trouverai à trois cents. Ce sera une belle distance, et ce sera une chose digne de mon amitié que d'entreprendre de traverser la France pour vous aller voir[3].

Je suis touchée du retour de vos cœurs entre le Coadjuteur et vous. Vous savez combien j'ai toujours trouvé que cela était nécessaire au bonheur de votre vie. Conservez bien ce trésor, ma pauvre bonne. Vous êtes vous-même charmée de sa bonté ; faites-lui voir que vous n'êtes pas ingrate[4].

Je finirai tantôt ma lettre. Peut-être qu'à Lyon vous serez si étourdie de tous les honneurs qu'on vous y fera que vous n'aurez pas le temps de lire tout ceci. Ayez au moins celui de me mander toujours de vos nouvelles, et comme vous vous portez, et votre aimable visage que j'aime tant, et si vous vous mettez sur ce diable de Rhône. Vous aurez à Lyon Monsieur de Marseille[5].

Mercredi au soir.

Je viens de recevoir tout présentement votre lettre de Nogent. Elle m'a été donnée par un fort honnête homme, que j'ai questionné tant que j'ai pu. Mais votre lettre vaut mieux que tout ce qui se peut dire. Il était bien juste, ma bonne, que ce fût vous la première qui me fissiez rire, après m'avoir tant fait pleurer. Ce que vous mandez de M. Busche est original ; cela s'appelle des traits dans le style de l'éloquence. J'en ai donc ri, je vous l'avoue, et j'en serais honteuse, si depuis huit jours j'avais fait autre chose que pleurer. Hélas ! je le rencontrai dans la rue, ce M. Busche, qui amenait vos chevaux. Je l'arrêtai, et tout en pleurs je lui demandai son nom ; il me le dit. Je lui dis en sanglotant : « Monsieur Busche, je vous recommande ma fille, ne la versez point ; et quand vous l'aurez menée heureusement à Lyon, venez me voir et me dire de ses nouvelles. Je vous donnerai de quoi boire. » Je le ferai assurément, et ce que vous m'en mandez augmente beaucoup le respect que j'avais déjà pour lui. Mais vous ne vous portez point bien, vous n'avez point dormi ? Le chocolat vous remettra. Mais vous n'avez point de chocolatière ; j'y ai pensé mille fois. Comment ferez-vous[1] ?

Hélas ! ma bonne, vous ne vous trompez pas, quand vous pensez que je suis occupée de vous encore plus que vous ne l'êtes de moi, quoique vous me le paraissiez beaucoup. Si vous me voyiez, vous me verriez chercher ceux qui m'en veulent parler ; si vous m'écoutiez, vous entendriez bien que j'en parle. C'est assez vous dire que j'ai fait une visite d'une heure <à l'abbé Guéton[2],> pour parler seulement des chemins et de la route de Lyon. Je n'ai encore vu aucun de ceux qui veulent, disent-ils, me divertir, parce qu'en paroles couvertes, c'est vouloir m'empêcher de penser à vous, et cela m'offense. Adieu, ma très aimable bonne, continuez à m'écrire et à m'aimer ; pour moi, mon ange, je suis tout entière à vous.

Ma petite Deville, ma pauvre Golier, bonjour[1]. J'ai un soin extrême de votre enfant. Je n'ai point de lettres de M. de Grignan ; je ne laisse pas de lui écrire.

14. À MADAME DE GRIGNAN

À Paris, jeudi 12 février [1671].

Ceci est un peu de provision, car je ne vous écrirai que demain. Mais je veux vous écrire présentement ce que je viens d'apprendre[2].

Le président Amelot, après avoir fait hier mille visites, se trouva un peu embarrassé sur le soir, et tomba dans une apoplexie épouvantable, dont il est mort ce matin à huit heures. Je vous conseille d'écrire à sa femme ; c'est une affliction extrême dans toute la famille[3].

La duchesse de La Vallière manda au Roi, par le maréchal de Bellefonds, outre cette lettre que l'on n'a point vue, qu'elle aurait plus tôt quitté la cour, après avoir perdu l'honneur de ses bonnes grâces, si elle avait pu obtenir d'elle de ne le plus voir ; que cette faiblesse avait été si forte en elle qu'à peine était-elle capable présentement d'en faire un sacrifice à Dieu ; qu'elle voulait pourtant que le reste de la passion qu'elle a eue pour lui servît à sa pénitence, et qu'après lui avoir donné toute sa jeunesse, ce n'était pas trop encore du reste de sa vie pour le soin de son salut. Le Roi pleura fort, et envoya M. Colbert à Chaillot la prier instamment de venir à Versailles, et qu'il pût lui parler encore. M. Colbert l'y a conduite. Le Roi a causé une heure avec elle et a fort pleuré, et Mme de Montespan fut au-devant d'elle, les bras ouverts et les larmes aux yeux. Tout cela ne se comprend point. Les uns disent qu'elle demeurera à Versailles, et à la cour ; les autres qu'elle reviendra à Chaillot. Nous verrons[1].

Vendredi 13 février, chez M. de Coulanges.

M. de Coulanges veut que je vous écrive encore à Lyon. Je vous conjure, ma chère enfant, si vous vous embarquez, de descendre au Pont[2]. Ayez pitié de moi ; conservez-vous, si vous voulez que je vive. Vous m'avez si bien persuadée que vous m'aimez qu'il me semble que dans la vue de me plaire, vous ne vous hasarderez point. Mandez-moi bien comme vous conduirez votre barque. Hélas ! qu'elle m'est chère et précieuse cette petite barque que le Rhône m'emporte si cruellement !

J'ai ouï dire ici qu'il y avait eu un Dimanche gras, mais ce n'est que par ouï-dire, et je ne l'ai point vu. J'ai été farouche au point de ne pouvoir pas souffrir quatre personnes ensemble. J'étais au coin du feu de Mme de La Fayette[3]. L'affaire de *Mélusine* est entre les mains de Langlade[4], après avoir passé par celles de M. de La Rochefoucauld et de d'Hacqueville. Je vous assure qu'elle est bien confondue et bien méprisée par ceux qui ont l'honneur de la connaître. Je n'ai pas encore vu Mme d'Arpajon : elle a une mine satisfaite qui m'importune. Le bal du Mardi gras pensa être renvoyé ; jamais il ne fut une telle tristesse[5]. Je crois que c'était votre absence qui en était la cause. Bon Dieu, que de compliments j'ai à vous faire ! que d'amitiés ! que de soins de savoir de vos nouvelles ! que de louanges l'on vous donne ! Je n'aurais jamais fait si je voulais nommer tous ceux et celles dont vous êtes aimée, estimée, adorée. Mais quand vous aurez mis tout cela ensemble, soyez assurée, ma fille, que ce n'est rien en comparaison de ce que j'ai pour vous. Je ne vous quitte pas un moment. Je pense à vous sans relâche, et de quelle façon !

J'ai embrassé votre fille, et elle m'a baisée, et très bien baisée de votre part. Savez-vous bien que je l'aime cette petite, quand je songe de qui elle vient ?

15. À BUSSY-RABUTIN

À Paris, ce [lundi] 16e février 1671.

Mon Dieu, mon cousin, que votre lettre est raisonnable, et que je suis impertinente de vous attaquer toujours ! Vous me faites voir si clairement que j'ai tort que je n'ai pas le mot à dire, mais je suis tellement résolue de m'en corriger que, quand vos lettres désormais devraient être aussi froides qu'elles sont vives, il est certain que je ne vous donnerai jamais sujet de m'écrire sur ce ton-là. Au milieu de mon repentir, à l'heure que je vous parle, il vient encore des aigreurs au bout de ma plume ; ce sont des tentations du diable que je renvoie d'où elles viennent. Le départ de ma fille m'a causé des vapeurs noires ; je prendrai mieux mon temps quand je vous écrirai une autre fois, et de bonne foi je ne vous fâcherai de ma vie.

Encore une fois, j'aime fort que vous vous amusiez à notre belle et ancienne chevalerie ; cela me fait un plaisir extrême. <L'Abbé vous prie de lui faire part de votre dessein. Il a fait une litanie des S[évigné] ; il veut travailler à nos Rabutin. Écrivez-lui quelque chose qui puisse embellir son histoire.> Je ne trouve rien de si proche que d'être d'une même maison ; il ne faut pas s'étonner si l'on s'y intéresse, cela tient dans la moelle des os, au moins à moi. <C'est fort bien fait à vous d'avoir tous nos titres ; je suis hors de la famille, et c'est vous qui devez tout soutenir.>

Adieu, mon cher cousin ; écrivons-nous un peu sans nous gronder, pour voir comment nous nous en trouverons. Si cela nous ennuie, nous serons toujours sur nos pieds pour nous faire quelque petite querelle d'Allemand[1], sur d'autres sujets, cela s'entend. Ce qui me plaît de tout ceci, c'est que nous éprouvons la bonté de nos cœurs, qui est inépuisable.

16. À MADAME DE GRIGNAN

À Paris, ce <mercredi> 18 février 1671.

Je vous conjure, ma chère bonne, de conserver vos yeux ; pour les miens, vous savez qu'ils doivent finir à votre service. Vous comprenez bien, ma belle, que de la manière dont vous m'écrivez, il faut bien que je pleure en lisant vos lettres[2]. Pour comprendre quelque chose de l'état où je suis pour vous, joignez, ma bonne, à la tendresse et à l'inclination naturelle que j'ai pour votre personne, la petite circonstance d'être persuadée que vous m'aimez, et jugez de l'excès de mes sentiments. Méchante ! pourquoi me cachez-vous quelquefois de si précieux trésors ? Vous avez peur que je ne meure de joie ? mais ne craignez-vous point aussi que je meure du déplaisir de croire voir le contraire ? Je prends d'Hacqueville à témoin de l'état où il m'a vue autrefois. Mais quittons ces tristes souvenirs, et laissez-moi jouir d'un bien sans lequel la vie m'est dure et fâcheuse ; ce ne sont point des paroles, ce sont des vérités. Mme de Guénégaud m'a mandé de quelle manière elle vous a vue pour moi. Je vous conjure, ma bonne, d'en conserver le fond, mais plus de larmes, je vous en conjure ; elles ne vous sont pas si saines qu'à moi. Je suis présentement assez raisonnable. Je me soutiens au besoin et, quelquefois, je suis quatre ou cinq heures tout comme un autre, mais peu de chose me remet à mon premier état. Un souvenir, un lieu, une parole, une pensée un peu trop arrêtée, vos lettres surtout, les miennes même en les écrivant, quelqu'un qui me parle de vous, voilà des écueils à ma constance, et ces écueils se rencontrent souvent.

J'ai vu Raymond chez la comtesse du Lude[1]. Elle me chanta un nouveau récit du ballet ; il est admirable. Mais si vous voulez qu'on le chante, chantez-<le[2].> Je vois Mme de Villars ; je m'y plais parce qu'elle entre dans mes sentiments ; elle vous dit mille amitiés. Mme de La Fayette comprend aussi fort bien les tendresses que j'ai pour vous ; elle est touchée de l'amitié que vous me témoignez. Je suis assez souvent dans ma famille, quelquefois ici le soir par lassitude, mais rarement.

J'ai vu cette pauvre Mme Amelot. Elle pleure bien ; je m'y connais. Faites quelque mention de certaines gens dans vos lettres, afin que je leur puisse dire. J'ai vu une unique fois les Verneuil et les Arpajon. Je vais aux sermons des Mascaron et des Bourdaloue ; ils se surpassent à l'envi[3].

Voilà bien de mes nouvelles ; j'ai fort envie de savoir des vôtres, et comme vous vous serez trouvée à Lyon, si vous y avez été belle, et quelle route vous aurez prise, si vous y aurez dit l'oraison pour Monsieur le Marquis[4], et si elle aura été heureuse pour votre embarquement. Pour vous dire le vrai, je ne pense à nulle autre chose. Je sais votre route, et où vous avez couché tous les jours. Vous étiez dimanche à Lyon ; vous auriez bien fait de vous y reposer quelques jours.

Vous m'avez donné envie de m'enquérir de la mascarade du Mardi gras. J'ai su qu'un grand homme, plus grand de trois doigts qu'un autre, avait fait faire un habit admirable ; il ne voulait point le mettre, et il se trouva hasardeusement qu'une dame qu'il ne connaît point du tout, à qui il n'a jamais parlé, n'était point à l'assemblée[1]. Du reste, il faut que je dise comme Voiture : *personne n'est encore mort de votre absence, hormis moi*[2]. Ce n'est pas que le carnaval n'ait été d'une tristesse excessive, vous pouvez vous en faire honneur ; pour moi, j'ai cru que c'était à cause de vous, mais ce n'est point assez pour une absence comme la vôtre.

J'envoie pour cette fois cette lettre en Provence. J'embrasse M. de Grignan, et je meurs d'envie de savoir de vos nouvelles. Dès que j'ai reçu une lettre, j'en voudrais tout à l'heure une autre ; je ne respire que d'en recevoir.

Vous me dites des merveilles du tombeau de M. de Montmorency et de la beauté de Mlles de Valençay[3]. Vous écrivez extrêmement bien ; personne n'écrit mieux. Ne quittez jamais le naturel : votre tour s'y est formé, et cela compose un style parfait. J'ai fait vos compliments à M. de La Rochefoucauld et à Mme de La Fayette et à Langlade ; tout cela vous estime, vous aime et vous sert en toutes occasions. Pour d'Hacqueville, nous ne parlons que de vous.

J'ai ri de votre folie sur la confiance[4] ; je la comprends bien. Mais quel hasard, et que cela est malheureux, qu'il se soit trouvé que tout ce que vous avez voulu savoir du Coadjuteur, et lui de vous, ait été précisément des choses dont vous n'étiez point les maîtres ! Vos chansons m'ont paru jolies ; j'en ai reconnu les styles.

Ah ! ma bonne, que je voudrais bien vous voir un peu, vous entendre, vous embrasser, vous voir passer, si c'est trop que le reste ! Eh bien, par exemple, voilà de ces pensées à quoi je ne résiste pas. Je sens qu'il m'ennuie de ne vous plus avoir ; cette séparation me fait une douleur au cœur et à l'âme, que je sens comme un mal du corps. Je ne puis assez vous remercier de toutes les lettres que vous m'avez écrites sur le chemin. Ces soins sont trop aimables, et font bien leur effet aussi ; rien n'est perdu avec moi. Vous m'avez écrit partout. J'ai admiré votre bonté. Cela ne se fait point sans beaucoup d'amitié ; sans cela on serait plus aise de se reposer et de se coucher. Ce m'a été une consolation grande. L'impatience que j'ai d'en avoir encore, et de Roanne et de Lyon et de votre embarquement, n'est pas médiocre ; et si vous avez descendu au Pont, et de votre arrivée à Arles, et comme vous avez trouvé ce furieux Rhône en comparaison de notre pauvre Loire, à qui vous avez tant fait de civilités. Que vous êtes honnête de vous en être souvenue comme <d'> une de vos anciennes amies[1] ! Hélas ! de quoi ne me souviens-je point ? Les moindres choses me sont chères ; j'ai mille *dragons*. Quelle différence ! Je ne revenais jamais ici sans impatience et sans plaisir ; présentement j'ai beau chercher, je ne vous trouve plus. Mais comment peut-on vivre quand on sait que, quoi qu'on fasse, on ne retrouvera plus une si chère enfant ? Je vous ferai bien voir si je la souhaite par le chemin que je ferai pour la retrouver. J'ai reçu une lettre de M. de Grignan. Il n'y en a point pour vous. Il me mande qu'il reviendra cet hiver ; vous quittera-t-il, ou le suivrez-vous ? Mais dans cette incertitude louerai-je votre appartement[2] ? On est tous les jours sur le point d'en conclure le marché. Faites-moi réponse.

Monsieur le Dauphin était malade ; il se porte mieux. On sera à Versailles jusqu'à lundi. Mme de La Vallière est toute rétablie à la cour. Le Roi la reçut avec des larmes de joie, et Mme de Montespan ; elle a eu plusieurs conversations tendres. Tout cela est difficile à comprendre, il faut se taire. Les nouvelles de cette année ne tiennent pas d'un ordinaire à l'autre.

Mme de Verneuil, Mme d'Arpajon, Mmes de Villars, de Saint-Géran, M. de Guitaut, sa femme, la Comtesse[1], M. de La Rochefoucauld, M. de Langlade, Mme de La Fayette, ma tante, ma cousine, mes oncles, mes cousins, mes cousines[2], Mme de Vauvineux[3], tout cela vous baise les mains mille et mille fois.

Je vois tous les jours votre fille, ce qui s'appelle à l'âtre[4]. Je veux qu'elle soit droite ; voilà mon soin. Cela serait plaisant d'être votre fille et de M. de Grignan, et qu'elle ne fût pas bien faite. Je suis habile ; j'ai même des précautions inutiles.

Je vis hier Mme du Puy-du-Fou, qui vous salue. J'ai vu aussi Mme de Janson et une Mme Le Blanc[5]. Ce qui a rapport à vous de cent lieues loin m'est plus agréable qu'autre chose. Mon Dieu ! le Rhône ! vous y êtes présentement. Je ne pense à autre chose ! J'embrasse vos pauvres filles[6].

17. À MADAME DE GRIGNAN

[À Paris,] vendredi 20e février <1671>.

Je vous avoue que j'ai une extraordinaire envie de savoir de vos nouvelles. Songez, ma chère bonne, que je n'en ai point eu depuis La Palisse. Je ne sais rien du reste de votre voyage jusqu'à Lyon, ni de votre route jusqu'en Provence. Je me dévore, en un mot ; j'ai une impatience qui trouble mon repos. Je suis bien assurée qu'il me viendra des lettres (je ne doute point que vous ne m'ayez écrit), mais je les attends, et je ne les ai pas. Il faut se consoler, et s'amuser en vous écrivant.

Vous saurez, ma petite, qu'avant-hier, mercredi, après être revenue de chez M. de Coulanges, où nous faisons nos paquets les jours d'ordinaire, je revins me coucher ; cela n'est pas extraordinaire. Mais ce qui l'est beaucoup, c'est qu'à trois heures après minuit, j'entendis crier au voleur, au feu, et ces cris si près de moi et si redoublés que je ne doutai point que ce ne fût ici. Je crus même entendre qu'on parlait de ma petite-fille ; je ne doutai pas qu'elle ne fût brûlée. Je me levai dans cette crainte, sans lumière, avec un tremblement qui m'empêchait quasi de me soutenir. Je courus à son appartement, qui est le vôtre ; je trouvai tout dans une grande tranquillité. Mais je vis la maison de Guitaut toute en feu ; les flammes passaient par-dessus la maison de Mme de Vauvineux[1]. On voyait dans nos cours, et surtout chez M. de Guitaut, une clarté qui faisait horreur. C'étaient des cris, c'était une confusion, c'étaient des bruits épouvantables, des poutres et des solives qui tombaient. Je fis ouvrir ma porte ; j'envoyai mes gens au secours. M. de Guitaut m'envoya une cassette de ce qu'il a de plus précieux. Je la mis dans mon cabinet[2], et puis je voulus aller dans la rue pour bayer comme les autres. J'y trouvai M. et Mme de Guitaut quasi nus, Mme de Vauvineux, l'ambassadeur de Venise, tous ses gens, la petite de Vauvineux[3] qu'on portait tout endormie chez l'Ambassadeur, plusieurs meubles et vaisselles d'argent qu'on sauvait chez lui. Mme de Vauvineux faisait démeubler. Pour moi, j'étais comme dans une île[1], mais j'avais grand-pitié de mes pauvres voisins. Mme Guéton et son frère donnaient de très bons conseils. Nous étions tous dans la consternation ; le feu était si allumé qu'on n'osait en approcher, et l'on n'espérait la fin de cet embrasement qu'avec la fin de la maison de ce pauvre Guitaut. Il faisait pitié. Il voulait aller sauver sa mère, qui brûlait au troisième étage ; sa femme s'attachait à lui, qui le retenait avec violence. Il était entre la douleur de ne pas secourir sa mère et la crainte de blesser sa femme, grosse de cinq mois. Il faisait pitié. Enfin, il me pria de tenir sa femme ; je le fis. Il trouva que sa mère avait passé au travers de la flamme et qu'elle était sauvée. Il voulut aller retirer quelques papiers ; il ne put approcher du lieu où ils étaient. Enfin il revint à nous dans cette rue, où j'avais fait asseoir sa femme.

Des capucins, pleins de charité et d'adresse, travaillèrent si bien, qu'ils coupèrent le feu[2]. On jeta de l'eau sur les restes de l'embrasement, et enfin

Le combat finit faute de combattants[3] ;

c'est-à-dire après que le premier et second étage de l'antichambre et de la petite chambre et du cabinet, qui sont à main droite du salon, eurent été entièrement consommés. On appela bonheur ce qui restait de la maison, quoiqu'il y ait pour le pauvre Guitaut pour plus de dix mille écus de perte, car on compte de faire rebâtir cet appartement, qui était peint et doré. Il y avait aussi plusieurs beaux tableaux à M. Le Blanc, à qui est la maison ; il y avait aussi plusieurs tables, et miroirs, miniatures, meubles, tapisseries[4]. Ils ont grand regret à des lettres ; je me suis imaginée que c'étaient des lettres de Monsieur le Prince[1]. Cependant, vers les cinq heures du matin, il fallut songer à Mme de Guitaut. Je lui offris mon lit, mais Mme Guéton[2] la mit dans le sien, parce qu'elle a plusieurs chambres meublées. Nous la fîmes saigner. Nous envoyâmes quérir Boucher ; il craint bien que cette grande émotion ne la fasse accoucher devant les neuf jours (c'est grand hasard s'il ne vient[3]). Elle est donc chez cette pauvre Mme Guéton ; tout le monde les vient voir, et moi je continue mes soins, parce que j'ai trop bien commencé pour ne pas achever.

Vous m'allez demander comment le feu s'était mis à cette maison ; on n'en sait rien. Il n'y en avait point dans l'appartement où il a pris. Mais si on avait pu rire dans une si triste occasion, quels portraits n'aurait-on point faits de l'état où nous étions tous ? Guitaut était nu en chemise, avec des chausses. Mme de Guitaut était nu-jambes, et avait perdu une de ses mules de chambre. Mme de Vauvineux était en petite jupe, sans robe de chambre. Tous les valets, tous les voisins, en bonnets de nuit. L'Ambassadeur était en robe de chambre et en perruque, et conserva fort bien la gravité de la Sérénissime. Mais son secrétaire était admirable. Vous parlez de la poitrine d'Hercule ! vraiment, celle-ci était bien autre chose. On la voyait tout entière ; elle est blanche, grasse, potelée, et surtout sans aucune chemise, car le cordon qui la devait attacher avait été perdu à la bataille. Voilà les tristes nouvelles de notre quartier. Je prie M. Deville de faire tous les soirs une ronde pour voir si le feu est éteint partout ; on ne saurait avoir trop de précaution pour éviter ce malheur. Je souhaite, ma bonne, que l'eau vous ait été favorable. En un mot, je vous souhaite tous les biens et prie Dieu qu'il vous garantisse de tous les maux.

M. de Ventadour devait être marié jeudi, c'est-à-dire hier ; il a la fièvre. La maréchale de La Mothe a perdu pour cinq cents écus de poisson[1].

Mérinville se marie avec la fille de feu Launay Gravé et de Mme de Piennes[2]. Elle a deux cent mille francs ; Monsieur d'Albi nous assurait qu'il en méritait cinq cent mille, mais il est vrai qu'il aura la protection de M. et Mme de Piennes, qui assurément ne se brouilleront point à la cour.

J'ai vu tantôt Monsieur d'Uzès chez Mme de Lavardin ; nous avons parlé sans cesse de vous. Il m'a dit que votre affaire aux États[3] serait sans difficulté ; si cela est, Monsieur de Marseille ne la gâtera pas. Il faut en venir à bout, ma petite. Faites-y vos derniers efforts ; ménagez Monsieur de Marseille, que le Coadjuteur fasse bien son personnage, et me mandez comme tout cela se passera. J'y prends un intérêt que vous imaginez fort aisément.

Tantôt, à table chez Monsieur du Mans, Courcelles[4] a dit qu'il avait eu deux bosses à la tête, qui l'empêchaient de mettre une perruque. Cette sottise nous a tous fait sortir de table, avant qu'on eût achevé de manger du fruit, de peur d'éclater à son nez. Un peu après, d'Olonne est arrivé[5]. M. de La Rochefoucauld m'a dit : « Madame, ils ne peuvent pas tenir tous deux dans cette chambre », et en effet, Courcelles est sorti.

Au reste, cette vision qu'on avait voulu donner au Coadjuteur, qu'il y aurait un diamant pour celui qui ferait les noces de sa cousine, était une vision fort creuse ; il n'a pas eu davantage que celui qui a fait les fiançailles. J'en ai été fort aise[6]. D'Hacqueville avait oublié de mettre ceci dans sa lettre.

Je ne puis pas suffire à tous ceux qui vous font des baisemains. Cela est immense, c'est Paris, c'est la cour, c'est l'univers. Mais La Troche veut être distinguée, et Lavardin.

Voilà bien des *lanternes*[1], ma pauvre bonne. Mais toujours vous dire que je vous aime, que je ne songe qu'à vous, que je ne suis occupée que de ce qui vous touche, que vous êtes le charme de ma vie, que jamais personne n'a été aimée si chèrement que vous, cette répétition vous ennuierait. J'embrasse mon cher Grignan et mon Coadjuteur.

Je n'ai point encore reçu mes lettres. M. de Coulanges a les siennes et je sais, ma bonne, que vous êtes arrivée à Lyon en bonne santé et plus belle qu'un ange, à ce que dit M. du Gué[2].

18. DE BUSSY-RABUTIN

À Chaseu, ce [lundi] 23e février 1671.

Si votre lettre du mois de janvier me donna du chagrin contre vous, ma chère cousine, celle que je viens de recevoir m'a donné bien de l'estime et de l'amitié pour vous. Je n'ai jamais vu un retour si sincère et si honnête que le vôtre, ni qui marquât un cœur si bien fait. Je ne doute pas, après cela, que vous n'ayez plus d'égards pour moi que vous n'en avez eu, et vous savez bien que, depuis ma faute contre vous et votre amnistie, on ne peut être plus net que je l'ai été. Au reste, ma chère cousine, ne croyez pas que mes lettres soient moins vives quand vous ne seriez pas aigre ; je ne laisse pas d'être animé avec ceux dont je suis content. Mais si enfin vous me trouviez un peu fade, nous trouverons assez de gens qui méritent des coups de patte sans nous en donner l'un à l'autre.

<Je suis fort aise que vous appreniez mon amusement. Si vous l'aviez vu tel qu'il est, vous l'approuveriez encore plus, et, pour vous montrer la confiance que j'ai en vous, je m'en vais vous dire ce que c'est, ce que je n'ai dit qu'à une seule personne[1].> Pendant que j'étais dans la Bastille, je me mis dans la tête d'écrire mes campagnes ; il y a trois ans que je trouvai ce travail assez beau pour <m'obliger à> l'étendre davantage et faire ce qu'on appelle des *Mémoires*. Le Roi sait ceci, et, <comme vous pouvez croire, le verra quand je serai à la cour ; et c'est pourquoi, ma chère cousine, je vous demande le secret.> Peut-être que les actions de guerre, qui sont diversifiées d'autres événements, et tout cela conté avec des tours assez singuliers, divertira ce grand prince ; tant y a qu'en l'amusant je lui apprendrai, à n'en pouvoir douter, ce que j'ai fait pour son service, et c'est là mon principal dessein[2].

<Comme il y a un an que cela est achevé, il m'a pris fantaisie d'écrire la vie de mon père, dont j'ai vu la fin et dont j'ai appris le commencement par ses papiers. J'en suis venu à bout, et de celle de mon grand-père, de sorte que je remonte présentement jusqu'à mon aïeul, c'est-à-dire par la droite ligne, car pour les collatéraux, je ne les nommerai qu'en passant. Ce sera donc une *Histoire généalogique* de notre maison, qui sera aussi exacte, moins flatteuse et plus agréablement écrite que si les gens du métier l'avaient faite. Dites ce que vous jugerez à propos à M. l'abbé [de Coulanges], vous le connaissez mieux que moi. Cependant comme il me paraît un homme sage, je pense que vous lui pouvez confier ce secret, et pour moi j'en serai bien aise, quand ce ne serait que pour lui témoigner ma reconnaissance sur le dessein qu'il a de travailler à nos Rabutin. Adieu.>

19. À MADAME DE GRIGNAN

[À Paris,] mercredi 25 février [1671].

Je n'ai point encore reçu une lettre que je suis persuadée que vous m'avez écrite de Lyon avant que de partir ; je croirai difficilement qu'ayant pu m'écrire, et ayant écrit à M. de Coulanges, vous m'ayez oubliée. Je fais un grand bruit pour retrouver ce paquet. J'ai reçu la première lettre que vous m'écrivîtes le lendemain que vous y fûtes arrivée. Je ne suis pas encore à l'épreuve de tout ce que vous me mandez. J'ai transi de vous voir passer de nuit cette montagne que l'on ne passe jamais qu'entre deux soleils, et en litière[1]. Je ne m'étonne pas, ma chère fille, si vos parties nobles ont été si culbutées. M. de Coulanges avait mandé au secrétaire de M. du Gué qu'on vous envoyât une litière à Roanne ; si vous aviez écrit un mot du jour que vous croyiez arriver, vous l'auriez trouvée infailliblement. Jamais personne comme vous ne s'est conduite comme vous avez fait, et jamais aussi on n'a laissé mourir de faim une pauvre femme. La prévoyance de la fourmi nous apprend qu'il faut faire des provisions où l'on en trouve, pour quand on n'en trouve point. Ma chère enfant, comme vous avez été traitée ! Si j'avais été là, il n'en eût pas été de même, et je n'aurais pas pris votre courage pour de la force, comme on a fait. L'aventure de Mme Robinet m'aurait bien appris à ne vous pas consulter sur ce qui regarde votre personne. En un mot, vos fatigues ont été grandes. Il n'en est plus question présentement, mais tout ce qui vous touche ne me passe pas légèrement dans l'esprit.

J'écris au Coadjuteur sur sa bonne tête ; qu'il vous montre ma lettre. En voilà une de Guitaut qui vous réjouira. J'ai fait vos compliments à Mmes de Villars et de Saint-Géran. La première vous aime tendrement ; elle vous écrira. Faites mention, dans vos lettres, de ma tante, de La Troche, et de la *Vauvinette* et de la d'Escars ; tout cela ne parle que de vous. Mme du Gué[1] a mandé à M. de Coulanges que vous êtes belle comme un ange ; elle est charmée de vous et contente de vos politesses. Elle mande qu'elle vous a mise dans votre bateau par un temps et par un calme admirables. Tout cela me donne de l'espérance, mais je ne serai point contente que je ne sache que vous êtes arrivée à Arles. J'espère que Rippert[2] vous aura fait descendre aux endroits périlleux. Pour *Seigneur Corbeau*, je ne m'y fie plus. Je n'ai point sur mon cœur de m'être divertie, ni même de m'être distraite pendant votre voyage. Je vous ai suivie pas à pas, et quand vous avez été mal, je n'ai point été en repos. Je vous suis aussi fidèle sur l'eau que sur la terre. Nous avons compté vos journées ; il nous semble que vous arrivâtes dimanche à Arles. M. de La Rochefoucauld dit que je contente son idée sur l'amitié, avec toutes ses circonstances et dépendances. Il a eu encore des conversations avec *Mélusine*, qui sont incomparables ; on ne peut les écrire, mais en gros elles sont comme vous les souhaitez. Votre enfant embellit tous les jours ; elle rit, elle connaît. J'en prends beaucoup de soin. Pecquet[3] vient voir la nourrice très souvent. Je ne suis point si sotte sur cela que vous pensez. Je fais comme vous ; quand je ne me fie à personne, je fais des merveilles. Votre frère revint avant-hier. Je ne l'ai quasi pas vu ; il est à Saint-Germain. Ses yeux se portent bien ; il nous faisait peur de sa santé, parce qu'il s'ennuyait à Nancy depuis le départ de Mme Madruche[1].

Je reçois donc votre lettre du mercredi, que vous m'écrivîtes de Lyon un peu à la hâte. Mais cela fait plaisir. Il en coûte des renouvellements de tendresse dont on est fort aise ; je ne comprends point ceux qui veulent les éviter. Vous allez vous embarquer, ma chère fille. Je recevrai de vos lettres de tous les endroits d'où vous pourrez m'écrire, j'en suis persuadée. Mon Dieu, que j'ai envie de savoir de vos nouvelles, et que vous m'êtes chère ! Il me semble que je fais tort à mes sentiments, de vouloir les expliquer avec des paroles ; il faudrait voir ce qui se passe dans mon cœur sur votre sujet.

Le comte de Saint-Paul est présentement M. de Longueville. Son frère[2] lui fit la donation de tout son bien lundi au soir. C'est environ trois cent mille livres de rente, tous ses meubles, toutes ses pierreries, l'hôtel de Longueville ; en un mot, c'est le plus grand parti de France. Si Mme de Marans le peut épouser, elle fera une très bonne affaire[3].

J'embrasse de tout mon cœur M. de Grignan. Je ne fais point de réponse à sa dernière lettre ; a-t-il besoin de quelque chose, puisque vous êtes avec lui ? Je vous aime, mon enfant, et vous embrasse avec la dernière tendresse. M. Vallot est mort ce matin[4].

20. À MADAME DE GRIGNAN

À Paris, ce <vendredi> 27 février 1671.

Rien ne dure cette année, pas même la mort de M. Vallot. Il se porte bien, et au lieu d'être mort, comme on me l'avait dit, il a pris une pilule qui l'a ressuscité. Il a dit au Roi que le plus habile homme qu'il connût pour la médecine, c'était M. Duchesne du Mans[1].

Mme Mazarin partit il y a deux jours pour Rome ; M. de Nevers n'ira que cet été avec sa femme. M. Mazarin[2] se plaignit au Roi de ce qu'on envoyait sa femme à Rome sans son consentement ; que c'était une chose inouïe qu'on ôtât ainsi une femme de la domination de son mari, et qu'on lui fît donner vingt-quatre mille francs de pension par an, et douze mille francs présentement, pour un voyage qu'il n'approuvait pas et qui le déshonorait. Sa Majesté l'écouta, mais tout étant réglé et le voyage résolu, il n'en fut autre chose. Sur tout ce qu'on disait ici à Mme Mazarin pour l'obliger de se remettre avec son mari, elle répondait toujours en riant, comme pendant la guerre civile : « Point de Mazarin, point de Mazarin. »

Pour Mme de La Vallière, nous sommes au désespoir de ne pouvoir vous la remener à Chaillot ; car elle est à la cour beaucoup mieux qu'elle n'a été depuis longtemps ; il faut vous résoudre de l'y laisser.

On appelle à présent le duc de Longueville l'abbé d'Orléans, et le comte de Saint-Paul, duc de Longueville.

M. de Ventadour a la fièvre double-tierce, de sorte que le mariage est retardé. On dit mille belles choses là-dessus. Cette petite d'Houdancourt est bien jolie. L'abbé de La Victoire[3] lui disait l'autre jour : « Mademoiselle, il n'y a pas d'apparence que vous refusiez à d'autres ce que vous accorderez à M. de Ventadour. » Et Benserade[4] disait : « Je voudrais bien voir qu'une mère, une tante, une amie s'avisât de gronder une femme comme celle-là parce qu'elle haïrait son mari et qu'elle aurait un galant ; ma foi elles auraient bonne grâce. »

M. de Duras[1] a cette année, pendant le voyage de Flandres, le même commandement général qu'avait M. de Lauzun l'année passée, et d'autant plus beau qu'il y aura une fois plus de troupes.

Le Roi a donné à Mlle de La Mothe[2], fille de la Reine, deux cent mille francs ; avec cela elle pourra trouver un bon parti.

Le Roi a voulu faire M. de Lauzun maréchal de France ; il n'a pas voulu l'accepter, disant qu'il ne le méritait pas, et que s'il avait assez servi, ce serait un honneur qu'il tiendrait fort cher, mais qu'il ne voulait l'avoir que par le bon chemin.

M. d'Hacqueville, par ses soins, a fait avoir à M. le cardinal de Retz six mille livres de rente sur le même fonds qu'on a donné au cardinal de Bouillon[3], hormis qu'il n'en a pas l'obligation à Messieurs du clergé.

À Paris, vendredi <au soir,> 27 février.

Le Rhône, ma chère fille, me tient fort au cœur. Je crois que vous êtes arrivée heureusement, mais j'aimerais bien à le savoir par vous. J'attends cette nouvelle avec une impatience digne de tout le reste. Il nous semble que vous arrivâtes samedi à Arles ; il nous semble que M. de Grignan est venu au-devant de vous au Saint-Esprit ; il nous semble qu'il a été ravi de vous revoir et de vous ravoir ; il nous semble que vous avez fait comme mercredi votre entrée à Aix ; et puis il nous semble que vous êtes bien lasse, ma chère enfant[4]. Reposez-vous, au nom de Dieu, tenez-vous au lit, restaurez-vous, et contez-moi bien l'état où vous êtes. Savez-vous que votre souvenir fait ici la fortune de ceux que vous en favorisez ? Les autres languissent après. Le petit mot pour ma tante ne se peut payer ; on est encore fort loin de vous oublier. On m'a tantôt dit mille horreurs de cette montagne de Tarare ; que je la hais ! Il y a un autre certain chemin où la roue est en l'air, et l'on tient le carrosse par l'impériale ; je ne soutiens pas cette idée. Mais il n'est plus question de tout cela.

Réponse à la lettre de Vienne.

Je la reçois présentement cette aimable lettre ; ne voyez-vous point comme je la reçois, et avec quelle tendresse je la lis ? Je crois que vous ne me demandez pas que je puisse être de sang-froid en cette occasion[1].

Il est vrai que la dignité de beauté où vous avez été élevée n'est pas d'une petite fatigue. Si vous n'étiez point belle, vous vous reposeriez ; il faut choisir. Votre paresse me fait peur ; ne la croyez pas sur ce choix. Il n'y a rien de si aimable que d'être belle, c'est un présent de Dieu qu'il faut conserver. Vous savez comme j'aime votre beauté. Mon amour-propre m'y fait prendre intérêt ; je vous la recommande pour l'amour de moi. Il me semble qu'on me va trouver bien habile en Provence d'avoir fait un si joli visage, et si doux et si régulier. Vous êtes fâchée que votre nez ne soit pas de travers, et moi, qui suis rangée, j'en suis ravie ; je ne comprends pas ce que peuvent faire, avec moi, mes paupières bigarrées[2].

Mais ne croyez-vous point que M. de Coulanges et moi, nous sommes sorciers de deviner tout ce que vous faites ?

Mais parlons des bords de votre Rhône. Vous les trouvez beaux, et ce fleuve n'est composé que d'eau comme les autres. J'en suis surprise, j'en ai une idée extraordinaire ; il me semble qu'on devrait dire :

Mille sources de sang forment cette rivière,
Qui traînant des corps morts et de vieux ossements,
Au lieu de murmurer, fait des gémissements[1].

Langlade vous rendra compte de sa visite chez *Mélusine*. En attendant, ce qu'il avait à faire n'était autre chose que d'avoir le plaisir de lui laver sa cornette[2] ; il l'a fait plus volontiers qu'un autre. Elle est, je vous assure, bien mortifiée et bien décontenancée. Je la vis l'autre jour ; elle n'a pas le mot à dire. Votre absence a renouvelé la tendresse de tous vos amis. Mais il faut que cette absence ne soit pas infinie, et quelque aversion que vous ayez pour les fatigues d'un voyage, il ne faut songer qu'à vous mettre en état de les recommencer[3]. J'ai dit à M. de La Rochefoucauld ce que vous trouvez des fatigues des autres, et l'application que vous en faites. Il m'a chargée de mille amitiés pour vous, mais d'un si bon ton, et accompagnées de si agréables louanges, qu'il mérite d'être aimé de vous.

Je ferai vos compliments à Mme de Villars. Il y a presse à être nommé dans mes lettres. Je vous remercie d'avoir fait mention de Brancas[4].

Vous aurez vu votre tante[5] au Saint-Esprit, et vous aurez été reçue comme une reine. Ma fille, je vous conjure de me bien mander tout cela, et de me parler de M. de Grignan, et de Monsieur d'Arles. Vous savez que nous avons réglé que l'on hait autant les détails des gens que l'on n'aime guère qu'on les aime de ceux que l'on aime beaucoup[6] ; c'est à vous à deviner de quel nombre vous êtes auprès de moi.

Mascaron, Bourdaloue me donnent tour à tour des plaisirs et des satisfactions qui doivent pour le moins me rendre sainte. Dès que j'entends quelque chose de beau, je vous souhaite ; vous avez part à tout ce que je pense. J'admire en moi, tous les jours, les effets naturels d'une extrême amitié. Je vous embrasse tendrement ; embrassez-moi aussi. Une petite amitié à mon Coadjuteur. Pour M. de Grignan, il me semble qu'il est si glorieux de vous avoir qu'il n'écoute plus personne.

21. À MADAME DE GRIGNAN

<À Paris, mardi 3 mars> [1671].

Si vous étiez ici, ma chère bonne, vous vous moqueriez de moi ; j'écris de provision[1]. Mais c'est une raison bien différente de celle que je vous donnais pour m'excuser. C'était parce que je ne me souciais guère de ces gens-là, et que dans deux jours je n'aurais pas autre chose à leur dire. Voici tout le contraire ; c'est que je me soucie beaucoup de vous, que j'aime à vous entretenir à toute heure, et que c'est la seule consolation que je puisse avoir présentement.

Je suis aujourd'hui toute seule dans ma chambre, par l'excès de ma mauvaise humeur. Je suis lasse de tout ; je me suis fait un plaisir de dîner ici, et je m'en fais un de vous écrire hors de propos. Mais, hélas ! ma bonne, vous n'avez pas de ces loisirs-là. J'écris tranquillement, et je ne comprends pas que vous puissiez lire de même. Je ne vois pas un moment où vous soyez à vous. Je vois un mari qui vous adore, qui ne peut se lasser d'être auprès de vous, et qui peut à peine comprendre son bonheur. Je vois des harangues, des infinités de compliments, de civilités, des visites. On vous fait des honneurs extrêmes ; il faut répondre à tout cela. Vous êtes accablée ; moi-même, sur ma petite boule[2], je n'y suffirais pas. Que fait votre paresse pendant tout ce tracas ? Elle souffre, elle se retire dans quelque petit cabinet, elle meurt de peur de ne plus retrouver sa place ; elle vous attend dans quelque moment perdu pour vous faire au moins souvenir d'elle et vous dire un mot en passant. « Hélas ! dit-elle, mais vous m'oubliez. Songez que je suis votre plus ancienne amie ; celle qui ne vous ai jamais abandonnée, la fidèle compagne de vos plus beaux jours ; celle qui vous consolais de tous les plaisirs, et qui même quelquefois vous les faisais haïr ; celle qui vous ai empêchée de mourir d'ennui et en Bretagne et dans votre grossesse. Quelquefois votre mère troublait nos plaisirs, mais je savais bien où vous reprendre. Présentement je ne sais plus où j'en suis ; la dignité et l'éclat de votre mari me fera périr, si vous n'avez soin de moi. » Il me semble que vous lui dites en passant un petit mot d'amitié ; vous lui donnez quelque espérance de la posséder à Grignan. Mais vous passez vite, et vous n'avez pas le loisir d'en dire davantage. Le Devoir et la Raison sont autour de vous, qui ne vous donnent pas un moment de repos. Moi-même, qui les ai toujours tant honorées, je leur suis contraire, et elles me le sont ; le moyen qu'elles vous donnent le temps de lire de telles *lanterneries*[1] ?

Je vous assure, ma chère bonne, que je songe à vous continuellement, et je sens tous les jours ce que vous me dîtes une fois, qu'il ne fallait point appuyer sur ces pensées. Si l'on ne glissait pas dessus, on serait toujours en larmes, c'est-à-dire moi. Il n'y a lieu dans cette maison qui ne me blesse le cœur. Toute votre chambre me tue ; j'y ai fait mettre un paravent tout au milieu, pour rompre un peu la vue d'une fenêtre sur ce degré par où je vous vis monter dans le carrosse de d'Hacqueville, et par où je vous rappelai. Je me fais peur quand je pense combien alors j'étais capable de me jeter par la fenêtre, car je suis folle quelquefois ; ce cabinet, où je vous embrassai sans savoir ce que je faisais ; ces Capucins, où j'allai entendre la messe ; ces larmes qui tombaient de mes yeux à terre, comme si c'eût été de l'eau qu'on eût répandue ; Sainte-Marie, Mme de La Fayette, mon retour dans cette maison, votre appartement, la nuit et le lendemain ; et votre première lettre, et toutes les autres, et encore tous les jours, et tous les entretiens de ceux qui entrent dans mes sentiments. Ce pauvre d'Hacqueville est le premier ; je n'oublierai jamais la pitié qu'il eut de moi. Voilà donc où j'en reviens : il faut glisser sur tout cela, et se bien garder de s'abandonner à ses pensées et aux mouvements de son cœur. J'aime mieux m'occuper de la vie que vous faites présentement ; cela me fait une diversion, sans m'éloigner pourtant de mon sujet et de mon objet, qui est ce qui s'appelle poétiquement l'objet aimé. Je songe donc à vous, et je souhaite toujours de vos lettres. Quand je viens d'en recevoir, j'en voudrais bien encore. J'en attends présentement, et reprendrai ma lettre quand j'en aurai reçu. J'abuse de vous, ma chère bonne. J'ai voulu aujourd'hui me permettre cette lettre d'avance[1] ; mon cœur en avait besoin. Je n'en ferai pas une coutume.

Mercredi 4e mars.

Ah ! ma bonne, quelle lettre ! quelle peinture de l'état où vous avez été ! et que je vous aurais mal tenu ma parole, si je vous avais promis de n'être point effrayée d'un si grand péril ! Je sais bien qu'il est passé, mais il est impossible de se représenter votre vie si proche de sa fin, sans frémir d'horreur.

Et M. de Grignan vous laisse conduire la barque ! et quand vous êtes téméraire, il trouve plaisant de l'être encore plus que vous ! Au lieu de vous faire attendre que l'orage fût passé, il veut bien vous exposer, et vogue la galère ! Ah mon Dieu ! qu'il eût été bien mieux d'être timide, et de vous dire que si vous n'aviez point de peur, il en avait, lui, et ne souffrirait point que vous traversassiez le Rhône par un temps comme celui qu'il faisait ! Que j'ai de la peine à comprendre sa tendresse en cette occasion ! Ce Rhône qui fait peur à tout le monde ! Ce pont d'Avignon où l'on aurait tort de passer en prenant de loin toutes ses mesures ! Un tourbillon de vent vous jette violemment sous une arche ! Et quel miracle que vous n'ayez pas été brisée et noyée dans un moment ! Ma bonne, je ne soutiens pas cette pensée ; j'en frissonne, et m'en suis réveillée avec des sursauts dont je ne suis pas la maîtresse. Trouvez-vous toujours que le Rhône ne soit que de l'eau[1] ? De bonne foi, n'avez-vous point été effrayée d'une mort si proche et si inévitable ? avez-vous trouvé ce péril d'un bon goût ? une autre fois, ne serez-vous point un peu moins hasardeuse ? une aventure comme celle-là ne vous fera-t-elle point voir les dangers aussi terribles qu'ils sont ? Je vous prie de m'avouer ce qui vous en est resté. Je crois du moins que vous avez rendu grâce à Dieu de vous avoir sauvée. Pour moi, je suis persuadée que les messes que j'ai fait dire tous les jours pour vous ont fait ce miracle.

C'est à M. de Grignan que je me prends. Le Coadjuteur a bon temps, il n'a été grondé que pour la montagne de Tarare ; elle me paraît présentement comme les pentes de Nemours. M. Busche m'est venu voir tantôt et rapporter des assiettes. J'ai pensé l'embrasser en songeant comme il vous a bien menée. Je l'ai fort entretenu de vos faits et gestes, et puis je lui ai donné de quoi boire un peu à ma santé. Cette lettre vous paraîtra bien ridicule ; vous la recevrez dans un temps où vous ne songerez plus au pont d'Avignon. Mais j'y pense, moi, présentement ! C'est le malheur des commerces si éloignés : toutes les réponses paraissent rentrées de pique noire[1]. Il faut s'y résoudre, et ne pas même se révolter contre cette coutume ; cela est naturel, et la contrainte serait trop grande d'étouffer toutes ses pensées. Il faut entrer dans l'état naturel où l'on est, en répondant à une chose qui vous tient au cœur. Résolvez-vous donc à m'excuser souvent.

J'attends des relations de votre séjour à Arles. Je sais que vous y aurez trouvé bien du monde ; à moins que les honneurs, comme vous m'en menacez, changent les mœurs, je prétends de plus grands détails. Ne m'aimez-vous point de vous avoir appris l'italien ? Voyez comme vous vous en êtes bien trouvée avec ce <vice-> légat[2] ; ce que vous dites de cette scène est excellent. Mais que j'ai peu goûté le reste de votre lettre ! Je vous épargne mes éternels recommencements sur le pont d'Avignon. Je ne l'oublierai de ma vie, et suis plus obligée à Dieu de vous avoir conservée dans cette occasion que de m'avoir fait naître, sans comparaison.

22. À MADAME DE GRIGNAN

À Paris, vendredi 6 mars [1671].

Il est aujourd'hui le 6 de mars ; je vous conjure de me mander comme vous vous portez. Si vous vous portez bien, vous êtes malade, mais si vous êtes malade, vous vous portez bien. Je souhaite, ma fille, que vous soyez malade, afin que vous ayez de la santé au moins pour quelque temps. Voilà une énigme bien difficile à comprendre et à deviner ; j'espère que vous me l'expliquerez[1].

Vous me faites une relation divine de votre entrée dans Arles. Mais il me semble que vous auriez grand besoin de vous reposer un peu ; vous avez toute la fatigue de votre voyage à digérer. Quel temps prendrez-vous pour cela ? Vous êtes là comme la Reine. Elle ne se repose jamais ; elle est toujours comme vous êtes depuis quelque temps. Il faut donc prendre son esprit, et avoir patience au milieu de toutes vos cérémonies. Je suis persuadée que M. de Grignan est bien charmé de la réception qu'on vous fait. Vous ne me parlez guère de lui, et c'est de ce détail que je serais curieuse. Je crois que le Coadjuteur a été noyé sous le pont d'Avignon. Ah mon Dieu ! cet endroit est encore bien noir dans ma tête. Dites-moi si cette expérience ne vous fera point un peu moins hardie. Il faut qu'il vous en coûte toujours, témoin votre première grossesse[2]. Il a pensé m'en coûter bien cher cette fois, aussi bien qu'à vous. Voilà le Rhône passé ; mais j'ai peur que vous ne vouliez tâter de quelque précipice, et que personne ne vous en empêche. Ma chère fille, ayez pitié de moi, si vous n'avez pitié de vous.

Le cocher de Mme de Caderousse fait assez souvenir de celui du cardinal de Retz. Ah ! monsieur Busche, que vous êtes divin ! Je vous ai conté comme je l'avais bien reçu. Je suis persuadée que cette pauvre Caderousse mourra bientôt. À peine sait-on ici si elle est morte ou vive[3] ; j'en dirai des nouvelles, si on veut les écouter.

Corbinelli m'écrit des merveilles de vous. Mais ce qui le charme, c'est qu'il croit et qu'il voit que vous m'aimez ; il a tant d'amitié pour moi qu'il est ravi que l'on soit dans son goût. Mais que je le trouve heureux de vous voir, de vous toucher, d'écrire auprès de vous ! Je crois que vous aurez eu aussi quelque joie de voir un de mes amis, et qui est le vôtre si véritablement.

DE CHARLES DE SÉVIGNÉ

Dans l'intervalle des deux reprises, je vous dirai que je sors d'une symphonie charmante, composée des deux Camus et d'Ytier[1]. Vous savez que l'effet ordinaire de la musique est d'attendrir. Quoique je n'aie pas besoin de l'éprouver sur votre sujet, elle n'a pas laissé de renouveler mille choses que le temps qu'il y a que nous sommes séparés devrait avoir amorties. Mais savez-vous en quelle compagnie j'étais ? C'était Mlle de Lenclos, Mme de La Sablière, Mme de Salins, Mlle de Fiennes, Mme de [Montereau], et le tout chez Mlle de Raymond[2]. Après cela, si vous ne me trouvez pas joli garçon, vous aurez tort, car vous n'avez pas les mêmes raisons qu'elles, et vous ne voyez pas, d'où vous êtes, ma perruque noire, qui me rend effroyable ; j'en aurai demain une autre qui les rassurera et qui me rendra un *cavaliero garbato*[3]. Adieu ; vous soyez la bien échappée des périls du Rhône, et la bien reçue dans votre royaume d'Arles[4]. À propos, j'ai fait transir Monsieur de Condom[5] sur le récit de votre aventure ; il vous aime toujours de tout son cœur.

Nous sommes en peine de savoir si vous riez quand on vous harangue ; c'est une incommodité à quoi je craignais que vous ne fussiez sujette. Si vous faites aussi bien que vous dites, ils font fort bien de vous adorer. Le nombre de ceux qui me font des compliments, et qui me prient de vous en faire, et qui me demandent de vos nouvelles, est infini ; j'aurais le visage aussi las que vous, si je les embrassais tous. Je ferai part à Brancas de vos relations.

Le P. Bourdaloue a prêché, ce matin, au delà de tous les plus beaux sermons qu'il ait jamais faits. La cour va et vient à Versailles. <Monsieur> le Dauphin et <Monsieur> d'Anjou se portent mieux[1]. Voilà de belles nouvelles.

Mme de La Fayette, et tout ce qui est ordinairement chez elle, vous fait souvenir de l'amitié qu'ils ont pour vous, et vous prie d'en avoir un peu pour eux. Mme de La Fayette dit qu'elle aimerait fort à jouer le rôle que vous jouez, quand ce ne serait que pour changer ; vous savez comme elle est quelquefois lasse de la même chose. Monsieur d'Uzès est ravi des honneurs qu'on vous rend. Il est persuadé, comme les autres, que, depuis saint Trophime[2], il n'y a point eu de nièce pareille à vous. Votre fille est jolie ; je l'aime et j'en ai beaucoup de soin. Mme de Tourville[3] est morte ; la Gouville pleure fort bien. Madame la Princesse est à Châteauroux *ad multos annos*[4]. Je suis à vous, ma très chère, avec une tendresse qu'il n'est pas aisé d'expliquer, et j'embrasse M. de Grignan malgré le pont d'Avignon.

23. À MADAME DE GRIGNAN

<À Paris,> mercredi 11e mars [1671].

Je n'ai point encore reçu vos lettres ; peut-être que j'en aurai avant que de fermer celle-ci. Songez, ma chère enfant, qu'il y a huit jours que je n'en ai eu ; c'est un siècle pour moi. Vous étiez à Arles, mais je ne sais rien par vous de votre arrivée à Aix[1].

Il me vint hier un gentilhomme qui vous a vu arriver. Il vous a vu jouer à petite prime avec Vardes, Bandol et un autre ; vous avez aussi joué à l'hombre[2]. Je voudrais que vous eussiez vu comme je l'ai reçu, et ce qu'il m'a paru de vous avoir vue jeudi dernier. Vous admiriez tant l'abbé de Vins d'avoir pu quitter M. de Grignan ; j'admire bien plus celui-ci de vous avoir quittée. Il m'a trouvée avec le P. Mascaron, à qui je donnais un très beau dîner. Il prêche à ma paroisse[3]. Il me vint voir l'autre jour ; j'ai trouvé que cela était d'une vraie petite dévote de lui donner un repas. Il est de Marseille, et a trouvé fort bon d'entendre parler de Provence. J'ai su encore, par d'autres voies, que vous avez eu trois ou quatre démêlés à votre avènement. Ma pauvre bonne, l'humanité ne parvient pas à ne point avoir de ces malheurs en province. Je ne veux point vous dire mon avis sur ce qu'on m'a conté, car peut-être qu'il n'y a rien de vrai. J'attendrai que vous m'en parliez. J'ai demandé à ce Julianis si vous n'étiez point bien fatiguée. Il m'a dit que vous étiez très belle, mais vous savez que mes yeux pour vous sont plus justes que ceux des autres ; je pourrais bien vous trouver abattue et fatiguée au travers de leurs approbations.

Quels habits aviez-vous à Lyon, à Arles, à Aix ? Je ne vois que cet habit bleu ; vos hardes n'auront point été arrivées. Votre ballot de votre lit partira cette semaine ; je vous manderai le jour. Nous vous enverrons aussi les galons que vous avez commandés, car il ne faut pas que le domestique soit déguenillé. Nous donnerons de l'argent à Adhémar malgré lui[4].

J'ai été enrhumée malgré moi, et j'ai gardé mon logis. Quasi tous vos amis ont pris ce temps pour me venir voir. L'abbé Têtu[1] m'a fort priée de le distinguer en vous écrivant. Je n'ai jamais vu une personne absente être si vive dans tous les cœurs ; c'était à vous qu'était réservé ce miracle. Vous savez comme nous avons toujours trouvé qu'on se passait bien des gens ; on ne se passe point de vous. Je passe ma vie à parler de vous ; ceux qui m'écoutent le mieux sont ceux que je cherche le plus. N'allez point craindre que je sois ridicule, car outre que le sujet ne l'est pas, c'est que je connais parfaitement bien et les gens et le lieu, et ce qu'il faut dire et ce qu'il faut taire. Je dis un peu de bien de moi en passant ; j'en demande pardon au Bourdaloue et au Mascaron. J'entends tous les matins ou l'un ou l'autre ; un demi-quart des merveilles qu'ils disent devrait faire une sainte. Présentement, ma bonne, que vous n'êtes plus ici pour me faire conserver mon pauvre corps, je ne lui donne ni paix ni trêve, non plus qu'à mon esprit.

Je vous avoue, de bonne foi, ma petite, que je ne puis du tout m'accoutumer à vous savoir à deux cents lieues de moi. Je suis plus touchée que je ne l'étais lorsque vous étiez en chemin ; je repleure sur nouveaux frais. Je ne vois goutte dans votre cœur. Je me représente et m'imagine cent choses désagréables que je ne vous puis dire ; je ne vois pas même ce que pense M. de Grignan, ou enfin je ne sais comme tout est brouillé dans ma tête. Je vous vois accablée d'honneurs, et d'honneurs qui tiennent fort au nom que vous portez. Rien n'est plus grand ni plus considéré. Nulle famille ne peut être plus aimable ; vous y êtes adorée, à ce que je crois, car le Coadjuteur ne m'écrit plus. Mais je ne sais comme vous vous portez dans tout ce tracas.

C'est une sorte de vie étrange que celle des provinces ; on fait des affaires de tout. Je me représente que vous faites des merveilles, mais il faut savoir ce que ces merveilles vous coûtent, pour vous plaindre ou pour ne vous plaindre pas. L'idée que j'ai de vous ne me persuade pas que vous puissiez sans peine vous accoutumer à cette sorte de vie. Hélas ! Puis-je me flatter que je vous serais quelquefois bonne un moment ? Mes pensées sont intarissables sur votre sujet. Je pense tout, mais je ne vois goutte, et ne veux pas vous entretenir plus longtemps sur un sujet si vaste. J'ai vu Mme de Janson. J'ai cherché deux fois Mme de Maillane[1]. Comment gouvernez-vous Monsieur de Marseille et vos États ? Il faut que votre bienvenue et votre présence rendent votre affaire sans difficulté.

Réponse au 4e mars.

Je reçois votre lettre, ma chère enfant, et j'y fais réponse avec précipitation, parce qu'il est tard ; cela me fait approuver les avances de provision. Je vois bien que tout ce qu'on m'a dit de vos aventures à votre arrivée n'est pas vrai ; j'en suis très aise. Ces sortes de petits procès dans un lieu où l'on n'a rien autre chose dans la tête, font une éternité d'éclaircissements qui font mourir d'ennui. Je sais assez la manière des provinces pour ne vous point souhaiter ce tracas.

Mais vous êtes bien plaisante, Madame la Comtesse, de montrer mes lettres. Où est donc ce principe de cachotterie pour ce que vous aimez ? Vous souvient-il avec combien de peine vous vous résolviez enfin à nous confier les dates de celles de M. de Grignan ? Vous pensez m'apaiser par vos louanges, et me traiter toujours comme la *Gazette de Hollande* ; je m'en vengerai. Vous cachez les tendresses que je vous mande, friponne ; et moi je montre quelquefois, et à certaines gens, celles que vous m'écrivez. Je ne veux pas qu'on croie que j'ai pensé mourir, et que je pleure tous les jours, *pour qui ? pour une ingrate*[1]. Je veux qu'on voie que vous m'aimez, et que si vous avez mon cœur tout entier, j'ai une place dans le vôtre[2]. Je ferai tous vos compliments. Chacun me demande : « Ne suis-je point nommé ? » Et je dis : « Non, pas encore, mais vous le serez. » Par exemple, nommez-moi un peu M. d'Ormesson, et les Mesmes[3]. Il y a presse à votre souvenir ; ce que vous en envoyez ici est tout aussitôt enlevé. Ils ont raison, ma pauvre bonne, vous êtes aimable, et rien n'est comme vous. Voilà du moins ce que vous cacherez, car, depuis Niobé[4], une mère n'a point parlé ainsi.

Pour M. de Grignan, il peut bien s'assurer que si jamais je puis revoir sa femme, je ne lui rendrai pas. Comment ! ne me pas remercier d'un tel présent, ne me point dire qu'il est transporté ! Il m'écrit pour me la demander, et ne me remercie pas quand je lui donne. Je comprends pourtant qu'il peut fort bien être accablé aussi bien que vous ; ma colère ne tient à guère, et ma tendresse pour vous deux tient à beaucoup. Tout ce que vous me mandez est très plaisant ; c'est dommage que vous n'avez eu le temps d'en dire davantage.

Votre cartère est-elle toujours une caverne de larrons ? Pour moi, j'en ai une plus précieuse que celle de feu Céladon ; car c'était une cartère qu'on a nommée une panetière[5].

J'embrasse Bandol et me jette à son col ; comment êtes-vous ensemble ? Causez un peu avec moi, ma petite, quand vous aurez le loisir. Mon Dieu, que j'ai d'envie de recevoir de vos lettres ! Il y a déjà près d'une demi-heure que je n'en ai reçu.

Je ne sais aucune nouvelle. Le Roi se porte fort bien ; il va de Versailles à Saint-Germain, de Saint-Germain à Versailles. Tout est comme il était. La Reine fait souvent ses dévotions, et va au salut du saint sacrement. Le P. Bourdaloue prêche ; bon Dieu ! tout est au-dessous des louanges qu'il mérite. L'autre jour notre Abbé y eut un démêlé avec Monsieur de Noyon, qui lui dit qu'il devait bien quitter sa place à un homme de la maison de Clermont. On a fort ri de ce titre, pour avoir la place d'un abbé à l'église. On a bien reconté là-dessus toutes les clefs de la maison de Tonnerre, et toute la science sur la pairie[1].

Je dîne tous les vendredis chez Le Mans avec M. de La Rochefoucauld, Mme de Brissac et Benserade, qui toujours y fait la joie <de> la compagnie. Votre santé y est toujours bue, et votre absence toujours regrettée. Si la Provence m'aime, je suis fort sa servante aussi. Conservez-moi l'honneur de ses bonnes grâces ; j'y ferai mes compliments quand vous voudrez. Je vous ai donné un voyage[2] ; c'est à vous de le placer. Je ne dis rien à M. de Vardes ni à mon ami Corbinelli[3] ; je les crois chez eux.

Je suis servante de Monsieur le Premier Président. Ménagez tout, et me mandez quand votre affaire sera faite.

J'aime votre fille à cause de vous ; mes entrailles n'ont point encore pris le train des tendresses d'une grand-mère.

Adieu, ma très chère enfant. Je suis si absolument et si entièrement à vous qu'il n'est pas possible d'y ajouter la moindre chose. Je vous prie que je baise vos belles joues et que je vous embrasse tendrement, mais cela me fait pleurer.

24. À MADAME DE GRIGNAN

À Paris, ce <vendredi> 13e mars 1671.

Me voici à la joie de mon cœur, toute seule dans ma chambre à vous écrire paisiblement ; rien ne m'est si agréable que cet état. J'ai dîné aujourd'hui chez Mme de Lavardin, après avoir été en Bourdaloue, où étaient les Mères de l'Église ; c'est ainsi que j'appelle les princesses de Conti et de Longueville[1]. Tout ce qui est au monde était à ce sermon, et ce sermon était digne de tout ce qui l'écoutait. J'ai songé vingt fois à vous, et vous ai souhaitée autant de fois auprès de moi. Vous auriez été ravie de l'entendre, et moi encore plus ravie de vous le voir entendre.

M. de La Rochefoucauld a reçu très plaisamment, chez Mme de Lavardin, le compliment que vous lui faites ; on a fort parlé de vous. M. d'Ambres[2] y était avec sa cousine de Brissac ; il a paru s'intéresser beaucoup à votre prétendu naufrage. On a parlé de votre hardiesse ; M. de La Rochefoucauld a dit que vous aviez voulu paraître brave, dans l'espérance que quelque charitable personne vous en empêcherait, et que n'en ayant point trouvé, vous aviez dû être dans le même embarras que Scaramouche[3].

Nous avons été voir à la foire une grande diablesse de femme, plus grande que Riberpré de toute la tête[4]. Elle accoucha l'autre jour de deux gros enfants qui vinrent de front, les bras au côté ; c'est une grande femme tout à fait.

J'ai été faire des compliments pour vous à l'hôtel de Rambouillet ; on vous en rend mille. Mme de Montausier est au désespoir de ne vous pouvoir venir voir. J'ai été chez Mme du Puy-du-Fou. J'ai été pour la troisième fois chez Mme de Maillane. Je me fais rire en observant le plaisir que j'ai de faire toutes ces choses[1].

Au reste, si vous croyez les filles de la Reine enragées, vous croirez bien. Il y a huit jours que Mme de Ludres, Coëtlogon et la petite de Rouvroy furent mordues d'une petite chienne, qui était à Théobon[2]. Cette petite chienne est morte enragée ; de sorte que Ludres, Coëtlogon et Rouvroy sont parties ce matin pour aller à Dieppe, et se faire jeter trois fois dans la mer[3]. Ce voyage est triste ; Benserade en était au désespoir. Théobon n'a pas voulu y aller, quoiqu'elle ait été mordue. La Reine ne veut pas qu'elle la serve qu'on ne sache ce qui arrivera de toute cette aventure. Ne trouvez-vous point, ma bonne, que Ludres ressemble à Andromède ? Pour moi, je la vois attachée au rocher, et Tréville sur un cheval ailé, qui tue le monstre[4]. « *Ah, Jésus ! matame te Crignan, l'étranse sose t'être <zettée> toute nue <tans> la mer.* »

En voici une, à mon sens encore plus étrange ; c'est de coucher demain avec M. de Ventadour, comme fera Mlle d'Houdancourt. Je craindrais plus ce monstre que celui d'Andromède, *contra il qual non vale l'élmo ne scudo*[5].

Voilà bien des *lanternes*, et je ne sais rien de vous. Vous croyez que je devine ce que vous faites mais j'y prends trop d'intérêt, et à votre santé et à l'état de votre esprit, pour n'en savoir que ce que je m'imagine. Les moindres circonstances sont chères de ceux qu'on aime parfaitement, autant qu'elles sont ennuyeuses des autres ; nous l'avons dit mille fois, et cela est vrai.

La Vauvineux vous fait cent compliments ; sa fille

a été bien malade. Mme d'Arpajon l'a été aussi. Nommez-moi tout cela, à votre loisir, avec Mme de Verneuil. Voilà une lettre de Monsieur de Condom, qu'il m'a envoyée avec un billet fort joli. Votre frère entre sous les lois de Ninon. Je doute qu'elles lui soient bonnes ; il y a des esprits à qui elles ne valent rien. Elle avait gâté son père[1]. Il faut le recommander à Dieu ; quand on est chrétienne, ou du moins qu'on le veut être, on ne peut voir ces dérèglements sans chagrin.

Ah ! Bourdaloue, quelles divines vérités nous avez-vous dites aujourd'hui sur la mort[2] ! Mme de La Fayette y était pour la première fois de sa vie ; elle était transportée d'admiration. Elle est ravie de votre souvenir et vous embrasse de tout son cœur. Je lui ai donné une belle copie de votre portrait ; il pare sa chambre, où vous n'êtes jamais oubliée.

Si vous êtes encore de l'humeur dont vous étiez à Sainte-Marie, et que vous gardiez mes lettres, voyez si vous n'avez pas reçu celle du 18 février[3]. Adieu, ma très aimable bonne. Vous dirai-je que je vous aime ? C'est se moquer d'en être encore là ; cependant, comme je suis ravie quand vous m'assurez de votre tendresse, je vous assure de la mienne, afin de vous donner de la joie, si vous êtes de mon humeur. Et ce Grignan, mérite-t-il que je lui dise un mot ?

25. À MADAME DE GRIGNAN

À Paris, ce <dimanche> 15e mars [1671].

M. de La Brosse veut que ma lettre l'introduise auprès de vous ; n'est-ce pas se moquer des gens ? Vous savez l'estime et l'amitié que j'ai pour lui. Vous savez que son père est l'un de mes plus anciens amis[1]. Vous savez vous-même le mérite de l'un et de l'autre, et vous avez pour eux tous les sentiments que je voudrais vous inspirer. Vous voyez donc bien que ma lettre ne peut lui être utile. C'est à moi qu'elle est bonne, car en vérité j'aime à vous écrire. C'est une chose plaisante à observer que le plaisir qu'on prend à parler, quoique de loin, à une personne que l'on aime, et l'étrange pesanteur qu'on trouve à écrire aux autres. Je me trouve heureuse d'avoir commencé ma journée par vous écrire. Le petit Pecquet était au chevet de mon lit pour un épouvantable rhume, qui sera passé quand vous recevrez cette lettre ; nous parlions de vous, et de là je passe à vous écrire. Je dois passer cette journée avec moins de chagrin que les autres.

Pour hier au soir, j'avais assez de gens, et j'étais comme Benserade ; je me faisais un plaisir de ne point coucher avec M. de Ventadour, comme cette pauvre fille qui a eu cet honneur. Vous savez que Benserade ne se consolait de n'être pas M. d'Armagnac, que parce qu'il n'était pas M. de Saint-Hérem[2]. Mais qui me consolera de ne point recevoir de vos lettres ? Je ne comprends rien aux postes ; elles sont déréglées, et ces gens si obligeants, qui partent à minuit pour porter mes lettres, n'ont point de soin de me rapporter les vôtres. Nous parlons sans cesse de vos affaires, l'Abbé et moi. Il vous rend compte de tout ; c'est pourquoi je ne vous dis rien. Votre santé, votre repos, vos affaires, ce sont les trois points de mon esprit, d'où je tire une conclusion que je vous laisse à méditer.

26. À MADAME DE GRIGNAN

À Paris, ce [mercredi] 18e mars [1671].

Je reçois deux paquets ensemble, qui ont été retardés considérablement, puisque j'ai reçu une lettre du 4e mars écrite depuis une de celles-là[1]. Aussi, ma bonne, je ne comprenais point que vous ne me disiez pas un mot de votre entrée à Aix, ni de quelle manière on vous y avait reçue. Vous deviez me dire si votre mari était avec vous et de quelle manière Vardes honorait votre triomphe. Du reste, vous me le représentez très plaisamment, avec votre embarras et vos civilités déplacées ; Bandol vous est d'un grand secours. Et moi, ma petite, hélas ! que je vous serais bonne ! Ce n'est pas que je fisse mieux que vous, car je n'ai pas le don de placer si vite les noms sur les visages (au contraire, je fais tous les jours mille sottises là-dessus), mais je vous aiderais à faire des révérences. Ah ! que vous êtes lasse, mon pauvre cœur, et que ce métier est tuant pour Mademoiselle de Sévigné, et même pour Madame de Grignan, toute civile qu'elle est ! Je vois d'ici Mme du Canet ; M. de Coulanges me l'avait nommée, comme vous l'avez fait. Vous aurez trouvé sa chambre belle[2].

Vous me donnez une bonne espérance de votre affaire[3] ; suivez-la constamment, et n'épargnez aucune civilité pour la faire réussir. Si vous la faites, soyez assurée que cela vaudra mieux qu'une terre de dix mille livres de rente. Pour vos autres affaires, je n'ose y penser, et j'y pense pourtant toujours. Rendez-vous la maîtresse de toutes choses ; c'est ce qui vous peut sauver, et mettez au premier rang de vos desseins celui de ne vous point abîmer par une extrême dépense et de vous mettre en état, autant que vous pourrez, de ne pas renoncer à ce pays-ci. J'espère beaucoup de votre habileté et de votre sagesse. Vous avez de l'application ; c'est la meilleure qualité qu'on puisse avoir pour ce que vous avez à faire[1].

Je ne suis pas de votre avis pour votre manière d'écrire : elle est parfaite ; il y a des traits dans vos lettres où l'on ne souhaite rien. Si elles étaient de ce style à cinq sols[2] que vous honorez tant, je doute qu'elles fussent si bonnes.

Vous me dites que vous êtes fort aise que je sois persuadée de votre amitié, et que c'est un bonheur que vous n'avez pas eu quand nous avons été ensemble. Hélas ! ma bonne, sans vouloir vous rien reprocher, tout le tort ne venait pas de mon côté. À quel prix inestimable ai-je toujours mis les moindres marques de votre amitié ! En ai-je laissé passer aucune sans en être ravie ? Mais aussi combien me suis-je trouvée inconsolable quand j'ai cru voir le contraire ! Vous seule pouvez faire la joie de ma vie ; je ne connais que vous et, hors de vous, tout est loin de moi. La raison me rapproche plusieurs choses, mais mon cœur n'en connaît qu'une. Dans cette disposition, jugez de ma sensibilité et de ma délicatesse, et de ce que j'ai pu sentir pour ce qui m'a éloignée très injustement de votre cœur. Mais laissons tous ces discours ; je suis contente au delà de tous mes désirs. Ce que je souffre, c'est par rapport à vous, et point du tout par vous.

Il y a présentement une nouvelle qui fait l'unique entretien de Paris. Le Roi a commandé à M. de Saissac de se défaire de sa charge et, tout de suite, de sortir de Paris. Savez-vous pourquoi ? Pour avoir trompé au jeu et avoir gagné cinq cent mille écus avec des cartes ajustées. Le cartier fut interrogé par le Roi même ; il nia d'abord. Enfin, le Roi lui promettant son pardon, il avoua qu'il faisait ce métier depuis longtemps, et même cela se répandra plus loin, car il y a plusieurs maisons où il fournissait de ces bonnes cartes rangées. Le Roi a eu beaucoup de peine à se résoudre à déshonorer un homme de la qualité de Saissac[1]. Mais voyant depuis deux mois que tous ceux qu'il gagnait étaient ruinés, il a cru qu'il y allait de sa conscience à faire éclater cette friponnerie. Il savait si bien le jeu des autres que toujours il faisait va-tout sur la dame de pique, parce que les piques étaient dans les autres jeux, et le Roi perdait toujours à trente-un de trèfle et disait : « Le trèfle ne gagne point contre le pique en ce pays-ci. » Saissac avait donné trente pistoles aux valets de chambre de Mme de La Vallière pour jeter dans la rivière des cartes qu'ils avaient, qu'il ne trouvait point bonnes, et avait introduit son cartier. Celui qui le conduisait dans cette belle vie s'appelle Pradier, et s'est éclipsé aussitôt que le Roi défendit à Saissac de se trouver devant lui. S'il avait été innocent, il se serait mis en prison et aurait demandé qu'on lui fît son procès. Mais il n'a pas pris ce chemin, et a trouvé celui de Languedoc plus sûr. Plusieurs lui conseillaient celui de la Trappe[2], après un malheur comme celui-là. Voilà de quoi l'on parle uniquement.

J'ai vu enfin Mme de Janson chez elle ; je la trouve une très aimable et très raisonnable personne. J'écrirais à son beau-frère[3], sans qu'il semblerait qu'on espère tout de lui, et comme il faut que Monsieur le Premier Président croie la même chose, il me semble qu'il ne faut rien séparer. Je vous demande seulement des compliments à l'un et à l'autre, comme vous le jugerez à propos. Je ferai des merveilles de tous vos souvenirs.

Mme d'Humières m'a chargée de mille amitiés pour vous ; elle s'en va à Lille, où elle sera honorée comme vous l'êtes à Aix[1]. Mon Dieu ! ma bonne, je songe à vous sans cesse, et toujours avec une tendresse infinie. Je vous vois faire toutes vos révérences et vos civilités ; vous faites fort bien, je vous en assure. Tâchez, mon enfant, de vous accommoder un peu de ce qui n'est pas mauvais ; ne vous dégoûtez point de ce qui n'est que médiocre ; faites-vous un plaisir de ce qui n'est pas ridicule.

Les *étoiles fixes et errantes* de Mme du Canet m'ont fort réjouie[2]. M. de Coulanges prétend que vous lui manderez votre avis des dames d'Aix. Il vient de m'apporter une relation admirable de tout votre voyage, que lui fait très agréablement M. de Rippert. Voilà justement ce que nous souhaitions. Il m'a montré aussi une lettre que vous lui écrivez, qui est très aimable. Toutes vos lettres me plaisent ; je vois celles que je puis[3]. La liaison de M. de Coulanges et de moi est extrême par le côté de la Provence ; il me semble qu'il m'est bien plus proche qu'il n'était. Nous en parlons sans cesse. Quand les lettres de Provence arrivent, c'est une joie parmi tous ceux qui m'aiment, comme c'est une tristesse quand je suis longtemps sans en avoir. Lire vos lettres et vous écrire font la première affaire de ma vie. Tout fait place à ce commerce ; aussi les autres me paraissent plaisants. Aimer comme je vous aime fait trouver frivoles toutes les autres amitiés. Pour vous écrire, soyez assurée que je n'y manque point deux fois la semaine. Si l'on pouvait doubler, j'y serais tout aussi ponctuelle, mais ponctuelle par le plaisir que j'y prends, et non point pour l'avoir promis. Il y a quelques lettres de traverse, comme par exemple par M. de La Brosse, qui partit lundi pour

Aix. Faites-lui bien faire sa cour auprès de M. de Grignan.

Je reçus hier une lettre du Coadjuteur avec une que vous m'écrivîtes à Arles, avec Monsieur de Mende et Vardes. Elle est en italien ; elle m'a divertie. Je ferai réponse au prélat dans la même langue, avec l'aide de mes amis[1].

M. le marquis de Saint-Andiol[2] m'est venu voir. Je le trouve fort honnête homme à voir ; il cause des mieux et n'a aucun air qui déplaise. Il m'a dit qu'il vous avait vue en chemin, belle comme un vrai ange. Il m'a fait transir en me parlant des chemins que vous alliez passer. Je lui ai montré la relation de Rippert, dont il a été ravi pour l'honneur de la Provence. Vardes a écrit ici des merveilles de vous, de votre esprit, de votre beauté. J'attends la relation de Corbinelli. J'admire plus que jamais M. d'Harouys[3]. Je lui témoignerai vos sentiments et les miens, mais un mot de vous vaut mieux que tout cela ; adressez-le-moi, afin que je m'en fasse honneur.

J'ai distribué fort à propos tous vos compliments ; on vous en rend au centuple. La Comtesse était ravie, et voulut voir son nom. Je n'ose hasarder vos civilités sans les avoir en poche, car quelquefois on me dit : « Que je voie mon nom. » J'en ai pourtant bien fait passer que je trouvais nécessaires.

Le maréchal de Bellefonds[4], par un pur sentiment de piété, s'est accommodé avec ses créanciers ; il leur a cédé le fonds de son bien, et donné plus de la moitié du revenu de sa charge pour achever de payer les arrérages. Cette exécution est belle, et fait bien voir que ses voyages à la Trappe ne sont pas inutiles.

Je fus voir l'autre jour cette duchesse de Ventadour ; elle était belle comme un ange. Mme de

Nevers y vint, coiffée à faire rire ; il faut m'en croire, car vous savez comme j'aime la mode. La Martin l'avait bretaudée par plaisir, comme un patron de mode excessive. Elle avait donc tous les cheveux coupés sur la tête et frisés naturellement par cent papillotes, qui lui font souffrir toute la nuit mort et passion. Tout cela fait une petite tête de chou ronde, sans nulle chose par les côtés : toute la tête nue et hurlupée. Ma fille, c'était la plus ridicule chose qu'on peut s'imaginer. Elle n'avait point de coiffe. Mais encore passe, elle est jeune et jolie, mais toutes ces femmes de Saint-Germain, et cette La Mothe, se font testonner par la Martin. Cela est au point que le Roi et les dames <sensées> en pâment de rire. Elles en sont encore à cette jolie coiffure que Montgobert sait si bien : les boucles renversées, voilà tout. Elles se divertissent à voir outrer cette mode jusqu'à la folie[1].

Je viens de recevoir une lettre très tendre de Monsieur de Marseille de sorte que, contre ma résolution, je lui viens d'écrire. Ayez soin de me mander des nouvelles de votre affaire. Conservez bien l'amitié du Coadjuteur ; il m'écrit des merveilles de vous.

L'Abbé est fort content du soin que vous voulez prendre de vos affaires. Ne perdez point cette envie, ma bonne ; soyez seule maîtresse : c'est le salut de la maison de Grignan.

Hélas ! que ne donnerais-je pas pour voir un peu dans votre cœur sur plusieurs chapitres, ce lieu où je désire tant d'être, et où je prends tant d'intérêt ; mais hélas !... Adieu, ma très chère et très aimable enfant ; je vous aime plus que vous ne sauriez le désirer, quand ce serait le plus grand de vos désirs. J'embrasse M. de Grignan.

Votre frère est à Saint-Germain, et il est entre

Ninon et une comédienne, Despréaux sur le tout[1]. Nous lui faisons une vie enragée.

D'Hacqueville vous adore, et toujours nous parlons de la petite.

Dieux, quelle folie ! Dieux, quelle folie !
Ma fille est aussi fort jolie[2].

Du même jour, 18 mars.

Avant que d'envoyer mon paquet, je fais réponse à votre lettre du 11, que je reçois. Je suis plus désespérée que vous que l'on retarde...

DE MONSIEUR DE BARRILLON

J'interromps la plus aimable mère du monde pour vous dire trois mots, qui ne seront guère bien arrangés, mais qui seront vrais. Sachez donc, Madame, que je vous ai toujours plus aimée que je ne vous l'ai dit, et que si jamais je gouverne, la Provence n'aura plus de gouvernante. En attendant, gouvernez-vous bien, et régnez doucement sur les peuples que Dieu a soumis à vos lois. Adieu, Madame, je quitte Paris sans regret[3].

C'est ce pauvre Barrillon qui m'a interrompue, et qui ne me trouve guère avancée de ne pouvoir pas encore recevoir de vos lettres sans pleurer. Je ne le puis, ma fille, mais ne souhaitez point que je le puisse. Aimez mes tendresses, aimez mes faiblesses ; pour moi, je m'en accommode fort bien. Je les aime bien mieux que des sentiments de Sénèque et d'Épictète. Je suis douce, tendre, ma chère enfant, jusqu'à la folie. Vous m'êtes toutes choses ; je ne connais que vous. Hélas ! je suis bien précisément comme vous pensez, c'est-à-dire d'aimer ceux qui vous aiment et qui se souviennent de vous ; je le sens tous les jours. Quand je trouvai *Mélusine*, le cœur me battit de colère et d'émotion. Elle s'approcha comme vous savez, et me dit : « Eh bien ! madame, êtes-vous bien fâchée[1] ? — Oui, madame, lui dis-je ; on ne peut pas plus. — Ah ! vraiment, je le crois, il faudra vous aller consoler. — Madame, n'en prenez pas la peine, ce serait une chose inutile. — Mais, me dit-elle, n'êtes-vous pas chez vous ? — Non, madame, on ne m'y trouve jamais. » Voilà notre dialogue. Je vous assure qu'elle est *débellée*, comme dit M. de Coulanges. Il ne me semble pas qu'elle ait une langue présentement.

Mais je veux revenir à mes lettres qu'on ne vous envoie point ; j'en suis au désespoir. Croyez-vous qu'on les ouvre ? croyez-vous qu'on les garde ? Hélas ! je conjure ceux qui prennent cette peine de considérer le peu de plaisir qu'ils ont à cette lecture, et le chagrin qu'ils nous donnent. Messieurs, du moins ayez soin de les faire recacheter, afin qu'elles arrivent tôt ou tard.

Vous parlez de peinture ; vraiment, vous m'en faites une de l'habit de vos dames, qui vaut tout ce qu'une description peut valoir.

Vous dites que vous voudriez bien me voir entrer dans votre chambre, et m'entendre discourir. Hélas ! c'est ma folie que de vous voir, de vous parler, de vous entendre. Je me dévore de cette envie, et du déplaisir de ne vous avoir pas assez écoutée, pas assez regardée. Il me semble pourtant que je n'en perdais guère les moments, mais enfin, je n'en suis pas contente. Je suis folle, il n'y a rien de plus vrai, mais vous êtes obligée d'aimer ma folie. Je ne comprends pas comme on peut tant penser à une personne. N'aurai-je jamais tout pensé ? Non, que quand je ne penserai plus.

Le billet de M. de Grignan est très joli. Je lui ferai réponse, et je le prie de m'aimer toujours. Pour votre fille, je l'aime ; vous savez pourquoi et pour qui.

27. À MADAME DE GRIGNAN

À Paris, vendredi 20 mars [1671].

M. le Coadjuteur de Reims était l'autre jour avec nous chez Mme de Coulanges. Je me plaignis à lui du désordre de la poste[1] ; il me dit qu'elle lui faisait des tours aussi bien qu'à moi, qu'il vous avait écrit deux fois, et qu'il n'avait point eu de réponse. <Mettez la main sur la conscience, ma bonne, et payez vos dettes.> Il s'en est allé à Reims, et Mme de Coulanges lui disait : « Quelle folie d'aller à Reims ! et qu'allez-vous faire là ? Vous vous y ennuierez comme un chien. Demeurez ici, nous nous promènerons. » Ce discours à un archevêque nous fit rire, et elle aussi. Nous ne le trouvâmes nullement canonique, et nous comprîmes pourtant que si plusieurs dames le faisaient à des prélats, elles ne perdraient pas leurs paroles.

M. de La Rochefoucauld m'a demandé plus de dix fois si vous n'aviez point reçu ses dragées ; enfin je lui ai dit toutes vos douceurs là-dessus. Voici une histoire qu'il vous envoie cette fois au lieu de dragées. Le comte d'Estrées lui a conté qu'en son voyage de Guinée, il se trouva parmi des chrétiens ; qu'étant entré dans une église, il y trouva vingt chanoines nègres tout nus, avec des bonnets carrés et une aumusse[2] au bras gauche, qui chantaient les louanges de Dieu. Il vous prie de faire réflexion sur cette rencontre, et de ne pas croire qu'ils eussent le moindre surplis, car ils étaient comme quand on sort du ventre de sa mère, et noirs comme des diables. Voilà ma commission.

Mme de Guise a fait un faux pas à Versailles. Elle n'en a rien dit ; elle est accouchée, à quatre mois, d'un pauvre petit garçon, qui n'a point été baptisé. Voilà un bel exemple pour se conserver, et pour ne point cacher ses fausses démarches[1].

D'Hacqueville vous a envoyé une assez plaisante chanson sur M. de Longueville. C'est à l'imitation d'un certain récit de ballet que vous ne connaissez point, et que je vous ai dit qui était le plus beau du monde[2]. Je le sais, et je le chante bien.

La lettre que vous avez écrite à Guitaut est fort jolie ; j'aime passionnément vos lettres. Si les miennes vous peignent bien ce que je dis, et que vous croyez le voir, vous vous souviendrez des chanoines de la Guinée.

On donna l'autre jour au P. Desmares[3] un billet en montant en chaire. Il le lut avec ses lunettes. C'était :

De par Monseigneur de Paris,
On déclare à tous les maris
Que leurs femmes on baisera,
Alleluia !

Il en lut plus de la moitié ; on pensa mourir de rire. Il y a des gens de bonne humeur, comme vous voyez.

Je crois que vous savez que Mademoiselle a chassé Guilloire. Le pauvre Segrais ne tient à guère. C'est qu'ils ont témoigné trop librement leurs sentiments sur M. de Lauzun[4].

Dites un petit mot dans une de vos lettres de Mme de Lavardin ; elle est toujours enthousiasmée de votre mérite, et moi, mon enfant, de la tendresse que j'ai pour vous. Si je ne vous en parle pas assez à mon gré, c'est par discrétion, mais, en un mot, vous m'occupez tout entière. Et sans vous donner aucun rendez-vous d'esprit[1], comme Mlle de Scudéry, soyez assurée que vous ne sauriez penser à moi en aucun temps que je ne pense à vous ; <vous n'y sauriez penser à faux, ma petite. Mais> regardez un peu la lune, cette lune que je regarde aussi ; nous voyons la même chose, quoique à deux cents lieues <loin> l'une de l'autre.

28. À MADAME DE GRIGNAN

À Paris, ce <samedi> [21 mars 1671].

Je vous mandai l'autre jour la coiffure de Mme de Nevers, et dans quel excès la Martin avait poussé cette mode ; mais il y a une certaine médiocrité[2] qui m'a charmée, et qu'il faut vous apprendre, afin que vous ne vous amusiez plus à faire cent petites boucles sur vos oreilles, qui sont défrisées en un moment, qui siéent mal, et qui ne sont non plus à la mode présentement que la coiffure de la reine Catherine de Médicis[3]. Je vis hier la duchesse de Sully et la comtesse de Guiche[4]. Leurs têtes sont charmantes ; je suis rendue. Cette coiffure est faite justement pour votre visage ; vous serez comme un ange, et cela est fait en un moment. Tout ce qui me fait de la peine, c'est que cette fontaine de la tête[5], découverte, me fait craindre pour les dents. Voici ce que *Trochanire*[6], qui vient de Saint-Germain, et moi, allons vous faire entendre si nous pouvons. Imaginez-vous une tête blonde partagée à la paysanne jusqu'à deux doigts du bourrelet. On coupe ses cheveux de chaque côté, d'étage en étage, dont on fait de grosses boucles rondes et négligées, qui ne viennent point plus bas qu'un doigt au-dessous de l'oreille ; cela fait quelque chose de fort jeune et de fort joli, et comme deux gros bouquets de cheveux de chaque côté. Il ne faut pas couper les cheveux trop court, car comme il les faut friser naturellement, les boucles qui en emportent beaucoup ont attrapé plusieurs dames, dont l'exemple doit faire trembler les autres. On met les rubans comme à l'ordinaire, et une grosse boucle nouée entre le bourrelet et la coiffure ; quelquefois on la laisse traîner jusque sur la gorge. Je ne sais si nous vous avons bien représenté cette mode ; je ferai coiffer une poupée pour vous envoyer. Et puis, au bout de tout cela, je meurs de peur que vous ne daigniez prendre toute cette peine, et que vous ne mettiez une coiffe jaune comme une petite chère[1]. Ce qui est vrai, c'est que la coiffure que sait Montgobert n'est plus supportable. Du reste, consultez votre paresse et vos dents, mais ne m'empêchez pas de souhaiter de pouvoir vous voir coiffée ici comme les autres. Je vous vois, vous me paraissez, et cette coiffure est faite pour vous. Mais qu'elle est ridicule à de certaines dames, dont l'âge ou la beauté ne conviennent pas[2] !

DE MADAME DE LA TROCHE

Mme de Sévigné a voulu avoir l'avantage de vous décrire cette coiffure ; mais, ma belle, c'est moi qui lui ai dicté. Madame, vous serez ravissante ; tout ce que je crains, c'est que vous ayez regret à vos cheveux. Pour vous fortifier, je vous apprends que la Reine, et tout ce qu'il y a de filles et de femmes qui se coiffent à Saint-Germain, achevèrent de se les faire couper hier par La Vienne[1], car c'est lui et Mlle de La Borde qui ont fait toutes les exécutions. Mme de Crussol[2] vint lundi à Saint-Germain, coiffée à la mode. Elle alla au coucher de la Reine et lui dit : « Ah ! madame, Votre Majesté a donc pris notre coiffure ? — Votre coiffure, madame ? lui répliqua la Reine. Je vous assure que je ne veux point prendre votre coiffure ; je me suis fait couper les cheveux, parce que le Roi les trouve mieux ainsi, mais ce n'est point pour prendre votre coiffure. » On fut un peu surpris du ton avec lequel la Reine lui répondit. Mais regardez un peu aussi où elle allait prendre que c'était sa coiffure, parce que c'est celle de Mme de Montespan, de Mme de Nevers, et de la petite de Thianges[3], et de deux ou trois autres beautés charmantes qui l'ont hasardée les premières. Je vous ai vue vingt fois prête à l'inventer ; cela me fait croire que vous n'aurez point de peine à comprendre ce que nous vous en écrivons. Mme de Soubise[4], qui craint pour ses dents parce qu'elle a déjà été une fois attrapée aux coiffures à la paysanne, ne s'est point fait couper les cheveux, et Mlle de La Borde lui a fait une coiffure qui est tout aussi bien que les autres par les côtés ; mais le dessus de sa tête n'a garde d'être galant, comme celles dont on voit la racine des cheveux. Enfin, ma pauvre Madame, il n'est point question d'autre chose à Saint-Germain. Moi, qui ne me veux point faire couper les cheveux, je suis ennuyée à la mort d'en entendre parler.

Cette lettre est écrite hors d'œuvre, chez *Trochanire*. La Comtesse vous embrasse mille fois ; le Comte[5], que j'ai vu tantôt, en voudrait bien faire autant. Je lui ai dit votre souvenir et je le dirai à tous ceux que je trouverai en mon chemin.

Après tout, nous ne vous conseillons point de faire couper vos beaux cheveux. Et pour qui ? bon Dieu ! Cette mode durera peu ; elle est mortelle pour les dents. Taponnez-vous seulement par grosses boucles, comme vous faisiez quelquefois, car les petites boucles rangées de Montgobert sont justement du temps du roi Guillemot[1].

À Paris, ce <lundi> 23 mars 1671.

N'est-il pas cruel, ma chère bonne, de n'avoir pas encore reçu vos lettres ? Voilà M. de Coulanges qui a reçu les siennes, et qui me vient insulter. Il m'a montré votre réponse <à l'*Ex-voto* qui est tellement à mon gré que je l'ai lue deux fois avec plaisir.> Ah ! que vous écrivez à ma fantaisie ! <Cet *Ex-voto* fut fait au bout de la table où je vous écrivais ; il me réjouit fort, et me fit souvenir du jour que je fus si malheureusement pendue. Vous souvient-il combien vous me fûtes cruelle ce jour-là ? Vous me condamnâtes sans miséricorde, et toute la sollicitation de d'Hacqueville ne put pas même vous obliger à revoir mon procès. Il est vrai que je fis une grande faute, mais aussi d'être pendue haut et court, comme je le fus, c'était une grande punition.> La chanson de M. de Coulanges était bonne aussi[2]. Il y a plaisir à vous envoyer de jolies choses, vous y répondez délicieusement. Vous savez que rien n'attrape tant que quand on croit avoir écrit pour divertir ses amis, et qu'ils n'y ont pas pris garde, et qu'ils n'en disent pas un mot. Vous n'avez pas cette cruauté ; vous êtes aimable en tout et partout. Hélas ! combien êtes-vous aussi aimée ! combien de cœurs où vous êtes la première ! Il y a peu de gens qui puissent se vanter d'une telle chose. M. de Coulanges vous écrit la plus jolie lettre du monde, et d'après le naturel ; elle m'a fort divertie. Enfin les femmes sont folles. Il semble qu'elles aient toutes la tête cassée ; on leur met le premier appareil, et elles se reposent comme d'une opération[1]. Cette folie vous réjouirait fort, si vous étiez ici.

Je fus hier chez M. de La Rochefoucauld[2] ; je le trouvai criant les hauts cris des douleurs extrêmes de la goutte. Ses douleurs étaient au point que toute sa constance était vaincue, sans qu'il en restât un seul brin ; l'excès de ses douleurs l'agitait d'une telle sorte qu'il était en l'air dans sa chaise, avec une fièvre violente. Il me fit une pitié extrême ; je ne l'avais jamais vu en cet état. Il me pria de vous le mander, et de vous assurer que les roués ne souffrent point en un moment ce qu'il souffre la moitié de sa vie, et qu'ainsi il souhaite la mort comme le coup de grâce. La nuit n'a pas été meilleure.

Suite, réponse au 14e mars.

Enfin je reçois cette lettre, et me voilà dans ma chambre, toute seule pour vous faire réponse. Voilà comme je fais avec tout le plaisir du monde. Au sortir d'un lieu où j'ai dîné, je reviens fort bien ici, et quand j'y trouve une de vos lettres, j'entre et j'écris. Rien n'est préféré à ce plaisir, et je languis après les jours de vous écrire, comme on craint les jours de poste pour écrire à ceux qu'on n'aime pas. Ah ! ma bonne, qu'il y a de la différence de ce que je sens pour vous et de ce qu'on sent pour ceux qu'on n'aime point ! Et vous voulez, après cela, que je lise de sang-froid ce péril que vous avez couru ? J'en ai été <encore plus> effrayée <par les lettres qu'on m'a montrées d'Avignon et d'ailleurs que par les vôtres.> Je comprends bien le dépit qui fit dire à M. de Grignan : « Vogue la galère ! » En vérité, vous êtes quelquefois capable de mettre au désespoir. Si vous m'aviez caché cette aventure, je l'aurais apprise d'ailleurs, et je vous en aurais su fort mauvais gré.

Je vous avoue que je serai fort mécontente <de Monsieur de Marseille,> s'il ne fait ce que nous souhaitons. Il a beau dire, je ne tâte point de son amour pour la province. Quand je vois qu'il ne dit rien pour empêcher les quatre cent cinquante mille francs et qu'il ne s'écrie que sur une bagatelle, je suis sa servante très humble. J'ai une extrême impatience de savoir ce qui sera enfin résolu[1].

Prenez garde que votre paresse ne vous fasse perdre votre argent au jeu ; ces petites pertes fréquentes sont de petites pluies qui gâtent bien les chemins.

Je crains plus que vous mon voyage de Bretagne. Il me semble que ce sera encore une autre séparation, une douleur sur une douleur, une absence sur une absence ; enfin je commence de m'en affliger tout de bon. Ce sera vers le commencement de mai[2]. Pour mon autre voyage, dont vous m'assurez que le chemin est libre, vous savez qu'il dépend de vous ; je vous l'ai donné. Vous manderez à d'Hacqueville en quel temps vous voulez qu'il soit placé.

Vous ne me mandez point si vous êtes malade ou en santé ; il y a des choses à quoi il faut répondre.

Mme d'Angoulême[3] m'a dit qu'on lui avait mandé que vous étiez la plus honnête et la plus civile du monde. Voilà comme je vous aime et comme on vous aimera. Elle vous fait mille baisemains.

<Vous ne voulez point du tout me dire la date des lettres que vous recevez de moi. J'ai un billet, mais je ne trouve pas ce que vous vouliez. Au moins, mandez-moi quand vous aurez reçu deux éventails que je vous donne et que je vous envoie par cette poste[4].>

M. de Vivonne a une bonne mémoire <de me faire un compliment si vieux.> Il me semble que vous avez dû être bien aises de vous voir. Faites-lui mes compliments, je lui écrirai dans deux ans[1]. N'êtes-vous pas à merveille avec Bandol ? dites-lui mille amitiés pour moi. Il a écrit à M. de Coulanges une lettre qui lui ressemble et qui est aimable.

Je vous embrasse, ma chère bonne. Si vous pouvez, aimez-moi toujours, puisque c'est la seule chose que je souhaite en ce monde pour la tranquillité de mon âme. Je souhaite bien d'autres choses pour vous. Enfin tout tourne ou sur vous, ou de vous, ou pour vous, ou par vous[2].

Je reviens de chez Mme de Villars ; elle vous adore. Je n'ai rien appris ; je vais faire mon paquet. Il est assez tard pour cela.

29. À MADAME DE GRIGNAN

À Livry[3], Mardi saint 24e mars [1671].

Voici une terrible causerie, ma pauvre bonne[4]. Il y a trois heures que je suis ici ; je suis partie de Paris avec l'Abbé, Hélène, Hébert et *Marphise*[5], dans le dessein de me retirer pour jusqu'à jeudi au soir du monde et du bruit. Je prétends être en solitude. Je fais de ceci une petite Trappe ; je veux y prier Dieu, y faire mille réflexions. J'ai dessein d'y jeûner beaucoup par toutes sortes de raisons, marcher pour tout le temps que j'ai été dans ma chambre et, sur le tout, m'ennuyer pour l'amour de Dieu[6]. Mais, ma pauvre bonne, ce que je ferai beaucoup mieux que tout cela, c'est de penser à vous. Je n'ai pas encore cessé depuis que je suis arrivée, et ne pouvant tenir tous mes sentiments, je me suis mise à vous écrire au bout de cette petite allée sombre que vous aimez, assise sur ce siège de mousse où je vous ai vue quelquefois couchée. Mais, mon Dieu, où ne vous ai-je point vue ici ? et de quelle façon toutes ces pensées me traversent-elles le cœur ? Il n'y a point d'endroit, point de lieu, ni dans la maison, ni dans l'église, ni dans le pays, ni dans le jardin, où je ne vous aie vue. Il n'y en a point qui ne me fasse souvenir de quelque chose de quelque manière que ce soit. Et de quelque façon que ce soit aussi, cela me perce le cœur. Je vous vois ; vous m'êtes présente. Je pense et repense à tout. Ma tête et mon esprit se creusent, mais j'ai beau tourner, j'ai beau chercher, cette chère enfant que j'aime avec tant de passion est à deux cents lieues de moi ; je ne l'ai plus. Sur cela, je pleure sans pouvoir m'en empêcher ; je n'en puis plus, ma chère bonne. Voilà qui est bien faible, mais pour moi, je ne sais point être forte contre une tendresse si juste et si naturelle. Je ne sais en quelle disposition vous serez en lisant cette lettre. Le hasard peut faire qu'elle viendra mal à propos, et qu'elle ne sera peut-être pas lue de la manière qu'elle est écrite. À cela je ne sais point de remède. Elle sert toujours à me soulager présentement ; c'est tout ce que je lui demande. L'état où ce lieu ici m'a mise est une chose incroyable. Je vous prie de ne point parler de mes faiblesses, mais vous devez les aimer, et respecter mes larmes qui viennent d'un cœur tout à vous.

À Livry, Jeudi saint 26e mars.

Si j'avais autant pleuré mes péchés que j'ai pleuré pour vous depuis que je suis ici, je serais très bien disposée pour faire mes pâques et mon jubilé[1]. J'ai passé ici le temps que j'avais résolu de la manière dont je l'avais imaginé, à la réserve de votre souvenir, qui m'a plus tourmentée que je ne l'avais prévu. C'est une chose étrange qu'une imagination vive, qui représente toutes choses comme si elles étaient encore ; sur cela on songe au présent, et quand on a le cœur comme je l'ai, on se meurt. Je ne sais où me sauver de vous ; notre maison de Paris m'assomme encore tous les jours, et Livry m'achève. Pour vous, c'est par un effort de mémoire que vous pensez à moi ; la Provence n'est point obligée de me rendre à vous, comme ces lieux-ci doivent vous rendre à moi. J'ai trouvé de la douceur dans la tristesse que j'ai eue ici. Une grande solitude, un grand silence, un office triste, des Ténèbres chantées avec dévotion (je n'avais jamais été à Livry la semaine sainte), un jeûne canonique, et une beauté dans ces jardins, dont vous seriez charmée : tout cela m'a plu. Hélas ! que je vous y ai souhaitée ! Quelque difficile que vous soyez sur les solitudes, vous auriez été contente de celle-ci. Mais je m'en retourne à Paris par nécessité. J'y trouverai de vos lettres, et je veux demain aller à la Passion du P. Bourdaloue ou du P. Mascaron ; j'ai toujours honoré les belles passions. Adieu, ma chère Comtesse. Voilà ce que vous aurez de Livry, j'achèverai cette lettre à Paris. Si j'avais eu la force de ne vous point écrire d'ici, et de faire un sacrifice à Dieu de tout ce que j'y ai senti, cela vaudrait mieux que toutes les pénitences du monde. Mais, au lieu d'en faire un bon usage, j'ai cherché de la consolation à vous en parler. Ah ! ma bonne, que cela est faible et misérable !

Suite. À Paris, ce Vendredi saint, <27 mars>.

J'ai trouvé ici un gros paquet de vos lettres. Je ferai réponse aux hommes quand je ne serai pas du tout si dévote[1]. En attendant, embrassez votre cher mari pour l'amour de moi ; je suis touchée de son amitié et de sa lettre.

Je suis bien aise de savoir que le pont d'Avignon soit encore sur le dos du Coadjuteur. C'est donc lui qui vous y a fait passer, car pour le pauvre Grignan, il se noyait par dépit contre vous ; il aimait autant mourir que d'être avec des gens si déraisonnables. Le Coadjuteur est perdu d'avoir encore ce crime avec tant d'autres.

Je suis très obligée à Bandol de m'avoir fait une si agréable relation[2]. Mais d'où vient, ma bonne, que vous craignez qu'une autre lettre efface la vôtre ? Vous ne l'avez pas relue, car pour moi, qui les lis avec attention, elle m'a fait un plaisir sensible, un plaisir à n'être effacé par rien, un plaisir trop agréable pour un jour comme aujourd'hui. Vous contentez ma curiosité sur mille choses que je voulais savoir. Je me doutais bien que les prophéties auraient été entièrement fausses à l'égard de Vardes[3]. Je me doutais bien aussi que vous n'auriez fait aucune incivilité. <Je me doutais bien encore de l'ennui que vous avez, et ce qui vous surprendra, c'est que,> quelque aversion que je vous aie toujours vue pour les narrations, j'ai cru que vous aviez trop d'esprit pour ne pas voir qu'elles sont quelquefois agréables et nécessaires. Je crois aussi qu'il n'y a rien qu'il faille entièrement bannir de la conversation, et qu'il faut que le jugement et les occasions y fassent entrer tour à tour ce qui est le plus à propos. Je ne sais pourquoi vous nous dites que vous ne contez pas bien ; je ne connais personne qui attache plus que vous. Ce <ne serait pas une sorte de chose> à souhaiter uniquement, mais quand cela est attaché <à l'esprit et à la nécessité de ne rien dire qui ne soit agréable,> je pense qu'on doit être bien aise de s'en acquitter comme vous faites[1].

Je tremble quand je songe que votre affaire pourrait ne pas réussir. Ah ! ma bonne, il faut que Monsieur le Premier Président fasse l'impossible. Je ne sais plus où j'en suis de Monsieur de Marseille. Vous avez très bien fait de soutenir le personnage d'amie ; il faut voir s'il en sera digne. Il me vient une pointe sur le mot de digne, mais je suis en dévotion[2].

Si j'avais présentement un verre d'eau sur la tête, il n'en tomberait pas une goutte. Si vous aviez vu notre homme de Livry le Jeudi saint, c'est bien pis que toute l'année. Il avait hier la tête plus droite qu'un cierge, et ses pas étaient si petits qu'il ne semblait pas qu'il marchât[3].

J'ai entendu la Passion du Mascaron, qui en vérité a été très belle et très touchante. J'avais grande envie de me jeter dans le Bourdaloue, mais l'impossibilité m'en a ôté le goût ; les laquais y étaient dès mercredi, et la presse était à mourir. Je savais qu'il devait redire celle que M. de Grignan et moi entendîmes l'année passée aux Jésuites, et c'était pour cela que j'en avais envie. Elle était parfaitement belle, et je ne m'en souviens que comme d'un songe[4]. Que je vous plains d'avoir eu un méchant prédicateur ! Mais pourquoi cela vous fait-il rire ? J'ai envie de vous dire encore ce que je vous dis une fois : « Ennuyez-vous, cela est si méchant[5]. »

Je n'ai jamais pensé que vous ne fussiez pas très bien avec M. de Grignan ; je ne crois pas avoir témoigné que j'en doutasse. Tout au plus, je souhaitais d'en entendre un mot de lui ou de vous, non point par manière de nouvelle, mais pour me confirmer une chose que je souhaite avec tant de passion. La

Provence ne serait pas supportable sans cela, et je comprends bien aisément les craintes qu'il a de vous y voir languir et mourir d'ennui. Nous avons, lui et moi, les mêmes symptômes. Il me mande que vous m'aimez ; je pense que vous ne doutez pas que ce ne me soit une chose agréable au delà de tout ce que je puis souhaiter en ce monde. Et par rapport à vous, jugez de l'intérêt que je prends à votre affaire. Elle est faite présentement, et je tremble d'en apprendre le succès.

Le maréchal d'Albret a gagné un procès[1] de quarante mille livres de rente en fonds de terre. Il rentre dans tout le bien de ses grands-pères, et ruine tout le Béarn. Vingt familles avaient acheté et revendu ; il faut rendre tout cela avec les fruits depuis cent ans. C'est une épouvantable affaire pour les conséquences.

Vous êtes méchante de ne m'avoir point envoyé la réponse de Mme de Vaudémont ; je vous en avais priée[2], et je lui avais mandé. Que pensera-t-elle ?

Adieu, ma très chère. Je voudrais bien savoir quand je ne penserai plus tant à vous et à vos affaires. Il faut répondre :

Comment pourrais-je vous le dire ?
Rien n'est plus incertain que l'heure de la mort[3].

Je suis fâchée contre votre fille. Elle me reçut mal hier ; elle ne voulut jamais rire. Il me prend quelquefois envie de la mener en Bretagne pour me divertir.

J'envoie aujourd'hui mes lettres de bonne heure[4], mais cela ne fait rien. Ne les envoyiez-vous pas bien tard quand vous écriviez à M. de Grignan ? Comment les recevait-il ? Ce doit être la même chose. Adieu, petit démon qui me détournez ; je devrais être à Ténèbres il y a plus d'une heure.

Mon cher Grignan, je vous embrasse. Je ferai réponse à votre jolie lettre.

Je vous remercie de tous les compliments que vous faites. Je les distribue à propos ; on vous en fait toujours cent mille. Vous êtes encore toute vive partout. Je suis ravie de savoir que vous êtes belle ; je voudrais bien vous baiser. Mais quelle folie de mettre toujours cet habit bleu !

Ne soyez point en peine d'Adhémar. L'Abbé fera ce que vous désirez et n'a pas besoin de votre secours ; il s'en faut beaucoup[1].

Pour Madame la comtesse de Grignan.

30. À MADAME DE GRIGNAN

[À Saint-Germain,] ce [lundi] 30 mars [1671].

Je vous écris peu de nouvelles, ma chère Comtesse ; je me repose sur M. d'Hacqueville, qui vous les mande toutes. D'ailleurs je n'en sais point ; je serais toute propre à vous dire que Monsieur le Chancelier a pris un lavement[2].

Je vis hier une chose chez Mademoiselle qui me fit plaisir. La Gêvres[3] arrive, belle, charmante et de bonne grâce ; Mme d'Arpajon était au-dessus de moi. Je pense qu'elle s'attendait que je lui offrisse ma place, mais je lui en devais de l'autre jour ; je lui payai comptant, et ne branlai pas. Mademoiselle était au lit. Elle fut donc contrainte de se mettre au bas de l'estrade ; cela est fâcheux. On apporte à boire à Mademoiselle ; il faut donner la serviette. Je vois Mme de Gêvres qui dégante sa main maigre[1]. Je pousse Mme d'Arpajon ; elle m'entend <et se dégante,> et d'une très bonne grâce, avance un pas, coupe la Gêvres, et prend, et donne la serviette. La Gêvres en a toute la honte, et est demeurée fort penaude. Elle était montée sur l'estrade, elle avait ôté ses gants, et tout cela pour voir donner la serviette de plus près par Mme d'Arpajon. Ma bonne, je suis méchante ; cela m'a réjouie. C'est bien employé : a-t-on jamais vu accourir pour ôter à Mme d'Arpajon, <qui est dans la ruelle,> un petit honneur qui lui vient tout naturellement ? La Puisieux s'en est épanoui la rate, Mademoiselle n'osait lever les yeux, et moi j'avais une mine qui ne valait rien. Après cela, on a dit cent mille biens de vous, et Mademoiselle m'a commandé de vous dire qu'elle était fort aise que vous ne fussiez point noyée, et que vous fussiez en bonne santé.

Nous fûmes de là chez Mme Colbert, qui me demanda de vos nouvelles. Voilà de terribles bagatelles, mais je ne sais rien. Vous voyez que je ne suis plus dévote. Hélas ! j'aurais bien besoin des matines et de la solitude de Livry. Si est-ce que je vous donnerai ces deux livres[2] de La Fontaine, quand vous devriez être en colère. Il y a des endroits jolis et très jolis, et d'autres ennuyeux. On ne veut jamais se contenter d'avoir bien fait ; en croyant mieux faire, on fait mal.

À Paris, mercredi 1er avril.

Je revins hier de Saint-Germain et j'écrivis les nouvelles que j'y avais apprises[3]. J'étais avec Mme d'Arpajon. Le nombre de ceux qui me demandèrent de vos nouvelles est aussi grand que celui de tous ceux qui composent la cour. Je pense qu'il est bon de distinguer la Reine, qui fit un pas vers moi, et me demanda des nouvelles de ma fille, <et qu'elle avait ouï dire que vous aviez pensé vous noyer.> Je la remerciai de l'honneur qu'elle vous faisait de se souvenir de vous. Elle reprit la parole, et me dit : « Contez-moi comme elle a pensé périr. » Je me mis à lui conter votre belle hardiesse de vouloir traverser le Rhône par un grand vent, et que ce vent vous avait jetée rapidement sous une arche, à deux doigts du pilier, où vous auriez péri mille fois, si vous l'aviez touché. Elle me dit : « Et son mari était-il avec elle ? — Oui, madame, et Monsieur le Coadjuteur aussi. — Vraiment ils ont grand tort », reprit-elle, et fit des hélas, et dit des choses très obligeantes pour vous[1].

<Après cela, il vint bien des duchesses, entre autres la jeune Ventadour, très belle et jolie. On fut quelques moments sans lui apporter ce divin tabouret. Je me tournai vers Monsieur le Grand Maître[2], et je dis : « Hélas ! qu'on le lui donne, il lui coûte assez cher. » Il fut de mon avis.

Au milieu du silence du cercle, la Reine se tourne, et me dit : « À qui ressemble votre petite-fille ? — Madame, lui dis-je, elle ressemble à M. de Grignan. » Elle fit un cri : « J'en suis fâchée », et me dit doucement : « Elle aurait bien mieux fait de ressembler à sa mère ou à sa grand-mère. » Voilà comme vous me faites faire ma cour, ma pauvre bonne[3].

Le maréchal de Bellefonds m'a fait promettre de le tirer de la presse ; et Mme de Duras et son mari, à qui j'ai fait vos compliments, et MM. de Charost et de Montausier, et *tutti quanti*. J'ai donné votre lettre à Monsieur de Condom. J'oubliais Monsieur le Dauphin et Mademoiselle. Je lui ai parlé de Segrais, à la romaine, prenant son parti, mais elle n'est pas traitable sur ce qui touche à neuf cents lieues près de la vue d'un certain cap, d'où l'on découvre les terres de Micomicon[1].>

J'ai vu Mme de Ludres. Elle me vint aborder avec une surabondance d'amitié qui me surprit. Elle me parla de vous sur le même ton, et puis, tout d'un coup, comme je pensais répondre, je trouvai qu'elle ne m'écoutait plus, et que ses beaux yeux trottaient par la chambre ; je le vis promptement, et ceux qui virent que je le voyais me surent bon gré de l'avoir vu, et se mirent à rire. Elle a été plongée dans la mer. La mer l'a vue toute nue, et sa fierté en est augmentée ; j'entends de la mer, car pour la belle, elle en était fort humiliée.

Les coiffures hurlubrelu[2] m'ont fort divertie ; il y en a que l'on voudrait souffleter. La Choiseul ressemblait, comme dit Ninon, à un printemps d'hôtellerie comme deux gouttes d'eau ; cette comparaison est excellente[3].

Mais qu'elle est dangereuse, cette Ninon ! Si vous saviez comme elle dogmatise sur la religion, cela vous ferait horreur. Son zèle pour pervertir les jeunes gens est pareil à celui d'un certain M. de Saint-Germain[4], que nous avons vu une fois à Livry. Elle trouve que votre frère a la simplicité de la colombe ; il ressemble à sa mère. C'est Mme de Grignan qui a tout le sel de la maison, et qui n'est pas si sotte que d'être dans cette docilité. Quelqu'un pensa prendre votre parti, et voulut lui ôter l'estime qu'elle a pour vous ; elle le fit taire, et dit qu'elle en savait plus que lui. Quelle corruption ! Quoi ! parce qu'elle vous trouve belle et spirituelle, elle veut joindre à cela cette autre bonne qualité[5], sans laquelle, selon ses maximes, on ne peut être parfaite ? Je suis vivement touchée du mal qu'elle fait à mon fils sur ce chapitre ; ne lui en mandez rien. Nous faisons nos efforts, Mme de La Fayette et moi, pour le dépêtrer d'un engagement si dangereux. Il a de plus une petite comédienne, et tous les Despréaux et les Racine, et paie les soupers. Enfin c'est une vraie diablerie[1]. Il se moque des Mascaron comme vous avez vu ; vraiment il lui faudrait votre minime[2].

Je n'ai jamais rien vu de si plaisant que ce que vous m'écrivez là-dessus. Je l'ai lu à M. de La Rochefoucauld ; il en a ri de tout son cœur. Il vous mande qu'il y a un certain apôtre qui court après sa côte, et qui voudrait bien se l'approprier comme son bien ; mais il n'a pas l'art de suivre les grandes entreprises. Je pense que *Mélusine* est dans un trou ; nous n'en entendons pas dire un seul mot. Il vous dit encore que s'il avait seulement trente ans de moins que ce qu'il a, il en voudrait fort à la troisième côte de M. de Grignan. L'endroit où vous dites qu'il a deux côtes rompues le fit éclater[3]. Nous vous souhaitons toujours quelque sorte de folie qui vous divertisse. Mais nous craignons bien que celle-là n'ait été meilleure pour nous que pour vous. Après tout, nous vous plaignons de n'entendre parler de Dieu que de cette sorte.

Ah ! Bourdaloue ! Il fit, à ce qu'on m'a dit, une Passion plus parfaite que tout ce qu'on peut imaginer ; c'était celle de l'année passée, qu'il avait rajustée, selon ce que ses amis lui avaient conseillé, afin qu'elle fût inimitable. Comment peut-on aimer Dieu, quand on n'entend jamais bien parler de lui ? Il vous faut des grâces plus particulières qu'aux autres. Nous entendîmes l'autre jour l'abbé de Montmor[4]. Je n'ai jamais ouï un si bon jeune sermon ; je vous en souhaiterais autant à la place de votre minime. Il fit le signe de la croix, il dit son texte, il ne nous gronda point, il ne nous dit point d'injures. Il nous pria de ne point craindre la mort, puisqu'elle était le seul passage que nous eussions pour ressusciter avec Jésus-Christ ; nous le lui accordâmes. Nous fûmes tous contents. Il n'a rien qui choque. Il imite Monsieur d'Agen sans le copier. Il est hardi, il est modeste, il est savant, il est dévot. Enfin, j'en fus contente au dernier point.

Mme de Vauvineux vous rend mille grâces ; sa fille a été très mal. Mme d'Arpajon vous embrasse mille fois, et surtout M. Le Camus[1] vous adore. Et moi, <ma pauvre bonne,> que pensez-vous que je fasse ? Vous aimer, penser à vous, m'attendrir à tout moment plus que je ne voudrais, m'occuper de vos affaires, m'inquiéter de ce que vous pensez, sentir vos ennuis et vos peines, les vouloir souffrir pour vous, s'il était possible, écumer votre cœur, comme j'écumais votre chambre des fâcheux dont je la voyais remplie ; en un mot, <ma bonne,> comprendre vivement ce que c'est d'aimer quelqu'un plus que soi-même : voilà comme je suis. C'est une chose qu'on dit souvent en l'air ; on abuse de cette expression. Moi, je la répète et sans la profaner jamais ; je la sens tout entière en moi, et cela est vrai[2].

<Je reçois, ma bonne, votre grande et très aimable lettre du 24. M. de Grignan est plaisant de croire qu'on ne les lit qu'avec peine ; il se fait tort. Veut-il que nous croyions qu'il n'a pas toujours lu les vôtres avec transport ? Si cela n'était pas, il en était bien indigne. Pour moi, je les aime jusqu'à la folie. Je les lis et les relis. Elles me réjouissent le cœur, elles me font pleurer. Elles sont écrites à ma fantaisie. Une seule chose ne va pas bien ; il n'y a pas de raison à toutes les louanges que vous me donnez. Il n'y en a point aussi à la longueur de cette lettre ; il faut la finir, et mettre des bornes à ce qui n'en aurait

point, si je me croyais. Adieu, ma très aimable bonne. Comptez bien sur ma tendresse, qui ne finira jamais.>

31. À MADAME DE GRIGNAN

[À Paris,] vendredi 3 avril [1671].

Voilà une infinité de lettres que je vous conjure de distribuer. Je souhaite que les deux qui sont ouvertes vous plaisent. Elles sont écrites d'un trait ; vous savez que je ne reprends guère que pour faire plus mal. Si nous étions plus près, je pourrais les raccommoder à votre fantaisie, dont je fais grand cas ; mais de si loin, que faire[1] ? Vous m'avez ravie d'écrire à M. Le Camus ; votre bon sens a fait comme si Castor et Pollux vous avaient porté ma pensée. Voilà ses réponses[2]. La lettre que votre frère vous écrit nous fit hier rire chez M. de La Rochefoucauld.

Je vis Monsieur le Duc chez Mme de La Fayette. Il me demanda de vos nouvelles avec empressement. Il me pria de vous dire qu'il s'en va aux états de Bourgogne, et qu'il jugera, par l'ennui qu'il aura dans son triomphe, de celui que vous aurez eu dans le vôtre[3]. Mme de Brissac arriva ; il y a entre eux un air de guerre ou de mauvaise paix qui nous réjouit. Nous trouvâmes qu'ils jouaient aux petits soufflets[4], comme vous jouiez autrefois avec lui. Il y a un air d'agacerie au travers de tout cela, qui divertit ceux qui observent. La Marans arriva là-dessus ; elle sentait la chair fraîche[5]. Sans nous être concertées, Mme de La Fayette et moi, voici ce que nous lui répondîmes, quand elle nous pria qu'elle pût venir avec nous passer le soir chez *son fils*[6]. Elle me dit :

« Madame, vous pourrez bien me remener, n'est-il pas vrai ? — Pardonnez-moi, madame ; car il faut que je passe chez Mme du Puy-du-Fou[1]. » Menterie, j'y avais déjà été. Elle s'en va à Mme de La Fayette : « Madame, lui dit-elle, *mon fils* me renverra bien ? — Non, madame, il ne le pourra pas ; il vendit hier ses chevaux au marquis de Ragni[2]. » Menterie, c'était un marché en l'air. Un moment après, Mme de Schomberg[3] la vint *reprendre, quoiqu'elle ne la puisse pas vendre*[4], et elle fut contrainte de s'en aller, et de quitter une représentation d'amour, et l'espérance de voir *son fils* avec nous. Elle emporta tout cela sur son cœur avec la rage pêle-mêle. Et puis Mme de La Fayette et moi, nous vous consacrâmes nos deux réponses, ne voulant perdre aucune occasion d'offrir à votre vengeance nos brutalités pour elle. Je me suis chargée de vous rendre compte de celle-ci ; nous souhaitons qu'elle vous réjouisse autant que nous. Je m'en vais dîner en Lavardin. Je fermerai ma lettre ce soir, mais en vérité je ne veux pas la faire longue ; vous me paraissez accablée.

Vendredi au soir.

J'ai dîné en lavardinage, c'est-à-dire en *bavardinage* ; je n'ai jamais rien vu de pareil. Mme de Brissac ne nous a pas consolés de M. de La Rochefoucauld ni de Benserade, quoiqu'elle fût dans ses belles humeurs.

Le Roi a voulu que Mme de Longueville se raccommodât avec Mademoiselle. Elles se sont trouvées aujourd'hui aux Carmélites, et cette réconciliation s'est faite. Mademoiselle a donné cinquante mille francs à Guilloire ; nous voudrions bien qu'elle en donnât autant à Segrais. M. le marquis d'Ambres est enfin reçu à l'autre lieutenance de Roi de Guyenne, moyennant deux cent mille francs. Je ne sais si son régiment entre en paiement[1] ; je vous le manderai.

Adieu, ma très aimable enfant ; je ne veux point vous fatiguer, il y a raison partout.

32. À MADAME DE GRIGNAN

De Paris, ce <mercredi> 8e avril [1671].

Je commence à recevoir vos lettres le dimanche[2] ; c'est signe que le temps est beau. Mon Dieu, ma bonne, que vos lettres sont aimables ! Il y a des endroits dignes de l'impression ; un de ces jours vous trouverez qu'un de vos amis vous aura trahie.

Vous êtes en dévotion. Vous avez trouvé nos pauvres sœurs ; vous y avez une cellule. Mais ne vous y creusez point trop l'esprit. Les rêveries sont quelquefois si noires qu'elles font mourir ; vous savez qu'il faut un peu glisser sur les pensées. Vous trouverez de la douceur dans cette maison, dont vous êtes la maîtresse[3]. J'admire la manière de vos dames pour la communion ; elle est extraordinaire. Pour moi, je ne pourrais pas m'y accoutumer. Je crois que vous en baisserez davantage vos coiffes. Je comprends que vous auriez bien moins de peine à ne vous point friser qu'à vous taire de ce que vous voyez[4].

La description des cérémonies[5] est une pièce achevée. Mais savez-vous bien qu'elle m'échauffe le sang, et que j'admire que vous y puissiez résister ? Vous croyez que je serais admirable en Provence, et que je ferais des merveilles sur ma petite bonté. Point du tout, je serais brutale ; la déraison me pique, et le manque de bonne foi m'offense. Je leur dirais :

« Madame, voyons donc à quoi nous en sommes. Faut-il vous reconduire ? ne m'en empêchez donc point, et ne perdons pas notre temps et notre poumon. Si vous ne le voulez point, trouvez bon que je n'en fasse point les façons. » Et si elles ne voulaient pas, je leur ferais tout haut votre compliment intérieur. Je ne m'étonne pas si cette sorte de manège vous impatiente ; j'y ferais moins bien que vous.

Parlons un peu de votre frère ; il a eu son congé de Ninon. Elle s'est lassée d'aimer sans être aimée. Elle a redemandé ses lettres, on les a rendues. J'ai été fort aise de cette séparation. Je lui disais toujours un petit mot de Dieu, et le faisais souvenir de ses bons sentiments passés, et le priais de ne point étouffer le Saint-Esprit dans son cœur. Sans cette liberté de lui dire en passant quelque mot, je n'aurais pas souffert cette confidence dont je n'avais que faire. Mais ce n'est pas tout. Quand on rompt d'un côté, on croit se racquitter de l'autre ; on se trompe. La jeune merveille[1] n'a pas rompu, mais je crois qu'elle rompra. Voici pourquoi : mon fils vint hier me chercher du bout de Paris pour me dire l'accident qui lui était arrivé. Il avait trouvé une occasion favorable, et cependant oserais-je le dire ? *Son dada demeura court à Lérida*[2]. Ce fut une chose étrange ; la demoiselle ne s'était jamais trouvée à telle fête. Le cavalier en désordre sortit en déroute, croyant être ensorcelé. Et ce qui vous paraîtra plaisant, c'est qu'il mourait d'envie de me conter sa déconvenue. Nous rîmes fort ; je lui dis que j'étais ravie qu'il fût puni par où il avait péché. Il s'est pris à moi, et me dit que je lui avais donné de ma glace, qu'il se passerait fort bien de cette ressemblance, que j'aurais bien mieux fait de la donner à ma fille. Il voulait que Pecquet le restaurât. Il disait les plus folles choses du monde, et moi aussi. C'était une scène digne de Molière. Ce qui est vrai, c'est qu'il a l'imagination tellement bridée que je crois qu'il n'en reviendra pas sitôt. J'eus beau l'assurer que tout l'empire amoureux est rempli d'histoires tragiques, il ne peut se consoler. La petite *Chimène* dit qu'elle voit bien qu'il ne l'aime plus, et se console ailleurs. Enfin c'est un désordre qui me fait rire, et que je voudrais de tout mon cœur qui le pût retirer d'un état si malheureux à l'égard de Dieu.

Il me contait l'autre jour qu'un comédien voulait se marier, quoiqu'il eût un certain mal un peu dangereux ; et son camarade lui dit : « Eh, morbleu ! attends que tu sois guéri ; tu nous perdras tous. » Cela m'a paru fort épigramme[1].

Ninon disait l'autre jour à mon fils qu'il était une vraie citrouille fricassée dans la neige. Vous voyez ce que c'est que de voir bonne compagnie ; on apprend mille gentillesses[2].

Je n'ai point encore loué votre appartement, quoiqu'il vienne tous les jours des gens pour le voir, et que je l'aie laissé pour moins de cinq cents écus.

Pour votre enfant, voici de ses nouvelles. Je la trouvai pâle ces jours passés. Je trouvai que jamais les tétons de sa nourrice ne s'enfuyaient. La fantaisie me prit de croire qu'elle n'avait pas assez de lait. J'envoyai quérir Pecquet, qui trouva que j'étais fort habile et me dit qu'il fallait voir encore quelques jours. Il revint au bout de deux ou trois ; il trouva que la petite diminuait. Je vais chez Mme du Puy-du-Fou. Elle vient ici ; elle trouve la même chose, mais parce qu'elle ne conclut jamais, elle disait qu'il fallait voir. « Et quoi voir, lui dis-je, madame ? » Je trouve par hasard une femme de Sucy[3], qui me dit qu'elle y connaissait une nourrice admirable ; je l'ai fait venir. Ce fut samedi. Dimanche, j'allai chez Mme de Bournonville lui dire le déplaisir que j'avais d'être obligée de lui rendre sa jolie nourrice. M. Pecquet était avec moi, qui dit l'état de l'enfant. L'après-dîner, une demoiselle de Mme de Bournonville vient au logis, et sans rien dire du sujet de sa venue, elle prie la nourrice de venir [faire] un tour chez Mme de Bournonville. Elle y va. On l'emmène le soir, on lui dit qu'elle ne retournerait plus ; elle se désespère. Le lendemain, je lui envoie dix louis d'or pour quatre mois et demi ; voilà qui est fait. Je fus chez Mme du Puy-du-Fou, qui m'approuva. Et pour la petite, je la mis dès dimanche entre les mains de l'autre nourrice. Ce fut un plaisir de la voir téter ; elle n'avait jamais tété de cette sorte. Sa nourrice avait peu de lait ; celle-ci en a comme une vache. C'est une bonne paysanne, sans façon, de belles dents, des cheveux noirs, un teint hâlé, âgée de vingt-quatre ans. Son lait a quatre mois ; son enfant est beau comme un ange. Pecquet est ravi de songer que la petite n'a plus de besoin. On voyait qu'elle en avait et qu'elle cherchait toujours. J'ai acquis une grande réputation dans cette occasion ; je suis du moins, comme l'apothicaire de Pourceaugnac, expéditive[1]. Je ne dormais plus en repos de songer que la petite languissait, et de chagrin aussi d'ôter cette jolie femme, qui pour sa personne était à souhait ; il ne lui manquait rien que du lait. Je donne à celle-ci deux cent cinquante livres par an et je l'habillerai, mais ce sera fort modestement. Voilà comme nous disposons de vos affaires[2].

Je pars à peu près dans un mois, ou cinq semaines. Ma tante[3] demeure ici, qui sera ravie d'avoir cet enfant ; elle ne va point cette année à La Trousse. Si la nourrice était femme à quitter de loin son ménage, je crois que je la mènerais en Bretagne, mais elle ne voulait seulement pas venir à Paris. Votre petite devient aimable ; on s'y attache. Elle sera dans quinze jours une pataude blanche comme de la neige, qui ne cessera de rire. Voilà, ma bonne, de terribles détails. Vous ne me connaissez plus. Me voilà une vraie commère ; je m'en vais régenter dans mon quartier[1]. Pour vous dire le vrai, c'est que je suis une autre personne, quand je suis chargée d'une chose toute seule ou que je la partage avec plusieurs. Ne me remerciez de rien ; gardez vos cérémonies pour vos dames. J'aime votre petit ménage tendrement. Ce m'est un plaisir et point du tout une charge, ni à vous assurément ; je ne m'en aperçois pas. Ma tante a bien fait aussi. Elle est venue avec moi en bien des lieux ; remerciez-la, et contez tout ceci à la petite Deville ; je voulais lui écrire. Dites aussi un mot pour Segrais dans votre première lettre.

Une Mme de La Guette, qui m'a donné la nourrice, vous prie de savoir de M. le cardinal de Grimaldi s'il voudrait souffrir à Aix la fondation des filles de la Croix, qui instruisent les jeunes filles et dont on en reçoit en plusieurs villes une fort grande utilité. N'oubliez pas de répondre à ceci.

La Marans disait l'autre jour chez Mme de La Fayette : « Ah, mon Dieu ! il faut que je me fasse couper les cheveux. » Mme de La Fayette lui répondit bonnement : « Ah, mon Dieu ! madame, ne le faites point ; cela ne sied bien qu'aux jeunes personnes. » Si vous n'aimez ces traits-là, dites mieux. Voilà une lettre de Monsieur de Marseille.

M. d'Ambres donne son régiment au Roi pour quatre-vingt mille francs et cent vingt mille livres ; voilà les deux cent mille francs. Il est fort content d'être hors de l'infanterie, c'est-à-dire de l'hôpital[2]. Eh, mon Dieu ! ma très chère bonne, tâchez bien de l'éviter. Ne faites point si grande chère ; on en parle ici comme d'un excès. M. de Monaco[3] ne s'en peut taire. Mais surtout essayez de vendre une terre ; il n'y a point d'autre ressource pour vous[1]. Je ne pense qu'à vous ; si, par un miracle que je n'espère ni ne veux, vous étiez hors de ma pensée, il me semble que je serais vide de tout, comme une figure de Benoît[2].

Voilà une lettre que j'ai reçue de Monsieur de Marseille. Voilà ma réponse ; je crois qu'elle sera à votre gré, puisque vous la voulez si franche et si sincère, et conforme à cette amitié que vous vous êtes jurée, *dont la dissimulation est le lien, et votre intérêt le fondement*. Cette période est de Tacite[3] ; jamais je n'ai rien vu de si beau. J'entre donc dans ce sentiment, et je l'approuve, puisqu'il le faut.

À neuf heures du soir.

Je reviens fermer mon paquet, après m'être promenée aux Tuileries avec une chaleur à mourir et dont je suis triste, parce qu'il me semble que vous avez encore plus de chaud. Je suis revenue chez M. Le Camus, qui s'en va écrire à M. de Grignan en lui envoyant la réponse de M. de Vendôme[4]. L'affaire du secrétaire n'a pas été sans difficulté. La civilité qu'a faite M. de Grignan était entièrement nécessaire pour cette année. Ce qui est fait est fait. Mais pour l'autre, il faut que, de bonne foi, M. de Grignan soit le solliciteur du secrétaire du gouverneur. Autrement, il paraîtrait que ce qu'a offert votre mari ne serait que des paroles ; il faut bien se garder de n'y pas conformer les actions[5]. Il faut aussi captiver Monsieur de Marseille et lui faire croire qu'il est de vos amis, malgré qu'il en ait, et que ce sera lui qui sera votre homme d'affaires l'année qui vient. J'approuve la conduite que vous voulez avoir avec lui. Je vois bien qu'elle est nécessaire ; je le vois plus que je ne faisais.

Je reçois présentement votre lettre du 31 mars ; je n'ai point encore trouvé le moyen de les lire sans beaucoup d'émotion. Je vois toute votre vie, et je ne trouve que M. de Grignan qui vous entende. *Vous n'êtes donc point belle, vous n'avez guère d'esprit, vous ne dansez point bien ?* Hélas ! est-ce ma chère enfant ? J'aurais grand'peine à vous reconnaître sur ce portrait.

Je dirai à M. de La Rochefoucauld toutes les folies que vous dites sur les chanoines, et comme vous croyez que *c'est de là qu'on a nommé le dévot sexe féminin*[1]. Il y a plaisir à vous mander des bagatelles ; vous y répondez très bien, et je vous embrasse mille fois de me remercier de vos éventails en prenant part au plaisir que j'ai de vous les donner ; ce n'est que cela qui vous les doit rendre aimables. Ah ! ma bonne, faites que j'aie des trésors, et vous verrez si je me contenterai de faire avoir des pantoufles de natte à votre nourrice.

Mon cher Grignan, puisque vous trouvez votre femme si belle, conservez-la. C'est assez d'avoir chaud cet été en Provence, sans y être malade[2]. Vous croyez que j'y ferais des merveilles ; je vous assure que je ne suis pas au point que vous pensez là-dessus. La contrainte m'est aussi contraire qu'à vous, et je crois que ma fille fait mieux que je ne pourrais faire.

Mme de Villars et toutes celles que vous nommez dans vos lettres vous font tant d'amitiés que je ne finirais point si je les disais toutes ; ce n'est pas encore aujourd'hui qu'on vous oublie.

Adieu, ma très aimable bonne. Vous me baisez et vous m'embrassez si tendrement ! Pensez-vous que je ne reçoive point vos caresses à bras ouverts ? Pensez-vous que je ne baise point aussi de tout mon cœur vos belles joues et votre belle gorge ? Pensez-vous que je puisse vous embrasser sans une tendresse infinie ? Pensez-vous que l'amitié puisse jamais aller plus loin que celle que j'ai pour vous ? Mandez-moi comme vous vous portez le 6e de ce mois. Vos habits si bien faits, cette taille si bien remplie dans son naturel, ô mon Dieu ! conservez-la donc pour mon voyage de Provence. Vous savez bien qu'il ne vous peut manquer.

Je le souhaite plus que vous, mon cher Comte. Embrassez-moi, et croyez que je vous aime et que tout le bonheur de ma fille est en vous.

33. À MADAME DE GRIGNAN

À Paris, ce <jeudi> 9 avril [1671].

Voilà M. de Magalotti[1] qui s'en va en Provence ; je voudrais bien aller avec lui. Je ne sais s'il sentira bien le plaisir de vous voir ; pour moi, j'y serais fort sensible. Le voilà qui se joue avec ma petite-fille. Il vous trouve fort honnête femme en la regardant ; pour moi, qui trouve les Grignan fort beaux, je la trouve fort à mon gré. Je crois que vous serez aise de voir un homme de ce mérite, un homme du monde, un homme avec qui vous parlerez français et italien, si vous voulez ; un homme dont les perfections sont connues de toute la cour ; un homme enfin, un homme[1] qui vous porte deux paires de souliers de Georget[2].

Que puis-je encore vous dire ? Il s'en va voir Mme de Monaco[3], et je parie que vous lui écrirez par lui. Il dit que, sans ma lettre, il ne serait jamais reçu de vous comme il le veut être ; enfin il se moque de moi. Et moi, je l'envie, et je vous embrasse de tout mon cœur, <mais sincèrement,> et point du tout pour finir ma lettre[4].

34. À MADAME DE GRIGNAN

À Paris, vendredi 10 avril [1671].

Je vous écrivis mercredi par la poste, hier matin par Magalotti, aujourd'hui encore par la poste, mais hier au soir, je perdis une belle occasion. J'allai me promener à Vincennes, en famille et en Troche. Je rencontrai la chaîne des galériens qui partait pour Marseille[5]. Ils arriveront dans un mois ; rien n'eût été plus sûr que cette voie. Mais j'eus une autre pensée ; c'était de m'en aller avec eux. Il y a un certain Duval, qui me parut homme de bonne conversation. Vous les verrez arriver, et vous auriez été fort agréablement surprise de me voir pêle-mêle avec une troupe de femmes qui vont avec eux. Je voudrais que vous sussiez ce que m'est devenu le mot de Provence, de Marseille, d'Aix ; le Rhône seulement, ce diantre de Rhône, et Lyon, me sont de quelque chose. La Bretagne et la Bourgogne me paraissent des pays sous le pôle, où je ne prends aucun intérêt. Il faut dire comme Coulanges :

Ô grande puissance
De mon orviétan[1] *!*

Vous êtes admirable, ma <bonne>, de mander à l'Abbé de m'empêcher de vous faire des présents. Quelle folie ! Hélas ! vous en fais-je ? vous appelez des présents les *Gazettes* que je vous envoie. <Un pouvoir au-dessus du sien m'empêche de vous en faire comme je voudrais, mais ni lui ni personne ne m'ôtera> jamais de l'esprit l'envie de vous donner. C'est un plaisir qui m'est sensible, et dont vous feriez très bien de vous réjouir avec moi, si je me donnais souvent cette joie. Cette manière de me remercier m'a extrêmement plu.

Vos lettres sont admirables ; on jurerait qu'elles ne vous sont pas dictées par les dames du pays où vous êtes. Je trouve que M. de Grignan, avec tout ce qu'il vous est déjà, est encore votre vraie bonne compagnie ; c'est lui, ce me semble, qui vous entend. Conservez bien la joie de son cœur par la tendresse du vôtre, et faites votre compte que si vous ne m'aimiez pas tous deux, chacun selon votre degré de gloire, en vérité, vous seriez des ingrats. La nouvelle opinion, qu'il n'y a point d'ingratitude dans le monde, par les raisons que nous avons tant discutées, me paraît la philosophie de Descartes, et l'autre est celle d'Aristote[2]. Vous savez l'autorité que je donne à cette dernière ; j'en suis de même pour l'opinion de l'ingratitude. <Ceux qui disputent qu'il n'y en a pas, voudraient être juges et parties.> Vous seriez donc une petite ingrate, ma <bonne > ; mais par un bonheur qui fait ma joie, je vous en trouve éloignée, et cela fait aussi que, sans aucune retenue, je m'abandonne d'une étrange façon à m'approuver dans les sentiments que j'ai pour vous.

Adieu, ma très aimable <bonne> ; je m'en vais fermer cette lettre. Je vous en écrirai encore une ce soir, où je vous rendrai compte de ma journée. Nous espérons tous les jours de louer votre maison ; vous croyez bien que je n'oublie rien de ce qui vous touche. Je suis sur cela comme les plus intéressés sont pour eux-mêmes.

Vendredi au soir 10 avril.

Je fais mon paquet chez M. de La Rochefoucauld, qui vous embrasse de tout son cœur. Il est ravi de la réponse que vous faites aux chanoines et au P. Desmares. Il y a plaisir à vous mander des bagatelles ; vous y répondez très bien. Il vous prie de croire que vous êtes encore toute vive dans son souvenir. S'il apprend quelques nouvelles dignes de vous, il vous les fera savoir. Il est dans son hôtel de La Rochefoucauld, n'ayant plus d'espérance de marcher. Son château en Espagne, c'est de se faire porter dans les maisons, ou dans son carrosse pour prendre l'air. Il parle d'aller aux eaux ; je tâche de l'envoyer à Digne[1], et d'autres à Bourbon. J'ai dîné en *Bavardin*[2], mais si purement que j'en ai pensé mourir. Tous nos commensaux nous ont fait faux bond ; nous n'avons fait que *bavardiner*, et nous n'avons point causé comme les autres jours. <J'ai été chez Mademoiselle, qui est toujours malade[3].>

Brancas versa, il y a trois ou quatre jours, dans un fossé. Il s'y établit si bien, qu'il demandait à ceux qui allèrent le secourir ce qu'ils désiraient de son service. Toutes ses glaces étaient cassées, et sa tête l'aurait été s'il n'était plus heureux que sage. Toute cette aventure n'a fait aucune distraction à sa rêverie. Je lui ai mandé ce matin que je lui apprenais qu'il avait versé, qu'il avait pensé se rompre le cou, qu'il était le seul dans Paris qui ne sût point cette nouvelle, et que je lui en voulais marquer mon inquiétude ; j'attends sa réponse.

Voilà Madame la Comtesse et M. de Briole[1], qui vous font trois cents compliments.

Adieu, ma très chère enfant ; je m'en vais fermer mon paquet. Je suis assurée que vous ne doutez pas de mon amitié ; c'est pourquoi je ne vous en dirai rien ce soir.

DE MADAME DE FIESQUE[2]

Madame la Comtesse ne peut pas voir une lettre qui vous va trouver sans y mettre quelque chose d'elle, quand ce ne serait qu'un compliment sur les cinq mille francs d'augmentation[3]. De l'humeur dont vous la connaissez, vous jugez aisément qu'elle trouve un compliment mieux fondé sur les cinq mille francs que sur cinq cent mille admirations et autant de harangues que vos perfections et vos dignités vous ont attirées.

35. À MADAME DE GRIGNAN

À Paris, dimanche 12 avril [1671].

Je vous écris tous les jours ; c'est une joie pour moi, qui me rend très favorable à tous ceux qui me demandent des lettres. Ils veulent en avoir pour paraître devant vous, et moi, je ne demande pas mieux. Celle-ci vous sera rendue par M. de... Je veux mourir si je sais son nom, mais enfin c'est un fort honnête homme qui me paraît avoir de l'esprit, que nous avons vu ici ensemble. Son visage vous est connu ; pour moi, je n'ai pas eu l'esprit d'appliquer son nom dessus.

N'allez pas prendre patron sur mes lettres ; <ma bonne, je vous en ai écrit depuis peu d'infinies.> Je n'ai que ce plaisir. Les vôtres sont d'une grandeur qui m'étonne déjà assez ; je ne sais quand je m'ennuierai en les lisant. Si M. de Grignan, qui dit qu'on ne peut aimer les longues lettres, avait jamais eu cette pensée quand il recevait les vôtres, je présenterais requête pour vous séparer, et j'irais vous ôter à lui, au lieu d'aller en Bretagne.

Je fus hier au soir brouillée avec Brancas pour avoir dit, à ce qu'il prétend, une grossièreté sur l'amitié, que personne n'entendit et que je ne sentis pas moi-même ; c'était le couronnement du crime. Il sortit dans une vraie colère. Ce sont des délicatesses incommodes ; je ne les ai pas pour lui, et ne les ai que trop pour une certaine beauté que j'aime plus que ma vie, et que j'embrasse de tout mon cœur.

36. À MADAME DE GRIGNAN

À Paris, <achevée> ce <mercredi> 15e avril [1671].

J'achèverai cette lettre quand il plaira à Dieu ; je la commence trois jours avant qu'elle parte, parce que je viens de recevoir la lettre que vous m'écrivez par Gacé, avec des gants dont je vous remercie mille fois. Ma bonne, je les aime, je les trouve bons ; votre souvenir me charme. Ils ne vous coûtent rien ; c'est ce qui me plaît. Je crois même qu'ils seront assez grands. Enfin, ma bonne, vous êtes trop aimable, mais si vous m'aimez, n'achetez jamais rien pour me donner[1].

Vous avez mal à la langue. N'est-ce point que vous allez être malade comme je le souhaite ? Si cela est, je m'en réjouis, ou bien si c'était que vous eussiez menti ? Mais si c'était une fluxion qui allât jusqu'à vos dents, j'en serais très en peine.

Vous me parlez de la Provence comme de la Norvège. Je pensais qu'il y fît chaud, et je le pensais si bien que l'autre jour, que nous eûmes ici une bouffée d'été, je mourais de chaud, et j'étais triste ; on devina que c'était parce que je croyais que vous aviez encore plus chaud que moi, et je ne pouvais l'imaginer sans chagrin.

Vous me dites, ma bonne, que j'ai été injuste sur le sujet de votre amitié. Ah ! ma bonne, je l'ai été encore bien plus que vous ne pensez ; je n'ose vous dire jusqu'à quel point a été ma folie. J'ai cru que vous aviez de l'aversion pour moi, et je l'ai cru parce que je me trouvais, pour des gens que je haïssais, comme il me semblait que vous étiez pour moi ; et songez que je croyais cette épouvantable chose au milieu du désir extrême de découvrir le contraire, et comme malgré moi. Dans ces moments, ma bonne, il faut que je vous dise toute ma faiblesse : si quelqu'un m'eût tourné un poignard dans le cœur, il ne m'aurait pas plus mortellement blessée que je l'étais de cette pensée. J'ai des témoins de l'état où elle m'a mise. Je vous dis ceci sans vouloir de réponse que celle que vous me faites tous les jours en me persuadant que je me suis trompée. Ce discours est donc ce qui s'appelle des paroles vaines, qui n'ont autre but que de vous faire voir, ma bonne, que l'état où je suis sur votre sujet serait parfaitement heureux si Dieu ne permettait point qu'il fût traversé par le déplaisir de ne vous avoir plus, et pour vous persuader aussi que tout ce qui me vient de vous ou par vous, me va droit et uniquement au cœur.

Le chocolat n'est plus avec moi comme il était ; la mode m'a entraînée, comme elle fait toujours. Tous ceux qui m'en disaient du bien m'en disent du mal. On le maudit ; on l'accuse de tous les maux qu'on a. Il est la source des vapeurs et des palpitations ; il vous flatte pour un temps, et puis vous allume tout d'un coup une fièvre continue, qui vous conduit à la mort. Enfin, mon enfant, le Grand Maître, qui en vivait, est son ennemi déclaré ; vous pouvez penser si je puis être d'un autre sentiment[1]. Au nom de Dieu, ne vous engagez point à le soutenir ; songez que ce n'est plus la mode du bel air. Tous les gens grands et moins grands en disent autant de mal qu'ils disent de bien de vous ; les compliments qu'on vous fait sont infinis.

Je n'ai point encore vu Gacé ; je crois que je l'embrasserai. Bon Dieu ! un homme qui vous a vue, qui vient de vous quitter, qui vous a parlé, comme cela me paraît ! J'ai été tantôt chez Ytier, j'avais besoin de musique ; je n'ai jamais pu m'empêcher de pleurer à une certaine sarabande que vous aimez.

Je suis fort aise que vous ayez compris la coiffure. C'est justement ce que vous aviez toujours envie de faire. Ce taponnage vous est naturel : il est au bout de vos doigts ; vous avez cent fois pensé l'inventer. Vous avez bien fait de ne la point prendre à la rigueur. Je vous avais conseillé de conserver vos dents ; vous le faites. C'est une chose étrange que votre serein, et la sujétion que vous avez de vous renfermer à quatre heures, au lieu de prendre l'air[2] ; quelle tristesse ! Mais il vaut mieux rapporter ici vos belles dents que de les perdre en Provence par le serein, ou par une mode qui sera passée dans six mois. Dites à Montgobert qu'on ne tape point les cheveux, et qu'on ne tourne point les boucles à la rigueur, comme pour y mettre un ruban ; c'est une confusion qui va comme elle peut, et qui ne peut aller mal. On marque quelques boucles ; le bel air est de se peigner pour contrefaire la petite tête revenante[1]. Vous taponnerez tout cela à merveille ; cela est fait en un moment. Vos dames sont bien loin de là, avec leurs coiffures glissantes de pommades, et leurs cheveux de deux paroisses ; cela est bien vieux[2].

Votre peinture du cardinal Grimaldi est excellente : *cela mord-il ?* est plaisant au dernier point et m'a bien fait rire ; je vous souhaite de pareilles <visions[3]> pour vous divertir. Enfin Montgobert sait rire ; elle entend votre langage. Qu'elle est heureuse d'avoir de l'esprit, et d'être auprès de vous ! Les esprits où il n'y a point de remède, font <bouillir> le sang.

Que vous êtes aimable de m'avoir envoyé une lettre pour Mme de Vaudémont ! Je m'en vais bien lui envoyer et lui écrire un petit mot. Vous me mandiez l'autre jour que le jeu était une personne à qui vous aviez bien de l'obligation ; ne vous a-t-il rien fait perdre ? Je vous remercie de votre souvenir au reversis[4], et de jouer au mail. C'est un aimable jeu pour les personnes bien faites et adroites comme vous ; je m'en vais y jouer dans mon désert[5] ! À propos de désert, je crois qu'Adhémar vous aura mandé comme le laquais du Coadjuteur, qui était à la Trappe, est revenu à demi fou, n'ayant pu supporter les austérités. On cherche un couvent de coton pour le mettre, et le remettre de l'état où il est. Je crains que cette Trappe, qui veut surpasser l'humanité, ne devienne les Petites-Maisons[6].

Je pleurais amèrement en vous écrivant à Livry,

et je pleure encore en voyant de quelle manière tendre vous avez reçu ma lettre, et l'effet qu'elle a fait dans votre cœur. Les petits esprits[1] se sont bien communiqués, et sont passés bien fidèlement de Livry en Provence. Si vous avez les mêmes sentiments, ma pauvre bonne, toutes les fois que je suis sensiblement touchée de vous, je vous plains, et vous conseille de renoncer à la sympathie. Je n'ai jamais rien vu de si aisé à trouver que ma tendresse pour vous. Mille choses, mille pensées, mille souvenirs me traversent le cœur, mais c'est toujours de la manière que vous pouvez le souhaiter. Ma mémoire ne me représente rien que de doux et d'aimable ; j'espère que la vôtre fait de même.

Je suis aise que vous ayez des comédiens[2] ; cela divertit. Vous pouvez, ce me semble, les perfectionner. Pourquoi avez-vous laissé mourir la *Canette beauté,* et du pourpre encore ? Ma chère bonne, conservez-vous ; si quelqu'un tombe malade chez vous, envoyez-le à la ville[3]. Ne vous mettez point en peine de mes petits maux ; je m'en accommode fort bien. Mais vous qui parlez, ma bonne, n'en avez-vous point ? Vous sentez par vous-même que l'on songe à tout, et que l'on s'inquiète de tout quand on aime. Écrivez-moi quelque petite amitié pour Pecquet ; il a eu des soins extrêmes de ma petite-fille. J'espère que je recevrai encore ici la réponse de cette lettre. Elle est jolie, cette pauvre petite. Elle vient le matin dans ma chambre ; elle rit, elle regarde. Elle baise toujours un peu malhonnêtement, mais peut-être que le temps la corrigera. Je l'aime ; elle m'amuse. Je la quitterai avec regret. Elle a une nourrice admirable.

La lettre que vous écrivez à votre frère est admirable aussi, et celle de M. de Coulanges. J'aime vos lettres passionnément. Vous avez très bien deviné :

votre frère est dans le bel air par-dessus les yeux. Point de pâques, point de jubilé, *avaler le péché comme de l'eau*, tout cela est admirable. Je n'ai rien trouvé de bon en lui que la crainte de faire un sacrilège ; c'était mon soin aussi que de l'en empêcher. Mais la maladie de son âme est tombée sur son corps, et ses maîtresses sont d'une manière à ne pas supporter cette incommodité avec patience ; Dieu fait tout pour le mieux ! J'espère qu'un voyage en Lorraine rompra toutes ces vilaines chaînes. Il est plaisant. Il dit qu'il est comme le bonhomme Éson[1] ; il veut se faire bouillir dans une chaudière avec des herbes fines pour *se ravigoter* un peu. Il me conte toutes ses folies. Je le gronde et je fais scrupule de les écouter ; et pourtant je les écoute. Il me réjouit, il cherche à me plaire. Je connais la sorte d'amitié qu'il a pour moi. Il est ravi, à ce qu'il dit, de celle que vous me témoignez. Il me donne mille attaques en riant de l'attachement que j'ai pour vous. Je vous avoue, ma bonne, qu'il est grand, quand même je le cache. Je vous avoue encore une autre chose, c'est que je crois que vous m'aimez. Vous me paraissez solide ; il me semble qu'on se peut fier à vos paroles. En un mot, je vous estime fort. Mme de Villars est folle de vous. Elle se mit l'autre jour sur votre chapitre ; il y avait plaisir à l'entendre.

Vos messieurs commencent à s'accoutumer à vous : les pauvres gens ! Et les dames ne vous ont pas encore bien goûtée. N'avez-vous point encore eu de picoterie avec la Première Présidente[2] ? Cette comédie n'en fera-t-elle point trouver quelque occasion ? Cette sujétion d'avoir affaire tous les ans[3] de tout le monde est une chose embarrassante.

Je vous prie, si vous entrez aux Bénédictines, d'y demander une fille de Mme de La Guette. Sa mère est fort de mes anciennes connaissances. Faites-en assez pour qu'elle lui mande.

Adieu, ma très aimable bonne. Je ne songe qu'à vous, je vous vois sans cesse et je fais mon unique plaisir de la pensée de vous aller voir et de vous ramener avec moi. J'embrasse ce Comte, qui est si adroit, qui joue si bien à la paume et au mail ; j'aime ces choses-là.

37. À MADAME DE GRIGNAN

<À Paris,> vendredi 17 avril [1671].

Cette lettre du vendredi est sur la pointe d'une aiguille, car il n'y a point de réponse à faire et, pour moi, je ne sais point de nouvelles[1]. D'Hacqueville me contait l'autre jour les sortes de choses qu'il vous mande, et qu'il appelle des nouvelles ; je me moquai de lui, et je lui promis de ne jamais charger mon papier de ce verbiage. Par exemple, il vous mande qu'on parle que M. de Verneuil donne son gouvernement à M. de Lauzun, et qu'il prend celui de Berry avec la survivance pour M. de Sully. Tout cela est faux et ridicule, et ne se dit point dans les bons lieux. Il vous dit que le Roi partira le 25 : voilà qui est beau. Je vous déclare, ma bonne, que je ne vous manderai rien que de vrai. Et quand il ne vient rien à ma connaissance que de ces *lanternes-là*, je les laisse passer, et vous conte autre chose.

Je suis fort contente de d'Hacqueville, aussi bien que vous ; il a grand soin de votre mère en votre absence. Et dès qu'il y a un brin de dispute entre l'Abbé et moi, c'est toujours lui que je prends pour juge. Cela fait plaisir au cœur de songer qu'on a un ami comme lui, à qui rien de bon et de solide ne manque, et qui ne vous peut jamais manquer. Si vous nous aviez défendu de parler de vous ensemble, et que cela vous fût fort désagréable, nous serions extrêmement embarrassés, car c'est une conversation qui nous est si naturelle que nous y tombons insensiblement :

C'est un penchant si doux qu'on y tombe sans peine[1].

Et quand, par hasard, après en avoir bien parlé, nous nous détournons un moment, je reprends la parole d'un bon ton, et je lui dis : « Mais disons donc un pauvre mot de ma fille ! Quoi ! nous ne dirons pas une unique parole de cette pauvre femme ? Vraiment nous sommes bien ingrats. » Et là-dessus, nous recommençons sur nouveaux frais. Je lui jurerais plus de vingt fois à lui-même que je ne vous aime point, qu'il ne le croirait pas. Je l'aime comme un confident qui entre dans mes sentiments ; je ne saurais mieux dire.

Mme du Puy-du-Fou prit la peine, l'autre jour, de venir voir ma nourrice. Elle la trouva fort près de la perfection : une brave femme, là, qui est résolue, qui se tient bien, qui a de gros bras ; et pour du lait, elle en perd tous les jours un demi-setier, parce que la petite ne suffit pas. Cet endroit est un des plus beaux de ma vie[2]. Ma petite enfant est jolie. Je sens par moi que vous l'aimeriez ; nous allons assez du même pied sur ce chapitre.

Je suis tous les jours dans l'espérance de louer notre maison.

Marphise et Hélène vous sont très obligées, mais pour Hébert, hélas ! je ne l'ai plus. J'eus l'esprit, l'autre jour, en riant, de le donner à Gourville[3] et de lui dire qu'il fallait qu'il le plaçât dans cet hôtel de Condé, qu'il s'en trouverait bien, qu'il m'en remercierait, que je répondais de lui. M. de La Rochefoucauld et Mme de La Fayette se mirent sur les perfections d'Hébert. Cela demeura là, il y a trois semaines. J'ai été tout étonnée qu'il[1] l'envoya quérir hier. Il s'habilla en gentilhomme ; il y alla. Il lui dit qu'il lui donnerait une place à l'hôtel de Condé, qui lui vaudrait deux cent cinquante livres de rente, logé, nourri, et tout cela en attendant mieux, mais que présentement, il l'envoyait à Chantilly pour distribuer tout le linge par compte pendant que le Roi y sera. Il prit donc dix coffres de linge sur son soin, et est parti pour Chantilly. Le Roi ira le 25 de ce mois[2] ; il y sera un jour entier. Jamais il ne s'est fait tant de dépense au triomphe des Empereurs qu'il y en aura là. Rien ne coûte ; on reçoit toutes les belles imaginations sans regarder à l'argent. On croit que Monsieur le Prince n'en sera pas quitte pour quarante mille écus. Il faut quatre repas ; il y aura vingt-cinq tables servies à cinq services[3], sans compter une infinité d'autres. Il nourrit tout, c'est-à-dire nourrir la France et la loger. Tout est meublé ; des petits endroits, qui ne servaient qu'à mettre des arrosoirs, deviennent des chambres de courtisans. Il y aura pour mille écus de jonquilles ; jugez à proportion. Voyez un peu où le discours d'Hébert m'a jetée. Voilà donc comme j'ai fait sa fortune en badinant, car je la compte faite, dans la pensée qu'il s'acquittera fort bien de ces commencements ici.

Nous ne dînons point aujourd'hui en Lavardin ; ils sont embarrassés pour faire partir l'équipage de M. le marquis[4]. Je mange donc ici mes petits œufs frais à l'oseille. Après dîner, j'irai un peu au faubourg et je joindrai à cette lettre ce que j'apprendrai, pour vous divertir. Il s'en faut encore beaucoup que je n'en sois à dire, douter, supposer.

Hélas ! comme je suis pour vous, et la plaisante chose que d'observer les mouvements naturels d'une tendresse naturelle, et fortifiée par ce que l'inclination sait faire !

J'ai reçu une fort jolie lettre du Coadjuteur ; il est seulement fâché que je l'appelle *Monseigneur* ; il veut que je l'appelle *Pierrot* ou *Seigneur Corbeau*[1]. Je vous recommande toujours bien, ma bonne, d'entretenir l'amitié qui est entre vous. Je le trouve fort touché de votre mérite, prenant grand intérêt à toutes vos affaires, en un mot, d'une application et d'une solidité qui vous sera d'un grand secours.

Mon fils n'est pas encore guéri de ce mal qui fait douter ses précieuses maîtresses de sa passion. Il me disait hier au soir que, pendant la semaine sainte, il avait été si épouvantablement dévergondé, qu'il lui avait pris un dégoût de tout cela qui lui faisait bondir le cœur. Il n'osait y penser ; il avait envie de vomir. Il lui semblait toujours de voir autour de lui des panerées de tétons, et quoi encore ? des tétons, des cuisses, des panerées de baisers, des panerées de toutes sortes de choses en telle abondance qu'il en avait l'imagination frappée et l'a encore, et ne pouvait pas regarder une femme ; il était comme les chevaux rebutés d'avoine. Ce mal n'a pas été d'un moment. J'ai pris mon temps pour faire un petit sermon là-dessus. Nous avons fait ensemble des réflexions chrétiennes ; il entre dans mes sentiments, et particulièrement pendant que son dégoût dure encore[2]. Il me montra des lettres qu'il a retirées de cette comédienne. Je n'en ai jamais vu de si chaudes ni de si passionnées : il pleurait, il mourait. Il croit tout cela quand il écrit, et s'en moque un moment après. Je vous dis qu'il vaut son pesant d'or.

Adieu, mon aimable enfant. Comment vous êtes-vous portée le sixième de ce mois ? Je souhaite, ma petite, que vous m'aimiez toujours ; c'est ma vie, c'est l'air que je respire. Je ne vous dis point si je suis à vous ; cela est au-dessous du mérite de mon amitié. Vous voulez bien que j'embrasse ce pauvre Comte ? Mais ne vous aimons-nous point trop tous deux ?

Vendredi au soir, 17 avril.

Je fais mon paquet chez Mme de La Fayette, à qui j'ai donné votre lettre. Nous l'avons lue ensemble avec plaisir ; nous trouvons que personne n'écrit mieux que vous. Vous la flattez très agréablement ; et moi, en passant, j'y trouve un petit endroit qui me va droit au cœur. C'est un lieu que vous possédez d'une étrange manière. Mme de La Fayette fut hier à Versailles ; Mme de Thianges lui avait mandé d'y aller. Elle y fut reçue très bien, mais très bien, c'est-à-dire que le Roi la fit mettre dans sa calèche avec les dames, et prit plaisir à lui montrer toutes les beautés de Versailles[1], comme un particulier que l'on va voir dans sa maison de campagne. Il ne parla qu'à elle, et reçut avec beaucoup de plaisir et de politesse toutes les louanges qu'elle donna aux merveilleuses beautés qu'il lui montrait. Vous pouvez penser si l'on est contente d'un tel voyage. M. de La Rochefoucauld, que voilà, vous embrasse sans autre forme de procès, et vous prie de croire qu'il est plus loin de vous oublier qu'il n'est prêt à danser la bourrée. Il a un petit agrément de goutte à la main, qui l'empêche de vous écrire dans cette lettre. Mme de La Fayette vous estime et vous aime, et ne vous croit pas si dépourvue de vertus que le jour que vous étiez couchée au coin de son feu, et dont vous vous souvenez si bien.

38. À MADAME DE GRIGNAN

À Paris, ce <mercredi> 22 avril [1671].

Avez-vous bien peur que j'aime mieux Mme de Brissac que vous[1] ? Craignez-vous que ses manières me plaisent plus que les vôtres ? que son esprit ait trouvé le chemin de me plaire ? Avez-vous opinion que sa beauté efface vos charmes ? Enfin pensez-vous qu'il y ait quelqu'un au monde qui puisse, à mon goût, surpasser Madame de Grignan, étant même dépouillée de tout l'intérêt que j'y prends ? Songez à tout cela un peu à loisir, et puis soyez assurée qu'il en est justement ce que vous en croyez. Voilà toute ma réponse que vous connaîtrez par la vôtre, si vous répondez sincèrement.

Parlons un peu de votre frère, ma fille. Il est d'une faiblesse à faire mal au cœur ; il est tout ce qu'il plaît aux autres. <Il plut hier à trois de ses amis de le mener souper dans un lieu d'honneur[2] ; il y fut. Ces messieurs sont trop habiles pour vouloir courir la fortune ; ils disent à Sévigné de payer, je dis payer de sa personne. Tout misérable qu'il est encore, il paye, et puis> il me vient tout conter, en disant qu'il se fait mal au cœur à lui-même ; je lui dis qu'il me fait mal au cœur aussi. Je lui fais honte ; <je lui dis que ce n'est point la vie d'un honnête homme, qu'il trouvera quelque chape-chute, et qu'à force de s'exposer, il aura son fait[3].> Je prêche un peu ensuite. Il demeure d'accord de tout, et n'en fait ni plus ni moins. Il a quitté la comédienne, après l'avoir aimée par-ci par-là. Quand il la voyait, quand il lui écrivait, c'était de bonne foi ; un moment après, il s'en moquait à bride abattue. Ninon l'a quitté. Il était malheureux quand elle l'aimait ; il est au désespoir de n'en être plus aimé, et d'autant plus qu'elle n'en parle pas avec beaucoup d'estime : « C'est une âme de bouillie, dit-elle, c'est un corps de papier mouillé, un cœur de citrouille fricassé dans de la neige » ; je vous l'ai déjà dit. Elle voulut l'autre jour lui faire donner les lettres de la comédienne ; il les lui donna. Elle en a été jalouse ; elle voulait les donner à un amant de la princesse, afin de lui faire donner quelques petits coups de baudrier. Il me le vint dire. Je lui dis que c'était infâme que de couper ainsi la gorge à cette petite créature pour l'avoir aimé ; qu'elle n'avait point sacrifié ses lettres, comme on lui voulait faire croire pour l'animer ; qu'elle les lui avait rendues ; que c'était une vilaine trahison et basse et indigne d'un homme de qualité, et que même dans les choses malhonnêtes, il y avait de l'honnêteté à observer. Il entra dans mes raisons. Il courut chez Ninon, et moitié figue moitié raisin, moitié par adresse, moitié par force, il retira les lettres de cette pauvre diablesse ; je les ai fait brûler. Vous voyez par là combien le nom de comédienne m'est de quelque chose. Cela est un peu de la Visionnaire[1] de la comédie ; elle en eût fait autant, et je fais comme elle. Mon fils a conté ses folies à M. de La Rochefoucauld, qui aime les originaux. Il approuva ce que je lui dis l'autre jour, que mon fils n'était point fou par la tête ; c'est par le cœur. Ses sentiments sont tout vrais, sont tout faux, sont tout froids, sont tout brûlants, sont tout fripons, sont tout sincères ; enfin son cœur est fou. Nous rîmes fort de tout cela, et avec mon fils même, car il est de bonne compagnie, et dit *tôpe* à tout[1]. Nous sommes très bien ensemble. Je suis sa confidente, et je conserve cette vilaine qualité, qui m'attire de si vilaines confidences, pour être en droit de lui dire mes sentiments sur tout. Il me croit autant qu'il peut, il me prie [que] je le redresse ; je le fais comme une amie. Il veut venir avec moi en Bretagne pour cinq ou six semaines ; s'il n'y a point de camp en Lorraine, je l'emmènerai. Voilà bien des folies, mais comme vous y prenez intérêt, il m'a semblé qu'elles ne vous ennuieraient pas.

Vous me parlez très tendrement et très obligeamment du voyage de Provence. Soyez assurée une bonne fois que l'Abbé et moi, nous le souhaitons, et que c'est une des plus agréables espérances que nous puissions avoir. Il est question de le placer à propos et pour vous et pour nous. Notre d'Hacqueville nous disait l'autre jour, en nous entendant parler de notre pérégrination de Bretagne en Provence, qu'il ne nous conseillait point d'y aller cette année ; que nous allassions en Bretagne ; que nous y fissions toutes nos affaires ; que nous revinssions ici à la Toussaint revoir un peu mon fils, et ma petite d'Adhémar que je commence à aimer ; que nous changeassions de maison, c'est-à-dire moi ; que je m'établisse dans un lieu où je vous puisse ramener et que vers le printemps je m'en allasse en Bourgogne, où j'ai mille affaires, et de là en Provence. Chalon, la Saône, Lyon, le Rhône, me voilà à Grignan : ce n'est pas une affaire que cela. Je serais avec vous sans crainte de vous quitter, puisqu'apparemment je vous ramènerais, qu'il ne serait point question d'une seconde séparation qui m'ôte la vie ; que, pour lui, il trouverait cet arrangement mille fois meilleur que l'autre, où il voyait un voyage d'une longueur ridicule, placé dans le milieu du vôtre, pressée de revenir pour mes affaires et par mon fils, à qui je ne suis pas inutile, avec la douleur de vous quitter encore. Il ne trouva nulle raison à ce premier dessein, et en trouva beaucoup à celui qu'il nous proposait. Nous écoutâmes ces raisonnements ; nous les approuvâmes. Il me dit qu'il vous conseillerait d'y consentir, et moi, je m'y confirme par votre dernière lettre, où vous me faites voir que vous trouveriez fort désagréable que je vous quittasse après avoir été quelque temps avec vous. Je suis persuadée que vous entrerez dans cet arrangement. Pour moi, ce ne sera jamais sans douleur que je verrai reculer le temps et la joie de vous voir, mais ce ne sera jamais aussi sans quelque douceur intérieure que je conserverai de l'espérance. Ce sera sur elle seule que je fonderai toute ma consolation, et par elle que je tâcherai d'apaiser une partie de mon impatience et de ma promptitude naturelle. Mandez-moi comme cela vous paraît, et soyez assurée que la différence ou d'aller en Provence sans avoir une maison ici, ou d'en avoir une toute rangée, où votre appartement soit marqué, fait la plus grande force de nos raisons[1].

Tout ce que vous me mandez de la Marans est divin, et des punitions qu'elle aura dans l'enfer. Mais savez-vous bien que vous irez avec elle, si vous continuez à la haïr ; songez que vous serez toute l'éternité ensemble. Il n'en faut pas davantage pour vous mettre dans le dessein de faire votre salut. Je me suis avisée bien heureusement de vous donner cette pensée ; c'est une inspiration de Dieu. Elle vint l'autre jour chez Mme de La Fayette ; M. de La Rochefoucauld y était, et moi aussi. La voilà qui entre sans coiffe. Elle venait d'être coupée, mais coupée en vrai fanfan[2] ; elle était poudrée, bouclée. Le premier appareil avait été levé, il n'y avait pas un quart d'heure. Elle était décontenancée, sentant bien qu'elle allait être improuvée. Mme de La Fayette lui dit : « Vraiment il faut que vous soyez folle ; mais savez-vous bien, madame, que vous êtes complètement ridicule ? » M. de La Rochefoucauld : « Ma mère, ha ! par ma foi, mère, nous n'en demeurerons pas là. Approchez un peu, ma mère, que je voie si vous êtes comme votre sœur[1] que je viens de voir. » Elle venait aussi d'être coupée. « Ma foi, ma mère, vous voilà bien. » Vous entendez ces tons-là ; et pour les paroles, [elles] sont d'après le naturel. Pour moi, je riais sous ma coiffe[2]. Elle se décontenança si fort qu'elle ne put soutenir cette attaque ; elle remit sa coiffe, et bouda jusqu'à ce que Mme de Schomberg la vint reprendre, car il n'y a plus de voiture que celle-là. Je crois que ce récit vous divertira.

Nous passâmes l'autre jour un après-dîner à l'Arsenal fort agréablement. Il y avait des hommes de toutes grandeurs ; Mmes de La Fayette, de Coulanges, de Méri[3], La Troche, et moi. On se promena, on parla de vous à plusieurs reprises et en très bons termes. Nous allons aussi quelquefois à Luxembourg. M. de Longueville y était hier, qui me pria de vous assurer de ses très humbles services. Pour M. de La Rochefoucauld, il vous aime très tendrement.

J'ai reçu vos gants par le gentilhomme, mais, ma chère bonne, vous m'accablez de présents. Ceux-ci font une partie de ma provision pour Bretagne ; ils sont excellents. Je vous baise de tout mon cœur, en vous en remerciant, ma très chère petite.

Je suis ravie que vous ayez approuvé mes lettres[4]. Vos approbations et vos louanges sincères me font un plaisir qui surpasse tout ce qui me vient d'ailleurs ; et pourquoi les filles comme vous n'oseraient-elles louer une mère comme moi ? Quelle sorte de respect ! Vous savez si j'estime votre goût.

J'approuve fort votre loterie[1] ; j'espère que vous me manderez ce que vous aurez gagné. Vos comédies doivent aussi vous divertir. Laissez-vous amuser, ma bonne ; suivez le courant des plaisirs qu'on peut avoir en Provence. Je vous loue fort que vous ne reconduisiez point ; c'était pour mourir. Que les dames s'en vengent, qu'elles ne vous reconduisent point aussi, et voilà une maudite coutume abolie.

La lettre que vous écrivez à votre frère est admirable. Que j'aime vos lettres ! Je m'en vais de ce pas à Saint-Germain, et je l'eusse présentée à tous les courtisans ; c'était à eux que le dessus s'adressait[2].

J'ai vu le Chevalier[3], plus beau qu'un héros de roman, digne d'être l'image du premier tome. Il avait eu son point. J'ai observé qu'il en a toujours quelque nouvelle attaque à la veille des voyages ; d'où vient cela ? Monsieur le Duc va faire celui de Bourgogne, après avoir reçu le Roi à Chantilly ; je pense qu'il y fera de belles conquêtes[4]. Vous aviez au moins eu une victoire sur M. de Monaco. Où avait-il pris qu'on prononçât *nend*[5] ? Nous en savons plus que lui. J'entreprendrai après cela d'apprendre l'italien à notre ambassadeur de Venise. Hélas ! à propos, il s'en va ; il en est au désespoir.

Je reviens de Saint-Germain avec la d'Arpajon et la d'Huxelles. Toute la France y était. J'ai vu Gacé ; je l'ai tiré à part, et je lui ai demandé de vos nouvelles avec un plaisir qui surpasse de beaucoup celui d'être à la cour. Il dit que vous êtes belle, que vous êtes gaie, que c'est un plaisir que de voir l'intelligence qui est entre vous et M. de Grignan. Il parle même de votre retour. Enfin je ne pouvais le quitter ; il me viendra voir. Il a été à la campagne chez son frère, qui a perdu son fils aîné, dont il est affligé[6].

C'était une grande confusion que Saint-Germain. Chacun prenait congé ou pour aller chez soi ou parce que le Roi s'en va[1]. La Marans a paru ridicule au dernier point ; on riait à son nez de sa coiffure. Elle n'a osé me parler. Elle était défaite à plate couture ; elle est achevée d'abîmer par la perte de vos bonnes grâces. On m'a conté d'elle deux petites histoires un peu épouvantables. Je les supprime pour l'amour de Dieu, et puis ce serait courir sur le marché d'Adhémar[2] ; tant y a, elle me paraît *débellée*. Il y a un portrait de vous chez Mme de La Fayette ; elle ne lève pas les yeux dessus.

Mon fils a congé de venir avec moi en Bretagne pour cinq semaines ; cela me fera partir un peu plus tôt que je ne pensais.

Mille personnes m'ont priée de vous faire des baisemains : M. de Montausier, le maréchal de Bellefonds et mille autres. Monsieur le Dauphin m'a donné un baiser pour vous ; je vous l'envoie[3]. Adieu, ma très chère, il est tard ; je fais de la prose avec une facilité qui vous tue. Je vous embrasse, mon cher Grignan, et vous, ma mignonne, plus de mille fois.

39. À MADAME DE GRIGNAN

À Paris, ce vendredi 24 avril [1671].

Voilà le plus beau temps du monde. Il commença dès hier après des pluies épouvantables. C'est le bonheur du Roi, il y a longtemps que nous l'avons observé, et c'est, pour cette fois, aussi le bonheur de Monsieur le Prince, qui a pris ses mesures à Chantilly pour l'été et pour le printemps[4] ; la pluie d'avant-hier aurait rendu toutes ces dépenses ridicules. Sa Majesté y arriva hier au soir ; elle y est aujourd'hui[1]. D'Hacqueville y est allé ; il vous fera une relation à son retour. Pour moi, j'en attends une petite ce soir[2], que je vous enverrai avec cette lettre, que <j'écris> le matin avant que d'aller en *Bavardin* ; je ferai mon paquet au faubourg. Si l'on dit, <ma bonne,> que nous parlons dans nos lettres de la pluie et du beau temps, on aura raison ; j'en ai fait d'abord un assez grand chapitre.

Vous ne me parlez point assez de vous ; j'en suis avide, comme vous l'êtes de folies. Je vous souhaite toutes celles que j'entends. Pour celles que je dis, elles ne valent plus rien depuis que vous ne m'aidez plus ; vous m'en inspirez, et quelquefois aussi je vous en inspire. C'est une longue tristesse, et qui se renouvelle souvent, que d'être loin d'une personne comme vous. J'ai dit des adieux depuis quelques jours ; <on trouve bien de la constance.> Ce qui est plaisant, <c'est que je sentirai que je n'en aurai point pour vous dire adieu d'ici en partant pour la Bretagne. Vous> serez mon adieu sensible, dont je pourrais, si j'étais une friponne, faire un grand honneur à mes amies, mais on voit clair au travers de mes paroles, et je ne veux pas même en mettre aucune au-devant des sentiments que j'ai pour vous. Je serai donc touchée de voir que ce n'est pas assez d'être à deux cents lieues de vous ; il faut que je sois à trois cents, et tous les pas que je ferai, ce sera sur cette troisième centaine[3]. C'est trop ; cela me serre le cœur.

L'abbé Têtu entra hier chez Mme de Richelieu comme j'y étais ; il était d'une gaillardise qui faisait honte à ses amis éloignés. Je lui parlai de mon voyage ; <ma bonne,> il ne changea point de ton, et d'un visage riant : « Eh bien ! madame, me dit-il, nous nous reverrons. » Cela n'est point plaisant à écrire, mais il le fut à entendre ; nous en rîmes fort. Enfin ce fut là son unique pensée ; il passa légèrement sur toute mon absence, et ne trouva que ce mot à me dire. Nous nous en servons présentement dans nos adieux, et je m'en sers moi-même intérieurement en songeant à vous. Mais ce n'est pas si gaiement, et la longueur de l'absence n'est pas une circonstance que j'oublie.

J'ai acheté pour me faire une robe de chambre une étoffe comme votre dernière jupe. Elle est admirable. Il y a un peu de vert, mais le violet domine ; en un mot, j'ai succombé. On voulait me la faire doubler de couleur de feu, mais j'ai trouvé que cela avait l'air d'une impénitence finale. Le dessus est la pure fragilité, mais le dessous eût été une volonté déterminée qui m'a paru contre les bonnes mœurs ; je me suis jetée dans le taffetas blanc[1]. Ma dépense est petite. Je méprise la Bretagne, et n'en veux faire que pour la Provence, afin de soutenir la dignité d'une merveille entre deux âges, où vous m'avez élevée.

<Mme de Ludres me fit l'autre jour des merveilles à Saint-Germain ; il n'y avait nulle distraction. Elle vous aime aussi : *Ah ! pour matame te Grignan, elle est atorable*. Mme de Beringhen était justement auprès de Ludres, qui l'effaçait un peu ; c'est quelque chose d'extraordinaire à mes yeux que sa face[2]. Brancas me conta une affaire que M. de Grignan eut cet hiver avec Monsieur le Premier : « Je suis pour Grignan ; j'ai vu leurs lettres[3]. » Ce Brancas vous a écrit une grande diablesse de lettre plaisante mais illisible. Il m'en a dit des morceaux, nous devons prendre un jour pour la lire tout entière.

Votre enfant est aimable. Elle a une nourrice parfaite ; elle devient fort bien fontaine : fontaine de lait, ce n'est pas fontaine de cristal[4].

M. de Salins[5] a chassé un portier. Je ne sais ce

qu'on dit. On parle de manteau gris, de quatre heures du matin, de coups de plats d'épée, *et l'on se tait du reste*[1]. On parle d'un certain apôtre qui en fait d'autres. Enfin, je ne dis rien ; on ne m'accusera pas de parler. Pour moi, je sais me taire, Dieu merci ! Si cette fin vous paraît un peu galimatias, vous ne l'en aimerez que mieux[2]. Adieu, <ma très chère aimable et très chère mignonne,> je vous aime au delà de ce qu'on peut imaginer. Tantôt je vous manderai des nouvelles en fermant mon paquet.

À Paris, ce <vendredi au soir,>
24e avril 1671, chez M. de La Rochefoucauld.

Je fais donc ici mon paquet. J'avais dessein de vous conter que le Roi arriva hier au soir à Chantilly. Il courut un cerf au clair de la lune ; les lanternes firent des merveilles. Le feu d'artifice fut un peu effacé par la clarté de notre amie, mais enfin le soir, le souper, le jeu, tout alla à merveille. Le temps qu'il a fait aujourd'hui nous faisait espérer une suite digne d'un si agréable commencement. Mais voici ce que j'apprends en entrant ici, dont je ne puis me remettre, et qui fait que je ne sais plus ce que je vous mande : c'est qu'enfin Vatel[3], le grand Vatel, maître d'hôtel de M. Foucquet, qui l'était présentement de Monsieur le Prince, cet homme d'une capacité distinguée de toutes les autres, dont la bonne tête était capable de soutenir tout le soin d'un État ; cet homme donc que je connaissais, voyant à huit heures, ce matin, que la marée n'était point arrivée, n'a pu souffrir l'affront qu'il a vu qui l'allait accabler, et en un mot, il s'est poignardé. Vous pouvez penser l'horrible désordre qu'un si terrible accident a causé dans cette fête. Songez que la marée est peut-être ensuite arrivée comme il expirait. Je n'en sais pas davantage présentement ; je pense que vous trouverez que c'est assez. Je ne doute pas que la confusion n'ait été grande ; c'est une chose fâcheuse à une fête de cinquante mille écus.

M. de Menars épouse Mlle de La Grange Neuville. Je ne sais comme j'ai le courage de vous parler d'autre chose que de Vatel.

40. À MADAME DE GRIGNAN

À Paris, ce [dimanche] 26 avril 1671.

<Il est dimanche 26 avril ; cette lettre ne partira que mercredi, mais ce> n'est pas une lettre, c'est une relation que vient de me faire Moreuil[1], à votre intention, de ce qui s'est passé à Chantilly touchant Vatel. Je vous écrivis vendredi qu'il s'était poignardé ; voici l'affaire en détail.

Le Roi arriva jeudi au soir. La chasse, les lanternes, le clair de la lune, la promenade, la collation dans un lieu tapissé de jonquilles[2], tout cela fut à souhait. On soupa. Il y eut quelques tables où le rôti manqua, à cause de plusieurs dîners où l'on ne s'était point attendu. Cela saisit Vatel. Il dit plusieurs fois : « Je suis perdu d'honneur ; voici un affront que je ne supporterai pas. » Il dit à Gourville : « La tête me tourne, il y a douze nuits que je n'ai dormi. Aidez-moi à donner des ordres. » Gourville le soulagea en ce qu'il put. Ce rôti qui avait manqué, non pas à la table du Roi, mais aux vingt-cinquièmes, lui revenait toujours à la tête. Gourville le dit à Monsieur le Prince[3]. Monsieur le Prince alla jusque dans sa chambre et lui dit : « Vatel, tout va bien ; rien n'était si beau que le souper du Roi. » Il lui dit : « Monseigneur, votre bonté m'achève ; je sais que le <rôti> a manqué à deux tables. — Point du tout, dit Monsieur le Prince ; ne vous fâchez point : tout va bien. » La nuit vient. Le feu d'artifice ne réussit pas ; il fut couvert d'un nuage. Il coûtait seize mille francs. À quatre heures du matin, Vatel s'en va partout ; il trouve tout endormi. Il rencontre un petit pourvoyeur qui lui apportait seulement deux charges de marée ; il lui demanda : « Est-ce là tout ? » Il lui dit : « Oui, monsieur. » Il ne savait pas que Vatel avait envoyé à tous les ports de mer. Il attend quelque temps ; les autres pourvoyeurs ne viennent point. Sa tête s'échauffait ; il croit qu'il n'aura point d'autre marée. Il trouve Gourville et lui dit : « Monsieur, je ne survivrai pas à cet affront-ci ; j'ai de l'honneur et de la réputation à perdre. » Gourville se moqua de lui. Vatel monte à sa chambre, met son épée contre la porte, et se la passe au travers du cœur, mais ce ne fut qu'au troisième coup, car il s'en donna deux qui n'étaient pas mortels ; il tombe mort. La marée cependant arrive de tous côtés. On cherche Vatel pour la distribuer. On va à sa chambre. On heurte, on enfonce la porte, on le trouve noyé dans son sang. On court à Monsieur le Prince, qui fut au désespoir. Monsieur le Duc pleura ; c'était sur Vatel que roulait tout son voyage de Bourgogne. Monsieur le Prince le dit au Roi fort tristement. On dit que c'était à force d'avoir de l'honneur en sa manière ; on le loua fort. On loua et blâma son courage. Le Roi dit qu'il y avait cinq ans qu'il retardait de venir à Chantilly, parce qu'il comprenait l'excès de cet embarras. Il dit à Monsieur le Prince qu'il ne devait avoir que deux tables et ne se point charger de tout le reste ; il jura qu'il ne souffrirait plus que Monsieur le Prince en usât ainsi. Mais c'était trop tard pour le pauvre Vatel. Cependant Gourville tâche de réparer la perte de Vatel ; elle le fut. On dîna très bien, on fit collation, on soupa, on se promena, on joua, on fut à la chasse. Tout était parfumé de jonquilles, tout était enchanté. Hier, qui était samedi, on fit encore de même. Et le soir, le Roi alla à Liancourt, où il avait commandé un *medianoche*[1] ; <il y doit demeurer aujourd'hui.

Voilà ce que Moreuil m'a dit, pour vous mander. Je jette mon bonnet par-dessus les moulins[2], et je ne sais rien du reste. M. d'Hacqueville, qui était à tout cela, vous fera des relations sans doute, mais comme son écriture n'est pas si lisible que la mienne, j'écris toujours. Voilà bien des détails, mais parce que je les aimerais en pareille occasion, je vous les mande.>

Commencée à Paris, le lundi 27 avril [1671].

J'ai très mauvaise opinion de vos langueurs. Je suis du nombre des méchantes langues, et je crois tout le pis ; voilà ce que je craignais. Mais, ma chère enfant, si ce malheur se confirme, ayez soin de vous. Ne vous ébranlez point dans ces commencements par votre voyage de Marseille ; laissez un peu établir les choses. Songez à votre délicatesse, et que ce n'est qu'à force de vous être conservée que vous avez été jusqu'au bout. Je suis déjà bien en peine du dérangement que le voyage de Bretagne apportera à notre commerce. Si vous êtes grosse, comptez que je n'ai plus aucun dessein que de faire ce que vous voudrez ; je ferai ma règle de vos désirs, et laisserai tout autre arrangement et toute autre considération à mille lieues de moi.

Je crois que le chapitre de votre frère vous a divertie. Il est présentement en quelque repos. Il voit pourtant Ninon tous les jours, mais c'est un ami. Il entra l'autre jour avec elle dans un lieu où il y avait cinq ou six hommes. Ils firent tous une mine qui la persuada qu'ils le croyaient possesseur. Elle connut leurs pensées, et leur dit : « Messieurs, vous vous trompez si vous croyez qu'il y ait du mal entre nous ; je vous assure que nous sommes comme frère et sœur. » Il est vrai qu'il est comme fricassé. Je l'emmène en Bretagne, où j'espère que je lui ferai retrouver la santé de son corps et de son âme ; nous ménageons, La Mousse[1] et moi, de lui faire faire une bonne confession.

M., Mme de Villars et la petite Saint-Géran sortent d'ici et vous font mille et mille amitiés. Ils veulent la copie de votre portrait qui est sur ma cheminée pour le porter en Espagne[2]. Ma petite enfant a été tout le jour dans ma chambre, parée de ses belles dentelles et faisant l'honneur du logis, ce logis qui me fait tant songer à vous, où vous étiez il y a un an comme prisonnière[3], ce logis que tout le monde vient voir, que tout le monde admire, et que personne ne veut *louer*.

Je soupai l'autre jour chez la marquise d'Huxelles, avec Mme la maréchale d'Humières, Mmes d'Arpajon, de Beringhen, de Frontenac, d'Outrelaise[4], Raymond et Martin. Vous n'y fûtes point oubliée.

Je vous conjure, ma fille, de me mander sincèrement des nouvelles de votre santé, de vos desseins, de ce que vous souhaitez de moi. Je suis triste de votre état ; je crains que vous ne le soyez aussi. Je vois mille chagrins et j'ai une suite de pensées dans ma tête, qui ne sont bonnes ni pour la nuit ni pour le jour.

À Livry, mercredi 29 avril.

Depuis que j'ai écrit ce commencement de lettre, j'ai fait un fort joli voyage. Je partis hier assez matin de Paris. J'allai dîner à Pomponne[1]. J'y trouvai notre bonhomme qui m'attendait ; je n'aurais pas voulu manquer à lui dire adieu. Je le trouvai dans une augmentation de sainteté qui m'étonna ; plus il approche de la mort, et plus il s'épure. Il me gronda très sérieusement et, transporté de zèle et d'amitié pour moi, il me dit que j'étais folle de ne point songer à me convertir ; que j'étais une jolie païenne ; que je faisais de vous une idole dans mon cœur ; que cette sorte d'idolâtrie était aussi dangereuse qu'une autre, quoiqu'elle me parût moins criminelle ; qu'enfin je songeasse à moi. Il me dit tout cela si fortement que je n'avais pas le mot à dire. Enfin, après six heures de conversation très agréable, quoique très sérieuse, je le quittai, et vins ici, où je trouvai tout le triomphe du mois de mai.

Le rossignol, le coucou, la fauvette,
Ont ouvert le printemps dans nos forêts[2].

Je m'y suis promenée tout le soir toute seule. J'y ai retrouvé toutes mes tristes pensées, mais je ne veux plus vous en parler. <Ce matin on m'a apporté vos lettres du [22] de ce mois. Qu'elles viennent de loin quand elles arrivent à Paris !> J'ai destiné une partie de cet après-dîner à vous écrire dans le jardin, où je suis étourdie de trois ou quatre rossignols qui sont sur ma tête. Ce soir je m'en retourne à Paris faire mon paquet pour vous l'envoyer.

Il est vrai, <ma bonne,> qu'il manqua un degré de chaleur à mon amitié, quand je rencontrai la chaîne des galériens. Je devais aller avec eux vous trouver, au lieu de ne songer qu'à vous écrire ; <je m'en fais des reproches à moi-même.> Que vous eussiez été agréablement surprise à Marseille de me trouver en si bonne compagnie ! Mais vous y allez donc en litière ? quelle fantaisie ! J'ai vu que vous n'aimiez les litières que quand elles étaient arrêtées ; vous êtes bien changée. Je suis entièrement du parti des médisants ; tout l'honneur que je vous puis faire, c'est de croire que jamais vous ne vous fussiez servie de cette voiture, si vous ne m'aviez point quittée et que M. de Grignan fût demeuré dans sa Provence. Que je suis fâchée de ce malheur, mais que je l'ai bien prévu ! Conservez-vous, ma très chère. Songez que la *Guisarde beauté,* ayant voulu se prévaloir d'une heureuse couche, s'est blessée rudement et qu'elle a été trois jours prête à mourir[1] ; voilà un bel exemple. Mme de La Fayette craint toujours pour votre vie à cause de vos perfections. Elle vous cède sans difficultés la première place auprès de moi. Quand elle est douce, elle dit que ce n'est pas sans peine, mais enfin cela est réglé et approuvé ; cette justice la rend digne de la seconde. Elle l'a aussi ; La Troche s'en meurt[2].

Je vais toujours mon train, et mon train aussi pour la Bretagne. Il est vrai que nous ferons des vies bien différentes. Je serai bien troublée dans la mienne par les États, qui me viendront tourmenter à Vitré sur la fin du mois de juillet ; cela me déplaît fort. Votre frère n'y sera plus en ce temps-là. <Ma bonne,> vous souhaitez que le temps marche. Vous ne savez ce que vous faites ; vous y serez attrapée. Il vous obéira trop exactement, et quand vous voudrez le retenir, vous n'en serez plus la maîtresse. J'ai fait autrefois les mêmes fautes que vous ; je m'en suis repentie et, quoiqu'il ne m'ait pas fait tout le mal qu'il fait aux autres, mille petits agréments qu'il m'a ôtés font apercevoir qu'il ne laisse que trop de marques de son passage.

Vous trouvez donc que vos comédiens ont bien

de l'esprit de dire des vers de Corneille ? En vérité, il y en a de bien transportants. J'en ai apporté ici un tome, qui m'amusa fort hier au soir. Mais n'avez-vous point trouvé jolies les cinq ou six fables de La Fontaine qui sont dans un des tomes que je vous ai envoyés ? Nous en étions, l'autre jour, ravis chez M. de La Rochefoucauld. Nous apprîmes par cœur celle du *Singe et du Chat* :

D'animaux malfaisants c'était un très bon plat ;
Ils n'y craignaient tous deux aucun, quel qu'il pût être.
Trouvait-on quelque chose au logis de gâté,
On ne s'en prenait point à ceux du voisinage :
Bertrand dérobait tout ; Raton, de son côté,
Était moins attentif aux souris qu'au fromage,

et le reste. Cela est peint. Et *La Citrouille*, et *Le Rossignol*. Cela est digne du premier tome[1]. Je suis bien folle de vous écrire de telles bagatelles ; c'est le loisir de Livry qui vous tue.

Vous avez écrit un billet admirable à Brancas. Il vous écrivit l'autre jour une main tout entière de papier ; c'était une rapsodie assez bonne. Il nous la lut à Mme de Coulanges et à moi. Je lui dis : « Envoyez-la-moi donc tout achevée pour mercredi. » Il me dit qu'il n'en ferait rien, qu'il ne voulait pas que vous la vissiez, que cela était trop sot et trop misérable. « Pour qui nous prenez-vous ? Vous nous l'avez bien lue. — Tant y a je ne veux pas qu'elle le lise. » Voilà toute la raison que j'en ai eue. Jamais il ne fut si fou. Il sollicita l'autre jour un procès à la seconde des enquêtes ; c'était à la première qu'on le jugeait. Cette folie a fort réjoui les sénateurs ; je crois qu'elle lui a fait gagner son procès[2].

Ma chère enfant, que dites-vous de l'infinité de cette lettre ? Si je voulais, j'écrirais jusqu'à demain. Conservez-vous, <ma chère bonne,> c'est ma ritournelle continuelle. Ne tombez point ; gardez quelquefois le lit. Depuis que j'ai donné à ma petite une nourrice comme celles du temps de François Ier, je crois que vous devez honorer tous mes conseils. Pensez-vous que je ne vous aille point voir cette année ? J'avais rangé tout cela d'une autre façon, et même pour l'amour de vous, mais votre litière me redérange tout ; le moyen de ne pas courir dès cette année, si vous le souhaitez un peu ? Hélas ! c'est bien moi qui dois dire qu'il n'y a plus de pays fixe pour moi, que celui où vous êtes. Votre portrait triomphe sur ma cheminée ; vous êtes adorée présentement en Provence et à Paris, et à la cour et à Livry. Enfin, <ma bonne,> il faut que vous soyez ingrate ; le moyen de rendre tout cela ? Je vous embrasse et vous aime, et vous le dirai toujours, parce que c'est toujours la même chose. J'embrasserais ce fripon de Grignan, si je n'étais fâchée contre lui.

Maître Paul[1] mourut il y a huit jours ; notre jardin en est tout triste.

41. À MADAME DE GRIGNAN

À Paris, vendredi 1er mai [1671].

Je gardais <votre> secret comme si vous aviez dérobé votre enfant, mais je n'en réponds plus depuis que Valcroissant l'a mandé à Mlle de Scudéry, en se louant de vos honnêtetés et disant que l'on vous adore en Provence. Je ne comprends point où il vous a vue, car il ne peut avoir écrit de Marseille, puisque vous n'y êtes que depuis huit jours[1]. Ma chère bonne, comment vous portez-vous de ce voyage ? N'êtes-vous pas résolue de vous bien conserver ? J'ai déjà pensé que, dans le temps nécessaire, il faudra un peu dévaliser notre petite, et vous donner une grande partie du beau linge qu'elle a, dont elle n'aura plus affaire. Cela vous épargnera bien de l'argent ; je vous apporterai cette manière de layette. Vous voulez bien, ma bonne, que je sois un peu en peine ? Il est impossible que cela ne soit pas.

Je dînai hier chez Mme de Villars avec M. de Vindisgras, deux autres de son pays, M. et Mme de Schomberg, M. et Mme de Béthune : *la plupart des amants* étaient *des Allemands*, comme vous voyez[2]. M. de Schomberg me paraît un des plus aimables maris du monde, sans compter que c'est un héros. Il a l'esprit aisé et une intelligence dont on lui sait un gré nonpareil. Sa femme l'adore, mais, parce qu'il ne faut pas être contente en ce monde, elle n'a pas un moment de santé. On parla fort de vous ; on vous loua jusqu'au ciel. Et ce qui me parut plaisant, c'est que Vindisgras se souvint d'avoir ouï dire ce que vous dîtes, il y a six ans, d'un comte de Dietrichstein, qu'il ressemblait à M. de Beaufort[3], hormis qu'il parlait mieux français. Nous trouvâmes plaisant qu'il <eût retenu> ce bon mot ; cela nous donna lieu de parler de votre esprit. Il vous a vue chez la Reine quand vous prîtes congé ; il a une grande idée de toute votre personne.

Cette pauvre Mme de Béthune est encore grosse, du troisième ; elle me fait grand'pitié. Elle vous fait bien des amitiés. On craint que la princesse d'Harcourt ne soit grosse aussi. Je trouve tous les jours ici de quoi exercer mes beaux sentiments[4].

Mme de Coulanges vint le soir. Nous allâmes aux Tuileries ; nous y vîmes ce qui reste d'hommes à

Paris, et qui n'y sera pas encore longtemps, et de plus M. de Saint-Ruth. Quel homme, bon Dieu ! et que le désagrément de la physionomie donne de grandes idées des qualités que l'on ne connaît pas[1].

Mais comment vous pourrais-je dire les tendresses, les amitiés, les remerciements de M. de La Rochefoucauld, de Segrais, de Mme de La Fayette, avec qui j'ai passé ce soir, et à qui je fis voir une partie de votre lettre ? Il y avait tant de choses pour eux que je vous aurais fait tort, en toutes manières, de leur cacher. Je cachai pourtant la grossesse, pour la dire une autre fois, tout bas, à Mme de La Fayette, car, pour hier, cela fut employé à d'autres discours plus agréables pour vous. Langlade survint, qui s'en va à Bourbon[2] ; nous voulons qu'il vous aille voir. Segrais nous montra un recueil qu'il a fait des chansons de Blot[3] ; elles ont le diable au corps, mais je n'ai jamais tant vu d'esprit. Il nous conta aussi qu'il venait de voir une mère de Normandie qui, lui parlant d'un fils abbé qu'elle a, lui avait dit qu'il avait dessein de bien étudier, et qu'il commençait toujours à prêcher en attendant ; cet arrangement nous fit rire. Avez-vous pris garde au bon mot du comédien que je vous ai mandé ? Il l'a mis dans un recueil qu'il fait de tout ce qui a jamais été dit de plus fin.

On parle de grandes nouvelles en Angleterre, mais cela n'est point encore démêlé. On ne sait rien de l'<arrivée> du Roi à Dunkerque. <Mme de Richelieu> a gagné un grand procès contre <Mme d'Aiguillon[4].> Monsieur le Duc est parti pour <la> Bourgogne ; le maréchal d'Albret pour son gouvernement[5]. Monsieur le Prince a suivi le Roi. Vous voyez bien par ces *lanterneries* qu'il n'y a point aujourd'hui de nouvelles. Nous n'avons point dîné en Lavardin ; ils sont allés se promener à Versailles. Je ne songe plus qu'à m'en aller. À Verneuil, Mme de Verneuil a été très malade. La d'Escars a eu une manière d'apoplexie, qui a fait grand'peur à elle et à celles qui se portent un peu trop bien. Mandez-moi bien, ma bonne, comme vous êtes ; j'ai cette pensée uniquement dans l'esprit.

Voilà une réponse que je vous prie de faire tenir au marquis d'Oppède[1]. J'ai donné votre billet à Brancas : « il fera réponse à la Grignan ». Père Ytier vous salue très révérencieusement. Je suis en colère contre M. de Grignan, sans cela je l'aimerais. Votre Premier Président m'a fait une réponse qui est tout sucre et tout miel. Je vois très souvent des lettres de Monsieur de Marseille.

Ninon dit que votre frère est au-dessus de la définition ; il est vrai qu'il ne se connaît pas lui-même, ni les autres encore moins[2].

Adieu, ma très chère et très aimable. Je vous aime avec une tendresse infinie. Vous m'êtes chère par mille endroits. Je suis tout occupée de vous et de votre santé. Jamais il ne s'est vu un attachement si naturel et si véritable que celui que j'ai pour vous.

42. À MADAME DE GRIGNAN

À Paris, ce [mercredi] 6 mai 1671.

Je vous prie, ma bonne, ne donnons point désormais à l'absence le mérite d'avoir remis entre nous une parfaite intelligence et, de mon côté, la persuasion de votre tendresse pour moi. Quand elle aurait part à cette dernière chose, puisqu'elle l'a établie pour jamais, regrettons un temps où je vous voyais tous les jours, vous qui êtes le charme de ma vie et de mes yeux ; où je vous entendais, vous dont l'esprit touche mon goût plus que tout ce qui m'a jamais plu. N'allons point faire une séparation de votre aimable vue et de votre amitié ; il y aurait trop de cruauté à séparer ces deux choses. Et quoi que M. de Grignan dise, je veux plutôt croire que le temps est venu que ces deux choses marcheront ensemble, que j'aurai le plaisir de vous voir sans mélange d'aucun nuage, et que je réparerai toutes les injustices passées, puisque vous voulez les nommer ainsi. Après tout, combien de bons moments que je ne puis assez regretter, et que je regrette aussi avec des larmes et des tendresses qui ne peuvent jamais finir ! Ce discours même n'est pas bon pour mes yeux, qui sont d'une faiblesse étrange, et je me sens dans une disposition qui m'oblige à finir cet endroit. Il faut pourtant que je vous dise encore que je regarde le temps où je vous verrai comme le seul que je désire à présent et qui peut m'être agréable dans la vie. Dans cette pensée, vous devez croire que, pour mon intérêt et pour diminuer toutes mes inquiétudes, qui vont être augmentées jusqu'à devenir insupportables, je ne trouverais aucun trajet qui ne fût court. Mais j'ai de grandes conversations avec d'Hacqueville ; nous voyons ensemble d'autres intérêts, et les miens le cèdent à ceux-là. Il est témoin de tous mes sentiments. Il voit mon cœur sur votre sujet ; c'est lui qui se charge de vous les faire entendre et de vous mander ce que nous résolvons. Dans cette vue, c'est lui qui veut que j'avale toute l'amertume d'être loin de vous plutôt que de ne pas faire un voyage qui vous soit utile. Je cède à toutes ces raisons, et je crois ne pouvoir m'égarer avec un si bon guide[1].

Parlons de votre santé. Est-il possible que le carrosse ne vous fasse point de mal ? Du moins, ma bonne, n'y allez point longtemps de suite ; reposez-vous souvent. Je vis hier Mme de Guise ; elle me chargea de vous faire mille amitiés, et de vous dire comme elle a été trois jours à l'extrémité, Mme Robinet n'y voyant plus goutte, et tout cela pour s'être agitée, sur la foi de sa première couche, sans se donner aucun repos. L'agitation continuelle, qui ne donne pas le temps à un enfant de se pouvoir remettre à sa place, quand il a été ébranlé, fait une couche avancée, qui est très souvent mortelle. Je lui promis de vous donner toutes ces instructions pour quand vous en auriez besoin, et de vous dire tous les repentirs qu'elle avait d'avoir perdu l'âme et le corps de son enfant. Je m'acquitte exactement de cette commission, dans l'espérance qu'elle vous sera utile. Je vous conjure, ma bonne, d'avoir un soin extrême de votre santé ; vous n'avez que cela à faire.

Votre monsieur, qui dépeint mon esprit juste et carré, « composé », « étudié[1] », l'a très bien *dévidé*, comme disait cette diablesse. J'ai fort ri de ce que vous m'en écrivez et vous ai plainte de n'avoir personne à regarder pendant qu'il me louait si bien ; je voudrais au moins avoir été derrière la tapisserie. Je vous remercie, ma bonne, de toutes les honnêtetés que vous avez faites à La Brosse. C'est une belle chose qu'une vieille lettre ! Il y a longtemps que je les trouve encore pires que les vieilles gens ; tout ce qui est dedans est une vraie radoterie. Vous êtes bien en peine de ce rhume. Ce fut aussi dans cette lettre-là que je voulus vous en parler.

Il est vrai que j'aime votre fille, mais vous êtes une friponne de me parler de jalousie. Il n'y a ni en vous ni en moi de quoi la pouvoir composer. C'est une imperfection dont vous n'êtes point capable, et je ne vous en donne non plus de sujet que M. de Grignan. Hélas ! quand on trouve en son cœur toutes préférences et que rien n'est en comparaison, de quoi pourrait-on donner de la jalousie à la jalousie même ? Ne parlons point de cette passion ; je la déteste. Quoiqu'elle vienne d'un fonds adorable, les effets en sont trop cruels et trop haïssables.

Je vous prie, ma bonne, de ne point faire des songes si tristes de moi ; cela vous émeut et vous trouble. Hélas ! ma bonne, je suis persuadée que vous n'êtes que trop vive et trop sensible sur ma vie et sur ma santé (vous l'avez toujours été), et je vous conjure aussi, comme j'ai toujours fait, de n'en être point en peine. J'ai une santé au-dessus de toutes les craintes ordinaires ; je vivrai pour vous aimer, et j'abandonne ma vie à cette occupation, et à toute la joie et à toute la douleur, à tous les agréments et à toutes les mortelles inquiétudes, et enfin à tous les sentiments que cette passion me pourra donner.

Je vous enverrai des mémoires pour la fondation ; vous avez raison de ne la point encore prendre légèrement. Je vous remercie du soin que vous aurez de cela[1].

Mme de Verneuil a été très mal à Verneuil de sa néphrétique. Elle est accouchée d'un enfant que l'on a nommé Pierre, car ce n'est pas *Pierrot*, tant il était gros[2]. Faites-lui des compliments par l'abbé.

Mon royaume commence à n'être plus de ce monde[3]. Nous trouvâmes l'autre jour aux Tuileries Mme d'Aumont et Mme de Ventadour. La première nous parut d'une incivilité parfaite en répondant comme une reine aux compliments que nous lui faisions sur sa couche et lui disant que nous avions été à sa porte. Pour l'autre, elle nous parut d'une sottise si complète que je plaignis M. de Ventadour, et je trouvai que c'était lui qui était mal marié. Que toutes les jeunes femmes sont sottes, plus ou moins ! Je n'en connais qu'une au monde, et bon Dieu ! qu'elle est loin !

Je me jette à corps perdu dans les bagatelles pour me dissiper. Quand je m'abandonne à parler tendrement, je ne finis point, et je m'en trouve mal. J'ai vu Gacé ; j'ai dîné avec lui chez Mme d'Arpajon. J'ai pris un plaisir extrême à le faire parler de vous. Il m'a dit que M. de Grignan lui avait parlé d'une espèce de grossesse qui commençait à se faire espérer ; il m'a dit que vous étiez belle, gaie, aimable, que vous m'aimiez, enfin jusqu'à vos moindres actions. Je me suis tout fait expliquer. Au reste, ma bonne, vous n'êtes pas seule qui aimez votre mère. Mme de Soubise écrit ici des lettres qui surpassent sa capacité ordinaire. Elle sait que Mme de La Troche a eu soin de divertir et de consoler sa mère ; elle l'en a remerciée par une lettre d'une manière qui m'a surprise. Mme de Rohan m'a bien fait souvenir d'une partie de mes douleurs dans la séparation de sa fille. Elle croit qu'elle est grosse ; c'est un paquet bien commode dans un voyage de la cour.

Mais, ma bonne, pourquoi avez-vous été à Marseille ? Monsieur de Marseille mande ici qu'il y a de la petite vérole. Puis-je avoir un moment de repos que je ne sache comme vous vous en portez ? De plus on vous aura tiré du canon qui vous aura émue ; cela est très dangereux[1]. On dit que de Biais[2] accoucha l'autre jour d'un coup de pistolet, qu'on tira dans la rue. Vous aurez été dans des galères[3], vous aurez passé sur des petits ponts, le pied peut vous avoir glissé, vous serez tombée. Voilà les horreurs de la séparation. On est à la merci de toutes ces pensées. On peut croire sans folie que tout ce qui est possible peut arriver. Toutes les tristesses des tempéraments sont des pressentiments, tous les songes sont des présages, toutes les prévoyances sont des avertissements[4]. Enfin, c'est une douleur sans fin.

Je ne suis point encore partie. Hélas ! ma chère, vous vous moquez ; je ne suis qu'à deux cents lieues de vous. Je partirai entre ci et la Pentecôte. Je la passerai, ou à Chartres, ou à Malicorne, mais sûrement point à Paris[1]. Je serais partie plus tôt, mais mon fils m'a arrêtée pour savoir s'il viendrait avec moi. Enfin il y vient, et nous attendons les chevaux qu'il fait venir de Lorraine. Ils arriveront aujourd'hui, et je pars la semaine qui vient. Vous êtes aimable d'entrer comme vous faites dans la tristesse de mon voyage ; elle ne sera pas médiocre, de l'esprit dont je suis. Vous voudriez quitter votre splendeur pour être une simple bergère auprès de moi dans mes grandes allées. Hélas ! je le crois, pour quelques heures seulement. Vous pouvez penser combien de souvenirs de vous entre La Mousse et moi, et combien de millions de choses nous en feront souvenir, sans compter cette pensée habituelle qui ne me quitte jamais.

Il est vrai que je n'aurai point Hébert ; j'en suis fâchée, mais il faut se résoudre à tout. Il est revenu de Chantilly. Il est désespéré de la mort de Vatel ; il y perd beaucoup. Gourville l'a mis à l'hôtel de Condé pour faire cette petite charge dont je vous ai parlé. M. de La Rochefoucauld dit qu'il prend des liaisons avec Hébert, dans la pensée que c'est un homme qui commence une grande fortune. À cela, je lui réponds que mes laquais ne sont pas si heureux que les siens[2]. Ce duc vous aime, et m'a assurée qu'il ne vous renverrait point votre lettre toute cachetée. Mme de La Fayette me prie toujours de vous dire mille choses pour elle. Je ne sais si je m'en acquitte bien.

Ne m'écrivez qu'autant que cela ne fera point de mal à votre santé, et que cela soit toujours de l'état où vous êtes. Répondez moins à mes lettres et me parlez de vous. Plus je serai en Bretagne, plus j'aurai besoin de cette consolation. Ne m'expédiez point là-dessus, et si vous ne le pouvez, faites écrire la petite Deville et empêchez-la de donner dans *la justice de croire* et dans les *respectueux attachements*[1]. Qu'elle me parle de vous, et quoi encore ? de vous et toujours de vous.

Vous êtes plaisante avec vos remerciements. Enfin vous êtes au point de faire des présents des *Gazettes de Hollande*[2] et des lettres que je vous écris. C'est être avide de reconnaissances, comme vous l'étiez, il y a un an, de désespoirs[3].

Ne jetez pas si loin les livres de La Fontaine. Il y a des fables qui vous raviront, et des contes qui vous charmeront. La fin des *Oies de frère Philippe, Les Rémois, Le Petit Chien*, tout cela est très joli ; il n'y a que ce qui n'est point de ce style qui est plat. Je voudrais faire une fable qui lui fît entendre combien cela est misérable de forcer son esprit à sortir de son genre, et combien la folie de vouloir chanter sur tous les tons fait une mauvaise musique. <Il ne faut point qu'il sorte du talent qu'il a de conter[4].>

Brancas est triste à mourir. Sa fille partit hier avec son mari pour le Languedoc, sa femme pour Bourbon. Il est seul, et tellement extravagué que nous ne cessons d'en rire, Mme de Coulanges et moi.

Monsieur de Marseille a mandé à l'abbé <de Pontcarré> que vous étiez grosse. J'ai fait assez longtemps mon devoir de cacher ce malheur, mais enfin l'on se moque de moi[5].

Pour votre coiffure, elle doit ressembler à celle d'un petit garçon. La raie qui est poussée jusqu'au milieu de la tête est tournée jusqu'au-dessus des oreilles. Tout cela est coupé et tourné en grosses boucles qui viennent au-dessous des oreilles. On met un nœud entre le rond et ce coin qui est de chaque côté ; il y a des boucles sur la tête. Cela est jeune et joli ; cela est peigné, quelquefois un peu tapé, bouclé, chiffonné, taponné, et toujours selon que cela sied au visage. Mme de Brissac et Mme de Saint-Géran, qui n'ont pas encore voulu faire couper leurs cheveux, me paraissent mal, tant la mode m'a corrompue. Quand on est bien coiffée de cette manière, on est fort bien. Quoique ce ne soit pas une coiffure réglée, elle l'est pourtant assez pour qu'il n'y en ait point d'autre pour les jours de la plus grande cérémonie. Écrivez à Mlle du Gué qu'elle vous envoie une poupée que Mme de Coulanges lui a envoyée. Vous verrez par là comme cela se fait.

Votre fille embellit tous les jours. Je vous manderai vendredi sa destinée pour cet été et, s'il se peut, celle de votre appartement, que jusqu'ici tout le monde admire et que personne ne loue.

J'embrasse mille fois M. de Grignan, malgré toutes ses iniquités. Je le conjure au moins que, *puisqu'il fait les maux, il fasse les médecines*[1], c'est-à-dire qu'il ait un soin extrême de votre santé, qu'il soit le maître là-dessus, comme vous devez être la maîtresse sur tout le reste.

Je crains votre voyage de Marseille. Si Bandol est avec vous, faites-lui mes compliments. Guitaut m'a montré votre lettre. Vous écrivez délicieusement ; on se plaît à les lire comme à se promener dans un beau jardin. M. d'Harouys vous adore. Il est plus loin d'être fâché contre vous que cette épingle qui était à Marseille n'était loin de celle qui était à Vitré. Jugez par là combien il vous aime. Car, je m'en souviens, cet éloignement nous faisait trembler. Hélas ! nous y voilà ; je ne suis point trompée dans ce qu'il me fait souffrir. Mon oncle l'Abbé a vu ce matin ce d'Harouys. Vous pouvez disposer de tout son bien, et c'est pour cela que vous avez très bien fait de lui renvoyer honnêtement sa lettre de crédit[1]. Ma bonne, je vous baise et vous embrasse.

Pour ma très chère Comtesse.

43. À MADAME DE GRIGNAN

À Paris, vendredi 8 mai [1671].

Me voilà encore, et je ne puis partir que dans huit jours. L'incertitude du camp de Lorraine[2], pour mener ou pour ne mener pas mon fils, fait toute la mienne, et me donne de l'ennui. J'en ai beaucoup plus encore de votre santé. Votre voyage de Marseille me trouble ; l'air de la petite vérole et le bruit des canons me donnent une inquiétude qui n'est que trop juste. Si je ne vais point m'en soulager par être auprès de vous, vous me serez bien plus obligée, ma fille, que si je traversais la France. L'état où je suis, et où je vais être, est dur à soutenir. Et rien ne serait capable de m'arrêter que les raisons que vous savez, et dont nous sommes en confidence, notre cher ami[3] et moi. Je sens quelque consolation de l'avoir pour témoin de tous mes sentiments, non pas que j'en aie besoin auprès de vous, mais j'aime à mettre mes sentiments les plus chers en dépôt entre les mains d'un homme comme lui.

Je fus hier longtemps chez Mme du Puy-du-Fou. Sérieusement elle vous aime, et vous lui êtes obligée des soins et des prévoyances qu'elle a pour vous. Son cœur n'en sait point davantage, mais dans cette étendue elle fait parfaitement bien. L'Abbé est ravi de vous voir appliquée à vos affaires. Il vous trouve digne de tous ses soins, dès le moment que vous songez à mettre la règle dans votre maison. Ajoutez cette perfection à toutes les autres ; ne vous relâchez point. Il n'est pas question de suivre toujours les beaux sentiments ; il faut avoir pitié de soi, et avoir de la générosité pour soi-même, comme on en a pour les autres. En un mot, continuez tous vos bons commencements, et amusez-vous à vous conserver, et à bien conduire vos affaires. J'espère que le voyage de notre Abbé, en quelque temps que ce soit, ne vous sera pas inutile[1]. Adieu, ma très chère ; j'attends avec des impatiences vives des nouvelles de votre santé et de votre voyage.

44. À MADAME DE GRIGNAN

À Paris, mercredi 13 mai [1671].

Je reçois votre lettre de Marseille, <ma chère bonne ;> jamais relation ne m'a tant amusée. Je lisais avec plaisir et avec attention (je suis fâchée de vous le dire, car vous n'aimez pas cela, mais vous narrez très agréablement), je lisais donc votre lettre vite, par impatience, et je m'arrêtais tout court, pour ne la pas dévorer si promptement. Je la voyais finir avec douleur, et douleur de toute manière, car je ne vois que de l'impossibilité à votre retour, moi qui ne fais que le souhaiter. Ne m'en ôtez pas, ma chère <bonne>, ni à vous-même, <du moins> l'espérance. Pour moi, j'irai vous voir très assurément avant que vous preniez aucune résolution là-dessus ; ce voyage, est nécessaire à ma vie.

Je tremble pour votre santé. Vous avez été étourdie du bruit de tant de canons et du *hou* des galériens ; vous y avez reçu des honneurs comme la

Reine, et moi, plus que je ne vaux. Je n'ai jamais vu une telle galanterie que de donner mon nom pour le mot de guerre. Je vois bien, ma fille, que vous songez à moi très souvent et que cette *maman mignonne*[1] de M. de Vivonne n'est pas de contrebande avec vous. Je crois que Marseille vous a paru beau. Vous m'en faites une peinture extraordinaire qui ne déplaît pas. Cette nouveauté, à quoi rien ne ressemble, touche ma curiosité ; je serai fort aise de voir cette sorte d'enfer. Comment ! des hommes gémir jour et nuit sous la pesanteur de leurs chaînes ! Voilà ce qu'on ne voit point ici. On en parle assez ; elles font même quelquefois du bruit. Mais il n'y a rien d'effectif qu'à Marseille[2]. J'ai cette image dans la tête,

E di mezzo l'horrore esce il diletto[3].

Vous étiez belle, à ce que vous dites, et où est donc votre grossesse ? Comment s'accommode-t-elle avec votre beauté et avec tant de fatigue ? <Il revient ici de vous des louanges, des panégyriques ;> il m'est venu de deux endroits que vous avez un esprit si bon, si juste, si droit et si solide qu'on vous fait seule arbitre des plus grandes affaires. Vous avez accommodé les différends infinis de M. de Monaco avec un monsieur dont j'ai oublié le nom. Vous avez un sens si net et si fort au-dessus des autres qu'on laisse le soin de parler de votre personne pour louer votre esprit ; voilà ce qu'on dit de vous ici. Si vous trouvez quelque *prince Alamir*, vous avez du fonds pour faire le premier tome du roman sans qu'on ose en parler[4]. Je n'ai pas voulu faire ce tort à la Provence, de vous cacher la manière dont vous y êtes honorée et dont on y parle de vous. Je voudrais savoir si vous êtes entièrement insensible à tous les honneurs qu'on vous fait. Pour moi, je vous avoue grossièrement qu'ils ne me déplairaient pas, mais je ferais l'impossible pour tâcher de revenir ici quelque temps me dépouiller de ma splendeur. Ce qui vous en reste ici est trop bon pour être négligé.

Mme des Pennes[1] a été aimable comme un ange. Mlle de Scudéry l'adorait ; c'était la *princesse Cléobuline*. <Elle avait un *prince Thrasibule* en ce temps-là ; c'est la plus jolie histoire de *Cyrus*.> Si vous étiez encore à Marseille, je vous prierais de bien faire des compliments pour moi à Monsieur le Général des galères[2]. Mais vous n'y êtes plus.

Pour moi, je suis encore ici ; j'en suis en furie. Je voulais partir vendredi ; l'Abbé se met à genoux pour que ce ne soit que lundi. On ne peut tirer les prêtres de Paris ; il n'y a que les dames qui en veulent partir. Je m'en irai donc lundi. Il me semble que vous voulez savoir mon équipage, afin de me voir passer comme j'ai vu passer M. Busche. Je vais à deux calèches ; j'ai sept chevaux de carrosse, un cheval de bât qui porte mon lit, et trois ou quatre hommes à cheval. Je serai dans ma calèche, tirée par mes deux beaux chevaux ; l'Abbé sera quelquefois avec moi. Dans l'autre, mon fils, La Mousse et Hélène ; celle-ci aura quatre chevaux avec un postillon. Quelquefois le bréviaire assemblera le second ordre, et laissera place à un certain bréviaire de Corneille, que nous avons envie de dire, Sévigné et moi. Voilà de beaux détails, mais on ne les hait pas des personnes que l'on aime.

<Vous écrivez une lettre à votre frère qui vaut un empire. Elle est plaisante ; j'en ai bien ri. J'eusse juré que sa... eût été ridicule ; en effet, j'ai trouvé qu'elle ressemble à une amande lissée. Voilà de ces sortes de physionomies qui ne se raccommoderont jamais avec moi[3].>

Je n'ai garde, <ma bonne,> de dire à notre océan la préférence que vous lui donnez ; il en serait trop glorieux. Il n'est pas besoin de lui donner plus d'orgueil qu'il n'en a.

<J'ai fait moi-même déménager et mettre en sûreté tous vos meubles dans une chambre que j'ai réservée ; j'ai été présente à tout. Pourvu que vous ayez intérêt à quelque chose, elle est digne de mes soins. Je n'ai pas tant d'amitié pour moi, Dieu m'en garde.>

Bien du monde s'en va lundi comme moi. Brancas est parti. Je ne sais si cela est bien vrai ; il ne m'a point dit adieu. Il croit peut-être l'avoir fait. Il était l'autre jour debout devant la table de Mme de Coulanges ; je lui dis : « Asseyez-vous donc, ne voulez-vous pas souper ? » Il se tenait toujours debout. Mme de Coulanges lui dit : « Asseyez-vous donc. — Parbleu ! dit-il, Mme de Sanzei se fait bien attendre ; je crois qu'on ne lui a pas dit qu'on a servi. » C'était elle qu'il attendait ; il y a environ cinq semaines qu'elle est à Autry[1]. Nous en rîmes beaucoup.

<Je vous conjure, ma très chère bonne et très belle, de ne point prendre de chocolat. Je suis fâchée contre lui personnellement. Il y a huit jours que j'eus seize heures durant une colique et une suppression qui me fit toutes les douleurs de la néphrétique[2]. Pecquet me dit qu'il y avait beaucoup de bile et d'humeurs en l'état où vous êtes ; il vous serait mortel.>

<Mme de Soubise est grosse ; elle s'en plaint à sa mère, mais inutilement. Pour Mme de Louvigny[3], vous le savez. Si je pouvais trouver quelque honnête veuve ou quelque honnête fille qui le fût aussi, je vous le manderais pour votre consolation.>

L'abbé Têtu est parti, disant que Paris lui pèse sur les épaules. Il est allé droit à Fontevrault[4] ; c'est le chemin, cela est heureux. De là, il va à Richelieu, qui n'est qu'à cinq lieues, et il y demeurera. Ce voyage paraît ridicule à bien des gens, et semble l'éloigner encore de l'épiscopat ; pour moi, je dis qu'il l'en approchera. Vous voyez qu'il ne s'accommode pas si bien de l'absence de Mme de Fontevrault que de la vôtre. Si j'étais désormais en lieu de vous parler du prochain, je prendrais votre manière. Elle est mille fois plus nette et plus facile que le galimatias dont je m'étais servie, et que vous aviez pourtant fort bien deviné ; il n'y en a guère d'impénétrable pour vous.

Vous trouvez que mon fils me console de Paris, que les États me consoleront de mon fils ; mais de vous, ma belle, qui m'en consolera ? Je n'ai point encore trouvé qu'il y ait rien dans le monde qui s'en puisse vanter. <Je vous embrasse mille et mille fois. Aimez-moi toujours, c'est la seule joie et la seule consolation de ma vie.>

45. À MADAME DE GRIGNAN

À Paris, ce <vendredi> 15 mai [1671].

Me voici encore, ma pauvre bonne, avec tout le chagrin qui accompagne les départs retardés, et les départs qui éloignent de vous encore plus que nous ne sommes. Quelle rage de prendre un chemin opposé à celui de son cœur ! Si jamais je ne vois plus rien entre la Provence et moi, je serai transportée de joie. L'envie continuelle que j'ai de recevoir de vos lettres et d'apprendre l'état de votre santé est une chose si dévorante pour moi, que je ne sais comme je la pourrai supporter. J'attends dimanche de vos lettres, et puis je pars lundi matin. Je suis occupée à donner tous les ordres nécessaires pour en avoir souvent ; je pense y avoir réussi autant qu'il se peut.

J'ai trouvé dans une petite armoire, en déménageant votre cabinet, cette jolie petite lanterne que vous a donnée M. de Grignan, à qui nous disions si bien :

Madame, Amphitryon, mon maître et votre époux[1]...

Ah ! vraiment, tant y a, je l'ai. Il me prit envie de la faire jouer pour vingt pistoles, si je trouve des femmes assez folles pour cela. Je crois que vous en serez bien d'accord. Je la mettrai entre les mains de M. de Coulanges ; mandez-lui votre avis.

Mme de Crussol est grosse, et mille autres ; j'allai hier lui dire adieu, et à l'effigie de Mme de Montausier. Si j'avais le temps, je vous conterais les gentillesses qu'elle me dit[2], mais j'ai été accablée ce matin d'adieux et d'affaires. Je m'en vais dire les miens en Lavardin. Je ferai mon paquet ce soir ; j'aurai plus de loisir. Je finis donc cette feuille en vous embrassant mille fois, ma bonne, avec une si vive et si extrême tendresse, que je ne pense pas qu'il y en ait au monde une pareille.

46. À BUSSY-RABUTIN

À Paris, ce [dimanche de la Pentecôte 17] mai 1671[3].

Je vous écris dans la cellule de notre petite sœur de Sainte-Marie[4]. J'aime cette nièce. Je lui trouve de l'esprit, et une piété qui me charme et qui me donne de l'envie, car après tout, mon pauvre cousin, rien n'est si bon ni si solide que la pensée de son salut. Voici une créature qui en est uniquement occupée. Cela fait que je l'honore, contre l'inclination naturelle que j'aurais de ne la pas trop respecter.

Je la quitte pour vous dire que je loue fort l'occupation que vous vous donnez présentement. Elle est digne de votre esprit, et je m'en réjouis par avance pour l'intérêt de nos neveux, qui trouveront un grand goût à ces mémoires[1].

Je pars demain pour aller en Bretagne. J'y serai jusqu'à la Toussaint. La pauvre Grignan est sous son soleil de Provence. Si les honneurs qu'on lui fait pouvaient la rafraîchir un peu, elle serait bien heureuse, mais je doute que rien la puisse consoler entièrement de nous avoir quittés. Écrivez-moi, Monsieur le Comte, écrivez-moi dans ma province, et croyez que vous n'êtes guère moins bien auprès de moi qu'auprès de notre petite sœur, à la réserve qu'elle vous respecte comme son père, et que je vous honore comme mon cousin.

47. À MADAME DE GRIGNAN

[À Paris,] ce [dimanche] 17e mai <1671>,
chez M. de La Rochefoucauld.

Je suis auprès d'un homme qui vous aime, et qui vous conjure de le croire. Il a pris un fort grand plaisir à entendre la peinture de vos galériens de Marseille. Mme de La Fayette me dicte beaucoup de belles choses que je ne vous dirai point. Nous avons été nous promener chez Faverole, à Issy, où les rossignols, l'épine blanche, les <lilas>, les fontaines et le beau temps nous ont donné tous les plaisirs innocents qu'on peut avoir. C'est un lieu où je vous ai vue ; cela nourrit fort la tendresse. Nous y vîmes une fois un chat qui voulut arracher les deux yeux de Mme de La Fayette, et pensa bien d'en passer son envie, si vous vous en souvenez. J'ai dit adieu à toutes les beautés de ce pays ; je m'en vais dans un autre bien rude. Il n'y en a point, ma bonne, où je ne trouve le moyen de penser uniquement à vous. J'ai recommandé ma petite enfant à Mme Amelot, à Mme d'Ormesson[1], et surtout à Mme du Puy-du-Fou, avec qui je fus hier deux heures ; elle en aura soin comme de la sienne. J'ai pris congé des Uzès[2] et de mille autres. Enfin voilà qui est fait.

M. de Rambures est mort ; pouvez-vous vous imaginer sa femme affligée avec un bandeau[3] ? L'abbé de Foix se meurt. Il a reçu tous ses sacrements, il agonise ; <cela est pitoyable[4].> J'ai reçu une lettre de Corbinelli, qui me paraît excessivement content de M. de Vardes et de sa libéralité. Si vous écrivez quelquefois à Vardes, je vous prie de lui mander ce que je vous dis, afin qu'il voie qu'il n'y a rien de moins ingrat que son ami. Bonsoir, ma petite, <nous sommes tristes ;> nous n'avons rien de gaillard à vous mander. Si vous aimez à être parfaitement aimée, vous devez aimer mon amitié.

Lundi matin, en partant, 18e mai [1671].

Enfin, ma bonne, me voilà prête à monter dans ma calèche. Voilà qui est fait, je vous dis adieu. Jamais je ne vous dirai cette parole sans une douleur sensible. Ce départ me fait souvenir du vôtre. C'est une pensée que je ne soutiens point tout entière que l'air de la veille et du jour que je vous quittai. Ce que je souffris est une chose à part dans ma vie, qui ne reçoit nulle comparaison. Ce qui s'appelle déchirer, couper, déplacer, arracher le cœur d'une pauvre créature, c'est ce qu'on me fit ce jour-là ; je vous le dis sans exagération. Je n'ose penser que légèrement à cet endroit et à toutes ces suites ; je n'ai pas la force de l'approfondir. Mais revenons.

Je m'en vais donc en Bretagne, ma très aimable bonne. Je sens la douleur de m'éloigner de vous. Est-il possible qu'il y ait encore quelque chose à faire à un éloignement, quand on est à deux cents lieues l'une de l'autre ? Cependant j'y trouve encore à le perfectionner, et comme vous avez trouvé que votre ville d'Aix n'était pas encore assez loin, je trouve aussi que Paris est dans votre voisinage. Vous êtes allée à Marseille pour me fuir, et moi je m'en vais à Vitré pour le renvier sur vous.

Tout de bon, ma bonne, j'ai bien du regret à notre commerce ; il m'était d'une grande consolation et d'un grand amusement. Il sera présentement d'une étrange façon. Je crois pourtant que mes ordres sont bons ; j'aurai pour le moins tous les vendredis de vos lettres. Mon petit ami de la poste est fort affectionné ; il s'appelle M. Dubois, ne l'oubliez pas. Quand vous serez à Grignan, et qu'il faudra changer d'adresse, vous n'aurez qu'à lui mander ; le Coadjuteur de Reims lui a recommandé notre commerce. J'ai reçu votre lettre d'hier, et celle de demain m'attendra à Malicorne[1]. C'est ma vie que la joie de savoir de vos nouvelles ! N'aspirez point, ma petite, à me persuader que mes lettres vous soient comme les vôtres me sont. Hélas ! que vous vais-je dire du milieu de mes bois ? Je vous parlerai à cœur ouvert de Mlle du Plessis et de Jacquine : les jolies peintures[2] !

Je suis fort contente de ce que vous me dites de votre santé. Cela prend un chemin à ne vous point défigurer ni languir, comme je vous ai vue. J'ai ouï dire que madame votre mère était comme vous vous dépeignez. Elle rendait un peu sa gorge les matins[1], et le reste du jour elle était gaillarde, sans qu'il fût question d'aucune bile. On mande ici que vous êtes belle comme le beau jour. Cette confiance que vous me donnez en votre bonne santé me confirme dans le dessein de ne point joindre, pour cette année, la Provence à la Bretagne ; notre d'Hacqueville me conduit dans cet arrangement. Mais, mon ange, au nom de Dieu, si vous m'aimez, conservez-vous. Ne dansez point, ne tombez point, ne vous blessez point, n'abusez point de votre santé, reposez-vous souvent, ne poussez point votre courage à bout, et surtout prenez vos mesures pour accoucher à Aix, au milieu de tous les prompts secours. Vous savez comme vous êtes expéditive, rangez-vous-y plus tôt que plus tard. Bon Dieu ! que ne souffrirai-je point en ce temps-là !

Vous me contez fort plaisamment le démêlé que vous avez eu avec mon ami Vivonne. Il me paraît que tout le tort est de son côté. Vous le menâtes beau train, de la manière dont vous l'aviez pris ; son décontenancement me fait suer, et lui aussi, j'en suis assurée. Conclusion, vous l'embrassâtes : c'est un grand effort en l'état où vous êtes[2]. Il faut toujours faire en sorte de n'avoir point de querelle ni d'ennemis sur les bras. Votre Évêque, qu'est-il devenu ?

J'attends Dubut, que j'ai envoyé au messager pour savoir ce qu'ils ont fait de votre ballot. Il y a deux mois qu'il est parti ; il fut adressé à Lyon, au secrétaire de Monsieur l'Intendant[3].

Laissez-vous bien surprendre, je vous prie, aux miroirs de Grignan ; il ne faut jamais payer de dégoût les plaisirs et les surprises que nous font ceux qui nous aiment. Le cœur de l'Abbé est pour vous comme si je l'avais pétri de mes propres mains ; cela fait justement que je l'adore[4].

Hébert revient de Sucy, où je l'avais envoyé pour savoir des nouvelles de mon enfant avant que de partir. Elle est fort jolie, fort belle, fort gaillarde ; elle a ri de fort bonne grâce. La nourrice et Marie[1] ne sont occupées qu'à la bien gouverner ; elle reçoit des visites de Mme Amelot, de Mme d'Ormesson. Tout va jusqu'ici à merveille.

Ce pauvre abbé de Foix est mort ; cela fait pitié. Qui pourrait croire qu'une mère qui a trois garçons, dont l'aîné est marié et un enfant, fût sur le point de voir finir sa maison ? Cependant, il est vrai, ce petit duc de Foix ne vaut pas un coup de poing. Il est à Bordeaux avec sa mère pour un procès. Quelle nouvelle pour eux[2] ! L'Armentières beauté fait la guerre à ses beaux cheveux et se déchire le sein, à ce qu'on dit[3] ; je vois que cela vous console. Savez-vous que notre petite Senneterre[4] est accouchée à Grenoble ? Je ne sais qui ne part point aujourd'hui ; nous comptâmes hier jusqu'à vingt personnes de qualité qui font comme moi. M. de Coulanges donna un grand souper, où tout le monde s'assembla pour me dire adieu. Adieu donc, ma très chère et très aimable bonne. Je m'en vais coucher à Bonnelle[5]. J'espère que j'y retrouverai cette dévotion que vous y laissâtes une fois ; je la prendrai. Hélas ! j'en ai assez de besoin pour me faire supporter avec quelque patience l'absence et l'éloignement d'une aimable enfant que j'aime si passionnément, et toutes les justes craintes que je puis avoir pour sa santé. Ma bonne, songez un peu à ce que je puis souffrir, n'étant secourue d'aucune distraction.

J'emmène votre frère et le dérobe à toute la honte de ses mauvais procédés. Vous jugez bien que ses maîtresses ne seront pas inconsolables ; pour moi, je m'en accommoderai fort bien.

Je suis persuadée de ce que dit M. de Grignan.

Ah ! mon cher, je le crois assurément, il n'y a personne qui n'en eût fait autant que vous, s'il eût été à votre place. Vous me payez de raison, et vous le prenez sur un ton qui mérite qu'on vous pardonne, mais songez pourtant que la jeunesse, la beauté, la santé, la gaieté et la vie d'une dame que vous aimez, toutes ces choses sont détruites par les rechutes fréquentes du mal que vous faites souffrir[1].

Ma bonne, je reviens à vous, après avoir dit adieu à votre époux. Il nous revient ici que vous perdez tout ce que vous jouez l'un et l'autre. Eh, mon Dieu ! pourquoi tant de malheur, et pourquoi cette petite pluie continuelle, que j'ai toujours trouvée si incommode ? Je deviens comme elle, je ne finis point. Il faut que je marche et que j'aille à la messe. Adieu donc pour la centième fois, ma chère enfant. Je vous embrasse tendrement, avec une douleur qui me ferait bien de l'honneur auprès de ceux que je quitte, si j'étais assez peu sincère pour leur faire valoir ma tristesse.

Remerciez bien d'Hacqueville de toutes les amitiés que j'en reçois tous les jours. Il entre dans mes sentiments ; voilà de quoi il est question en ce monde. N'oubliez pas de faire savoir à Vardes que Corbinelli se loue fort de lui. Dites à la petite Deville qu'elle m'écrive souvent de votre santé, sans aucun mélange de *style à cinq sols*.

48. À MADAME DE GRIGNAN

À Malicorne, samedi 23 mai [1671].

J'arrive ici[2], où je trouve une lettre de vous, tant j'ai su donner un bon ordre à notre commerce ; je vous écrivis lundi en partant de Paris. Depuis cela, mon enfant, je n'ai fait que m'éloigner de vous avec une telle tristesse et un souvenir de vous si pressant qu'en vérité la noirceur de mes pensées m'a rendue quelquefois insupportable. Je suis partie avec votre portrait dans ma poche. Je le regarde fort souvent. Il serait difficile de me le dérober présentement sans que je m'en aperçusse ; il est parfaitement aimable. J'ai votre idée dans l'esprit ; j'ai dans le milieu de mon cœur une tendresse infinie pour vous. Voilà mon équipage, et voilà avec quoi je vais à trois cents lieues de vous.

Nous avons été fort incommodés de la chaleur. Un de mes beaux chevaux demeura dès Palaiseau ; les autres six ont tenu bon jusqu'ici. Nous partons dès deux heures du matin pour éviter l'extrême chaleur. Encore aujourd'hui, nous avons prévenu l'aurore dans ces bois pour voir Sylvie, c'est-à-dire Malicorne, où je me reposerai demain[1]. J'y ai trouvé les deux petites filles, *rechignées, un air triste, une voix de Mégère*. J'ai dit : *Ces petits sont sans doute à notre ami, fuyons-les*. Du reste, *nos repas ne sont point repas à la légère*[2]. Jamais je n'ai vu une meilleure chère, ni une plus agréable maison. Il me fallait toute l'eau que j'y ai trouvée, pour me rafraîchir du fonds de chaleur que j'ai depuis six jours. Notre Abbé se porte bien ; mon fils et La Mousse me sont d'une grande consolation. Nous avons relu des pièces de Corneille, et repassé avec plaisir sur toutes nos vieilles admirations. Nous avons aussi un livre nouveau de Nicole. C'est de la même étoffe que Pascal et l'*Éducation d'un Prince*, mais cette étoffe est merveilleuse ; on ne s'en ennuie point[3].

Nous serons le 27 aux Rochers, où je trouverai une de vos lettres ; hélas ! c'est mon unique joie.

Vous pouvez ne me plus écrire qu'une fois la semaine, parce qu'aussi bien elles ne partiront de Paris que le mercredi, et j'en recevrais deux à la fois[1]. Il me semble que je m'ôte la moitié de mon bien ; cependant, j'en suis aise, parce que c'est autant de fatigue retranchée en l'état où vous êtes. Il faut que je sois devenue de bonne humeur pour vouloir bien que vous preniez cela sur moi. Mais, ma fille, au nom de Dieu, conservez-vous, si vous m'aimez. Ah ! que j'ai de regret à votre aimable personne ! N'aurez-vous jamais un moment de repos ? Faut-il user sa vie à cette continuelle fatigue ? Je comprends les raisons de M. de Grignan, mais en vérité, quand on aime une femme, quelquefois on en a pitié.

Mon éventail est donc venu bien à propos. Ne l'avez-vous pas trouvé joli ? Hélas ! quelle bagatelle ! Ne m'ôtez pas ce petit plaisir quand l'occasion s'en présente, et remerciez-moi de la joie que je me donne, quoique ce ne soit que des riens. Mandez-moi bien de vos nouvelles ; c'est là de quoi il est question. Songez que j'aurai une de vos lettres tous les vendredis, mais songez aussi que je ne vous vois plus, que vous êtes à mille lieues de moi, que vous êtes grosse, que vous êtes malade. Songez... non, ne songez à rien, laissez-moi tout songer dans mes grandes allées, dont la tristesse augmentera la mienne. J'aurai beau m'y promener, je n'y trouverai point ce que j'y avais la dernière fois que j'y fus[2]. Adieu, ma très chère enfant ; vous ne me parlez point assez de vous.

Marquez toujours bien la date de mes lettres. Hélas ! que diront-elles présentement ? Mon fils vous embrasse mille fois. Il me désennuie extrêmement ; il songe fort à me plaire. Nous lisons, nous causons, comme vous le devinez fort bien. La Mousse tient bien sa partie, et par-dessus tout notre Abbé, qui se fait adorer parce qu'il vous adore. Il m'a enfin donné tout son bien ; il n'a point eu de repos que cela n'ait été fait. N'en parlez à personne ; la famille le dévorerait, mais aimez-le bien sur ma parole, et, sur ma parole, aimez-moi aussi. J'embrasse ce fripon de Grignan, malgré ses forfaits.

49. DE BUSSY-RABUTIN

À Chaseu, ce [dimanche] 24e mai 1671.

Lorsque j'ai voulu faire réponse à votre lettre, ma chère cousine, j'ai été tout prêt à m'aller enfermer dans la chambre du père gardien des capucins d'Autun, car je ne suis pas un homme à me laisser donner mon reste sur les bons exemples, non plus que sur autre chose. Mais pour revenir à notre petite sœur de Sainte-Marie, je vous avouerai qu'elle a de l'esprit, et que je la crois une bonne religieuse[1] ; et sur les pensées que vous avez avec elle de votre salut, je remarque que les bons et les mauvais exemples font le bien et le mal de votre conduite. Avec les religieuses vous songez à vous sauver, et vous vous damnez avec les gens du monde. Je suis fait en cela tout comme vous, et cent mille gens me ressemblent[2].

Ce que vous me dites sur mes mémoires m'encourage fort à les continuer.

Je vous écrirai en Bretagne ; mais quelque soin que nous prenions de nous entretenir, à peine pourrons-nous en cinq mois, moi vous écrire une fois, et vous me faire réponse[3]. Cependant faisons toujours tout ce qui dépendra de nous sur cela.

Si Mme de Grignan est assurée de retourner cet

hiver à Paris, je vous assure que les honneurs qu'elle recevra en Provence la consoleront fort de n'être pas auprès de vous. Mais si elle ne doit point revenir, elle aura mille chagrins pires que les excessives chaleurs[1].

Je ne veux de vous, ma chère cousine, ni des respects ni des honneurs, je veux seulement de l'amitié et de l'estime, et vous ne me les devez pas refuser, car j'en ai infiniment pour vous.

50. À MADAME DE GRIGNAN

Aux Rochers, dimanche 31 mai [1671].

Enfin, ma fille, nous voici dans ces pauvres Rochers. Quel moyen de revoir ces allées, ces devises, ce petit cabinet, ces livres, cette chambre, sans mourir de tristesse ? Il y a des souvenirs agréables, mais il y en a de si vifs et de si tendres qu'on a peine à les supporter ; ceux que j'ai de vous sont de ce nombre. Ne comprenez-vous point bien l'effet que cela peut faire dans un cœur comme le mien ?

Si vous continuez de vous bien porter, ma chère enfant, je ne vous irai voir que l'année qui vient ; la Bretagne et la Provence ne sont pas compatibles. C'est une chose étrange que les grands voyages. Si l'on était toujours dans le sentiment qu'on a quand on arrive, on ne sortirait jamais du lieu où l'on est. Mais la Providence fait qu'on oublie ; c'est la même qui sert aux femmes qui sont accouchées. Dieu permet cet oubli, afin que le monde ne finisse pas et que l'on fasse des voyages en Provence. Celui que j'y ferai me donnera la plus grande joie que je puisse recevoir dans ma vie, mais quelles pensées tristes de ne voir point de fin à votre séjour ! J'admire et je loue de plus en plus votre sagesse. Quoique, à vous dire le vrai, je sois fortement touchée de cette impossibilité, j'espère qu'en ce temps-là nous verrons les choses d'une autre manière. Il faut bien l'espérer, car sans cette consolation, il n'y aurait qu'à mourir. J'ai quelquefois des rêveries dans ces bois d'une telle noirceur que j'en reviens plus changée que d'un accès de fièvre.

Il me paraît que vous ne vous êtes point ennuyée à Marseille. Ne manquez pas de me mander comme vous aurez été reçue à Grignan. Ils avaient fait ici une manière d'entrée à mon fils. Vaillant[1] avait mis plus de quinze cents hommes sous les armes, tous fort bien habillés, un ruban neuf à la cravate. Ils vont en très bon ordre nous attendre à une lieue des Rochers. Voici un bel incident : Monsieur l'Abbé avait mandé que nous arriverions le mardi, et puis tout d'un coup il l'oublie. Ces pauvres gens attendent le mardi jusqu'à dix heures du soir, et quand ils sont tous retournés chacun chez eux, bien tristes et bien confus, nous arrivons paisiblement le mercredi, sans songer qu'on eût mis une armée en campagne pour nous recevoir. Ce contretemps nous a fâchés ; mais quel remède ? Voilà par où nous avons débuté.

Mlle du Plessis est tout justement comme vous l'avez laissée. Elle a une nouvelle amie à Vitré, dont elle se pare, parce que c'est un bel esprit qui a lu tous les romans et qui a reçu deux lettres de la princesse de Tarente[2]. J'ai fait dire méchamment par Vaillant que j'étais jalouse de cette nouvelle amitié, que je n'en témoignerais rien, mais que mon cœur était saisi ; tout ce qu'elle a dit là-dessus est digne de Molière. C'est une plaisante chose de voir avec quel soin elle me ménage, et comme elle détourne adroitement la conversation pour ne point parler de ma rivale devant moi ; je fais aussi fort bien mon personnage.

Mes petits arbres sont d'une beauté surprenante. Pilois les élève jusqu'aux nues avec une probité admirable. Tout de bon, rien n'est si beau que ces allées que vous avez vu naître[1]. Vous savez que je vous donnai une manière de devise qui vous convenait. Voici un mot que j'ai écrit sur un arbre pour mon fils qui est revenu de Candie : *vago di fama* ; n'est-il point joli pour n'être qu'un mot ? Je fis écrire hier encore, en l'honneur des paresseux : *bella cosa far niente*[2].

Hélas ! ma fille, que mes lettres sont sauvages ! Où est le temps que je parlais de Paris comme les autres ? C'est purement de mes nouvelles que vous aurez et, voyez ma confiance, je suis persuadée que vous aimez mieux celles-là que les autres.

La compagnie que j'ai ici me plaît fort. Notre Abbé est toujours plus admirable ; mon fils et La Mousse s'accommodent fort bien de moi, et moi d'eux. Nous nous cherchons toujours, et quand les affaires me séparent d'eux, ils sont au désespoir, et me trouvent ridicule de préférer un compte de fermier aux contes de La Fontaine[3]. Ils vous aiment tous passionnément ; je crois qu'ils vous écriront. Pour moi, je prends les devants, et n'aime point à vous parler en tumulte. Ma fille, aimez-moi donc toujours. C'est ma vie, c'est mon âme que votre amitié ; je vous le disais l'autre jour, elle fait toute ma joie et toutes mes douleurs. Je vous avoue que le reste de ma vie est couvert d'ombre et de tristesse, quand je songe que je la passerai si souvent éloignée de vous.

51. À MADAME DE GRIGNAN

Aux Rochers, ce [dimanche] 7e juin [1671].

J'ai reçu vos deux lettres avec une joie qu'il n'est pas aisé d'expliquer dans une lettre. Enfin, ma bonne, je les reçois deux jours après qu'elles sont arrivées à Paris ; cela me rapproche de vous. Je voulais vous épargner, et vous empêcher d'écrire plus d'une fois la semaine, et moi, je croyais ne le pouvoir qu'une fois ; mais puisque vous avez tant de courage, et que vous le prenez par là, vogue la galère ! Je vous jure, ma chère enfant, que vous me ferez un extrême plaisir, et que pour moi, quoique je sois persuadée que vous recevrez mes deux lettres, je ne laisserai pas de vous écrire, et même de nos petites nouvelles d'ici ; vous m'aimez assez pour les souffrir.

La lettre que vous avez écrite à mon fils n'est pas fricassée dans de la neige, comme lui disait Ninon. Vraiment, elle est fricassée dans du sel à pleines mains ; depuis le premier mot jusqu'au dernier, elle est parfaite. Je lui laisse le soin de vous répondre et de vous dire comme il a réussi dans sa paroisse et dans un bal de Vitré. Nous avons lu *Bertrand du Guesclin* en quatre jours ; cette lecture nous a divertis[1].

Vous n'avez pas bien <vu>, ma bonne : ma calèche ne s'est point rompue par les chemins. Mes arcs sont forgés de la main de Vulcain ; à moins que de venir de cette fournaise, ils n'auraient pas résisté au troisième voyage de Bretagne qu'ils ont eu l'honneur de faire. Ce que vous voulez dire, c'est qu'un de mes chevaux, le plus beau de France, est demeuré à Nogent et y mourra, selon ce qu'on m'en écrit ; c'est cela qui vous a trompée[2].

Vous êtes grosse assurément d'un garçon. Je vous

remercie de cette confidence ; je n'en abuserai pas. Je vous avoue que je l'aimerai fort, et qu'en faveur de ce dauphin, je demanderai une grâce à M. de Grignan qu'il ne doit pas me refuser pour votre enfant, qui est la même chose. La nourrice ne couche point avec son mari. Ce serait tenter Dieu ; nous savons bien ce qui en arrive[1]. C'est Marie qui couche avec la nourrice et qui a soin de veiller à tout ; en vérité, je ne crois pas qu'ils voulussent nous faire un tel affront.

Il est vrai, ma bonne, que j'eus, il y a quelque temps, une colique très fâcheuse, mais j'admire M. d'Hacqueville de vous avoir écrit que je ne lui avais point mandé. Ce qui est plaisant, c'est qu'il a eu tort en cette occasion ; et comme il a gagé d'être parfait, il n'a osé pousser la justification avec moi, et se veut racquitter auprès de vous en disant que j'ai eu tort. Hélas ! je n'en puis jamais avoir avec lui sur le chapitre de l'amitié ; je l'aime tendrement, et son amitié m'est un trésor inestimable. Voici comme la chose se passa — il vaut autant dire cela qu'autre chose. J'allais à la messe à onze heures, en calèche, avec ma tante[2] ; à moitié chemin, j'eus un grand mal de cœur. Je craignis les suites ; je revins sur mes pas. Je vomis beaucoup ; voilà de grandes douleurs dans le côté droit, de grands vomissements encore, mes douleurs redoublées et une suppression qui me tenait dès la nuit. Voilà l'alarme au camp. On envoie chez Pecquet, qui eut des soins de moi extrêmes. On envoie chez l'apothicaire. On prépare un demi-bain[3] plein de certaines petites herbes ; on m'y met. Si j'avais eu dix laquais, ils auraient tous été employés. Je ne songeai point du tout à Mme de La Fayette ; notre petit tapissier, qui allait chez elle pour travailler, lui dit l'état où j'étais. Je vis arriver Mme de La Fayette ; j'étais dans le bain. Elle me dit ce qui l'avait fait venir, et qu'elle avait rencontré un laquais de d'Hacqueville, à qui elle avait dit mon mal, et qu'il viendrait me voir dès qu'il l'aurait appris. Cependant le jour se passe, mais non pas ma colique. Pour moi, je passai mal la nuit. Je n'entendais point parler de M. d'Hacqueville ; je sentis son oubli, j'y pensai, j'en parlai. Le matin, je me portai mieux, et mieux à ces maux, c'est être guéri. M. d'Ormesson vint à midi tout effrayé, et me dit que M. d'Hacqueville lui venait d'apprendre au palais que j'étais fort mal ; il le savait donc. Je lui écrivis le soir une petite plainte amoureuse ; il fut embarrassé, et me voulut donner de méchantes raisons. Je lui fis voir clair que je n'avais envoyé chez personne, n'étant pas en état d'y songer ; pas même chez Mme de La Fayette. Il n'avoua point ce qu'il avait dit à M. d'Ormesson, qui le rendait coupable. Et moi, qui suis honnête, et qui l'aime, je ne voulus point le pousser là-dessus, et lui laissai dire qu'il n'avait appris mon mal que par mon billet. Voilà une belle narration bien divertissante et bien nécessaire, mais elle est vraie, ma bonne. Il n'y a pas un mot pour un autre, et j'admire qu'il vous ait voulu mander cette bagatelle d'une façon si contraire à la vérité. Vous pouvez croire que voilà la dernière fois que j'en parlerai, mais j'ai voulu vous dire la chose tout juste et tout naïvement comme elle s'est passée, et vous faire voir que si j'avais été d'abord en état de songer à quelqu'un, j'aurais songé à lui ; mais quand je sus qu'il savait mon mal, je fus fâchée de sa négligence. Vous voyez bien que, dans tout cela, il n'y a rien qui vous empêche d'être fort bonne amie. Son amitié est une des consolations de ma vie ; elle m'est bonne à tout. Si vous n'êtes fatiguée de ce récit, vous avez une bonne santé ; je fais vœu de n'en faire jamais un si long. Je ferai vos compliments à Paris, quand ce ne serait que pour la rareté[1].

Vous avez donc vu un pauvre vieil homme qu'on allait rouer. Il s'est mieux comporté qu'un certain comte de Frangipani, qui fut exécuté, il y a deux mois à Vienne, avec plusieurs autres qui avaient conjuré contre l'Empereur. Ce Frangipani se trouva si incapable de supporter la mort en public qu'il le fallut traîner au supplice. Il se défendit contre le bourreau ; il en fallut quatre pour le tenir. Enfin, ils en vinrent à bout, à force de le charcuter. Voilà tout justement comme je ferais. Mme de Villars m'a envoyé cette relation qu'on lui venait d'envoyer d'Allemagne[1].

À propos de supplice, en voici un petit qui vous fera frissonner ; vous me direz où commencera votre frisson. Le frère de Mlle du Plessis ayant aux deux pieds un petit mal comme vous en avez eu, <au lieu du traitement que vous a fait Charon[2],> trouva <ici> un fort habile homme, *un homme admirable*, dit-elle, qui lui proposa, comme un petit remède anodin, de lui arracher de vive force les deux ongles des doigts où il avait mal, tout entiers, avec la racine, afin, disait-il, que cette incommodité ne revînt plus. Il consentit à cette opération, de manière qu'il en était au lit quand nous arrivâmes. Il marche présentement, mais c'est comme un château branlant, ou comme un cheval dessolé. Jamais il ne peut être *bien assuré sur ses pieds*[3]. Du reste, Mlle du Plessis est toujours adorable. Elle avait ouï dire que M. de Grignan *était le plus beau garçon, le plus beau garçon qu'on eût su voir*. Prenez son ton ; vous lui auriez donné un soufflet. Je suis quelquefois assez malheureuse pour dire quelque chose qui lui plaît ; je voudrais que vous l'entendissiez me louer et me copier. Elle a retenu aussi certaines choses que vous disiez ici, qu'elle nous redonne avec la même grâce. Hélas ! si rien ne me faisait mieux ressouvenir de vous, que je serais heureuse !

Pomenars[1] est toujours accablé de procès criminels, où il ne va jamais moins que de sa vie. Il sollicitait l'autre jour à Rennes avec une grande barbe. Quelqu'un lui demanda pourquoi il ne se faisait point raser : « Moi, dit-il, je serais bien fou de prendre de la peine après ma tête, sans savoir à qui elle doit être. Le Roi me la dispute. Quand on saura à qui elle doit demeurer, si c'est à moi, j'en aurai du soin. » Voilà de quelle manière il sollicite ses juges.

Vous verrez, par cette lettre de Monsieur de Marseille, que nous sommes toujours amis. Il me semble que j'ai reçu plus de dix fois cette même lettre ; <ce sont toujours les mêmes phrases.> Il ne donne point dans la *justice de croire*, mais il me prie fort d'être persuadée qu'*il est, avec une vénération extraordinaire, l'évêque de Marseille* — et je le crois[2]. Continuez l'amitié sincère qui est entre vous[3]. Ne levez point le masque et ne vous chargez point d'avoir une haine à soutenir ; c'est une plus grande affaire que vous ne pensez.

Je ne puis m'empêcher de vous dire que vos lettres sont telles qu'on le peut souhaiter de toutes façons. Je les sais bien entendre et bien lire, mais ne craignez point d'arrêter trop à de certains endroits. Vous êtes bien loin de ce défaut ; au contraire, on voudrait quelquefois quelque chose de plus. Je parle en général, car pour moi, je trouve toujours que vous m'en dites assez. Vous ne sauriez trop dire de détails pour me contenter ; tout m'est cher, tout m'est agréable. Cependant, ma bonne, quelque joie que me donnent vos lettres, je voudrais que vous n'écrivissiez point, tant je crains que cela ne vous fatigue, et votre santé m'est plus chère que tout le plaisir qu'elles me donnent.

Quelle audace de vous faire peindre[4] ! Je m'en réjouis ; c'est signe que vous êtes belle. <Je vous

remercie mille fois des honnêtetés que vous avez faites à La Guette[1].> Ce que vous dites sur l'abbé Têtu est admirable ; vous n'êtes pas la seule qui trouve son voyage ridicule.

Vous faites des merveilles ; vous êtes aimée de tout le monde. Il me semble que je vous vois valoir mieux ; écu, vous ne valiez maille derrière moi, comme dit M. de La Rochefoucauld[2]. Mandez-moi bien comme vous aurez trouvé Grignan ; je vous souhaite quelquefois de mes allées[3] parmi vos grandeurs. Y trouverez-vous quelque promenade, vous qui en trouvez sur la pointe d'une aiguille ? Je vous souhaite encore cette grotte, où vous fûtes si bien mouillée. Vos fruits de Grignan, c'est-à-dire vos chanoines, sont de vrais fruits d'hiver, ce me semble[4]. Eh, mon Dieu ! ne nous reverrons-nous point, ma pauvre bonne, dans cette jolie maison que j'ai louée ? S'il ne fallait que vous aller quérir, l'affaire serait faite ; je le veux espérer pour ne pas mourir de chagrin. J'en ai quelquefois de si noirs que j'en sens de la douleur comme d'un mal. Je cours à la distraction, qui est le seul remède qu'on y puisse apporter ; on en a souvent bien <besoin>, car l'on retombe souvent. Votre frère est un trésor de folie qui tient bien sa place ici. Nous avons quelquefois de bonnes conversations dont il pourrait faire son profit, mais son esprit est un peu fricassé dans la crème fouettée[5] ; il est aimable à cela près.

Si je vous avais lu les fables de La Fontaine, je vous réponds que vous les trouveriez jolies. Je n'y trouve point ce que vous appelez forcé. Vous avez toujours votre horreur pour les conclusions. Où avez-vous appris que les conclusions de *Cinna*, de *Rodogune*, d'*Œdipe*, et tant d'autres encore dont je ne me souviens pas, fussent ridicules ? Voilà, ma bonne, de quoi nous brouiller, moi qui lis jusqu'à l'Approbation. Votre frère est comme moi. Nous finissons tout ; nous ne dormons point de bon cœur que nous ne voyions tout le monde content[1].

Et l'italien, l'oubliez-vous ? J'en lis toujours un peu pour entretenir noblesse. Vous dites donc que Grignan m'embrasse. Vous perdez le respect, mon pauvre Grignan : *Viens donc un peu jouer dans mon mail, je t'en conjure ; il y fait si beau*[2]. J'ai si envie de vous voir jouer, vous jouez de si bonne grâce, vous faites de si beaux coups. Vous êtes bien cruel de me refuser une promenade d'une heure seulement. Et vous, ma petite, <venez,> nous causerons. <Ah, mon Dieu !> j'ai bien envie de pleurer.

Je ne sais où M. d'Hacqueville a pris que je lui fis un secret du jour de mon départ ; je n'en eus jamais le dessein. Hélas ! il me mit en carrosse.

52. À MADAME DE GRIGNAN

Aux Rochers, ce <mercredi> 10e juin [1671].

Enfin, ma bonne, je m'en vais vous écrire deux fois la semaine. Je doutais que les lettres du mercredi pussent arriver assez tôt pour partir le vendredi pour la Provence. Nous verrons ; rien n'est impossible à mon petit ami de la poste. Mettez sur vos paquets : « À M. Dubois, etc. », afin qu'il n'arrive point de malentendu[3].

Je m'en vais donc, ma chère bonne, vous entretenir aujourd'hui de ce qui s'appelle la pluie et le beau temps, car je n'ai vos lettres que le vendredi et j'y réponds le dimanche. Je commence donc par la pluie, car pour le beau temps, je n'ai rien à vous dire : il y a huit jours qu'il fait ici une pluie continuelle ; je dis continuelle, puisqu'elle n'est interrompue que par des orages. Je ne puis sortir. Mes ouvriers sont dispersés chacun chez soi. Mon fils est à Rennes. Je suis dans une tristesse épouvantable. La Mousse est tout chagrin aussi. Nous lisons ; cela nous soutient la vie. Nous avons cru qu'il fallait envoyer votre frère à Rennes voir le Premier Président[1], et beaucoup d'amis que j'y ai conservés. S'il a du temps, je lui conseillerai aussi d'aller voir M. de Coëtquen[2] ; il est en âge de rendre ces sortes de devoirs. Il y eut encore dimanche un bal à Vitré. J'ai peur qu'il ne trouve de bonne compagnie dix ou douze hommes, à qui il donna à souper à la Tour de Sévigné[3] ; il les faut souffrir, mais il se faut bien garder de les trouver bons. Il y eut une jolie querelle sur un rien. Un démenti se fit entendre ; on se jeta entre-deux. On parla beaucoup, on raisonna peu. Monsieur le Marquis eut l'honneur d'accommoder cette affaire, et puis il partit pour Rennes.

Il y a de grandes cabales à Vitré. Mlle de Croque-Oison se plaint de Mlle du Cerny[4], parce que, l'autre jour, il y eut des oranges douces à un bal qu'on lui donnait, dont on ne lui fit point de part. Il faudrait sur cela entendre Mlle du Plessis et les Launay, comme elles possèdent bien les détails de cette affaire. Mlle du Plessis laisse périr toutes les affaires qu'elle a à Vitré, et ne veut pas y mettre le pied, de peur de me donner de la jalousie de sa nouvelle amie ; et même l'autre jour, pour me donner un entier repos, elle m'en dit beaucoup de mal. Quand il fait beau, cela me fait rire, mais quand il pleut, je lui donnerais volontiers un soufflet, comme vous fîtes un jour[5].

Mme de Coulanges me mande qu'elle n'a point de nouvelles de Brancas sinon que, de ses six chevaux de carrosse, il ne lui en est resté qu'un, et qu'il est le dernier qui s'en est aperçu. On ne me mande rien de nouveau. Notre petite d'Alègre est chez sa mère ; on croit que M. de Seignelai l'épousera[1]. Je crois que vous ne manquerez pas de gens qui vous mandent tout. Pour moi, je méprise les petits événements ; j'en voudrais qui pussent me donner de grands étonnements.

J'en ai eu ce matin dans le cabinet de l'Abbé. Nous avons trouvé, avec ses jetons qui sont si justes et si bons, que j'avais eu cinq cent trente mille livres de bien, en comptant mes petites successions. Savez-vous bien que ce que m'a donné notre cher Abbé n'ira pas à moins de quatre-vingt mille francs (hélas ! vous croyez bien que je n'ai pas d'impatience de l'avoir) ? Et cent mille francs de Bourgogne. Voilà qui est venu depuis que vous êtes mariée. Le reste est cent mille écus en me mariant, dix mille écus de Monsieur de Chalon et vingt mille francs d'autres partages de certains oncles[2].

Mais n'admirez-vous point où ma plume me jette ? Je ferais bien, ma pauvre bonne, de vous dire combien je vous aime tendrement, combien vous êtes les délices de mon cœur et de ma vie et ce que je souffre tous les jours, quand je fais réflexion en quels endroits la Providence nous a placées pour la passer. Voilà de quoi je compose ma bile. Je souhaite, ma bonne, que vous n'en composiez point la vôtre ; vous n'en avez pas besoin en l'état où vous êtes. Vous avez un mari qui vous adore. Rien ne manque à votre grandeur. Tâchez de faire quelque miracle à vos affaires, qui ne vous rende point le retour de Paris entièrement impossible ; qu'il ne soit retardé que par les devoirs de votre charge, et point par nécessité. Voilà qui est bien aisé à dire ; je voudrais qu'il le fût encore plus à faire. Les souhaits n'ont jamais été défendus.

Je viens d'écrire à Monsieur de Marseille, et comme il m'assure qu'*il aura toute sa vie un respect extraordinaire pour l'évêque de Marseille*, je le conjure aussi d'être persuadé que j'aurai toute ma vie une considération extrême pour la marquise de Sévigné. Ma lettre sera capable de le faire crever, s'il a pour vous de méchantes intentions. Je le prends très simplement sur toutes ses paroles. Je ne vais point plus loin ; je m'en tiens à ses protestations. Je compte là-dessus et reprends le fil de notre amitié de l'hôtel de Nevers, revue et augmentée par l'alliance de M. de Grignan, qu'il a tant souhaitée et dont il est parent[1]. Du moins, s'il est capable de quelques remords, il doit être embarrassé quand il manquera à la bonne foi qui est entre nous. J'ai adressé la lettre au gros abbé. À propos, il dit que vous faites bien l'entendue[2].

On me mande que Mme de Valavoire[3] est à Paris, qui dit <de vous tous les> biens imaginables. Elle ne se peut taire de votre beauté, de votre civilité, de votre esprit, de votre capacité, et même de votre coiffure que vous avez devinée, et que vous exécutez comme au milieu de la cour. Mme de La Troche et moi, nous avons l'honneur de vous l'avoir assez bien représentée, pour vous faire faire ce petit miracle. Elle est encore à Paris, cette Troche ; elle viendra à la fin de ce mois chez elle. Pour moi, je ne sais encore ce que me feront les États ; je crois que je m'enfuirai de peur d'être ruinée. C'est une belle chose que d'aller dépenser mille écus en fricassées et en dîners pour l'honneur d'être la maison de plaisance de M. et de Mme de Chaulnes, de Mme de Rohan, de M. de Lavardin[4] et de toute la Bretagne, qui, sans me connaître, pour le plaisir de vouloir contrefaire les autres, ne manqueront pas de venir ici. Nous verrons. Je regrette seulement de quitter

M. d'Harouys, et cette maison où je n'aurai pas encore fait la moitié des affaires que j'y ai.

Une de mes grandes envies, c'est d'être dévote ; j'en tourmente tous les jours La Mousse. Je ne suis ni à Dieu, ni au diable ; cet état m'ennuie, quoiqu'entre nous je le trouve le plus naturel du monde. On n'est point au diable, parce qu'on craint Dieu et qu'au fond on a un principe de religion ; on n'est point à Dieu aussi, parce que sa loi est dure et qu'on n'aime point à se détruire soi-même. Cela compose les tièdes, dont le grand nombre ne m'inquiète point du tout ; j'entre dans leurs raisons. Cependant Dieu les hait ; il faut donc en sortir, et voilà la difficulté[1].

Mais peut-on jamais être plus insensée que je le suis en vous écrivant à l'infini toutes ces rapsodies[2] ? Ma chère enfant, *je vous demande excuse* à la mode du pays. Je cause avec vous, cela me fait plaisir ; gardez-vous bien de m'y faire réponse. Mandez-moi seulement des nouvelles de votre santé, un demi-brin de vos sentiments, pour voir seulement si vous êtes contente et comme vous trouvez Grignan ; voilà tout. Aimez-moi ; quoique nous ayons tourné ce mot en ridicule, il est naturel, il est bon. Et pour moi, je ne vous dirai point si je suis à vous, de quel cœur, ni avec quelle tendresse naturelle. J'embrasse le Comte. <Notre Abbé vous adore, et La Mousse.>

53. À MADAME DE GRIGNAN

Aux Rochers, dimanche 14 juin [1671].

Je comptais recevoir vendredi deux de vos lettres à la fois[3] ; et comment se peut-il que je n'en aie seulement pas une ? Ah ! ma fille, de quelque endroit que vienne ce retardement, je ne puis vous dire ce qu'il me fait souffrir. J'ai mal dormi ces deux nuits passées. J'ai renvoyé deux fois à Vitré pour chercher à m'amuser de quelque espérance, mais c'est inutilement. Je vois par là que mon repos est entièrement attaché à la douceur de recevoir de vos nouvelles. Me voilà insensiblement tombée dans la radoterie de Chésières. Je comprends sa peine, si elle est comme la mienne ; je sens ses douleurs de n'avoir pas reçu cette lettre du 27[1]. On n'est pas heureux quand on est comme lui ; Dieu me préserve de son état ! Et vous, ma fille, préservez-m'en sur toutes choses.

Adieu. Je suis chagrine, je suis de mauvaise compagnie. Quand j'aurai reçu de vos lettres, la parole me reviendra. Quand on se couche, on a des pensées qui ne sont que gris-brun, comme dit M. de La Rochefoucauld, et la nuit, elles deviennent tout à fait noires ; je sais qu'en dire.

54. À D'HACQUEVILLE

[Aux Rochers,] mercredi 17e juin [1671[2]].

Je vous écris avec un serrement de cœur qui me tue ; je suis incapable d'écrire à d'autres qu'à vous, parce qu'il n'y a que vous qui ayez la bonté d'entrer dans mes extrêmes tendresses. Enfin, voilà le second ordinaire que je ne reçois point de nouvelles de ma fille. Je tremble depuis la tête jusqu'aux pieds, je n'ai pas l'usage de raison, je ne dors point ; et si je dors, je me réveille avec des sursauts qui sont pires que de ne pas dormir. Je ne puis comprendre ce qui empêche que je n'aie des lettres comme j'ai accoutumé. Dubois me parle de mes lettres qu'il envoie très fidèlement, mais il ne m'envoie rien, et ne me donne point de raison de celles de Provence. Mais, mon cher Monsieur, d'où cela vient-il ? Ma fille ne m'écrit-elle plus ? Est-elle malade ? Me prend-on mes lettres ? car, pour les retardements de la poste, cela ne pourrait pas faire un tel désordre. Ah ! mon Dieu, que je suis malheureuse de n'avoir personne avec qui pleurer ! J'aurais cette consolation avec vous, et toute votre sagesse ne m'empêcherait pas de vous faire voir toute ma folie. Mais n'ai-je pas raison d'être en peine ? Soulagez donc mon inquiétude, et courez dans les lieux où ma fille écrit, afin que je sache au moins comme elle se porte. Je m'accommoderai mieux de voir qu'elle écrit à d'autres que de l'inquiétude où je suis de sa santé. Enfin, je n'ai pas reçu de ses lettres depuis le 5e de ce mois, elles étaient du 23 et 26e mai. Voilà donc douze jours et deux ordinaires de poste[1]. Mon cher Monsieur, faites-moi promptement réponse. L'état où je suis vous ferait pitié. Écrivez un peu mieux ; j'ai peine à lire vos lettres, et j'en meurs d'envie. Je ne réponds point à toutes vos nouvelles ; je suis incapable de tout. Mon fils est revenu de Rennes ; il y a dépensé quatre cents francs en trois jours. La pluie est continuelle. Mais tous ces chagrins seraient légers, si j'avais des lettres de Provence. Ayez pitié de moi ; courez à la poste, apprenez ce qui m'empêche d'en avoir comme à l'ordinaire. Je n'écris à personne, et je serais honteuse de vous faire voir tant de faiblesses si je ne connaissais vos extrêmes bontés.

Le gros abbé[2] se plaint de moi ; il dit qu'il n'a reçu qu'une de mes lettres. Je lui ai écrit deux fois ; dites-lui, et que je l'aime toujours.

55. À MADAME DE GRIGNAN

Aux Rochers, dimanche 21e juin [1671].

Réponse au 30e mai et au 2e juin.

Enfin, ma bonne, je respire à mon aise. Je fais un soupir comme M. de La Souche[1] ; mon cœur est soulagé d'une presse et d'un saisissement qui en vérité ne me donnaient aucun repos. Bon Dieu ! que n'ai-je point souffert pendant deux ordinaires que je n'ai point eu de vos lettres ! Elles sont nécessaires à ma vie ; ce n'est point une façon de parler, c'est une très grande vérité. Enfin, ma chère enfant, je vous avoue que je n'en pouvais plus, et j'étais si fort en peine de votre santé que j'étais réduite à souhaiter que vous eussiez écrit à tout le monde hormis à moi. Je m'accommodais mieux d'avoir été un peu retardée dans votre souvenir que de porter l'épouvantable inquiétude que j'avais pour votre santé. Je ne trouvais de consolation qu'à me plaindre à notre cher d'Hacqueville, qui, avec toute sa bonne tête, entre plus que personne dans la tendresse infinie que j'ai pour vous. Je ne sais si c'est par celle qu'il a pour vous, ou par celle qu'il a pour moi, ou par toutes les deux, mais enfin il comprend très bien tous mes sentiments ; cela me donne un grand attachement pour lui. Je me repens de vous avoir écrit mes douleurs ; elles vous donneront de la peine quand je n'en aurai plus. Voilà le malheur d'être éloignées. Hélas ! il n'est pas seul.

Mais savez-vous bien ce qu'elles étaient devenues ces chères lettres que j'attends et que je reçois avec tant de joie ? On avait pris la peine de les envoyer à Rennes, parce que mon fils y a été. Ces faussetés qu'on dit toujours ici sur toutes choses s'étaient répandues jusque-là ; vous pouvez penser si j'ai fait un beau sabbat à la poste.

Vous me mandez des choses admirables de vos cérémonies de la Fête-Dieu. Elles sont tellement profanes que je ne comprends pas comme votre saint archevêque les veut souffrir ; il est vrai qu'il est italien, et cette mode vient de son pays[1]. J'en réjouirai ce soir le bonhomme Coëtquen, qui vient souper avec moi.

Je suis encore plus contente du reste de vos lettres. Enfin, ma pauvre bonne, vous êtes belle ! Comment ! je vous reconnaîtrais donc entre huit ou dix femmes, sans m'y tromper ? Quoi ! vous n'êtes point pâle, maigre, abattue comme la princesse Olympie[2] ! Quoi ! vous n'êtes point malade à mourir comme je vous ai vue ! Ah ! ma bonne, je suis trop heureuse. Au nom de Dieu, amusez-vous, appliquez-vous à vous bien conserver ; songez que vous ne pouvez rien faire dont je vous sois si sensiblement obligée. C'est à M. de Grignan à vous dire la même chose et à vous aider dans cette occupation. C'est d'un garçon que vous êtes grosse, je vous en réponds ; cela doit augmenter ses soins. Je vous remercie de vous habiller ; vous souvient-il combien vous nous avez fatigués avec ce méchant manteau noir ? Cette négligence était d'une honnête femme ; M. de Grignan vous en peut remercier, mais elle était bien ennuyeuse pour les spectateurs.

C'est une belle chose, ce me semble, que d'avoir fait brûler les tours blonds et retailler les mouchoirs. Pour les jupes courtes, vous aurez quelque peine à les rallonger[3]. Cette mode vient jusqu'à nous ; nos demoiselles de Vitré, dont l'une s'appelle, de bonne foi, Mlle de Croque-Oison, et l'autre Mlle de Kerborgne, les portent au-dessus de la cheville du pied. Ces noms me réjouissent ; j'appelle la Plessis Mlle de Kerlouche[1]. Pour vous qui êtes une reine, vous donnerez assurément le bon air à votre Provence ; pour moi, je ne puis rien faire que de m'en réjouir ici. Ce que vous me mandez sur ce que vous êtes pour les honneurs est extrêmement plaisant.

J'ai vu avec beaucoup de plaisir ce que vous écrivez à notre Abbé ; nous ne pouvons, avec de telles nouvelles, nous ôter tout à fait l'espérance de votre retour. Quand j'irai en Provence, je vous tenterai de revenir avec moi et chez moi. Vous serez lasse d'être honorée ; vous reprendrez goût à d'autres sortes d'honneurs et de louanges et d'admiration. Vous n'y perdrez rien, il ne faudra seulement que changer de ton. Enfin, nous verrons en ce temps-là. En attendant, je trouve que les moindres ressources des maisons comme la vôtre sont considérables. Si vous vendez votre terre, songez bien comme vous en emploierez l'argent ; ce sont des coups de partie. Nous en avons vendu une petite où *il ne venait que du blé*, dont la vente me fait un fort grand plaisir et m'augmente mon revenu[2]. Si vous rendez M. de Grignan capable d'entrer dans vos bons sentiments, vous pourrez vous vanter d'avoir fait un miracle qui n'était réservé qu'à vous. Mon fils est encore un peu loin d'entrer sur cela dans mes pensées. Il est vrai qu'il est jeune, mais ce qui est fâcheux, c'est que, quand [on] gâte ses affaires, on passe le reste de sa vie à les rapsoder[3], et l'on n'a jamais ni de repos, ni d'abondance.

J'avais fort envie de savoir quel temps vous aviez en votre Provence, et comme vous vous accommodiez des punaises. Vous m'apprenez ce que j'avais dessein de vous demander. Pour nous, depuis trois semaines, nous avons eu des pluies continuelles ; au lieu de dire, après la pluie vient le beau temps, nous disons, après la pluie vient la pluie. Tous nos ouvriers en ont été dispersés ; Pilois en était retiré chez lui, et au lieu de m'adresser votre lettre au pied d'un arbre, vous auriez pu me l'adresser au coin du feu, ou dans le cabinet de notre Abbé, à qui j'ai plus que jamais des obligations infinies. Nous avons ici beaucoup d'affaires ; nous ne savons encore si nous fuirons les États, ou si nous les affronterons. Ce qui est certain, ma bonne, et dont je crois que vous ne douterez pas, c'est que nous sommes bien loin d'oublier cette pauvre exilée. Hélas ! qu'elle nous est chère et précieuse ! Nous en parlons très souvent ; mais quoique j'en parle beaucoup, j'y pense encore mille fois davantage, et jour et nuit, et en me promenant (car on a toujours quelques heures), et quand il semble que je n'y pense plus, et toujours, et à toute heure, et à tous propos, et en parlant d'autres choses, et enfin comme on devrait penser à Dieu, si l'on était véritablement touché de son amour. J'y pense d'autant plus que, très souvent, je ne veux pas parler de vous ; il y a des excès qu'il faut corriger, et pour être polie, et pour être politique. Il me souvient encore comme il faut vivre pour n'être pas pesante ; je me sers de mes vieilles leçons.

Nous lisons fort ici. La Mousse m'a priée qu'il pût lire Le Tasse avec moi. Je le sais fort bien parce que je l'ai très bien appris ; cela me divertit. Son latin et son bon sens le rendent un bon écolier, et ma routine et les bons maîtres que j'ai eus[1] me rendent une bonne maîtresse. Mon fils nous lit des bagatelles, des comédies, qu'il joue comme Molière, des vers, des romans, des histoires. Il est fort amusant ; il a de l'esprit, il entend bien, il nous entraîne, et nous a empêchés de prendre aucune lecture sérieuse, comme nous en avions le dessein. Quand il sera parti, nous reprendrons quelque belle *Morale* de ce

M. Nicole. Il s'en va dans quinze jours à son devoir. Je vous assure que la Bretagne ne lui a point déplu.

J'ai écrit à la petite Deville pour savoir comme vous ferez pour vous faire saigner. Parlez-moi au long de votre santé et de tout ce que vous voudrez. Vos lettres me plaisent au dernier point. Pourtant, ma petite, ne vous incommodez point pour m'écrire, car votre santé va toujours devant toutes choses.

Nous admirons, l'Abbé et moi, la bonté de votre tête sur les affaires. Nous croyons voir que vous serez la restauratrice de cette maison de Grignan ; les uns gâtent, les autres raccommodent[1]. Mais surtout, il faut tâcher de passer sa vie avec un peu de joie et de repos. Mais le moyen, ma bonne, quand on est à cent mille lieues de vous ? Vous dites fort bien : on se parle et on se voit au travers d'un gros crêpe. Vous connaissez les Rochers, et votre imagination sait un peu où me prendre ; pour moi, je ne sais où j'en suis. Je me suis fait une Provence, une maison à Aix, peut-être plus belle que celle que vous avez ; je vous y vois, je vous y trouve. Pour Grignan, je le vois aussi, mais vous n'avez point d'arbres (cela me fâche), ni de grottes pour vous mouiller. Je ne vois pas bien où vous vous promenez. J'ai peur que le vent ne vous emporte sur votre terrasse ; si je croyais qu'il vous pût apporter ici par un tourbillon, je tiendrais toujours mes fenêtres ouvertes, et je vous recevrais, Dieu sait ! Voilà une folie que je pousserais loin. Mais je reviens, et je trouve que le château de Grignan est parfaitement beau ; il sent bien les anciens Adhémar. Je ne vois pas bien où vous avez mis vos miroirs. L'Abbé, qui est exact et scrupuleux, n'aura point reçu tant de remerciements pour rien. Je suis ravie de voir comme il vous aime, et c'est une des choses dont je veux vous remercier que de faire tous les jours augmenter cette amitié par la manière dont vous vivez avec moi et avec lui. Jugez quel tourment j'aurais s'il avait d'autres sentiments pour vous ; mais il vous adore.

Dieu merci ! voilà mon caquet bien revenu. Je vous écris deux fois la semaine, et mon ami Dubois prend un soin extrême de notre commerce, c'est-à-dire de ma vie. Je n'en ai point reçu par le dernier ordinaire, mais je n'en suis point en peine, à cause de ce que vous me mandez. Voilà une lettre que j'ai reçue de ma tante.

Votre fille est plaisante. Elle n'a pas osé aspirer à la perfection du nez de sa mère ; elle n'a pas voulu aussi... Je n'en dirai pas davantage ; elle a pris un troisième parti, et s'avise d'avoir un petit nez carré ; ma bonne, n'en êtes-vous point fâchée[1] ? Hélas ! pour cette fois, vous ne devez pas avoir cette idée ; mirez-vous, c'est tout ce que vous devez faire pour finir heureusement ce que vous commencez si bien.

Adieu, ma très aimable bonne, embrassez M. de Grignan pour moi. Vous lui pouvez dire les bontés de notre Abbé[2]. Il vous embrasse cet Abbé, et votre fripon de frère. La Mousse est bien content de votre lettre. Il a raison ; elle est aimable.

Pour ma très bonne et très belle,
dans son château d'Apollidon[3].

56. À MADAME DE GRIGNAN

Aux Rochers, mercredi 24 juin [1671],
au coin de mon feu.

Je ne vous parlerai plus du temps ; je serais aussi ennuyeuse que lui si je ne finissais ce chapitre.

Qu'il soit beau, qu'il soit laid, je n'en veux plus rien dire ;
J'en ai fait vœu, etc[1].

Je n'ai point eu de vos lettres cette semaine, ma chère fille, mais je n'en ai point été en peine, parce que vous m'aviez mandé que vous ne m'écririez pas. J'en attends donc de Grignan avec patience. Mais, pour l'autre semaine où je n'étais point préparée, je vous avoue que le malentendu qui me retint vos lettres me donna une violente inquiétude. J'en ai bien importuné le pauvre d'Hacqueville, et vous-même, ma fille. Je m'en repens, et voudrais ne l'avoir pas fait, mais je suis naturelle, et quand mon cœur est en presse, je ne puis m'empêcher de me plaindre à ceux que j'aime bien ; il faut pardonner ces sortes de faiblesses. Comme disait un jour Mme de La Fayette, a-t-on gagé d'être parfaite ? Non assurément ; et si j'avais fait cette gageure, j'y aurais bien perdu mon argent.

J'ai eu ici deux soirs M. de Coëtquen, à trois jours l'un de l'autre. Il allait affermer une terre à trois lieues d'ici, et pour la hausser de cinquante francs, il a dépensé cent pistoles dans son voyage. Il m'a fort demandé de vos nouvelles et de celles de M. de Grignan. En parlant des gens adroits et de belle taille, il le nomma le plus naturellement du monde ; je vous prie de me mander s'il est toujours digne qu'on le mette au premier rang des gens adroits. Nous trouvâmes votre procession admirable ; je ne crois pas qu'il y en ait une en France qui lui ressemble[2].

Mes allées sont d'une beauté extrême ; je vous les souhaite quelquefois pour servir de promenade à votre grand château. Mon fils est encore ici, et ne s'y ennuie point du tout ; j'aurais plusieurs choses à vous dire sur son chapitre, mais ce sera pour un autre temps. Nous avons eu de vilains bohèmes[1] qui nous ont fait mal au cœur. *Ils ne danseriont ma foi, Madame, non plus, ne vous déplaise, sauf le respect qui est dû à Votre Grandeur, non plus que des balles de laine*. Voilà ce que dit une de leurs femmes, qui était en colère contre la moitié de sa compagnie.

J'ai retrouvé ici le dialogue que vous fîtes un jour avec Pomenars ; nous en avons ri aux larmes. Pomenars peut se faire raser au moins d'un côté[2] : il est hors de l'affaire de son enlèvement ; il n'a plus que le courant de sa fausse monnaie, dont il ne se met guère en peine. Que vous dirai-je encore, ma très chère ? Il y a peu de choses dont on puisse parler à cœur ouvert de trois cents lieues. Une conversation dans le mail me serait bien nécessaire ; c'est un lieu admirable pour discourir, quand on a le cœur comme je l'ai. Je ne veux point vous parler de la tendresse vive et naturelle que j'ai pour vous ; ce chapitre serait ennuyeux. Adieu donc, ma très aimable enfant. Notre Abbé vous adore toujours. J'attends avec une grande impatience des nouvelles de votre voyage[3] et de vos affaires ; j'y prends un extrême intérêt. J'embrasse M. de Grignan.

57. À MADAME DE GRIGNAN

Aux Rochers, dimanche 28 juin [1671].

Vous me récompensez bien, ma fille, de mes pertes passées ; j'ai reçu deux lettres de vous qui m'ont transportée de joie. Ce que je sens en les lisant ne se peut imaginer, et si j'ai contribué quelque chose à l'agrément de votre style, je croyais ne travailler que pour le plaisir des autres et non pas pour le mien. Mais la Providence, qui a mis tant d'espaces et tant d'absences entre nous, m'en console un peu par les charmes de votre commerce, et encore plus par la satisfaction que vous me témoignez de votre établissement et de la beauté de votre château ; vous m'y représentez un air de grandeur et une magnificence dont je suis enchantée. J'avais vu, il y a longtemps, des relations pareilles de la première Mme de Grignan[1] ; je ne devinais pas que toutes ces beautés seraient un jour sous l'honneur de vos commandements. Je veux vous remercier d'avoir bien voulu m'en parler en détail. Si votre lettre m'avait ennuyée, outre que j'aurais mauvais goût, il faudrait encore que j'eusse bien peu d'amitié pour vous et que je fusse bien indifférente pour ce qui vous touche. Défaites-vous de cette haine que vous avez pour les détails. Je vous l'ai déjà dit, et vous le pouvez sentir : ils sont aussi chers de ceux que nous aimons qu'ils nous sont ennuyeux des autres, et cet ennui ne vient jamais que de la profonde indifférence que nous avons pour ceux qui nous en importunent. Si cette observation est vraie, jugez de ce que me sont vos relations. En vérité, c'est un grand plaisir que d'être, comme vous êtes, une véritable grande dame. Je comprends bien les sentiments de M. de Grignan, en vous voyant admirer son château. Une grande insensibilité là-dessus le mettrait dans un chagrin que je m'imagine plus aisément qu'une autre ; je prends part à la joie qu'il a de vous voir contente. Il y a des cœurs qui ont tant de sympathie sur certains sentiments qu'ils sentent par eux ce que pensent les autres.

Vous me parlez trop peu de Vardes et de ce pauvre Corbinelli. N'avez-vous point été bien aise de parler leur langage[1] ? Comment va la belle passion de Vardes pour la T[oiras[2]] ? Dites-moi s'il est bien désolé de la longueur infinie de son exil, ou si la philosophie et un peu de *misanthroperie*[3] soutiennent son cœur contre les coups de l'amour et de la fortune.

Vos lectures sont bonnes. Pétrarque vous doit divertir avec le commentaire que vous avez ; celui que nous avait fait Mlle de Scudéry, sur certains sonnets, les rendait agréables à lire. Pour Tacite, vous savez comme j'en étais charmée ici pendant nos lectures, et comme je vous interrompais souvent pour vous faire entendre des périodes où je trouvais de l'harmonie. Mais si vous en demeurez à la moitié, je vous gronde ; vous ferez tort à la majesté du sujet. Il faut vous dire, comme ce prélat disait à la Reine mère : « Ceci est histoire » ; vous savez le conte. Je ne pardonne ce manque de courage qu'aux romans, que vous n'aimez pas. Nous lisons Le Tasse avec plaisir ; je m'y trouve habile, par l'habileté des maîtres que j'ai eus. Mon fils fait lire *Cléopâtre* à La Mousse, et malgré moi, je l'écoute et j'y trouve encore quelque amusement[4].

Mon fils s'en va en Lorraine ; son absence nous donnera beaucoup d'ennui. Vous savez comme je suis sur le chagrin de voir partir une compagnie agréable ; vous savez aussi mes transports quand je vois partir une chienne de carrossée[5] qui m'a contrainte et ennuyée. C'est ce qui nous faisait décider nettement qu'une méchante compagnie est plus souhaitable qu'une bonne. Je me souviens de toutes ces folies que nous avons dites ici, et de tout ce que vous y faisiez, et de tout ce que vous y disiez ; ce souvenir ne me quitte jamais. Et puis, tout d'un coup, je pense où vous êtes ; mon imagination ne me présente qu'un grand espace fort éloigné. Votre château m'arrête présentement les yeux. Les murailles de votre mail me déplaisent ; le nôtre est d'une beauté surprenante, et tout le jeune plant que vous avez vu est délicieux. C'est une jeunesse que je prends plaisir d'élever jusqu'aux nues, et très souvent, sans considérer les conséquences ni mes intérêts, je fais jeter de grands arbres à bas, parce qu'ils font ombrage, ou qu'ils incommodent mes jeunes enfants. Mon fils regarde cette conduite, mais je ne lui en laisse pas faire l'application. Pilois est toujours mon favori, et je préfère sa conversation à celle de plusieurs qui ont conservé le titre de chevalier au parlement de Rennes. Je suis libertine plus que vous. Je laissai l'autre jour retourner chez soi un carrosse plein de *Fouesnellerie*, par une pluie horrible, faute de les prier de bonne grâce de demeurer ; jamais ma bouche ne put prononcer les paroles qui étaient nécessaires. Ce n'étaient pas les deux jeunes femmes ; c'étaient la mère et une guimbarde de Rennes, et les fils[1].

Mlle du Plessis est toute telle que vous la représentez, et encore un peu plus impertinente. Ce qu'elle dit tous les jours sur la crainte de me donner de la jalousie est une chose originale, dont je suis au désespoir quand je n'ai personne pour en rire. Sa belle-sœur est fort jolie ; elle n'est ridicule en rien, et parle gascon au milieu de la Bretagne. J'en ai la même joie que vous avez de ma La Guette, qui parle parisien au milieu de la Provence. Cette petite basse Brette est fort aimable. Je vous trouve fort heureuse d'avoir Mme de Simiane. Vous avez un fonds de connaissance qui vous doit ôter toute sorte de contrainte ; c'est beaucoup. Cela vous fera une compagnie agréable. Puisqu'elle se souvient de moi, faites-lui bien mes compliments[2], je vous en conjure, et à notre cher Coadjuteur. Nous ne nous écrivons plus et nous ne savons pourquoi ; nous nous trouvons trop loin. Cependant j'admire la diligence de la poste.

La comparaison de la vue de Chilly[1] m'a ravie, et de voir ma chambre déjà marquée. Je ne souhaite rien tant que de l'occuper ; ce sera de bonne heure l'année qui vient, et cette espérance me donne une joie dont vous comprendrez une partie par celle que vous aurez de m'y recevoir.

J'admire Catau. Je crois qu'elle est mariée, mais elle a eu une conduite bien malhonnête et bien scandaleuse. Je lui pardonne moins d'avoir voulu tuer son enfant, étant de son mari, que si elle l'avait eu d'un autre, et cela vient d'un bien plus mauvais fonds. Son mari, à ce qu'on me mande de Paris, est un certain Droguet que vous avez vu laquais de Chésières. L'amour est quelquefois bien inutile de s'amuser à de si sottes gens ; je voudrais qu'il ne fût que pour les gens choisis, aussi bien que tous ses effets, qui me paraissent trop communs et trop répandus[2]. Si vous vous chargez de rougir[3] pour toutes vos voisines, et que votre imagination soit toujours aussi vive qu'avec la B***, vous sortirez toujours belle comme un ange de toutes vos conversations. Vous voulez donc que je mette sur ma conscience le paquet de cette femme ? Je le veux, mais avec cette précaution, que je ne vous réponds pas que cela soit vrai. Au contraire, je le crois faux ; il ne faut point croire aux méchantes langues. En un mot, je renonce au pacte[4]. On disait donc que M*** avait un peu avancé les affaires, et qu'il avait eu grand-hâte de la marier. Cependant,

Cela ne put être si juste
Qu'au bout de cinq mois, comme Auguste,

*Monsieur de C****
Ne se trouvât un héritier.

La question fut de faire passer pour une mauvaise couche la meilleure qui fut jamais, et un enfant qui se portait à merveille, pour un petit enfant mort. Ce fut une habileté qui coûta de grands soins à ceux qui s'en mêlèrent, et qui ferait fort bien une histoire de roman. J'en ai su tout le détail, mais ce serait une narration infinie. En voilà assez pour faire que vous rougissiez, si on parle de se blesser à cinq mois. L'enfant mourut, heureusement.

Je reviens encore à vous, c'est-à-dire à cette divine fontaine de Vaucluse. Quelle beauté ! Pétrarque avait bien raison d'en parler souvent[1]. Mais songez que je verrai toutes ces merveilles ; moi qui honore les antiquités, j'en serai ravie, et de toutes les magnificences de Grignan. L'Abbé aura bien des affaires. Après les ordres doriques et les titres de votre maison, il n'y a rien à souhaiter que l'ordre que vous y allez mettre[2], car sans un peu de subsistance, tout est dur, tout est amer. Ceux qui se ruinent me font pitié ; c'est la seule affliction dans la vie qui se fasse toujours sentir également, et que le temps augmente au lieu de la diminuer. J'ai souvent des conversations sur ce sujet avec un de nos petits amis[3] ; s'il veut profiter de toutes celles que nous avons faites, il en a pour longtemps, et sur toutes sortes de sujets, et d'une manière si peu ennuyeuse qu'il ne devrait pas les oublier.

Je suis aise que vous ayez cet automne un couple de beaux-frères[4]. Je trouve que votre journée est fort bien réglée ; on va loin sans mourir d'ennui, pourvu qu'on se donne des occupations, et qu'on ne perde point courage. Le beau temps a remis tous mes ouvriers en campagne ; cela me divertit. Quand j'ai du monde, je travaille à ce beau parement d'autel que vous m'avez vue traîner à Paris. Quand je suis seule, je lis, j'écris, je suis en affaires dans le cabinet de notre Abbé. Je vous le souhaite quelquefois pour deux ou trois jours seulement.

Je consens au commerce de bel esprit que vous me proposez. Je fis l'autre jour une maxime tout de suite sans y penser, et je la trouvai si bonne que je crus l'avoir retenue par cœur de celles de M. de La Rochefoucauld. Je vous prie de me le dire ; en ce cas, il faudrait louer ma mémoire plus que mon jugement. Je disais, comme si je n'eusse rien dit, que *l'ingratitude attire les reproches, comme la reconnaissance attire de nouveaux bienfaits*. Dites-moi donc ce que c'est que cela ? L'ai-je lu ? l'ai-je rêvé ? l'ai-je imaginé ? Rien n'est plus vrai que la chose, et rien n'est plus vrai aussi que je ne sais où je l'ai prise, et que je l'ai trouvée toute rangée dans ma tête et au bout de ma langue[1]. Pour la sentence de *bella cosa far niente,* vous ne la trouverez plus si fade quand vous saurez qu'elle est dite pour votre frère ; songez à sa déroute de cet hiver.

Adieu, ma très aimable enfant, conservez-vous, soyez belle, habillez-vous, amusez-vous, promenez-vous. Je m'en vais écrire à Vivonne[2] pour un capitaine bohème afin qu'il lui relâche un peu ses fers, pourvu que cela ne soit point contre le service du Roi. Il y avait parmi nos bohèmes, dont je vous parlais l'autre jour, une jeune fille qui danse très bien, et qui me fit extrêmement souvenir de votre danse. Je la pris en amitié ; elle me pria d'écrire en Provence pour son grand-père, *qui est à Marseille*. « Et où est-il votre grand-père ? — *Il est à Marseille* », d'un ton doux, comme si elle disait, *il est à Vincennes*. C'était un capitaine bohème d'un mérite singulier, de sorte que je lui promis d'écrire, et je me suis avisée tout d'un coup d'écrire à Vivonne. Voilà ma lettre. Si vous n'êtes pas en état que je puisse rire avec lui, vous la brûlerez ; si vous la trouvez mauvaise, vous la brûlerez encore. Si vous êtes assez bien avec *ce gros crevé*[1], et que ma lettre vous en épargne une autre, vous la ferez cacheter, et vous la lui ferez tenir. Je ne puis refuser cette prière au ton de la petite-fille et au menuet le mieux dansé que j'aie vu depuis ceux de Mlle de Sévigné. C'est votre même air ; elle est de votre taille, elle a de belles dents et de beaux yeux[2].

Voici une lettre d'une telle longueur que je vous pardonne de ne la point achever ; je le comprendrai plus aisément que de demeurer au septième tome de *Cassandre* et de *Cléopâtre*[3]. Je vous embrasse très tendrement. M. de Grignan est bien loin de comprendre qu'on puisse lire des lettres de cette longueur ; mais, tout de bon, les lisez-vous en un jour ?

58. À MADAME DE GRIGNAN

Aux Rochers, ce mercredi 1er juillet [1671].

Voilà donc le mois de juin passé. J'en suis tout étonnée ; je ne pensais pas qu'il dût jamais finir. Ne vous souvient-il point du vilain mois de septembre que vous trouviez qui ne prenait point le chemin de faire jamais place au mois d'octobre ? Celui-ci prenait le même train. Mais enfin tout finit ; m'en voilà persuadée.

Comme je relis vos lettres plusieurs fois, et que je les ai toujours sur moi jusqu'à ce qu'il m'en vienne d'autres, j'ai trouvé que la maison de votre Premier

Président est extrêmement agréable et belle. Je suis étonnée d'entendre parler d'arbres et de fontaines[1]. S'il ne fallait, pour faire de la beauté, que de belles allées, je vous assure qu'il y en aurait ici ; celles que vous avez vues, il y a quatre ans, sont d'une perfection qui vous surprendrait. Mais c'est une aimable demeure que Fouesnel[2]. Nous y fûmes hier, mon fils et moi, dans une calèche à six chevaux ; il n'y a rien de plus joli, il semble qu'on vole. Nous fîmes des chansons, que nous vous envoyons. L'estime que nous avons de votre prose ne nous empêche point de vous faire part de nos vers. Mme de La Fayette est bien contente de la lettre que vous lui avez écrite. Voilà qui est fait, ma bonne ; vous écrivez parfaitement bien.

Votre frère nous va quitter. Nous allons nous jeter, La Mousse et moi, dans les bonnes lettres. Notre Tasse nous amuse fort, et toutes les bagatelles du monde nous ont divertis jusqu'ici[3], à cause de mon fils qui en est le roi. Je m'en vais faire de grandes promenades *toute seule tête à tête*, comme dit Tonquedec[4]. Croyez-vous que je pense à vous ? J'ai aussi mon *petit ami* que j'aime tendrement. La plus aimable chose du monde, c'est un portrait bien fait ; quoi que vous puissiez dire, celui-là ne vous fait point de tort[5]. Vos lettres de Grignan m'ont nourrie et consolée de mes chagrins passés. J'en attends toujours avec impatience, mais, de bonne foi, j'en écris quelquefois d'une longueur trop excessive, je veux que celle-ci soit raisonnable. Il n'est pas juste de juger de vous par moi. Cette mesure est téméraire ; vous avez moins de loisir que moi.

Voilà Mlle du Plessis qui entre ; elle me plante ce baiser que vous connaissez, et me presse de lui montrer l'endroit de vos lettres où vous parlez d'elle. Mon fils a eu l'insolence de lui dire devant moi que vous vous souveniez d'elle fort agréablement, et me dit : « Montrez-lui l'endroit, madame, afin qu'elle n'en doute pas. » Me voilà rouge comme vous, quand vous pensez aux péchés des autres. Je suis contrainte de mentir mille fois, et de dire que j'ai brûlé votre lettre. Voilà les malices de ce guidon[1]. En récompense, je lui dis l'autre jour que si vous répondiez au dessus de *la reine d'Aragon*, j'étais fort assurée que vous ne mettriez pas : *à Guidon le Sauvage*[2].

J'ai reçu une lettre de Guitaut fort douce et fort honnête. Il me mande qu'il a trouvé en moi depuis quelque temps mille bonnes choses à quoi il n'avait point pensé ; et moi, de peur de lui répondre sottement que *je crains bien de détruire cette bonne opinion*, je lui dis que j'espère qu'il en mettra encore bien d'autres, quand il me connaîtra mieux. Je reçois toutes les extravagances qui se présentent à moi plutôt que ces selles à tous chevaux dont nous avons tant ri ici[3].

Je suis persuadée que vous vous aiderez fort bien de Mme de Simiane. Il faut ôter l'air et le ton de compagnie le plus tôt que l'on peut, et les faire entrer dans nos plaisirs et dans nos fantaisies[4] ; sans cela il faut mourir, et c'est mourir d'une vilaine épée.

Je l'ai juré, ma bonne, je m'en vais finir ; je me fais une <extrême> violence pour vous quitter. Notre commerce fait l'unique plaisir de ma vie ; je suis persuadée que vous le croyez. Je vous embrasse, très chère petite, et vous baise vos belles joues. Mais dites-moi la vérité : sont-elles belles comme elles ont accoutumé ?

Notre troupe vous adore. J'embrasse ce pauvre Grignan dans son château ; je crois qu'il sera aise de m'y voir. Empêchez bien que l'on ne gâte mon lit de taffetas rouge. Quelle richesse d'avoir des meubles[5] ! Il faudrait bien pendre ceux qui ont dérobé votre linge, n'est-ce pas, Adhémar[6] ?

Ma petite est jolie et commence à faire grand bruit à Sucy.

Pour ma bonne petite.

59. À MADAME DE GRIGNAN

Aux Rochers, dimanche 5 juillet [1671].

C'est bien une marque de votre amitié, ma chère enfant, que d'aimer toutes les bagatelles que je vous mande d'ici ; vous prenez fort bien l'intérêt de Mlle Croque-Oison. En récompense, il n'y a pas un mot dans vos lettres qui ne me soit cher. Je n'ose les lire, de peur de les avoir lues, et si je n'avais la consolation de les recommencer plusieurs fois, je les ferais durer plus longtemps ; mais, d'un autre côté, l'impatience me les fait dévorer. Je voudrais bien savoir comme je ferais si votre écriture ressemblait à celle de d'Hacqueville. La force de l'amitié me la déchiffrerait-elle ? en vérité, je ne le crois quasi pas. On conte pourtant des histoires là-dessus, mais enfin, j'aime fort d'Hacqueville, et cependant je ne puis m'accoutumer à son écriture. Je ne vois goutte dans ce qu'il me mande ; <il me semble qu'il me parle dans un pot cassé.> Je tiraille, je devine, je dis un mot pour un autre, et puis, quand le sens m'échappe, je me mets en colère, et je jette tout. Je vous dis tout ceci en secret. Je ne voudrais pas qu'il sût les peines qu'il me donne ; il croit que son écriture est moulée. Mais vous qui parlez, mandez-moi comment vous vous en accommodez.

<Je suis effrayée de l'apoplexie du chevalier de Buous[1]. N'est-ce pas celui qui dérobe sur la mer ?

Ce n'est pas sans raison que vous aviez tant de soin de le faire aller à confesse.>

Mon fils partit hier, très fâché de nous quitter. Il n'y a rien de bon, ni de droit, ni de noble, que je ne tâche de lui inspirer ou de lui confirmer ; il entre avec douceur et approbation dans tout ce qu'on lui dit. Mais vous connaissez la faiblesse humaine. Ainsi je mets tout entre les mains de la Providence, et me réserve seulement la consolation de n'avoir rien à me reprocher sur son sujet. Comme il a de l'esprit, et qu'il est divertissant, il est impossible que son absence ne nous donne de l'ennui. Nous allons commencer un traité de *Morale* de M. Nicole ; si j'étais à Paris, je vous enverrais ce livre, vous l'aimeriez fort. Nous continuons Le Tasse avec plaisir ; et je n'ose vous dire que je suis revenue à *Cléopâtre* et que, par le bonheur que j'ai de n'avoir point de mémoire, cette lecture me divertit encore. Cela est épouvantable, mais vous savez que je ne m'accommode guère bien de toutes les pruderies qui ne me sont pas naturelles ; et comme celle de ne plus aimer ces livres-là ne m'est pas encore entièrement arrivée, je me laisse divertir, sous le prétexte de mon fils qui m'a mise en train. Il nous a lu aussi des chapitres de Rabelais à mourir de rire. En récompense, il a pris beaucoup de plaisir à causer avec moi, et si je l'en crois, il n'oubliera rien de tous mes discours. Je le connais bien, et souvent, au travers de ses petites paroles, je vois ses petits sentiments. S'il peut avoir congé cet automne, il reviendra ici.

Je suis fort empêchée pour les États[1]. Mon premier dessein était de les fuir et de ne point faire de dépense. Mais vous saurez que, pendant que M. de Chaulnes va faire le tour de sa province, madame sa femme vient l'attendre à Vitré, où elle sera dans douze jours, et plus de quinze avant M. de Chaulnes ;

et tout franchement, elle m'a fait prier de l'attendre, et de ne point partir qu'elle ne m'ait vue. Voilà ce qu'on ne peut éviter, à moins que de se résoudre à renoncer à eux pour jamais. Il est vrai que, pour n'être point accablée ici, je puis m'en aller à Vitré. Mais je ne suis point contente de passer un mois dans un tel tracas. Quand je suis hors de Paris, je ne veux que la campagne. Je vous jure que je ne suis encore résolue à rien. Mandez-moi votre avis et ce que vous faites de Catau. Si elle est mariée, ne serait-ce point une nourrice ? Il est à craindre cependant qu'avec les beaux desseins[1] qu'elle a eus, son sang ne soit bien échauffé. Je vous conseille, ma fille, de bien rafraîchir le vôtre, en prenant de bons bouillons comme l'année passée.

Je vous ai parlé de la Launay. Elle était bariolée comme la chandelle des Rois[2], et nous trouvâmes qu'elle ressemblait au second tome d'un méchant roman, ou au *Roman de la Rose* tout d'un coup. Mlle du Plessis est toujours à un pas de moi. Quand je lis les douceurs que vous dites pour elle, j'en rougis comme du feu. L'autre jour la biglesse joua *Tartuffe* au naturel. Après avoir demandé à table *bœuve et moutonne*[3] à La Mousse, elle tomba dans le malheur de mentir sur je ne sais quoi ; en même temps, je la relevai et lui dis qu'elle était menteuse. Elle me répond en baissant les yeux : « Ah ! oui, madame, je suis la plus grande menteuse du monde ; je vous remercie de m'en avertir. » Nous éclatâmes tous, car c'était du ton de Tartuffe : *Oui, mon frère, je suis un misérable, un vase d'iniquité*, etc.[4]. Elle veut aussi se mêler quelquefois d'être sentencieuse et de faire la personne de bon sens ; cela lui sied encore plus mal que son naturel. Vous voilà bien instruite des Rochers. Je voudrais pouvoir vous décrire les pleurs et les cris, et le langage breton de Jacquine et de la

Turquesine, en voyant monter votre frère à cheval : c'est une scène. Pour moi, j'eusse pleuré,

Mais les voyant ainsi,
Je me suis mise à rire, et tout le monde aussi.

Je crois que les nouvelles de Paris ne vous divertissent pas. Il n'y en a point ; ce qu'on me mande me fait mourir d'ennui. Il y a un mois qu'on me répète que la cour sera le 10e du mois à Saint-Germain. On est réduit à me conter des sorcelleries pour m'amuser, et à m'apprendre qu'une fille, ayant laissé son paquet dans une chaise, depuis le Marais jusqu'au faubourg, les porteurs pensaient que ce fût un petit chien[1]. Pour moi, j'aime encore mieux lire *Cléopâtre* et les grands coups d'épée de l'invincible Artaban[2]. Quand cet hiver j'aurai le cœur content sur votre couche, je tâcherai de vous mieux divertir qu'on ne me divertit ici. Dieu sait aussi quelle comparaison j'en fais avec mes lettres de Provence.

À MONSIEUR DE GRIGNAN

Approchez-vous, mon gendre. Vous voulez donc me renvoyer ma fille par le coche. Vous en êtes mal content, vous êtes fâché, vous êtes au désespoir qu'elle admire votre château, <qu'elle le trouve beau.> Vous la trouvez trop familière de prendre la liberté d'y demeurer, d'y commander. Comme vous haïssez ce qui est haïssable, vous ne la sauriez souffrir. J'entre fort bien dans tous vos déplaisirs ; vous ne pouviez vous adresser à personne qui les comprît mieux que moi. Mais savez-vous bien qu'après m'avoir dit toutes ces choses, vous me faites trembler de vous entendre dire que vous me souhaitez si fort à Grignan ? et sur le même ton, je suis inconsolable[1], car je n'ai rien de plus cher dans l'avenir que l'espérance de vous aller voir. Et quoi que je dise, je suis persuadée que vous en serez fort aise, et que vous m'aimez. Il est impossible que cela soit autrement. Je vous aime trop pour que les petits esprits ne se communiquent pas de moi à vous et de vous à moi[2]. Je vous recommande la santé de ma fille. Soyez-y appliqué, soyez-en le maître. Ne faites pas comme au pont d'Avignon ; sur cela seul, gardez votre autorité. Pour tout le reste, laissez-la faire ; elle est plus habile que vous. <Elle m'écrit des choses admirables de ses bonnes intentions sur vos affaires.> Ah ! que je vous plains de ne plus recevoir de ses lettres ! Vous étiez bien plus heureux il y a un an. Plût à Dieu que vous eussiez cette joie, et que j'eusse encore le chagrin de la voir et de l'embrasser ! <Ne trouvez-vous pas que nous sommes assez bien ensemble ? Croyez-vous qu'elle m'aime toujours ?> Adieu, mon très cher Comte. Quoique vous soyez l'homme du monde le plus aimé, je ne crois pas qu'aucune de vos belles-mères vous ait jamais autant aimé que moi[3].

60. À MADAME DE GRIGNAN

Mercredi 8e juillet [1671], aux Rochers.

J'ai bien envie de savoir comme vous vous portez de votre saignée. Il me semble qu'on n'a pas fait l'ouverture assez grande par respect ; votre sang est venu goutte à goutte, et par conséquent il n'en est pas rafraîchi, ni purifié, et vous n'en êtes point soulagée. Peut-être que tout cela est faux ; je le souhaite.

Mais il faudrait avoir moins de bile que je n'en ai pour rêver[1] toujours agréablement. Quoi qu'il en soit, votre santé m'est fort chère, et si vous êtes trop accablée d'écriture, ne m'écrivez pas tant, ma bonne ; je ne puis vous donner une plus grande marque de l'intérêt que j'y prends. Mme de La Troche m'a mandé depuis deux jours que, si les belles intentions de Catau pendant sa grossesse ne lui ont point trop altéré l'esprit et le corps, c'est une bonne nourrice, et que le premier enfant n'est pas un grand mal. J'ai trouvé plaisant que cette pensée me soit venue en même temps : je vous l'avais déjà mandée ; mais Mme du Puy-du-Fou surtout[2]. Je lui écrivis huit jours avant la mort de M. de Harlay, croyant que c'en fût fait ; on le disait en ce pays. Je n'en ai point reçu de réponse[3].

Ma bonne, notre chapelle s'élève à vue d'œil[4] ; cela occupe l'Abbé, et me divertit un peu. Mais mon parc est sans âme, c'est-à-dire sans ouvriers, à cause des foins qu'il faut faire.

La mort de M. de Montlouet ne vous fait-elle pas grand'pitié, et sa femme aussi[5] ? Encore est-ce quelque chose que cette nouvelle. Un homme qui tombe de cheval, qui crève sur la place, on peut lire cet endroit d'une lettre ; mais jusqu'ici je ne prenais pas la peine de lire ce qu'on mandait. Voilà la différence : on ne se soucie point des choses publiques, on ne se réveille que pour les grands événements ; et de ceux que l'on aime, les moindres circonstances en sont chères et touchent le cœur. Mme de La Fayette me mande qu'elle se trouve obligée de vous écrire en mon absence, et qu'elle le fera de temps en temps. Cela me paraît honnête. Mais puisque vous lui faites réponse, je ne lui suis guère obligée. Voilà une chose fine, l'entendez-vous bien ? Il me semble, ma bonne, que je vous fais grand tort de douter de votre intelligence sur ce qui est un peu enveloppé ; je pense que c'est à moi que je parle.

J'ai senti le bout de l'an de Madame[1], et me suis souvenue de l'étonnement où vous étiez, et comme votre esprit en était hors de sa place. Je me souviens aussi de quelle étrange façon vous passâtes tout l'été prisonnière dans votre chambre, et comme le chaud vous faisait disparaître et nourrissait tous vos *dragons*. Je ne sais ce que me font toutes ces pensées ; elles me font du bien et du mal. Je pense tout, parce que sans cesse je suis occupée de vous ; je passe bien plus d'heures à Grignan qu'aux Rochers.

J'espère que vous ne vous contraignez point pour ceux qui vous voient souvent ; il faut les tourner à sa fantaisie, sans cela on mourrait. J'ai fait comprendre à la petite Mlle du Plessis que le bel air de la cour, c'est la liberté ; si bien que, quand elle passe des jours ici, je prends fort bien une heure pour lire en italien avec M. de La Mousse ; elle est charmée de cette familiarité et moi aussi.

Auriez-vous été assez cruelle pour laisser Germanicus au milieu de ses conquêtes et dans ces marais d'Allemagne, sans lui donner la main pour l'en tirer ? Ne voulez-vous point au moins le conduire jusqu'au festin où il fut empoisonné par Pison et sa femme ? Je le trouve trop sage et trop politique ; il craint trop Tibère. Je vois des héros qui ne sont pas si prudents, et dont les grands succès font approuver la témérité[2]. Mon fils, comme je vous ai dit, m'a fichée dans le milieu de *Cléopâtre*, et je l'achève ; cela est d'une folie dont je vous demande le secret. J'achève tous les livres, et vous les commencez. Cela s'ajusterait fort bien si nous étions ensemble, et fournirait même beaucoup à notre conversation. Ah ! ma bonne, c'est dommage que nous n'y sommes quelquefois au moins, par quelque espèce de magie, en attendant le printemps qui vient.

Je suis ici avec mes trois prêtres[1], qui font chacun leur personnage admirablement, hormis la messe ; c'est la seule chose dont je manque en leur compagnie. Je me promène extrêmement ; il fait beau et chaud. On n'en a nulle incommodité dans cette maison. Quand le soleil entre dans ma chambre, j'en sors et m'en vais dans le bois, où l'on trouve un frais admirable. Mandez-moi comme vous en êtes dans votre château, et si vous n'êtes point accablée des petites bêtes dont vous n'avez rien senti jusqu'à présent[2]. J'embrasse M. de Grignan et vous, ma très belle et très bonne, avec une tendresse qu'il n'est pas aisé de comprendre ni d'expliquer.

<Vous savez comme Brancas m'aime ; il y a trois mois que je n'ai appris de ses nouvelles. Cela n'est pas vraisemblable, mais lui, il n'est pas vraisemblable aussi[3].>

Notre Abbé et La Mousse sont tout à vous. Parlez-moi toujours de votre santé.

61. À MADAME DE GRIGNAN

Aux Rochers, dimanche 12 juillet [1671].

Je n'ai reçu qu'une lettre de vous, ma chère <bonne>, et j'en suis fâchée ; j'étais dans l'habitude d'en avoir deux. Il est dangereux de s'accoutumer à des soins tendres et précieux comme les vôtres ; il n'est pas facile après cela de s'en passer. Vous aurez vos beaux-frères ce mois de septembre ; ce vous sera une très bonne compagnie. Pour le Coadjuteur, je vous dirai qu'il a été un peu malade, mais il est entièrement guéri. Sa paresse est une chose incroyable, et il est d'autant plus criminel qu'il écrit très bien quand il s'en veut mêler. Il vous aime toujours, et vous ira voir après la mi-août ; il ne le peut qu'en ce temps-là. Il jure qu'il n'a aucune branche où se reposer ; mais je crois qu'il ment, <et que cela l'empêche d'écrire et lui fait mal aux yeux.> Voilà tout ce que je sais du *Seigneur Corbeau*[1]. Mais admirez la bizarrerie de ma science : en vous apprenant toutes ces choses, j'ignore comme je suis avec lui. Si vous en savez quelque chose par hasard, vous m'obligerez fort de me le mander.

Je songe mille fois le jour au temps où je vous voyais à toute heure. <Hélas ! ma bonne, c'est bien moi qui dis cette chanson que vous me dites : *Hélas ! quand reviendra-t-il ce temps, bergère ?*> Je le regrette tous les jours de ma vie, <et j'en souhaiterais un pareil au prix de mon sang.> Ce n'est pas que j'aie sur mon cœur de n'avoir pas senti le plaisir d'être avec vous. Je vous jure et vous proteste que je ne vous ai jamais regardée avec indifférence ni avec la langueur que donne quelquefois l'habitude. <Mes yeux ni mon cœur ne se sont jamais accoutumés à cette vue ; jamais je ne vous ai regardée sans joie et sans tendresse, et s'il y a eu quelques moments où elle n'ait pas paru, c'est alors que je la sentais plus vivement.> Ce n'est donc point cela que je me puis reprocher, mais je regrette de ne vous avoir pas assez vue et d'avoir eu de cruelles politiques qui m'ont ôté quelquefois ce plaisir. Ce serait une belle chose si je remplissais mes lettres de ce qui me remplit le cœur. Mais, comme vous dites, il faut glisser sur bien des pensées et ne pas faire semblant de les voir[2] ; je crois que vous en faites de même. <Je m'arrête donc à vous conjurer, si je vous suis un peu chère, d'avoir un soin extrême de votre santé.

Amusez-vous, ne rêvez point creux[1], ne faites point de bile, conduisez votre grossesse à bon port ; et après cela, si M. de Grignan vous aime, et qu'il n'ait pas entrepris de vous tuer, je sais bien ce qu'il fera, ou plutôt ce qu'il ne fera point.>

Avez-vous la cruauté de ne point achever Tacite ? Laisserez-vous Germanicus au milieu de ses conquêtes ? Si vous lui faites ce tour, mandez-moi l'endroit où vous serez demeurée, et je l'achèverai ; c'est tout ce que je puis faire pour votre service. Nous achevons Le Tasse avec plaisir ; nous y trouvons des beautés qu'on ne voit point quand on n'a qu'une demi-science. Nous avons commencé la *Morale* ; c'est de la même étoffe que Pascal[2]. À propos de Pascal, je suis en fantaisie d'admirer l'honnêteté de ces messieurs les postillons, qui sont incessamment sur les chemins pour porter et reporter nos lettres. Enfin, il n'y a jour dans la semaine qu'ils n'en portent quelqu'une à vous et à moi ; il y en a toujours et à toutes les heures par la campagne. Les honnêtes gens ! qu'ils sont obligeants ! et que c'est une belle invention que la poste, et un bel effet de la Providence que la cupidité ! J'ai quelquefois envie de leur écrire pour leur témoigner ma reconnaissance, et je crois que je l'aurais déjà fait, sans que je me souvienne de ce chapitre de Pascal, qu'ils ont peut-être envie de me remercier de ce que j'écris, comme j'ai envie de les remercier de ce qu'ils portent mes lettres. Voilà une belle digression.

Je reviens à nos lectures. C'est sans préjudice de *Cléopâtre* que j'ai gagé d'achever ; vous savez comme je soutiens mes gageures. Je songe quelquefois d'où vient la folie que j'ai pour ces sottises-là ; j'ai peine à le comprendre. Vous vous souvenez peut-être assez de moi pour savoir que je suis blessée des méchants styles ; j'ai quelque lumière pour les bons, et personne n'est plus touchée que moi des charmes de l'éloquence. Le style de La Calprenède est maudit en mille endroits : de grandes périodes de roman, de méchants mots, je sens tout cela. J'écrivis l'autre jour une lettre à mon fils de ce style, qui était fort plaisante[1]. Je trouve donc qu'il est détestable, et je ne laisse pas de m'y prendre comme à de la glu. La beauté des sentiments, la violence des passions, la grandeur des événements, et le succès miraculeux de leurs redoutables épées, tout cela m'entraîne comme une petite fille ; j'entre dans leurs desseins. Et si je n'avais M. de La Rochefoucauld et M. d'Hacqueville pour me consoler, je me pendrais de trouver encore en moi cette faiblesse. Vous m'apparaissez pour me faire honte ; mais je me dis de méchantes raisons, et je continue[2].

J'aurai bien de l'honneur au soin que vous me donnez de vous conserver l'amitié de l'Abbé ! Il vous aime chèrement, et nous parlons souvent de vous, de vos affaires et de vos grandeurs. <Il voudrait bien ne pas mourir avant que d'avoir été en Provence, et de vous avoir rendu quelque service.

On me mande que la pauvre Mme de Montlouet est sur le point de perdre l'esprit. Elle a extravagué jusqu'à présent sans jeter une larme ; elle a une grosse fièvre, et commence à pleurer. Elle dit qu'elle veut être damnée, puisque son mari doit l'être assurément[3].

Nous continuons notre chapelle. Il fait chaud. Les soirées et les matinées sont très belles dans ces bois et devant cette porte ; mon appartement est frais. J'ai bien peur que vous ne vous accommodiez pas si bien de vos chaleurs de Provence.> Je suis toujours tout à vous, ma très chère et très aimable. Une amitié à M. de Grignan. Ne vous adore-t-il pas toujours ?

62. À MADAME DE GRIGNAN

Aux Rochers, ce [mercredi] 15e juillet [1671].

Si je vous écrivais toutes mes rêveries, je vous écrirais toujours les plus grandes lettres du monde. Mais cela n'est pas bien aisé. Ainsi je me contente de ce qui se peut écrire, et je rêve tout ce qui se doit rêver ; j'en ai le temps et le lieu. La Mousse a une petite fluxion sur les dents, et l'Abbé une petite fluxion sur le genou[1], qui me laissent le champ libre dans mon mail pour y faire tout ce qui me plaît. Il me plaît de m'y promener le soir jusqu'à huit heures. Mon fils n'y est plus ; cela fait un silence, une tranquillité et une solitude que je ne crois pas qui soit aisé de rencontrer ailleurs.

Oh ! que j'aime la solitude !
Que ces lieux sacrés à la nuit,
Éloignés du monde et du bruit,
Plaisent à mon inquiétude[2] *!*

Je ne vous dis point, ma bonne, à qui je pense, ni avec quelle tendresse ; à qui devine, il n'est point besoin de parler. Si vous n'étiez point grosse, et que l'hippogriffe fût encore au monde[3], ce serait une chose galante et à ne jamais l'oublier que d'avoir la hardiesse de monter dessus pour me venir voir quelquefois. Hélas ! ma bonne, ce ne serait pas une affaire : il parcourt la terre en deux jours. Vous pourriez même quelquefois venir dîner ici, et retourner souper avec M. de Grignan ; ou souper ici, à cause de la promenade où je serais bien aise de vous avoir, et le lendemain vous arriveriez assez tôt pour être à la messe dans votre tribune[1].

Mon fils est à Paris. Il y sera peu. La cour est de retour ; il ne faut pas qu'il se montre[2]. C'est une perte qui me paraît bien considérable que celle de M. le duc d'Anjou[3]. On me mande que ma petite enfant est fort jolie, que sa nourrice en a beaucoup de soin et que ce petit ménage va en perfection. Je prétends le trouver tout établi chez moi à Paris. C'est une chose ridicule que les petites entrailles que je sens déjà pour cette petite personne[4]. Mme de Villars m'écrit assez souvent et me parle toujours de vous. Elle est tendre et sait bien aimer. Elle comprend les sentiments que j'ai pour vous ; cela me donne de l'amitié pour elle. Elle me prie de vous faire mille douceurs de sa part ; sa lettre est pleine d'estime et de tendresse. Répondez-y par une petite demi-feuille que je lui puisse envoyer. Ce détour est beau pour aller jusqu'à elle, mais pour les affaires pressées que vous avez ensemble, il n'est pas besoin d'une plus grande diligence. La petite Saint-Géran m'écrit des pieds de mouche que je ne saurais lire. Je lui réponds des rudesses et des injures qui les divertissent, et moi aussi. Cette mauvaise plaisanterie n'est point encore usée. Quand elle le sera, je ne dirai plus rien, car je m'ennuierais fort d'un autre style avec elle[5].

Nous lisons toujours Le Tasse avec plaisir. Je suis assurée que vous le souffririez, si vous étiez en tiers ; il y a bien de la différence entre lire un livre toute seule, ou avec des gens qui entendent et relèvent les beaux endroits et qui, par là, réveillent l'attention. Cette *Morale* de Nicole est admirable, et *Cléopâtre* va son train, sans empressement toutefois ; c'est aux heures perdues. C'est ordinairement sur cette lecture que je m'endors ; le caractère[6] m'en plaît beaucoup plus que le style. Pour les sentiments, j'avoue qu'ils me plaisent aussi et qu'ils sont d'une perfection qui remplit mon idée sur les belles âmes. Vous savez aussi que je ne hais pas les grands coups d'épée, tellement que voilà qui va bien, pourvu qu'on m'en garde le secret.

Mlle du Plessis nous honore souvent de sa présence. Elle disait hier qu'en basse Bretagne, on faisait une chère admirable, et qu'aux noces de sa belle-sœur, on avait mangé, pour un jour, douze cents pièces de rôti. À cette exagération, nous demeurâmes tous comme des gens de pierre. Je pris courage, et lui dis : « Mademoiselle, pensez-y bien ; n'est-ce point douze pièces de rôti que vous voulez dire ? On se trompe quelquefois. — Non, madame, c'est douze cents pièces ou onze cents. Je ne veux pas vous assurer si c'est onze ou douze, de peur de mentir ; mais enfin je sais bien que c'est l'un ou l'autre », et le répéta vingt fois, et n'en voulut jamais rabattre un seul poulet. Nous trouvâmes qu'il fallait qu'ils fussent du moins trois cents piqueurs pour piquer menu[1], et que le lieu fût une grande prairie, où l'on eût tendu des tentes, et que, s'ils n'eussent été que cinquante, il eût fallu qu'ils eussent commencé un mois devant. Ce propos de table était bon ; vous en auriez été contente. N'avez-vous point quelque exagéreuse comme celle-là ?

Au reste, ma bonne, cette montre que vous m'avez donnée, qui allait toujours trop tôt ou trop tard d'une heure ou deux, est devenue si parfaitement juste qu'elle ne quitte pas d'un moment la pendule ; j'en suis ravie, et je vous en remercie sur nouveaux frais. En un mot, ma bonne, je suis tout à vous. L'Abbé me dit qu'il vous adore et qu'il veut vous rendre quelque service et ne voit pas bien en quelle occasion, mais enfin il vous aime autant qu'il m'aime.

63. À MADAME DE GRIGNAN

Aux Rochers, <dimanche 19 juillet> [1671].

<Je ne vois point, ma bonne, que vous ayez reçu mes lettres du 17 et 21 juin. Je vous écris toujours deux fois la semaine, ce m'est une joie et une consolation ; je reçois le vendredi deux de vos lettres qui me soutiennent le cœur toute la semaine. J'ai trouvé fort plaisant de recevoir celle que vous m'adressez dans la *Capucine*, justement dans le beau milieu de la *Capucine*[1]. Il faisait beau ; j'attendais mon laquais qui devait m'apporter vos lettres de Vitré. Après avoir bien fait des tours, je revenais au logis.>

Je vous trouve bien en famille de tous côtés, et je vous vois très bien faire les honneurs de votre maison. Je vous assure que cette manière est plus noble et plus aimable qu'une froide insensibilité, qui sied très mal quand on est chez soi. Vous en êtes bien éloignée, <ma bonne,> et l'on ne peut rien ajouter à ce que vous faites. Je vous souhaite seulement des matériaux, car, pour de la bonne volonté, vous en avez de reste.

Vous aurez trouvé plaisant que je vous aie <tant> parlé du Coadjuteur, dans le temps qu'il est avec vous ; je n'avais pas bien vu sa goutte en vous écrivant. Ah ! *Seigneur Corbeau*, si vous n'aviez demandé, pour votre nécessité, qu'*un poco di pane, un poco di vino*, vous n'en seriez point où vous êtes ; il faut souffrir la goutte quand on l'a méritée. Mon pauvre Seigneur, j'en suis fâchée, mais c'est bien employé[2].

<Je remercie M. de Grignan d'avoir soin de son adresse et de sa belle taille. Je vous trouve fort jolie

de vous être levée si matin pour le voir tirer vos lapins.

Le soleil se hâtant pour la gloire des cieux
Vint opposer sa flamme à l'éclat de vos yeux,
Et prit tous les rayons dont l'Olympe se dore[1].

Ce qui m'embarrasse pour la fin du sonnet, c'est que le soleil fut pris [pour] l'Aurore, et qu'il me semble que vous ne fûtes simplement que l'Aurore, et qu'aussitôt qu'il eut pris tous ses rayons, vous lui quittâtes la place et vous allâtes vous coucher. Je vous assure au moins, ma bonne, qu'il n'eut pas l'avantage de vous gâter votre beau teint ; il ne demanderait pas mieux, de l'humeur dont il est en Provence. C'est à vous à vous en défendre ; je vous en conjure pour l'amour de moi qui aime si chèrement votre personne aussi bien que tout le reste.>

Je trouve, <ma chère bonne,> qu'il s'en faut beaucoup que vous soyez en solitude. Je me réjouis de tous ceux qui peuvent vous divertir. Vous aurez bientôt Mme de Rochebonne[2]. <Mandez-moi toujours ce que vous aurez.> Le Coadjuteur est bon à garder longtemps. L'offre que vous lui faites d'achever de bâtir votre château est une chose qu'il acceptera sans doute. Que ferait-il de son argent ? Cela ne paraîtra pas sur son épargne. <Je trouverais fort mauvais qu'il prît mon appartement.>

Ce que vous dites de cette maxime, que j'ai faite sans y penser, est très bien et très juste. Je veux croire, pour ma consolation, que, si je l'avais écrite moins vite et que je l'eusse tournée avec quelque loisir, j'aurais dit comme vous. En un mot, <ma bonne,> vous avez raison, et je ne donnerai jamais rien au public que je ne vous consulte auparavant.

Vous avez écrit une lettre à La Mousse dont je vous dois remercier pour le moins autant que lui ; elle est toute pleine d'amitié pour moi. D'Hacqueville est bien plaisant de vous avoir envoyé la mienne. Enfin Brancas m'a écrit une lettre si tendre qu'elle récompense tout son oubli passé. Il me parle de son cœur à toutes les lignes ; si je lui faisais réponse sur le même ton, ce serait une *portugaise*[1].

Il ne faut louer personne avant sa mort. C'est bien dit ; nous en avons tous les jours des exemples. Mais, après tout, le public fait toujours bien. Il loue quand on fait bien, et comme il a bon nez, il n'est pas longtemps la dupe, et blâme quand on fait mal. De même, quand on va du mal au bien, il en demeure d'accord. Il ne répond pas de l'avenir ; il parle de ce qu'il voit. La comtesse de Gramont[2] et d'autres ont senti les effets de son inconstance ; mais ce n'est pas lui qui change le premier. Vous n'avez pas sujet de vous plaindre de lui, ce ne sera pas par vous qu'il commencera à faire de grandes injustices.

Notre Abbé a pour vous une tendresse qui me le fait adorer ; il vous trouve d'une solidité qui le charme, et qui le fait brûler d'impatience de vous pouvoir soulager et vous être bon à quelque chose ; il a quasi autant d'envie que moi d'aller en Provence. Nous sommes occupés de notre chapelle ; elle sera achevée à la Toussaint. Nous sommes dans une parfaite solitude et je m'en trouve bien. Ce parc est bien plus beau que vous ne l'avez vu, et l'ombre de mes petits arbres fait une beauté qui n'était pas bien représentée par les bâtons d'alors. Je crains le bruit qu'on va faire en ce pays. On dit que Mme de Chaulnes arrive aujourd'hui. Je l'irai voir demain (je ne puis pas m'en dispenser), mais j'aimerais bien mieux être dans la *Capucine*, ou à lire Le Tasse ; j'y suis d'une habileté qui vous surprendrait et qui me surprend moi-même.

Vous me dites trop de bien de mes lettres, ma <bonne>. Je compte sûrement sur toutes vos tendresses. Il y a longtemps que je dis que vous êtes vraie. Cette louange me plaît ; elle est nouvelle et distinguée de toutes les autres, mais quelquefois aussi, elle pourrait faire du mal. Je sens au milieu de mon cœur tout le bien que cette opinion me fait présentement. Ah ! qu'il y a peu de personnes vraies ! Rêvez un peu sur ce mot, et vous l'aimerez. Je lui trouve, de la façon que je l'entends, une force au delà de sa signification ordinaire.

La divine Plessis est justement et à point toute fausse ; je lui fais trop d'honneur de daigner seulement en dire du mal. Elle joue toutes sortes de choses ; elle joue la dévote, la capable, la peureuse, la petite poitrine, la meilleure fille du monde, mais surtout elle me contrefait, de sorte qu'elle me fait toujours le même plaisir que si je me voyais dans un miroir qui me fît ridicule, et que je parlasse à un écho qui me répondît des sottises. J'admire où je prends celles que je vous écris.

Adieu, ma très aimable <bonne>. Vous qui voyez tout, ne voyez-vous point comme je suis belle les dimanches, et comme je suis négligée les jours ouvriers ? Mandez-moi si vous avez toujours le courage de vous habiller <et ce que vous avez fait de provençal.> Mon Dieu ! qu'on est heureux, <ma bonne,> de vous voir en Provence ! Et quelle joie sensible quand je vous embrasserai ! Car enfin ce jour-là viendra ; <en attendant, j'en passerai de bien cruels vers le temps de vos couches.>

Il a vaqué chez Monsieur une charge de vingt mille écus ; Monsieur l'a donnée à l'*Ange*[1], au grand déplaisir de toute sa maison.

Mme de La Vauguyon, après deux ans de mariage avec Fromenteau, l'a enfin déclaré son mari, et elle est logée chez lui. C'est un bon parti que Fromenteau[1] !

Vous ai-je dit qu'il y avait des demoiselles à Vitré, dont l'une s'appelle Mlle de Croque-Oison, et l'autre de Kerborgne ? J'appelle la Plessis, Mlle de *Kerlouche*. Ces noms me réjouissent.

<Je suis tout à vous, ma bonne, et si vous m'aimez, ayez soin de votre santé.>

64. À MADAME DE GRIGNAN

Aux Rochers, mercredi 22e juillet [1671],
jour de la Madeleine, où fut tué,
il y a quelques années, un père que j'avais[2].

Je vous écris, ma bonne, avec plaisir, quoique je n'aie rien à vous mander. Mme de Chaulnes arriva dimanche, mais savez-vous comment ? À beau pied sans lance[3], entre onze heures et minuit ; on pensait à Vitré que ce fût des bohèmes. Elle ne voulait aucune cérémonie à son entrée ; elle fut servie à souhait, car on ne la regarda pas, et ceux qui la virent comme elle était crurent que c'était ce que je vous ai dit, et pensèrent tirer sur elle. Elle venait de Nantes par La Guerche[4], et son carrosse et son chariot étaient demeurés entre deux rochers à demi-lieue de Vitré, parce que le contenu était plus grand que le contenant, ma chère ; ainsi il fallut travailler dans le roc, et cet ouvrage ne fut fait qu'à la pointe du jour, que tout arriva à Vitré.

Je fus voir lundi cette duchesse[5], qui fut aise de me voir comme vous pouvez penser. La *Murinette beauté*[1] est avec elle, dont mon oncle l'Abbé est amoureux. Elles sont seules à Vitré, en attendant M. de Chaulnes, qui fait le tour de la Bretagne, et les États, qui s'assembleront dans dix jours. Vous pouvez vous imaginer ce que je suis dans une pareille solitude. Elle ne sait que devenir et n'a recours qu'à moi ; vous croyez bien que je l'emporte hautement sur Mlle de Kerborgne. Elle me fit les mêmes civilités que si elle n'était point dans son gouvernement. Je crois qu'elle me viendra voir après dîner. Toutes mes allées sont nettes rigoureusement <et mon parc est en beauté ;> je la prierai de demeurer ici deux ou trois jours à s'y promener en liberté. Comme je lui fais valoir d'être demeurée pour elle, je veux m'en acquitter d'une manière à n'être pas oubliée, et pourtant sans que je fasse d'autre bonne chère que celle qui se trouvera dans le pays. Ah mon Dieu ! en voilà beaucoup sur ce sujet. Il faut pourtant que je vous fasse encore mille baisemains de sa part, et que je vous dise qu'on ne peut estimer plus une personne qu'elle vous estime ; elle est instruite par d'Hacqueville de ce que vous valez. Quelle fortune que celle de cette femme ! Elle avait cent mille écus : fille d'un conseiller, ma bonne[2] ! Tout est rangé selon l'ordre de la Providence ; cette pensée doit fixer toutes nos inquiétudes. Et vous, ma très belle, comment êtes-vous ? Où en êtes-vous de vos Grignan ? Le pauvre Coadjuteur a-t-il encore la goutte ? L'innocence est-elle toujours persécutée ?

Je fis hier matin, ma bonne, un acte généreux. J'avais huit ou dix ouvriers, qui fanaient mes foins, pour nettoyer des allées, et j'avais envoyé mes gens à leur place. Picard n'y voulut pas aller et me dit qu'il n'était pas venu pour cela en Bretagne, qu'il n'était point un ouvrier, et qu'il aimait mieux s'en aller à Paris. Sans autre forme de procès, je le fis partir à l'instant. Je pense qu'il couchera aujourd'hui à Sablé. Pour sa récompense, il l'a si peu méritée par quatre années de mauvais service que je n'en ai rien sur ma conscience ; elle viendra comme elle pourra[1].

Il faut avouer que la disette de sujets m'a jetée aujourd'hui dans de beaux détails. En voici encore un. Cette Mme de Quintin[2], que nous vous disions qui vous ressemblait, à Paris, pour vous faire enrager, est comme paralytique ; elle ne se soutient pas. Demandez-lui pourquoi ; elle a vingt ans. Elle est passée ce matin devant cette porte, et a demandé à boire un petit coup de vin. On lui en a porté ; elle a bu sa chopine, et puis s'en est allée au Pertre consulter une espèce de médecin qu'on estime en ce pays[3]. Que dites-vous de cette manière bretonne, familière et galante ? Elle sortait de Vitré ; elle ne pouvait pas avoir soif. De sorte que j'ai compris que tout cela était un air pour me faire savoir qu'elle a un équipage de Jean de Paris[4]. Ma pauvre bonne, ne sortirai-je point des nouvelles de Bretagne ? Quel chien de commerce avez-vous là avec une femme de Vitré ? La cour s'en va, dit-on, à Fontainebleau ; le voyage de Rochefort et de Chambord est rompu. On croit qu'en dérangeant les desseins qu'on avait pour l'automne, on dérangera aussi la fièvre de Monsieur le Dauphin, qui le prend dans cette saison à Saint-Germain. Pour cette année, elle y sera attrapée ; elle ne l'y trouvera pas[5]. Vous savez qu'on a donné à Monsieur de Condom l'abbaye de Rebais, qu'avait l'abbé de Foix : le pauvre homme[6] ! On prend ici le deuil de M. le duc d'Anjou ; si je demeure aux États, cela m'embarrassera. Notre Abbé ne peut quitter la chapelle ; ce sera notre plus forte raison, car, pour le bruit et le tracas de Vitré, il me sera bien moins agréable que mes bois, ma tranquillité et mes lectures. Quand je quitte Paris et mes amis, ce n'est pas pour paraître aux États ; mon pauvre mérite, tout médiocre qu'il est, n'est pas encore réduit à se sauver en province, comme les mauvais comédiens. Ma bonne, je vous embrasse avec une tendresse infinie. La tendresse que j'ai pour vous occupe mon âme tout entière ; elle va loin et embrasse bien des choses quand elle est au point de la perfection. Je souhaite votre santé plus que la mienne. Conservez-vous ; ne tombez point. Assurez M. de Grignan de mon amitié, et recevez les protestations de notre Abbé.

65. À COULANGES

Aux Rochers, [mercredi] 22e juillet 1671.

Ce mot sur la semaine est par-dessus le marché de vous écrire seulement tous les quinze jours, et pour vous donner avis, mon cher cousin, que vous aurez bientôt l'honneur de voir Picard ; et comme il est frère du laquais de Mme de Coulanges, je suis bien aise de vous rendre compte de mon procédé.

Vous savez que Mme la duchesse de Chaulnes est à Vitré ; elle y attend le duc, son mari, dans dix ou douze jours, avec les états de Bretagne. Vous croyez que j'extravague ? Elle attend donc son mari avec tous les États ; et en attendant, elle est à Vitré toute seule, mourant d'ennui. Vous ne comprenez pas que cela puisse jamais revenir à Picard ? Elle meurt donc d'ennui ; je suis sa seule consolation, et vous croyez bien que je l'emporte d'une grande hauteur sur Mlles de Kerborgne et de Kerqueoison. Voici un grand circuit, mais pourtant nous arriverons au but. Comme je suis donc sa seule consolation, après l'avoir été voir, elle viendra ici, et je veux qu'elle trouve mon parterre net et mes allées nettes, ces grandes allées que vous aimez. Vous ne comprenez pas encore où cela peut aller ? Voici une autre petite proposition incidente : vous savez qu'on fait les foins. Je n'avais pas d'ouvriers ; j'envoie dans cette prairie, que les poètes ont célébrée, prendre tous ceux qui travaillaient pour venir nettoyer ici. Vous n'y voyez encore goutte ? Et, en leur place, j'envoie tous mes gens faner. Savez-vous ce que c'est que faner ? il faut que je vous l'explique. Faner est la plus jolie chose du monde, c'est retourner du foin en batifolant dans une prairie ; dès qu'on en sait tant, on sait faner. Tous mes gens y allèrent gaiement ; le seul Picard me vint dire qu'il n'irait pas, qu'il n'était pas entré à mon service pour cela, que ce n'était pas son métier, et qu'il aimait mieux s'en aller à Paris. Ma foi ! la colère me monte à la tête. Je songeai que c'était la centième sottise qu'il m'avait faite, qu'il n'avait ni cœur ni affection ; en un mot, la mesure était comble. Je l'ai pris au mot, et quoi qu'on m'ait pu dire pour lui, je suis demeurée ferme comme un rocher, et il est parti. C'est une justice de traiter les gens selon leurs bons ou mauvais services. Si vous le revoyez, ne le recevez point, ne le protégez point, ne me blâmez point, et songez que c'est le garçon du monde qui aime le moins à faner, et qui est le plus indigne qu'on le traite bien.

Voilà l'histoire en peu de mots. Pour moi, j'aime les narrations où l'on ne dit que ce qui est nécessaire, où l'on ne s'écarte point ni à droite, ni à gauche, où l'on ne reprend point les choses de si loin ; enfin je crois que c'est ici, sans vanité, le modèle des narrations agréables[1].

66. À MADAME DE GRIGNAN

Aux Rochers, ce <dimanche> 26 juillet [1671].

Je vous écris deux fois la semaine, ma bonne fille, soit dit en passant, et sans reproche, car j'y prends beaucoup de plaisir. Pour aujourd'hui, je commence ma lettre un peu par provision ; elle ne partira que demain et, en la fermant, j'y ajouterai encore un mot.

Vous saurez donc qu'hier vendredi, j'étais toute seule, dans ma chambre, avec un livre précieusement à la main[1]. Je vois ouvrir ma porte par une grande femme de très bonne mine ; cette femme s'étouffait de rire, et cachait derrière elle un homme qui riait encore plus fort qu'elle ; cet homme était suivi d'une femme fort bien faite qui riait aussi ; et moi, je me mis à rire sans les reconnaître et sans savoir ce qui les faisait rire. Comme j'attendais aujourd'hui Mme de Chaulnes, qui doit passer deux jours ici, j'avais beau regarder, je ne pouvais comprendre que ce fût elle. C'était elle pourtant, qui m'amenait Pomenars, qui en arrivant à Vitré lui avait mis dans la tête de me venir surprendre. La *Murinette beauté* était de la partie, et la gaieté de Pomenars était si extrême qu'il aurait réjoui la tristesse même. D'abord ils ont joué au volant (Mme de Chaulnes joue comme vous), et puis une légère collation, et puis nos belles promenades, et partout il a été question de parler de vous. J'ai dit à Pomenars que vous étiez fort en peine de ses affaires et que vous m'aviez mandé que, pourvu qu'il n'y eût que le courant, vous ne seriez point en inquiétude, mais que tant de nouvelles injustices qu'on lui faisait vous donnaient beaucoup de chagrin pour lui. Nous avons fort poussé cette plaisanterie, et puis cette grande allée nous a fait souvenir de la chute que vous y fîtes un jour, dont la pensée m'a fait devenir rouge comme du feu. On parla longtemps là-dessus, et puis du dialogue <bohème>, et puis enfin de Mlle du Plessis, et des sottises qu'elle disait, et qu'un jour vous en ayant dit une, et trouvant son visage auprès du vôtre, vous n'aviez pas marchandé, et lui aviez donné un soufflet pour la faire reculer, et que moi, pour adoucir les affaires, j'avais dit : « Mais voyez comme ces petites filles se jouent rudement. » Et ensuite à sa mère : « Madame, ces jeunes créatures étaient si folles qu'elles se battaient. Mlle du Plessis agaçait ma fille, ma fille la battait ; c'était la plus plaisante chose du monde. » Et qu'avec ce tour, j'avais ravi Mme du Plessis de voir nos petites filles se réjouir ainsi. Cette camaraderie de vous et de Mlle du Plessis, dont je ne faisais qu'une même chose pour faire avaler le soufflet, les a fait rire à mourir. La *Murinette* vous approuve fort, et jure que la première fois qu'elle viendra lui parler dans le nez, comme elle fait toujours, elle vous imitera et lui donnera sur sa vilaine joue. Je les attends <tous> présentement. Pomenars tiendra bien sa place. Mlle du Plessis viendra aussi, et ils me montreront une lettre de Paris faite à plaisir, où on mandera cinq ou six soufflets donnés entre femmes, afin d'autoriser ceux qu'on lui veut donner aux États, et même les y faire souhaiter afin d'être à la mode. Enfin je n'ai jamais vu un homme si fou que Pomenars. Sa gaieté augmente en même temps que ses affaires criminelles ; s'il lui en vient encore une, il mourra de joie.

Je suis chargée de mille compliments pour vous ; nous vous avons célébrée à tout moment. Mme de Chaulnes dit qu'elle vous souhaiterait une Madame de Sévigné en Provence, comme celle qu'elle a trouvée en Bretagne ; c'est cela qui rend son gouvernement beau, car quelle autre chose pourrait-ce être[1] ? Quand son mari sera venu, je la remettrai entre ses mains, et ne me mettrai plus en peine de son divertissement. Mais vous, ma bonne, mon Dieu ! que je vous plains avec votre tante d'Harcourt ! quelle contrainte ! quel embarras ! quel ennui ! Voilà qui me ferait plus de mal mille fois qu'à personne du monde, et vous seule au monde seriez capable de me faire avaler ce poison ; oui, ma bonne, je vous le jure. Et si j'étais à Grignan, j'écumerais votre chambre pour vous faire plaisir, comme j'ai fait mille fois. Après cette marque d'amitié, ne m'en demandez plus, car je hais l'ennui plus que la mort, et j'aimerais fort à rire avec vous, Vardes et le *Seigneur Corbeau*. Ah ! défaites-vous de cette trompette du jugement ; il y a vingt ans qu'elle me déplaît et que je lui dois une visite[2].

Ma tante m'écrit mille choses de Catau, qui est arrivée en neuf jours. Elle dit des merveilles de vous et de votre château et de votre grandeur. Pourquoi ne m'avez-vous point mandé que vous l'eussiez envoyée ? Elle est bien malheureuse ; son certificat[3], qu'on vous envoyait, a été perdu. Je crains que vous ne soyez incommodée de ne l'avoir plus. Pour ma petite enfant, elle est aimable, et sa nourrice au point de la perfection sans qu'il y manque rien. Mon habileté est une espèce de miracle, et me fait comprendre en amitié la merveille de ce maréchal qui devint peintre[4]. Il faut habiller la petite, et assurément je lui donnerai sa première robe, et parce qu'elle est ma filleule, et parce qu'elle ne me coûtera que quatre sols ; laissez-moi faire et ne me remerciez point.

Je crains fort que ces cousins[5] ne soient un sang échauffé ; c'est cela qui est traître et qui vous pourrait faire beaucoup de mal. Je vous conseillerais, ma bonne, de vous rafraîchir et de prendre de bons bouillons ; vous savez qu'il ne faut point craindre de se bien nourrir, et le sang échauffé vous pourrait donner la fièvre dans la saison où nous allons entrer, et ce serait une très fâcheuse affaire. Je vous prie, ma petite, songez-y pour l'amour de moi, et vous rafraîchissez.

Je trouve votre vie fort réglée et fort bonne. Notre Abbé vous aime avec une tendresse et une estime qu'il n'est pas aisé de dire en peu de mots. Il attend avec impatience le plan de Grignan et la conversation de Monsieur d'Arles[1] ; mais sur toutes choses, il vous souhaiterait bien cent mille écus, dit-il, pour faire achever votre château, ou pour tout ce qui vous plairait. Je ne puis songer à tout ce qui mange à vos dépens, sans mourir de peur. Toutes les heures ne sont pas, ma bonne, comme celles qu'on passe avec Pomenars, et même on s'ennuierait bientôt de lui ; les réflexions qu'on fait sont bien contraires à la joie. Je vous ai mandé que je croyais que je ne bougerais d'ici ou de Vitré. Notre Abbé ne peut quitter sa chapelle ; et le désert du Buron, et l'ennui de Nantes avec Mme de Molac[2], ne conviennent pas à son humeur agissante. Je serai souvent ici, et Mme de Chaulnes, pour m'ôter les visites, dira toujours qu'elle m'attend. Pour mon labyrinthe[3], il est net ; il y a des tapis verts, et les palissades sont à hauteur d'appui. C'est un aimable lieu, mais, hélas ! ma chère enfant, il n'y a guère d'apparence que je vous y voie jamais.

Di memoria nudrirsi, più che di speme[4].

C'est bien ma vraie devise. Nos sentences ont été trouvées jolies. Ne comprenez-vous point bien qu'il n'y a jour, ni heure, ni moment, que je ne pense à vous, que je n'en parle quand je puis, et qu'il n'y a rien qui ne m'en fasse souvenir ?

Nous sommes sur la fin du Tasse, <et *Goffredo a spiegato il gran vessillo della croce sopra'l muro*[1].> Nous avons lu ce poème avec plaisir. La Mousse est bien content de moi, et de vous encore plus quand il songe à l'honneur que vous faites à la philosophie. Je crois que vous n'auriez pas eu moins d'esprit quand vous auriez eu la plus sotte mère du monde, mais enfin tout ensemble fait un assez bon effet. Nous avons envie de lire Guichardin, car nous ne voulons point quitter l'italien. La *Murinette* le parle comme du français[2].

J'ai reçu une lettre de notre Cardinal, qui me dit encore pis que pendre du gros abbé qui est avec lui[3].

Adieu, ma très aimable bonne. Je ne daigne vous dire que je vous aime, vous le savez, et je ne trouve point de paroles qui puissent vous faire comprendre comme mon cœur est pour vous. J'achèverai demain cette lettre, et vous manderai à quoi se divertit ma compagnie.

Ma compagnie est couchée, parce qu'il est minuit. Nous avons fait ce soir de grandes promenades et, après souper, nous avons coupé les cheveux à la petite du Cerny et lui avons mis le premier appareil, que nous lèverons demain. La *Murinette beauté* est habile comme La Vienne. Pomenars ne fait que sortir de ma chambre ; nous avons parlé assez sérieusement de ses affaires, qui ne sont jamais de moins que de sa tête. Le comte de Créance veut à toute force qu'il ait le cou coupé ; Pomenars ne veut pas : voilà le procès.

Mme de Chaulnes disait tantôt que l'abbé Têtu,

après avoir été quelque temps à Richelieu, enfin, sans autre façon, s'était établi à Fontevrault, où il est depuis deux mois. Ils le virent, en passant, il y a un mois. Le prétexte, c'est qu'il y a de la petite vérole à Richelieu. Si cette conduite ne lui est fort bonne, elle lui sera fort mauvaise[4]. Je ne savais pas que Monsieur de Condom eût rendu son évêché ; elle m'a assurée que cela était fait[5]. La *petite personne* a envoyé des chansons à sa sœur, que nous ne trouvons pas trop bonnes[6]. Je suis aise que vous ayez approuvé les miennes ; on ne peut pas les élever plus haut que de les mettre sur le ton des *dragons*. Il me semble que j'aurais dû l'entendre d'ici ; cela me fait voir, ma bonne, qu'il y a bien loin d'ici à Grignan[7]. Ah, mon Dieu ! que cette pensée me fait triste, et que je m'ennuie d'être si longtemps sans vous voir ! Adieu, ma pauvre bonne ; je me vais coucher tristement, et je vous embrasse de tout mon cœur, avec une tendresse infinie. Mandez-moi toujours bien de vos nouvelles et surtout de votre santé, que je vous recommande si vous m'aimez.

Adieu, mon cher Grignan, adieu, Monsieur le Coadjuteur ; aimez toujours bien votre petite sœur et sa mère.

67. À MADAME DE GRIGNAN

Aux Rochers, ce [mercredi] 29e juillet [1671].

Il sera le mois de juillet tant qu'il plaira à Dieu ; je crois que le mois d'août sera encore plus long, puisque ce sera le temps des États. N'en déplaise à la compagnie, c'est toujours une sujétion pour moi d'aller les trouver à Vitré, ou de craindre qu'ils ne viennent ici. C'est un *embarras*, comme dit Mme de La Fayette[1] ; mon esprit n'est plus monté sur ce ton-là. Mais il faut avaler et passer ce temps comme les autres.

Mme de Chaulnes fut ravie d'être deux jours ici. Ce qui lui paraissait de plus charmant, c'était mon absence ; c'était aussi le régal que je lui avais promis. Elle se promenait dès sept heures du matin toute seule dans ces bois. L'après-dîner, il y eut un bal de paysans devant cette porte, qui nous réjouit extrêmement. Il y avait un homme et une femme qu'on aurait empêchés de danser dans une république bien réglée ; c'étaient des postures à pâmer de rire. Pomenars criait, n'ayant plus la force de parler. Je ne finirais point sur son chapitre. Il ne fait pas un pas qui ne puisse être le dernier, et l'on ne le quitte point qu'on ne lui puisse dire adieu. Tout disparut le lundi matin, et je demeurai contente.

Vous aurez M. de Vardes quand vous recevrez cette lettre. Faites-lui bien mes baisemains, s'il m'aime encore autant qu'à Aix. Mandez-moi si sa patience n'est pas usée, s'il doit sa constance à la philosophie ou à l'habitude ; enfin parlez-moi de lui. Vous <rejetez> sur moi des leçons de silence qui ne sont point à leur place[2]. Il nous semblait à Paris que l'étoile de Mlle de Toiras pâlissait. Si elle eût été assez forte pour lui donner un tel mari, elle aurait bien dû se moquer de toutes les beautés.

Hélas ! avez-vous celle de votre chère tante d'Harcourt ? Que je vous plains ! Il faudrait encore mettre au bout de toutes les questions qu'on leur fait, où elles répondent *non*, une autre qu'on leur fait toujours intérieurement : « Ne voulez-vous point vous en aller ? », et elles répondent *non*, et l'on meurt.

Voilà une lettre de Monsieur d'Uzès que je vous envoie. Ma bonne, vous verrez s'il vous aime, s'il vous estime et si vous perdez toutes vos peines ; elles vous servent au moins à être adorée de toute la famille. Plût à Dieu que tous vos desseins eussent un pareil succès !

J'ai reçu une lettre du marquis de Charost toute pleine d'amitié et de ménagement. Il me parle de Mme de Brissac, et me mande qu'il vous a écrit. Je vous prie, cruauté à part, faites-lui réponse. Vous savez qu'il n'est bon qu'à ménager, et point du tout à mépriser. Il est vieux comme son père, et ne comprendrait point l'honneur qu'on lui ferait en lui <refusant> une réponse[1]. On me mande que le Comte d'Ayen épouse Mlle de Bournonville[2] : *Matame te Lutres* en est *enrazée*.

Vous me parlez, dans votre lettre, ma bonne, qu'il faudra songer aux moyens de vous envoyer votre fille ; je vous prie de n'en point chercher d'autre que moi, qui vous la mènerai assurément, si sa nourrice le veut bien. Toute autre voiture me donnerait beaucoup de chagrin. Je compte comme un amusement tendre et agréable de l'avoir cet hiver au coin de mon feu. Je vous conjure, ma bonne, de me laisser prendre ce petit plaisir. J'aurai d'ailleurs de si vives inquiétudes pour vous qu'il est juste que, dans les jours où j'aurai quelque repos, je trouve cette espèce de petite consolation. Voilà donc qui est fait ; nous parlerons de son voyage quand je serai sur le point de faire le mien[3].

Je viens d'en faire un dans mon petit *galimatias*, c'est-à-dire mon labyrinthe[4], où votre aimable et chère idée m'a tenu fidèle compagnie. Je vous avoue que c'est un de mes plaisirs que de me promener toute seule. Je trouve quelques labyrinthes de pensées dont on a peine à sortir, mais on a du moins la liberté de penser à ce que l'on veut. Si vous étiez, ma bonne, aussi heureuse en toutes choses que je le souhaite, votre état serait bien digne d'envie. Adieu, ma chère petite. Ah ! qu'il m'ennuie de ne vous point voir et que cette pensée me fait souvent rougir mes petits yeux ! J'embrasse votre époux.

68. À MADAME DE GRIGNAN

Aux Rochers, dimanche 2 août [1671].

<Vous avez donc, ma bonne, chez vous, présentement, toute la foire de Beaucaire[1]. N'avez-vous point encore mis l'habileté de vous [défaire] des équipages dans le nombre des merveilles que vous faites en Provence ? Nos pères avaient bon esprit de nourrir tous les trains[2] ! C'est une belle mode à présent, dont tout le monde s'est tiré ; elle est bien pire que les portes basses et les grandes cheminées. Il vous faut du courage comme à la guerre, et un Jacquier qui prenne en parti le pain de munition[3]. Ma lettre vous trouvera, comme Dulcinée, dans l'agitation du mouvement de cette compagnie ; gardez-la, je dis ma lettre, et puis vous la lirez à loisir[4].

Vous me priez, ma bonne, de me promener dans votre cœur ; vous me dites mille douceurs aimables sur cela. Je vous dirai donc que je fais quelquefois cette promenade. Je la trouve belle et très agréable pour moi, mais à la pareille, ma bonne, je vous conjure civilement de venir vous promener chez moi. Allez partout, et voyez bien s'il y a quelqu'un qui se promène à côté de vous, et si vous n'y êtes pas plus respectée que dans votre gouvernement. Si cela vous donne quelque joie, vous devez être contente. Mais, mon Dieu ! cela ne fait point le bonheur de la vie ; il y a de certaines grossièretés solides dont on ne peut se passer[1].>

Que dites-vous des nouvelles de cette semaine ? Nous ne demandons que plaie et bosse, mais, en vérité, je trouve que, cette fois, il y en a trop. La mort de Monsieur du Mans m'a assommée. Je n'y avais jamais pensé, non plus que lui, et de la manière dont je le voyais vivre, il ne me tombait pas dans l'imagination qu'il pût mourir. Cependant le voilà mort d'une petite fièvre <en trois heures,> sans avoir eu le temps de songer au ciel, ni à la terre ; il a passé ce temps-là à s'étonner. Il est mort subitement de la fièvre tierce. La Providence fait quelquefois des coups d'autorité qui me plaisent assez ; mais il en faudrait profiter[2]. Et ce pauvre Lenet qui est mort aussi ; j'en suis fâchée[3].

Ah ! que j'aurais été contente si la nouvelle de Mme de L<yonne[4]> était venue toute seule ! C'est bien employé. Et sa sorte de malhonnêteté était une infamie scandaleuse. Il y a longtemps que je l'avais chassée du nombre des mères. Tous les jeunes gens de la cour ont pris part à sa disgrâce. Elle ne verra point sa fille ; on lui a ôté tous ses gens. Voilà tous les amants bien écartés.

Vous avez présentement le grand Chevalier[5] ; embrassez-le pour moi, mais le Coadjuteur surtout. Vous lui direz que je le prie de ne me point écrire ; qu'il garde sa main droite pour jouer au brelan. Ce n'est pas que je n'aime ses lettres, mais j'aime encore mieux son amitié. De l'humeur dont il est, il est impossible qu'il écrive sans qu'il en coûte à ceux à qui il écrit ; c'est acheter trop cher une lettre qu'au prix d'une partie de sa tendresse. Nous conclurons incessamment que, s'il écrivait deux fois la semaine à quelqu'un, il le haïrait à la mort. Adieu, ma chère bonne.

69. À MADAME DE GRIGNAN

Aux Rochers, ce [mercredi] 5e août [1671].

Enfin, je suis bien aise que M. de Coulanges vous ait mandé des nouvelles. Vous apprendrez encore celle de M. de Guise[1], dont je suis accablée quand je pense à la douleur de Mlle de Guise. Vous jugez bien, ma bonne, que ce ne peut être que par la force de mon imagination que cette mort me puisse faire mal ; car du reste, rien ne troublera moins le repos de ma vie. Vous savez comme je crains les reproches qu'on se peut faire à soi-même ; Mlle de Guise n'a rien à se reprocher que la mort de son neveu. Elle n'a jamais voulu qu'il ait été saigné. La quantité de sang a causé le transport au cerveau[2] ; voilà une petite circonstance bien agréable. Je trouve que, dès qu'on tombe malade à Paris, on tombe mort ; je n'ai jamais vu une telle mortalité. Je vous conjure, ma chère bonne, de vous bien conserver. Et s'il y avait quelque enfant à Grignan qui eût la petite vérole, envoyez-le à Montélimar. Votre santé est le but de mes désirs.

Il faut un peu que je vous dise des nouvelles de nos États pour votre peine d'être bretonne[3]. M. de Chaulnes arriva dimanche au soir, au bruit de tout ce qu'on en peut faire à Vitré[4]. Le lundi matin, il m'écrivit une lettre et me l'envoya par un gentilhomme. J'y fis réponse par aller dîner avec lui. On mangea à deux tables dans le même lieu ; cela fait une assez grande mangerie : il y a quatorze couverts à chaque table. Monsieur en tient une, Madame l'autre. La bonne chère est excessive ; on reporte les plats de rôti comme si on n'y avait pas touché. Mais pour les pyramides du fruit, il faut faire hausser les portes. Nos pères ne prévoyaient pas ces sortes de machines, puisque même ils n'imaginaient pas qu'il fallût qu'une porte fût plus haute qu'eux. Une pyramide veut entrer, ces pyramides qui font qu'on est obligé de s'écrire d'un côté de la table à l'autre, mais ce n'est pas ici qu'on en a du chagrin ; au contraire, on est fort aise de ne plus voir ce qu'elles cachent. Cette pyramide, avec vingt porcelaines, fut si parfaitement renversée à la porte que le bruit en fit taire les violons, les hautbois, les trompettes[1].

Après le dîner, MM. de Locmaria et de Coëtlogon[2], avec deux Bretonnes, dansèrent des passe-pieds merveilleux, et des menuets, d'un air que nos bons danseurs n'ont pas à beaucoup près ; ils y font des pas de bohémiens et de bas Bretons, avec une délicatesse et une justesse qui charment. Je pense toujours à vous, et j'avais un souvenir si tendre de votre danse, et de ce que je vous avais vu danser, que ce plaisir me devint une douleur. On parla fort de vous. Je suis assurée que vous auriez été ravie de voir danser Locmaria. Les violons et les passe-pieds de la cour font mal au cœur au prix de ceux-là. C'est quelque chose d'extraordinaire ; ils font cent pas différents, mais toujours cette cadence courte et juste. Je n'ai point vu d'homme danser comme lui cette sorte de danse.

Après ce petit bal, on vit entrer tous ceux qui arrivaient en foule pour ouvrir les États le lendemain : Monsieur le Premier Président, MM. les procureurs et avocats généraux du Parlement, huit évêques, MM. de Molac, La Coste et Coëtlogon le père, M. Boucherat[3], qui vient de Paris, cinquante bas Bretons dorés jusqu'aux yeux, cent communautés. Le soir devaient venir Mme de Rohan d'un côté, et son fils de l'autre, et M. de Lavardin, dont je suis étonnée[1]. Je ne vis point ces derniers car je voulus venir coucher ici, après avoir été à la Tour de Sévigné voir M. d'Harouys et MM. Fourché[2] et Chésières, qui arrivaient. M. d'Harouys vous écrira. Il est comblé de vos honnêtetés ; il a reçu deux de vos lettres à Nantes, dont je vous suis encore plus obligée que lui. Sa maison va être le Louvre des États ; c'est un jeu, une chère, une liberté jour et nuit qui attire tout le monde. Je n'avais jamais vu les États ; c'est une assez belle chose. Je ne crois pas qu'il y en ait qui aient un plus grand air que ceux-ci. Cette province est pleine de noblesse. Il n'y en a pas un à la guerre ni à la cour ; il n'y a que votre frère, qui peut-être y reviendra un jour comme les autres. J'irai tantôt voir Mme de Rohan. Il viendrait bien du monde ici, si je n'allais à Vitré. C'était une grande joie de me voir aux États. Je n'ai pas voulu en voir l'ouverture, c'était trop matin. Les États ne doivent pas être longs. Il n'y a qu'à demander ce que veut le Roi. On ne dit pas un mot ; voilà qui est fait. Pour le Gouverneur, il y trouve, je ne sais comment, plus de quarante mille écus qui lui reviennent. Une infinité d'autres présents, de pensions, de réparations de chemins et de villes, quinze ou vingt grandes tables, un jeu continuel, des bals éternels, des comédies trois fois la semaine, une grande braverie[3] : voilà les États. J'oublie quatre cents pipes de vin qu'on y boit, mais si j'oubliais ce petit article, les autres ne l'oublieraient pas, et c'est le premier. Voilà ce qui s'appelle, ma bonne, des contes à dormir debout. Mais ils viennent au bout de la plume, quand on est en Bretagne et qu'on n'a pas autre chose à dire. J'ai mille baisemains à vous faire de M. et de Mme de Chaulnes. Je suis toujours tout à vous, et j'attends le vendredi, où je reçois vos lettres, avec une impatience digne de l'extrême amitié que j'ai pour vous. Notre Abbé vous embrasse, et moi mon cher Grignan, et ce que vous voudrez.

70. À MADAME DE GRIGNAN

Aux Rochers, <dimanche 9> août [1671[1]].

Vous n'êtes point sincère quand vous me louez tant aux dépens de ce que vous valez. Il me siérait mal de faire votre panégyrique à vous-même, et vous ne voulez pas que je dise du mal de moi ; je ne veux donc faire ni l'un ni l'autre, mais enfin, ma <bonne>, si vous avez à vous plaindre de moi, ce n'est point de ne voir pas en vous de bonnes qualités et le fonds de toutes les vertus. Vous pouvez remercier Dieu de tout ce qu'il vous a donné, car pour moi, je n'ai point assez de mérite pour en donner libéralement.

Quoi qu'il en soit, vous mettez très à propos vos réflexions en usage. Ce que vous dites sur les inquiétudes que nous avons si souvent et si naturellement sur l'avenir, et comme insensiblement notre inclination se change et s'accommode à la nécessité, est la plus juste matière d'un livre comme celui de Pascal. Rien n'est si solide, rien n'est si utile que ces sortes de méditations. Eh ! qui sont les personnes de votre âge qui en sachent faire ? je n'en connais point. Vous avez un fonds de raison et de courage que j'honore ; pour moi, je n'en ai pas tant, surtout quand mon cœur prend le soin de m'affliger. Mes paroles sont assez bonnes (je les range comme ceux qui disent bien), mais la tendresse de mes sentiments me tue. Par exemple, je n'ai point été trompée dans les douleurs d'être séparée de vous. Je les ai imaginées comme je les sens. <J'ai compris que rien ne me remplirait votre place, que votre souvenir me serait toujours sensible au cœur, que je m'ennuierais de votre absence, que je serais en peine de votre santé, que jour et nuit je serais occupée de vous. Je sens tout cela comme je l'avais prévu. Il y a plusieurs endroits sur lesquels je n'ai pas la force d'appuyer. Toute ma pensée glisse sur cela, comme vous dites si bien, et> je n'ai point trouvé que le proverbe fût vrai pour moi, *d'avoir la robe selon le froid*[1] ; je n'ai point de robe pour ce froid-là. Mais cependant je m'amuse, et le temps passe toujours, et ce fait particulier n'empêche pas la règle générale, qui est toujours vraie et qui le sera toujours : *Nous craignons quasi toujours des maux qui perdent ce nom par le changement de nos pensées et de nos inclinations*[2]. Je prie Dieu qu'il vous conserve votre bon esprit.

Vous me voulez aimer, et pour vous, et pour votre enfant : eh ! ma <bonne>, n'entreprenez point tant de choses. Quand vous pourriez atteindre à m'aimer autant que je vous aime, ce qui n'est pas une chose possible ni même dans l'ordre de Dieu, il faudrait toujours que ma petite fût par-dessus le marché ; c'est le trop-plein de la tendresse que j'ai pour vous. <Ma tante l'a été voir ; elle aura cet été une robe ; elle est jolie et belle, et sa nourrice a trop de lait.

Mais voici une chose qui m'a bien étonnée, c'est qu'enfin Mme de Lavardin ne se dérange point. Elle garde sa maison à Paris. On l'a vue, elle prend courage. Et pour son fils, il est à Vitré, qui tient deux tables et qui pour gagner les cœurs rit et chante comme si de rien n'était. Je le fus voir l'autre jour. Je croyais qu'il se jetterait à mon cou tout en larmes ; point du tout, j'étais plus affligée que lui[3]. Nous causâmes raisonnablement, et je lui laissai l'Abbé et La Mousse à dîner, qui en revinrent tout pleins de bons raisonnements.

Pour moi,> j'allai dîner lundi chez M. de Chaulnes, qui fait tenir les États deux fois le jour, de peur qu'on ne me vienne voir. Je n'ose vous dire les honneurs qu'on me fait dans ces États ; cela est ridicule. Cependant je n'y ai point encore couché, et je ne puis quitter mes bois et mes promenades, quelque prière que l'on m'en fasse. <Chésières a la fièvre double tierce[1]. Toutes les fièvres me font peur. J'irai demain le voir.> Il y a quatre jours que je suis ici. Il fait un si beau temps que je ne puis me renfermer dans une petite ville.

Mais, ma <bonne>, qui vous accouchera, si vous accouchez à Grignan ? Le secours viendra-t-il de loin ? N'oubliez pas du moins comme vous accouchâtes la dernière fois, et n'oubliez pas ce qui vous arriva la première[2], et le besoin que vous eûtes d'un homme habile et hardi. Vous êtes quelquefois en peine comment vous pourrez faire pour me témoigner votre amitié ; voilà justement l'occasion où je vous en demande une preuve, voilà sur quoi je vous devrai de reste, si vous voulez bien, pour l'amour de moi, avoir beaucoup de soin de vous. Ah ! <ma bonne,> qu'il vous sera toujours aisé de vous acquitter avec moi ! Des trésors et tous les biens du monde me pourraient-ils donner autant de joie que votre amitié ? Comme aussi, tournez la médaille, <l'enfer n'est pas> pis que le contraire[3].

Votre lettre à Mme de Villars est très bonne. Il faudrait être sourde pour ne pas vous entendre ; elle ne paraît pourtant pas d'un style aussi vif que d'autres que j'ai vues de vous. Mais elle en sera très contente, et personne n'écrit mieux que vous. Quand le Coadjuteur n'aura plus mal au pied, je le conjure de vouloir bien faire réponse à Monsieur d'Agen sur cette religieuse qui met tout son diocèse sens dessus dessous ; je prendrai cette lettre pour être à moi et lui ferai crédit de trois mois. Je ne puis m'imaginer ses allures, comme celles de M. de La Rochefoucauld. Elles sont bien différentes de celles que l'on a quand on travaille à les mériter. Ceci n'est-il point un peu labyrinthe[1] ? l'entendez-vous ? Cela s'appelle des choses fines.

Mais qu'est-ce que vous me dites d'avoir mal à la hanche ? Votre petit garçon serait-il devenu fille ? Ne vous embarrassez pas ; je vous aiderai à l'exposer sur le Rhône dans un petit panier de jonc, et puis elle abordera dans quelque royaume où sa beauté sera le sujet d'un roman. Me voilà comme Don Quichotte[2]. Il y a d'horribles endroits dans *Cléopâtre,* mais il y en a de beaux, et la droite vertu est bien dans son trône. Nous avons achevé Le Tasse avec plaisir et déplaisir ; nous ne savons plus où nous attacher. Il faut attendre que les États soient partis pour entreprendre quelque chose.

Était-ce à vous que je mandais l'autre jour qu'il semblait que tous les pavés fussent métamorphosés en gentilshommes ? Je n'ai jamais vu tant de monde. Je ne m'imagine point que les états de Languedoc puissent être plus beaux. Mais vous, ma fille, donnez-moi des nouvelles de ce qui se passe autour de vous. <Ne sentez-vous point un peu la pesanteur de votre charge ? J'en suis accablée et crois que l'autre[3] vous était meilleure. N'espérez-vous pas toujours la même grâce dans votre Assemblée ? Comment êtes-vous avec Marseille ?> Eh, mon Dieu ! que je suis bien de Provence, et que ce pays est bien devenu le mien ! <Ah ! ma bonne,> fallait-il que ma vie fût rangée et marquée si loin de la vôtre !

À MONSIEUR DE GRIGNAN

Il n'y avait que vous, mon cher Comte, qui puissiez me résoudre à la donner à un Provençal, mais, dans la vérité, cela est ainsi. J'en prends à témoin Caderousse et <Mérinville[1]> ; car si j'avais trouvé autant de facilité et de disposition dans le cœur de ma fille pour ce dernier que j'en ai trouvé pour vous, et que je n'eusse pas été la reine des incidents, par la peur que j'avais de conclure, c'en était fait. Ne doutez donc jamais de ma véritable amitié, et d'une estime très distinguée ; un moment de réflexion vous fera voir que je dis vrai. Je ne suis point surprise que ma fille ne vous dise rien de moi ; elle m'en faisait autant de vous l'année passée. Croyez donc, sans qu'elle vous le dise, que je ne vous oublie jamais. La voilà qui gronde, et qui dit que vous prenez ce prétexte pour excuser votre paresse. Je laisse entre vous ce débat, et je vous assure que, quoique vous soyez l'homme du monde le plus heureux à être aimé, vous ne l'avez jamais été ni ne le pouvez être de personne plus sincèrement que de moi. Je vous souhaite tous les jours dans mon mail, mais vous êtes glorieux ; je vois bien que vous voulez que je vous aille voir la première. Vous êtes bien heureux que je ne sois pas une vieille maman ; je vous assure que j'emploierai le reste de ma santé à faire ce voyage. Notre Abbé en a plus d'envie que moi ; c'est quelque chose. Il vous baise les mains, et notre cher La Mousse. Adieu, mon cher Grignan ; aimez-moi toujours bien ; donnez-moi de votre vue, je vous donnerai de mes bois.

Ma <pauvre bonne>, je reviens à vous. <Vous n'avez donc point eu toute cette foire que vous attendiez.

Mais vous voulez la guerre ; je devine à quoi cette confusion vous serait bonne. Ne songez-vous plus à vendre cette terre ? Eh, mon Dieu ! ma bonne, que n'avez-vous tout ce que je vous souhaite, ou que n'ai-je moi-même tout ce que je n'ai pas !>

M. d'Andilly m'a envoyé le recueil qu'il a fait des lettres de M. de Saint-Cyran[1] ; c'est une des plus belles choses du monde. Ce sont proprement des maximes et des sentences chrétiennes, mais si bien tournées qu'on les retient par cœur, comme celles de M. de La Rochefoucauld. Quand il se débitera, priez Mme de La Fayette ou M. d'Hacqueville d'en demander un pour vous à M. d'Andilly ; il vous sera très obligé de cette confiance. Quand vous songerez qu'il n'a jamais eu un sol d'aucun de ses livres, et qu'il les donne tous, vous verrez bien que c'est l'obliger que d'en vouloir un de sa main. Je défie M. Nicole de mieux dire que ce que vous avez écrit sur le changement de nos passions ; il n'y a pas un mot de plus ou de moins que ce qu'il faut

71. À MADAME DE GRIGNAN

À Vitré, mercredi 12 août [1671].

Enfin, ma <bonne>, me voilà en pleins États ; sans cela, les États seraient en pleins Rochers. Dimanche dernier, aussitôt que j'eus cacheté mes lettres, je vis entrer quatre carrosses à six chevaux dans ma cour, avec cinquante gardes à cheval et plusieurs chevaux de main et plusieurs pages à cheval. C'étaient M. de Chaulnes, M. de Rohan, M. de Lavardin, MM. de Coëtlogon, de Locmaria, les barons de Guais, les évêques de Rennes, de Saint-Malo, les MM. d'Argouges, et huit ou dix que je ne connais point ; j'oublie M. d'Harouys, qui ne vaut pas la peine d'être nommé[1]. Je reçois tout cela. On dit et on répondit beaucoup de choses. Enfin, après une promenade dont ils furent fort contents, il sortit d'un des bouts du mail une collation très bonne et très galante, surtout du vin de Bourgogne qui passa comme de l'eau de Forges[2]. On fut persuadé que cela s'était fait avec un coup de baguette. M. de Chaulnes me pria instamment d'aller à Vitré. J'y vins donc lundi au soir. Mme de Chaulnes me donna à souper, avec la comédie de *Tartuffe*, point trop mal jouée, et un bal où le passe-pied et le menuet me pensèrent faire pleurer. Cela me fait souvenir de vous si vivement que je n'y puis résister ; il faut promptement que je me dissipe. On me parle de vous très souvent, et je ne cherche point longtemps mes réponses, car j'y pense à l'instant même, et je crois toujours que c'est qu'on voit mes pensées au travers de mon corps-de-jupe.

Hier je reçus toute la Bretagne à ma Tour de Sévigné. Je fus encore à la comédie. Ce fut *Andromaque*, qui me fit pleurer plus de six larmes ; c'est assez pour une troupe de campagne[3]. Le soir on soupa, et puis le bal. Je voudrais que vous eussiez vu l'air de M. de Locmaria, et de quelle manière il ôte et remet son chapeau. Quelle légèreté ! quelle justesse ! Il peut défier tous les courtisans et les confondre, sur ma parole. Il a soixante mille livres de rente, et sort de l'Académie[4]. Il ressemble à tout ce qu'il y a de plus joli, et voudrait bien vous épouser. Au reste, ne croyez pas que votre santé ne soit point bue ici ; cette obligation n'est pas grande, mais telle qu'elle est, vous l'avez tous les jours à toute la Bretagne. On commence par moi, et puis Mme de Grignan vient tout naturellement. M. de Chaulnes vous fait mille compliments. Les civilités qu'on me fait sont si ridicules, et les femmes de ce pays si sottes, qu'elles laissent croire qu'il n'y a que moi dans la ville, quoiqu'elle soit toute pleine. Il y a, de votre connaissance, Tonquedec, le comte des Chapelles, Pomenars, l'abbé de Montigny, qui est évêque de Saint-Pol-de-Léon, et mille autres[1] ; mais ceux-là me parlent de vous, et nous rions un peu de notre prochain. Il est plaisant ici le prochain, particulièrement quand on a dîné ; je n'ai jamais vu tant de bonne chère. Mme de Coëtquen est ici avec la fièvre. Chésières se porte mieux ; on a député des États pour lui faire un compliment[2]. Nous sommes polis pour le moins autant que le poli Lavardin. On l'adore ici, c'est un gros mérite qui ressemble au vin de Graves[3]. Mon Abbé bâtit et ne veut pas venir s'établir à Vitré ; il y vient dîner. Pour moi, j'y serai encore jusqu'à lundi, et puis j'irai passer huit jours dans ma pauvre solitude, et puis je reviendrai dire adieu, car la fin du mois verra la fin de tout ceci.

Notre présent est déjà fait, il y a plus de huit jours. On a demandé trois millions ; nous avons offert sans chicaner deux millions cinq cent mille livres, et voilà qui est fait. Du reste, Monsieur le Gouverneur aura cinquante mille écus, M. de Lavardin quatre-vingt mille francs, le reste des officiers à proportion ; le tout pour deux ans[4]. Il faut croire qu'il passe autant de vin dans le corps de nos Bretons que d'eau sous les ponts, puisque c'est là-dessus qu'on prend l'infinité d'argent qui se donne à tous les États. Vous voilà bien instruite, Dieu merci, de votre bon pays, mais je n'ai point de vos lettres et par conséquent point de réponse à vous faire ; ainsi je vous parle tout naturellement de ce que je vois et de ce que j'entends.

Pomenars est divin. Il n'y a point d'homme à qui

je souhaite plus volontiers deux têtes ; jamais la sienne n'ira jusqu'au bout. Pour moi, ma fille, je voudrais déjà être au bout de la semaine, afin de quitter généreusement tous les honneurs de ce monde, pour jouir de moi-même aux Rochers[1]. Adieu, ma très chère <bonne>. J'attends toujours vos lettres avec impatience. Votre santé est un point qui me touche de bien près ; je crois que vous en êtes persuadée, et que, sans donner dans *la justice de croire*[2], je puis finir ma lettre et dormir en repos sur ce que vous pensez de mon amitié pour vous. Ne direz-vous point à M. de Grignan que je l'embrasse de tout mon cœur ?

72. À MADAME DE GRIGNAN

À Vitré, ce 16e août [1671].

Quoi ! ma bonne, vous avez pensé brûler, et vous voulez que je ne m'en effraye pas ! Vous voulez accoucher à Grignan, et vous voulez que je ne m'en inquiète pas[3] ! Ma bonne, priez-moi, en même temps, que je ne vous aime guère. Mais soyez assurée que pendant que vous me serez ce que vous êtes à mon cœur, c'est-à-dire pendant que je vivrai, je ne puis jamais voir tranquillement tous les maux qui vous peuvent arriver. Je prie M. Deville[4] de faire tous les soirs une ronde pour éviter les accidents du feu. Si le hasard n'avait fait lever M. de Grignan plus matin que le jour, voyez un peu, ma bonne, où vous en étiez, et ce que vous deveniez avec votre château. Je crois que vous n'avez pas oublié à remercier Dieu ; pour moi, j'y ai trop d'intérêt pour ne l'avoir pas fait.

Je crois que vous n'avez pas oublié aussi d'écrire ou de faire faire un compliment[1] par M. d'Hacqueville à Mme et à M. de Lavardin. Je serais bien en main pour lui faire tout à mon aise, mais quoiqu'il fût vrai, il ne serait pas vraisemblable. Il fait ici l'amoureux d'une petite madame ; je trouvai que c'était une contenance dont il a besoin comme d'un éventail[2].

Vous faites trop d'honneur assurément à notre petit Dubois. Vous n'êtes point *sa très humble servante*, quelque plaisir qu'il vous fasse ; vous avez *de l'affection* pour lui ; vous lui êtes *bien obligée de la peine* ; vous n'en serez *point ingrate dans les occasions* de lui témoigner votre bonne volonté[3]. Pour moi, si je me croyais, j'en dirais trop. Enfin, il est précisément l'homme du monde présentement qui me donne le plus sensible plaisir. Il me mande qu'il va écrire à Lyon, et qu'il y a, en cet endroit, du malentendu à nos lettres, car enfin, ma chère bonne, quoique vous m'écriviez deux fois la semaine, je n'en reçois qu'une à la fois. Il y en a eu quelques-unes où j'en ai eu deux, mais beaucoup où je n'en ai qu'une, comme aujourd'hui par exemple, et si vous saviez, ma bonne, quelle perte c'est pour moi qu'une de vos lettres, vous verriez clairement le chagrin que cela me donne. Mon petit M. Dubois y fera de son mieux.

Je voudrais bien que vous eussiez un fils, comme Mme de Simiane. D'où est la sage-femme qui l'a si bien accouchée ? Parlez-moi souvent de ce qui touche votre personne. Pecquet vous enverra son avis sur vos chaleurs de sang. Vous en ferez ce que vous jugerez à propos ; son conseil ne vous saurait faire de mal.

J'ai dit à Mme de Chaulnes les compliments que vous lui faites. Elle les a reçus d'une manière, et vous en rend de si bons, que je suis persuadée qu'elle voudrait, au prix des Molac et des Lavardin, que vous fussiez la lieutenante générale. Il n'y a que ces charges de belles ; les lieutenants de roi ne sont pas dignes de porter votre robe[1].

Je suis encore ici. Mme de Chaulnes fait de son mieux pour m'y retenir, et M. de Chaulnes. Ce sont des distinctions qui me font admirer la bonté des dames de ce pays. Je ne m'en accommoderais pas comme elles, avec toute ma civilité et ma douceur. Vous croyez bien que, sans cela, je ne demeurerais pas ici, où je n'ai que faire. Les comédiens nous ont amusés, les passe-pieds nous ont divertis, la promenade nous a tenu lieu des Rochers. Nous fîmes hier de grandes dévotions[2], et demain je m'en vais aux Rochers, où je serai ravie de ne plus voir de festins, et d'être un peu à moi. Je meurs de faim au milieu de toutes ces viandes, et je proposais l'autre jour à Pomenars d'envoyer accommoder un gigot de mouton à la Tour de Sévigné pour minuit, en revenant de chez Mme de Chaulnes. Enfin, soit par besoin ou par dégoût, je meurs d'envie d'être dans mon mail et manger ma petite poitrine de tores ; j'y serai huit ou dix jours[3]. Notre Abbé, et La Mousse, et *Marphise*, ont grand besoin de ma présence ; ces deux premiers viennent pourtant dîner ici quelquefois.

J'ai cent baisemains à vous faire. Il est très souvent ici question de Mme la gouvernante de Provence ; c'est ainsi que M. de Chaulnes vous nomme en commençant votre santé[4].

On contait hier au soir <à table> qu'Arlequin[5], l'autre jour, à Paris, portait une grosse pierre sous son petit manteau. On lui demandait ce qu'il voulait faire de cette pierre ; il dit que c'était un échantillon d'une maison qu'il voulait vendre. Cela me fit rire ; je jurai que je vous le manderais. Si vous croyez, ma chère, que cette imitation fût bonne pour vendre votre terre, vous pourrez vous en servir.

Que dites-vous du mariage de Monsieur ? Ce sont des traits de la Palatine ; c'est sa nièce et celle de la princesse de Tarente. Vous comprenez bien la joie qu'aura Monsieur d'avoir à se marier en cérémonie. Quelle joie encore d'avoir une femme qui n'entende pas le français ! On dit qu'elle est belle ; du reste, elle n'est pas plus riche que Mlle de Grancey. On dit que, le jour que ce mariage fut déclaré, les *Anges* disparurent pour huit jours, ne pouvant soutenir les premiers jours de cette nouvelle. Cette Madame ne représentera guère bien celle que nous avons perdue[1].

Mme de La Fayette me mande qu'elle allait vous écrire, mais que la migraine l'en empêche. Elle est fort à plaindre de ce mal ; je ne sais s'il ne vaudrait pas mieux n'avoir pas autant d'esprit que Pascal que d'en avoir les incommodités[2]. La date de votre lettre est admirable ; voilà qui est donc bien, ma bonne : je n'ai que vingt ans. Puisqu'il est ainsi, vous n'avez pas sujet de craindre pour ma santé. N'en soyez point en peine ; songez seulement à la vôtre. Cette émotion que la crainte du feu vous a donnée me déplaît beaucoup ; ce fut la vraie raison de votre accouchement de Livry. Tâchez, ma bonne, d'éviter autant que vous pourrez tout ce qui vous peut émouvoir. J'aime déjà ce <chamarier> de Rochebonne[3]. C'est une *bonne roche* que celle dont vous me dépeignez son âme ; c'est à M. de Grignan que j'adresse cette gentillesse, comme à celui qui m'y saura mieux répondre. Je suis bien aise d'avoir encore une maison assurée à Lyon, outre celle de l'Intendant.

Autant qu'un voyage en ce monde peut être sûr, celui de Provence l'est pour l'année qui vient. Ma chère enfant, gouvernez-vous bien entre ci et là. C'est mon unique soin, et la chose du monde dont je vous serai la plus sensiblement obligée ; c'est là que vous pouvez me témoigner solidement l'amitié que vous avez pour moi. Il me semble que vous voyez bien des Provençaux à Grignan. Si vous saviez aussi, ma bonne, la quantité de Bretons que l'on voit tous les jours ici, cela n'est pas imaginable[1].

Vous me ravissez quand vous me dites que vous aimez le Coadjuteur, et qu'il vous aime. J'ai cette union dans la tête ; il me semble qu'elle est entièrement nécessaire à votre bonheur. Conservez-la, et prenez de ses conseils pour vos affaires. Notre Abbé vous adore toujours. La petite Mousse a une dent de moins, et ma petite-fille une dent de plus ; ainsi va le monde. Je bénis Flachère[2] de vous avoir sauvée du feu, et je vous embrasse plus tendrement mille fois que je ne vous le puis dire. Adieu, ma très chère et très aimable bonne. Chésières est guéri au bruit du trictrac de chez M. d'Harouys, qui vous adore, ce d'Harouys.

73. À MADAME DE GRIGNAN

Aux Rochers, mercredi 19 août [1671].

Vous me dites fort plaisamment l'état où vous met mon papier parfumé. Ceux qui vous voient lire mes lettres croient que je vous apprends que je suis morte, et ne se figurent point que ce soit une moindre nouvelle. Il s'en faut peu que je ne me corrige de la manière que vous l'avez imaginé ; j'irai toujours dans les excès pour ce qui vous sera bon et qui dépendra de moi. J'avais déjà pensé que mon papier pourrait vous faire mal, mais ce n'était qu'au mois de novembre que j'avais résolu d'en changer ; je commence dès aujourd'hui, et vous n'avez plus à vous défendre que de la puanteur[1].

Vous avez une assez bonne quantité de Grignan ; Dieu vous délivre de la tante, elle m'incommode d'ici. Les manches du Chevalier font un bel effet à table. Quoiqu'elles entraînent tout, je doute qu'elles m'entraînent aussi ; quelque faiblesse que j'aie pour les modes, j'ai une grande aversion pour cette saleté. Il y aurait de quoi faire une belle provision à Vitré. Je n'ai jamais vu une si grande chère. Nulle table à la cour ne peut être comparée à la moindre des douze ou quinze qui y sont ; aussi est-ce pour nourrir trois cents personnes qui n'ont que cette ressource pour manger. Je partis lundi de cette bonne ville, après avoir fait vos compliments à Mme de Chaulnes, à Mlle de Murinais. On ne peut jamais ni les mieux recevoir, ni les mieux rendre. <La Murinais voulut lire son nom, doutant de son bonheur. Je crois que cette fille vous plairait ; elle a quelque chose dans l'humeur qui ne vous serait pas désagréable.>

Toute la Bretagne était ivre ce jour-là. Nous avions dîné à part. Quarante gentilshommes avaient dîné en bas, et avaient bu chacun quarante santés ; celle du Roi avait été la première, et tous les verres cassés après l'avoir bue. Le prétexte était une joie et une reconnaissance extrême de cent mille écus que le Roi a donnés à la province sur le présent qu'on lui a fait, voulant récompenser <la bonne grâce qu'on a eue à lui obéir. Par cet effet de sa libéralité,> ce n'est donc plus que deux millions deux cent mille livres, au lieu de cinq cents. Le Roi a écrit de sa propre main mille bontés pour sa bonne province de Bretagne. Le Gouverneur a lu la lettre aux États et la copie en a été enregistrée ; il s'est élevé un cri jusqu'au ciel de « Vive le Roi », et ensuite on s'est mis à boire, mais boire, Dieu sait ! M. de Chaulnes n'a pas oublié la gouvernante de Provence, et un Breton ayant voulu nommer votre nom et ne le sachant pas, s'est levé, et a dit tout haut : « C'est donc à la santé de Mme de *Carignan.* » Cette sottise a fait rire M. de Chaulnes et d'Harouys jusqu'aux larmes. Les Bretons ont continué, croyant bien dire, et vous ne serez d'ici à plus de huit jours que Madame de *Carignan* ; quelques-uns disent la *comtesse de Carignan*[1] ; voilà en quel état j'ai laissé les choses.

J'ai fait voir à Pomenars ce que vous dites de lui. Il en est ravi ; il veut vous écrire, et en attendant je vous assure qu'il est si hardi et si effronté que, tous les jours du monde, il fait quitter la place au Premier Président, dont il est ennemi, aussi bien que du Procureur général. <Mais cela n'est pas une affaire ; c'est Bussy tout à fait[2].>

Mme de Coëtquen venait de recevoir la nouvelle de la mort de sa petite fille ; elle s'était évanouie. Elle en est très affligée, et dit que jamais elle n'en aura une si jolie ; mais son mari est inconsolable. Il revient de Paris, après s'être accommodé avec le Bordage ; c'était la plus grande affaire du monde. Il a donné tous ses ressentiments à M. de Turenne. Vous ne vous en souciez guère, mais cela se trouve au bout de ma plume[3].

Il y avait dimanche un bal qui fut joli. Nous y vîmes une basse Brette qu'on nous avait assurés qui levait la paille[4]. Ma foi, elle était ridicule et faisait des haut-le-corps qui nous faisaient éclater de rire. Mais il y avait d'autres danseuses et d'autres danseurs qui nous ravissaient.

Si vous me demandez comme je me trouve ici après tout ce bruit, je vous dirai que j'y suis transportée de joie. J'y serai pour le moins huit jours, quelque façon qu'on me fasse pour me faire retourner. J'ai un besoin de repos qui ne se peut dire. J'ai besoin de dormir. J'ai besoin de manger (car je meurs de faim à ces festins). J'ai besoin de me rafraîchir. J'ai besoin de me taire. Tout le monde m'attaquait, et mon poumon était usé. Enfin, <ma bonne,> j'ai trouvé mon Abbé, ma Mousse, ma chienne, mon mail, Pilois, mes maçons ; tout cela m'est uniquement bon, en l'état où je suis. Quand je commencerai à m'ennuyer, je m'en retournerai. Il y a des gens qui ont de l'esprit dans cette immensité de Bretons, et il y en a qui sont dignes de me parler de vous.

J'ai été blessée, comme vous, de *l'enflure du cœur* : ce mot d'*enflure* me déplaît. Et pour le reste, ne vous avais-je pas dit que c'était de la même étoffe que Pascal ? Mais cette étoffe est si belle qu'elle me plaît toujours. Jamais le cœur humain n'a mieux été anatomisé que par ces Messieurs-là[1]. Continuez à nous en mander votre avis. La Mousse vous répondra mieux que moi, car je n'en ai lu que vingt feuillets. <Notre Abbé n'a point reçu de lettres de vous. Elles étaient sans doute avec mes paquets qui ont été> perdus, ces chères, ces aimables lettres dont je suis entourée, que je relis mille fois, que je regarde, que j'approuve. N'est-ce pas un grand <déplaisir> pour moi de savoir que vous m'en écriviez deux toutes les semaines, et de n'en avoir reçu qu'une plus de quatre semaines de suite ? Si c'était pour vous soulager, je l'approuverais, et même je vous le conseillerais, mais vous les avez écrites, et je ne les ai pas. Si vous aviez le mémoire de vos dates, vous verriez bien celles qui vous manquent. Vous l'aviez pour ce fripon de Grignan ; faut-il que je l'embrasse après cette préférence ? Parlez-moi de Mme de Rochebonne, et faites des amitiés à mon cher Coadjuteur et au bel air du Chevalier ; je lui défends de monter à cheval devant vous[1]. On me mande que mes *petites entrailles* se portent bien. Elles vont être habillées ; cela est joli, de *petites entrailles* avec une robe[2].

Si Mme de Simiane voulait savoir des nouvelles de son premier sénéchal[3], vous lui pourriez dire <qu'il planta là cette maîtresse qu'il avait>, qu'après elle, il <épousa> la femme d'un homme qui, enfin, la lui laissa <sans façon ;> et que, présentement, il l'a laissée pour une autre toute mariée aussi, qu'il a enlevée de vive force. C'est l'une des plus belles choses du monde. Mais il a un cadet qui en fait autant en basse Bretagne. On lui a envoyé des gardes pour l'amener. Il y a des gens dont l'étoile fait rire.

<Vous serez aise de voir Mme de Senneterre. Embrassez-la pour moi ; elle le voudra bien. Notre Abbé vous aime chèrement et voudrait bien vous servir. Pour moi, ma bonne, que ne voudrais-je point ? Peut-on aimer quelqu'un, peut-on penser à une personne autant que je vous aime et que je pense à vous ? Tonquedec m'a fait jurer de vous faire ses compliments, et encore plus à M. de Grignan ; il se vante de l'aimer de tout son cœur. Mandez-moi un mot pour lui ; je le lui ferai savoir en basse Bretagne. Il n'est pas assez heureux pour être changé, et, comme vous savez, je ne l'avais pas vu depuis la vallée de Josaphat. C'était assez pour avoir mis du plomb dans sa tête, mais il y a des têtes qui ne se lestent jamais[4].>

M. d'Harouys est aussi étonné que vous de l'aventure de Mme de L<yonne>. Votre raisonnement est bon. Mais, quoique le mari fût accoutumé <d'être cocu pour lui>, il ne l'était pas à celle de son gendre, et c'est ce qui l'a fait éclater, car vous savez bien l'honnête métier de la mère[5].

Vous avez fait des merveilles d'écrire à Mme de

Lavardin. Je le souhaitais ; vous avez prévenu mes désirs.

Voilà tout présentement le laquais de l'Abbé qui, se jouant comme un jeune chien avec l'aimable Jacquine, l'a jetée par terre, et lui a rompu le bras, et démis le poignet. Les cris qu'elle fait sont épouvantables ; c'est comme si une Furie s'était rompu le bras en enfer. On envoie quérir cet homme qui vint pour Saint-Aubin[1]. J'admire comme les accidents viennent, et vous ne voulez pas que j'aie peur de verser ? C'est cela que je crains, et si quelqu'un m'assurait que je ne me ferais point de mal, je ne haïrais pas à rouler quelquefois cinq ou six tours dans un carrosse ; cette nouveauté me divertirait. Mais un bras rompu me fera toujours peur après ce que je viens de voir. Adieu, ma très chère et très aimable belle ; vous savez comme je suis à vous, et que l'amour maternel y a moins de part que l'inclination.

74. À MADAME DE GRIGNAN

Aux Rochers, dimanche 23 août [1671].

Vous étiez donc avec votre présidente de Charmes[2] quand vous m'avez écrit ! Son mari était intime ami de M. Foucquet, dis-je bien ? Enfin, ma fille, vous n'êtes point seule, et M. de Grignan avait raison de vous faire quitter votre cabinet pour entretenir votre compagnie. Ce qu'il aurait pu retrancher, c'est sa barbe de capucin ; il est vrai qu'elle ne lui fait point de tort, puisqu'à Livry, avec sa *touffe ébouriffée*, vous ne pensiez pas qu'Adonis fût plus beau. Je redis quelquefois ces quatre vers avec admiration[3]. J'admire comme le souvenir de certains temps fait de l'impression sur l'esprit, soit en bien, soit en mal. Je me représente cette automne-là, délicieuse, et puis j'en regarde la fin avec une horreur qui me fait suer les grosses gouttes. Et cependant il faut remercier Dieu du bonheur qui vous tira d'affaire[1].

Les réflexions que vous faites sur la mort de M. de Guise sont admirables ; elles m'ont bien creusé les yeux dans mon mail, car c'est là où je rêve à plaisir. Le pauvre La Mousse a eu mal aux dents, de sorte que, depuis longtemps, je me promène toute seule jusqu'à la nuit, et Dieu sait à quoi je ne pense point. Ne craignez point pour moi l'ennui que me peut donner la solitude. Hors les maux qui viennent de mon cœur, contre lesquels je n'ai point de forces, je ne suis à plaindre sur rien. Mon humeur est heureuse, et s'accommode et s'amuse de tout ; et je me trouve mieux d'être ici toute seule que du fracas de Vitré. Il y a huit jours que je suis ici, dans une paix qui m'a guérie d'un rhume épouvantable. J'ai bu de l'eau, je n'ai point parlé, je n'ai point soupé, et quoique je n'en aie point raccourci mes promenades, je me suis guérie.

Mme de Chaulnes, Mlle de Murinais, Mme Fourché[2], et une fille de Nantes fort bien faite, vinrent ici jeudi. Mme de Chaulnes entra en me disant qu'elle ne pouvait être plus longtemps sans me voir, que toute la Bretagne lui pesait sur les épaules, et qu'enfin elle se mourait. Là-dessus elle se jette sur mon lit, on se met autour d'elle, et en un moment la voilà endormie de pure fatigue. Nous causons toujours. Enfin elle se réveille, trouvant plaisante et adorant l'aimable liberté des Rochers. Nous allâmes nous promener, nous nous assîmes dans le fond de ces bois. Pendant que les autres jouaient au mail, je lui faisais conter Rome[3], et par quelle aventure elle avait épousé M. de Chaulnes, car je cherche toujours à ne me point ennuyer. Pendant que nous en étions là, voilà une pluie traîtresse, comme une fois à Livry, qui, sans se faire craindre, se met d'abord à nous noyer, mais noyer à faire couler l'eau de par tous nos habits. Les feuilles furent percées dans un moment, et nos habits percés dans un autre moment. Nous voilà toutes à courir. On crie, on tombe, on glisse, enfin on arrive. On fait grand feu. On change de chemise, de jupe ; je fournis à tout. On se fait essuyer ses souliers. On pâme de rire. Voilà comme fut traitée la gouvernante de Bretagne dans son propre gouvernement. Après cela, on fit une jolie collation, et puis cette pauvre femme s'en retourna, plus fâchée sans doute du rôle ennuyeux qu'elle allait reprendre que de l'affront qu'elle avait reçu ici. Elle me fit promettre de vous mander cette aventure, et d'aller demain lui aider à soutenir le reste des États, qui finiront dans huit jours. Je lui promis l'un et l'autre. Je m'acquitte aujourd'hui de l'un, et demain de l'autre, ne trouvant pas que je me puisse dispenser de cette complaisance.

Mme de La Fayette vous aura mandé comme M. de La Rochefoucauld a fait duc le prince son fils[1], et de quelle façon le Roi a donné une nouvelle pension. Enfin, la manière vaut mieux que la chose, n'est-il pas vrai ? Nous avons quelquefois ri de ce discours commun à tous les courtisans.

Vous avez présentement le prince Adhémar[2]. J'ai reçu sa dernière lettre ; dites-le-lui et l'embrassez pour moi. Vous avez, à mon compte, cinq ou six Grignan. C'est un bonheur, comme vous dites, qu'ils soient tous aimables et d'une bonne société ; sans cela ils feraient l'ennui de votre vie, au lieu qu'ils en font la douceur et le plaisir.

On me mande qu'il y a de la rougeole à Sucy, et que ma tante va prendre mes *petites entrailles* pour les amener chez elle. Cela fâchera bien la nourrice, mais que faire ? C'est une nécessité. C'en sera une bien dure que de demeurer en Provence pour les gages[1], quand vous verrez partir d'auprès de vous Mme de Senneterre pour Paris. Je voudrais bien, ma chère enfant, que vous eussiez assez d'amitié pour moi pour ne me faire pas le même tour quand j'irai vous voir l'année qui vient. Je voudrais qu'entre ci et là vous fissiez l'impossible pour vos affaires ; c'est ce qui fait que j'y pense, et que je m'en tourmente tant. Il faut donc que je vous ramène chez moi, qui est chez vous.

M. de Chésières est ici ; il a trouvé mes arbres crûs. Il en est fort étonné, après les avoir vus (comme M. de M[ontbazon] ses enfants) *pas plus grands que cela*[2]. Il vous baise les mains.

Je suis fort aise que la maladie du pauvre Grignan ait été si courte. Je l'embrasse et lui souhaite toutes sortes de biens et de bonheurs, aussi bien qu'à sa chère moitié, que j'aime plus que moi-même ; du moins je le sens mille fois davantage. Notre Abbé est à vous ; La Mousse attend cette lettre que vous composez.

75. À MADAME DE GRIGNAN

À Vitré, mercredi 26 août [1671]
(dans le cabinet de Mme de Chaulnes).

On me prie d'abord de vous faire mille amitiés pleines de tendresse et d'estime. Après un si heureux commencement, vous devriez espérer une lettre agréable, mais je doute fort que cela puisse être, car vous saurez, ma <pauvre bonne>, que je ne sais rien.

Si je vous entretenais de mes pensées, je vous parlerais de vous, et vous êtes trop près du sujet pour que cela pût vous divertir.

Je vins ici dimanche au soir assez tard. M. de Chaulnes fit la plaisanterie de m'envoyer quérir par ses gardes, m'écrivant que j'étais nécessaire pour le service du Roi, et que Mme de Chaulnes m'attendait à souper. J'y vins ; <j'y fus reçue en perfection.> J'y trouvai beaucoup de monde d'augmentation ; tant pis ! Lundi, M. d'Harouys donna un dîner à M. et à Mme de Chaulnes, à tous les magistrats et commissaires. J'y étais ; l'Abbé y vint. Le prétexte était de voir les réparations que je demande qu'on fasse à la Tour de Sévigné ; on n'y regarda pas[1]. Ce fut le plus beau repas que j'aie vu depuis que je suis au monde. Mais écoutez le malheur. Comme nous montions en carrosse pour y aller, voilà une faiblesse qui prend à M. de Chaulnes, avec le frisson ; en un mot, la fièvre. Mme de Chaulnes, tout affligée, s'enferme avec lui, et Mlle de Murinais et moi, nous tenons leur place. M. d'Harouys fut tout mortifié. Tout fut triste ; on ne songea qu'à ce contretemps. Le soir, la fièvre le quitta, mais je crois qu'il l'a présentement, et c'est la tierce. Voilà comme les maux viennent. Conservez-vous ; si vous étiez dans un autre état, je vous dirais de marcher, mais je ne le dis pas. Je suis persuadée que la plupart des maux viennent d'avoir le cul sur la selle.

Pomenars vous fait dix mille compliments. Il conte qu'une femme, l'autre jour à Rennes, ayant ouï parler des *medianoche,* dit à quatre heures du soir qu'elle venait de faire *medianoche* chez la Première Présidente ; cela est bien d'une sotte bête qui veut être à la mode[2].

Je crois que ma tante vous aura mandé comme

elle a retiré la petite de chez la nourrice. Elle est échauffée et ma tante la remettra bientôt en bon état ; elle ne dormait pas assez. Enfin je suis ravie que ma tante veuille s'amuser, et Antoine, à la gouverner. Ne vous mettez en peine de rien. Ôtez ce petit soin de votre esprit ; vous en avez assez d'autres.

<Mme de Villars est très contente de votre lettre. Elle croit que c'est une réponse à une qu'elle vous a écrite par une autre voie ridicule, c'est-à-dire tout droit de Paris, de sorte qu'elle ne se servira pas si tôt de celle que je lui avais offerte[1].>

Voilà, <ma bonne,> tout ce que je vous écrirai d'ici ; peut-être que tantôt je dirai encore quelque chose en fermant mon paquet. Quoi qu'il en soit, ma très aimable <bonne>, vous savez bien que je suis tout à vous, mais dans la vérité, et nullement par manière de parler.

Je veux vous parler d'un bal qu'il y eut hier au soir ; hormis les grands bals que nous avons vus, on ne peut en faire un plus joli. Plusieurs beautés de basse Bretagne y brillaient, et Mlle de <Lannion surtout[2]>, qui est une très belle fille et qui danse très bien. Elle a un amant qu'elle va épouser ; il était derrière elle. Mais M. de Rohan, qui la trouve belle dès l'année passée, s'est pendu à son oreille d'une si étrange façon, et elle s'est fichée dans ses cheveux pour lui répondre d'une si extraordinaire manière, que l'amant a quitté la place ; la demoiselle ne s'en est pas émue. Sa mère lui faisait des yeux ; point de nouvelles. Enfin elle a donné dans la seigneurie à bride abattue. Cela nous a fort réjouis. Mais sera-t-il possible, <ma bonne,> que M. de Grignan ne me donne jamais le plaisir de vous voir danser un moment ? Quoi ! je ne reverrai jamais cette danse et cette grâce parfaite qui m'allait droit au cœur ? J'en vois ici des morceaux séparés, mais je voudrais bien revoir le tout ensemble. Je meurs quelquefois d'envie de pleurer au bal, et quelquefois j'en passe mon envie sans que personne s'en aperçoive. Certains airs, certaines danses font cet effet très ordinairement. Mon petit Locmaria a toujours un air charmant. Il fut un peu hier au soir tout auprès de la cadence. Je ne sais s'il n'était point ivre ; cela se dit ici sans qu'on s'en offense. <Adieu, ma très chère enfant.>

76. À MADAME DE GRIGNAN

Aux Rochers, dimanche 30e août [1671].

Vraiment, ma bonne, il n'en faut pas douter : je perds toutes les semaines une de vos lettres, ou du moins très souvent. Vous seriez toujours dix jours sans m'écrire quand je n'en reçois qu'une ; je suis assurée que cela n'est pas, et que, par exemple, j'en ai perdu une très bonne cet ordinaire, et n'ai reçu que celle que vous m'écriviez dans l'accablement de vos Provençaux. Je suis triste de ce malentendu, et vous verriez aisément ce désordre si vous écriviez vos dates. Un chagrin que cela me donne encore, c'est que je commence toutes mes lettres par ce sot chapitre ; c'est un beau début et bien agréable ! Mais le moyen de perdre vos lettres sans en avoir beaucoup de chagrin ! Mille choses que je voudrais savoir, que je suis assurée que vous m'avez mandées ! Si vous étiez appliquée comme moi au plaisir de notre commerce, vous sentiriez bien ce que je veux dire, mais vous recevez toutes mes lettres, et vous avez tant de trains dans votre hôtellerie que la dame du logis n'a pas le loisir de se tourner[1].

Parlons un peu de votre sang que vous dites qui n'est point échauffé. J'en suis bien aise pour une raison, et j'en suis fâchée pour une autre ; c'est qu'il y a moins de remède. Et puisque c'est l'air, et qu'il faudrait changer de place aux brouillards et mettre au-dessus de votre tête ce qui est au-dessous de vos pieds[1], je ne vois pas trop bien quel remède je pourrais apporter à ce malheur. J'en sais un pourtant, dont j'espère que vous vous servirez quand j'irai en Provence. C'est un grand déplaisir que votre beau teint ne puisse pas soutenir l'air de Provence. Autrefois, dans ma jeunesse, l'air de Nantes, un peu mêlé de celui de la mer, me perdait tout le mien[2]. En un mot, ma bonne, c'est un bon air que celui de l'Île-de-France. Celui de Vitré tue tout le monde. Le serein du Parc est une chose que je ne soutiens pas, moi qui soutenais sans trembler tout celui de Livry ; aussi tout le monde y tombe malade.

M. de Chaulnes se porte bien mieux. Ils partiront tous devant qu'il soit six jours. La compagnie est belle et bonne, mais c'est avec une grande joie qu'on se sépare.

Je revins ici vendredi voir un peu mon Abbé, ma Mousse et mes bois. Aujourd'hui, j'attends Monsieur de Rennes et trois autres évêques à dîner ; je leur donnerai une pièce de bœuf salé. Après dîner, Mme de Chaulnes me vient reprendre pour me remener à Vitré dire adieu à la seigneurie. M. Boucherat, Monsieur le Premier Président et la voiture complète de magistrats doivent venir aussi. Comme ils m'emmèneront et que je n'aurai plus le temps de fermer mes lettres, je les vais cacheter dès ce matin.

Le contrat de notre province avec le Roi fut signé vendredi, mais auparavant, on donna deux mille louis d'or à Mme de Chaulnes, et beaucoup d'autres présents. Ce n'est point que nous soyons riches, mais c'est que nous avons du courage, c'est que nous sommes honnêtes, et qu'entre midi et une heure nous ne savons point refuser nos amis ; c'est l'heure du berger. Les vapeurs de vos fleurs d'orange ne font pas de si bons effets[1]. Je ne sais pas comme vous vous portez, mais votre santé est bue tous les jours par plus de cent gentilshommes qui ne vous ont jamais vue et qui ne vous verront jamais ; ceux qui vous ont vue ne sont pas ceux qui célèbrent le mieux votre santé. Lavardin et le comte des Chapelles ont fait des bouts-rimés que je leur ai donnés, qui sont très jolis et que je vous enverrai. Vous serez bien aise de savoir aussi que, l'autre jour, M. de Bruquenvert dansa très bien le passe-pied avec Mlle de Kerikivili[2]. Voilà de ces choses que vous ne devez pas ignorer ; ne m'attaquez pas sur les noms, j'y suis forte présentement.

Les grandeurs de province sont ici dans leur lustre, de sorte que, l'autre jour, la beauté de la charge de M. de Grignan fut admirée et enviée. Être seul est une chose qui charme fort. M. de Molac, qui est accablé par M. de Lavardin, M. de Lavardin par M. de Chaulnes, et les lieutenants de roi par les lieutenants généraux, enviaient bien ce bonheur. On voulait aussi, dans l'humeur de faire des présents, proposer aux États de donner dix mille écus à M. et à Mme de Grignan. M. de Chaulnes soutenait qu'ils écouteraient la proposition ; d'autres, qu'ils le feraient. Enfin nous en demeurâmes à l'envie d'en faire courir le bruit sourdement, faire murmurer quelques bas Bretons, et puis les radoucir à table, et leur faire promettre de le proposer.

Mais que dites-vous de M. de Coulanges, qui s'en va vous voir ? Le joli homme ! qu'il est heureux[3] ! Je crois, ma bonne, que vous serez fort aise de le voir tourner dans votre château ; sa gaieté vous en donnera. Il vous dira comme votre fille est considérée et jolie, et vous portera un paquet de linges pour qui il appartiendra. Votre hanche me désole[1], et fait que je n'ai plus de courage. Tout ce que je désire, et qui est bien assez pour moi, c'est que vous vous portiez bien et que, pour l'amour de moi, vous ayez de l'application à votre santé et à votre conservation.

Je trouve votre esprit dans une philosophie et dans une tranquillité qui me paraît bien plus au-dessus des brouillards et des grossières vapeurs que le château de Grignan. C'est tout de bon que les nuages sont sous vos pieds. Vous êtes élevée, ma bonne, dans la moyenne région, et vous ne m'empêcherez pas de croire que ces beaux noms, que vous dites que vous donnez à des qualités naturelles, sont un effet de votre raison et de la force de votre esprit. Dieu vous le conserve si droit ! il ne vous sera pas inutile. Mais il faut un peu agir, afin que votre philosophie ne se tourne pas en paresse et que vous puissiez être en état de revoir un pays où les nues sont au-dessus de vous. Il me semble que je vous vois dans l'indolence que vous donne l'impossibilité ; ne vous y abandonnez qu'autant qu'il est nécessaire pour votre repos, et non pas assez pour vous ôter l'action et le courage[2].

Je vous plains bien d'avoir des femmes[3] ; vous savez comme je les hais. Vos statues d'hommes sur des piédestaux sont bien ennuyeuses. Vous me ferez aimer l'amusement de nos Bretons, plutôt que l'indolence parfumée de vos Provençaux. Mais où sont donc ces esprits si vifs, si brillants, ces têtes si près du bonnet, ces imaginations échauffées par un si bon soleil ? Au moins vous devriez avoir des fous et, dans la quantité, vous en trouveriez quelqu'un qui vous pourrait divertir. Je ne comprends point bien votre Provence ni vos Provençaux. Ah ! que je comprends bien mieux mes Bretons !

Si je vous disais tous ceux qui vous font des compliments, il faudrait un volume : M., Mme de Chaulnes, M. de Lavardin, M. le comte des Chapelles, Tonquedec, l'abbé de Montigny, évêque de Léon, M. d'Harouys cinq cent mille fois, Jean Fourché, Chésières, etc., sans compter mon Abbé, qui n'a jamais reçu votre dernière lettre, et notre Mousse qui attend celle que vous composez. Pour moi, ma bonne, sans en faire à deux fois, je vous conjure d'embrasser tous vos aimables Grignan. J'ai vu des manches comme celles du Chevalier ; ah ! qu'elles sont belles dans le potage et sur des salades[1] !

Je viens d'écrire à Monsieur de Marseille une lettre qui me plaît. Adieu, ma très belle et très infiniment chère. Je ne vous dis rien de mon amitié ; c'est que je ne vous aime pas.

77. À MADAME DE GRIGNAN

À Vitré, mercredi 2 septembre [1671].

<J'ai reçu cette lettre seule. Elle est> venue droit de Paris, sans passer par les mains de M. Dubois, et de plus je l'ai reçue, selon votre date, cinq jours après qu'elle a été écrite, de sorte que toute cette lettre est miraculeuse. Il n'est pas besoin de tant de merveilles <pour me les rendre bien chères. J'en ai vu une d'une fille à une mère. Cette fille n'écrit pas comme vous, elle n'a pas de l'esprit comme vous, mais elle a de la tendresse et de l'amitié comme vous ; c'est [Mme] de Soubise à Mme de Rohan. Je fus surprise hier de voir, dans un endroit de sa lettre, le fond de

son cœur pour Mme de Rohan, et aussi quelle tendresse naturelle Mme de Rohan sent pour elle. Mais voici une belle digression. Vous n'êtes guère en état d'en faire, vous, pauvre personne, qui êtes toujours occupée.> Votre souvenir est au-dessus des distractions ; c'est lui qui les fait aux autres. <Vous êtes au-dessus de tout ce qui m'étonne ; vous êtes au-dessus du vent et des nuages.> Nos États ont beau crier, danser, boire, votre idée se sait toujours faire place. Il y a ici de grandes fronderies[1], mais cela s'apaise en vingt-quatre heures, et j'espère que, dans trois jours, tout sera fini. Je le souhaite beaucoup.

Je n'ose plus aller aux Rochers ; on en a trouvé le chemin. Il y avait dimanche cinq carrosses à six chevaux. Je meurs d'envie d'être retournée dans ma solitude. On l'a trouvée belle : Combourg n'est pas si beau[2]. Il ne faut pas que vous croyiez que nos maisons de Bretagne soient comme Grignan ; il s'en faut beaucoup.

Pour M. de Locmaria, sans tourner autour du pot, il a tout l'air de Termes[3], sa danse, sa révérence, mettre et ôter son chapeau, sa taille, sa tête. Voyez si ce petit vilain-là n'est pas assez joli. La *Murinette beauté* le voudrait bien épouser, mais il n'est pas de même pour elle. Le comte des Chapelles est ravi de ce que vous avez mis de lui dans ma lettre. Nous parlons sans cesse de vous, lui et Pomenars. Ce dernier vous mande que sa hardiesse est encore augmentée, et qu'il ne peut jamais être pendu, puisqu'il ne l'a point été. L'Abbé vient quelquefois dîner ici avec La Mousse, qui n'est nullement embarrassé de tout ceci. Je l'ai si bien fait valoir partout, et chez Mme de Chaulnes et chez M. Boucherat et chez l'évêque de Léon, qu'il y est comme chez moi. Il parle des petites parties[4] avec cet évêque, qui est cartésien à brûler, mais, dans le même feu, il soutient aussi que les bêtes pensent ; voilà mon homme. Il est très savant là-dessus ; il a été aussi loin qu'on peut aller dans cette philosophie, et Monsieur le Prince en est demeuré à son avis. Leurs disputes me divertissent fort.

On me mande que notre petite est fort jolie ; elle me divertira bien cet hiver chez moi. Adieu, ma très chère enfant. <Ma plume me fait enrager ; je finis,> je vous embrasse.

<La petite Deville me mande que vous êtes belle. Mon Dieu ! qu'il m'ennuie de ne vous point voir et quelle extrême joie quand j'entendrai le son de votre voix ! Ce jour arrivera, comme tant d'autres qu'on ne souhaite point.

Je vous écris deux fois la semaine. Je crois que vous recevez mes lettres réglément ; hélas ! il n'en est pas de même des vôtres. Le désordre vient depuis chez vous jusqu'à Lyon, car après Lyon, tout va bien. Mais j'admire que dans votre pays les lettres puissent être perdues[1].>

78. À MADAME DE GRIGNAN

À Vitré, dimanche 6 septembre [1671].

<Ah ! ma fille, que vous veut donc ce feu qui tourne autour de vous et qui vous fait des frayeurs à toute heure ? Pour vous dire le vrai, je doute que cela ne vous fasse point de mal ; souvenez-vous de ce que vous fit une fois la peur de voir le Chevalier à cheval. Je voudrais que, du moins, cela vous servît à faire redoubler le soin de tous vos gens pour empêcher que le malheur du feu n'arrive chez vous.

J'exhorte Deville, par l'affection qu'il a pour vous, à faire sa ronde plus exactement que jamais.

Au reste, vous croyez qu'un rhume n'est rien en l'état où vous êtes. Je vous avertis que c'est beaucoup et que, peut-être, vous n'en guérirez qu'en accouchant. Je vous recommande aussi la sagesse dans votre septième. On porte quelquefois les filles heureusement, et les garçons ont des fantaisies de venir plus tôt et en prennent le chemin au sept. Faites réflexion sur ce discours ; je défie Mme du Puy-du-Fou de mieux dire. Après cette leçon de matrone, je vous ferai mille compliments de la part de Chésières. Vous vous êtes souvenue très à propos du vers de M. de Grignan. Vous aurez vu par une de mes lettres que je suis bien loin d'oublier ce temps-là.>

Vous avez une tribu de Grignan, ma chère fille, mais ils sont tous si aimables qu'on doit se réjouir avec vous de cette bonne compagnie. <Je suis étonnée d'apprendre que vous avez M. de Chattes[1]. Il est vrai que j'ai été trois jours avec lui à Savigny. Il me paraissait fort honnête homme ; je lui trouvais une ressemblance en détrempe[2] qui ne le brouillait pas avec moi. S'il vous conte ce qui m'arriva à Savigny, il vous dira que j'eus le derrière fort écorché d'avoir couru un cerf avec Mme de Sully, qui est présentement Mme de Verneuil.> Vous croyez ne me rien dire en m'assurant que vous aimez ceux qui vous parlent de moi ; c'est une marque d'amitié tellement naturelle que je veux vous en remercier tout à l'heure, et vous embrasser de tout mon cœur. Il y a aussi des marques d'aversion qui font bien mourir. Je suis trop habile sur ce chapitre, mais il faut avouer aussi que je ne l'ai pas appris sans mettre beaucoup au jeu.

Que dites-vous de Marsillac qui est duc ? J'approuve fort ce qu'a fait son père. C'était le seul moyen de le faire jouir de cette dignité sans une extrême douleur. C'eût été un honneur bien empoisonné que de l'avoir en perdant un tel père. Il me semble aussi que le nom et le mérite de M. de La Rochefoucauld est une dignité fort au-dessus de celle qu'il a donnée.

La Marans voulut aller l'autre jour à Livry avec Mme de La Fayette ; on la renvoya sans autre forme de procès. Elle contait qu'elle avait eu tout le jour Monsieur le Prince chez elle, et on ne fit pas semblant de l'écouter. Oh ! ma fille, cela est bon, et fait bien enrager les folles qui se vantent.

En fermant ma lettre, je vous parlerai des États, et de mon heureux retour aux Rochers.

« Il n'est si bonne compagnie qui ne se sépare », dit M. de Chaulnes aux Bretons, quand il les renvoya chez eux. Les États finirent à minuit. J'y fus avec Mme de Chaulnes et d'autres femmes. C'est une très belle, très grande et très magnifique assemblée. M. de Chaulnes a parlé à *tutti quanti* avec beaucoup de dignité et en termes convenables à ce qu'il avait à dire. Après dîner, chacun s'en va de son côté. Je serai ravie de retrouver mes Rochers. J'ai fait plaisir à plusieurs personnes. J'ai fait un député, un pensionnaire ; j'ai parlé pour des misérables. Et de *Caron pas un mot*, c'est-à-dire rien pour moi, car je ne sais pas demander sans raison[1].

Voici ce que je fis l'autre jour ; vous savez comme je suis sujette à me tromper. Je vis avant dîner, chez M. de Chaulnes, un homme au bout de la salle, que je crus être le maître d'hôtel. J'allai à lui, et lui dis : « Mon pauvre Monsieur, faites-nous dîner ; il est une heure, je meurs de faim. » Cet homme me regarde, et me dit : « Madame, je voudrais être assez heureux pour vous donner à dîner chez moi. Je me nomme Pécaudière ; ma maison n'est qu'à deux lieues de Landerneau. » Mon enfant, c'était un gentilhomme de basse Bretagne. Ce que je devins n'est pas une chose qu'on puisse redire ; je ris encore en vous l'écrivant.

Voilà une pièce que M. de Chaulnes vous envoie. Je la crois de Pellisson, d'autres disent de Despréaux ; dites-m'en votre avis. Pour moi, je vous avoue que je la trouve parfaitement belle ; lisez-la avec attention, et voyez combien il y a d'esprit[1]. <J'ai mille compliments à vous faire de tout le monde. On a donné cent mille écus de gratifications : deux mille pistoles à M. de Lavardin, autant à M. de Molac, à M. Boucherat, au Premier Président, aux lieutenants de roi, etc., deux mille écus au comte des Chapelles, autant au petit Coëtlogon, enfin des magnificences. Voilà une province !>

Mme de La Fayette est à Livry, d'où elle m'écrit des gaillardises, malgré tous ses maux. M. de La Rochefoucauld m'écrit aussi. Ils me disent qu'ils me souhaitent. Mais c'est moi qui souhaite bien de vous y revoir ; cette espérance me soutient la vie. Au reste, j'ai supputé, vous aurez achevé dans cinquante ans de traduire le Pétrarque, à un sonnet par mois. Cet ouvrage est digne de vous ; ce ne sera pas un impromptu.

Adieu, ma chère enfant ; songez quelquefois à moi avec vos Grignan. Je m'en vais aux Rochers, si contente d'être hors d'ici que je suis honteuse d'être si aise en votre absence. Quand je relis mes lettres, je suis toujours tentée de les brûler en voyant les bagatelles que je mande. Mais dites, ne vous fatiguent-elles point ? car je pourrais fort bien les retrancher, sans vous aimer moins pour cela.

79. À MADAME DE GRIGNAN

Aux Rochers, ce <mercredi> 9 septembre [1671].

Enfin, ma bonne, me voilà toute reposée, toute tranquille, toute contente d'être en repos dans ma solitude. J'ai eu tantôt encore un petit goupillon[1] ; c'est M. de Lavardin qui est demeuré à Vitré pour faire son entrée à Rennes, et qui est présentement le gouverneur de la province par l'absence de M. de Chaulnes. Il n'est plus suffoqué par sa présence, de sorte que les trompettes, les gardes, tout est étalé. Il est venu me voir en cet équipage, avec vingt gentilshommes de cortège ; le tout ensemble faisait un véritable escadron. Dans ce nombre étaient des Locmaria, des Coëtlogon, des abbés de Feuquières[2], et plusieurs <qui ne s'estiment pas moins que les> autres. On s'est promené, on a mangé légèrement, et le comte des Chapelles, que j'ai amené de Vitré, m'a aidée à faire les honneurs. Le voilà qui a bien la mine de vous dire lui-même combien nous parlons de vous et combien toutes choses nous en font souvenir. Nous sentons plus que jamais que la mémoire est dans le cœur, car, quand elle ne nous vient point de cet endroit, nous n'en avons pas plus que des lièvres. Nous avons trouvé un petit rond de bois, où, entre plusieurs belles choses que vous avez écrites, nous avons lu :

Dieux ! que j'aime la tigrerie[3] !
C'est le métier des beaux esprits.

Nous vous prions de nous mander si cette vertu n'est point un peu endormie en vous par le peu d'occupation que vous lui donnez ; nous ne voyons pas bien sur qui vous la pourriez exercer, et cela fait espérer que vous en perdrez l'habitude.

DU COMTE DES CHAPELLES

Il serait difficile, Madame la Comtesse, que cette occupation en eût moins où vous êtes qu'elle n'en avait quand vous écriviez cette belle et cruelle sentence. Il me souvient, hélas ! que j'étais jaune et mourant et que vous étiez belle et de bon goût, et qu'ainsi vous n'aviez aucune occasion de vous entretenir dans cet exercice. Il vaut bien mieux que je vous parle d'une autre devise que j'ai retrouvée auprès de celle-là, et qui est écrite du même temps :

Mas morir en presencia
Che viver en absencia[1].

Celle-ci me plaît encore à tel point que je crois que je la rendrai véritable, et que je ne sortirai pas deux fois en ma vie des Rochers sans en mourir de regret. Peut-être eût-ce été mieux fait, mourir pour mourir, de mourir dès la première fois. Car, toute belle et charmante que vous êtes, personne n'est encore mort à votre honneur, et nous en aurions eu beaucoup tous deux, si j'avais eu cet esprit-là. Mais, comme vous savez, Madame, ce qui ne se fait pas une fois, se peut faire une autre. Et je trouve même, pourvu qu'on ôte à notre marquise la part qu'elle y prétend, qu'il sera encore plus glorieux pour vous de mourir dans un lieu où l'on se souvient que vous avez été, que quand vous y étiez. C'est en ce rencontre qu'il sera bien prouvé que la mémoire est dans le cœur, ou que le cœur est dans la mémoire, choisissez. Pour dire le vrai, vous ne sentez guère ni l'un ni l'autre pour moi, puisque vous ne prenez pas la peine de me faire réponse. J'en suis plus affligé qu'offensé, car je me faisais un grand plaisir de revoir un caractère[1] pour lequel je conserve une vénération toute particulière, quoiqu'il n'ait jamais servi à me marquer la moindre apparence d'amitié. Mais des reproches à une *tigresse* ne servent de rien. Au reste M. de Lavardin vient d'honorer les Rochers de sa présence, accompagné d'une nombreuse noblesse. Aussi y a-t-il été reçu avec toute la politesse imaginable et régalé dans le bois d'une propre et galante collation. Ainsi finit l'histoire et la lettre, Madame, du plus tendre et du plus respectueux de vos très humbles serviteurs[2].

Je lui ôte la plume, car il ne finirait jamais, et j'aime qu'on finisse. Il s'est tellement attendri par le souvenir de vous avoir vue ici que M. de Lavardin nous en a trouvés, l'un et l'autre, si tristes que cela nous donnait un air coupable. Il semblait que la compagnie nous embarrassât, et il était vrai. Nous avions affaire en Provence quand ils sont arrivés, ou pour mieux dire ici, car c'était en se souvenant de vous y avoir vue qu'on se plaignait de ne vous y voir plus. Pour moi, je ne m'accoutume point qu'on m'ait ôté ma fille, qu'on me l'ait enlevée et emmenée si loin. Il ne faut pas moins d'estime et d'amitié que j'en ai, pour M. de Grignan et pour tous les Grignan, pour le souffrir, ni être moins persuadée de la tendresse qu'ils ont pour vous, pour ne pas succomber à tous moments à cette pensée. Ma bonne, savez-vous que je vous aime plus que ma vie.

80. À MADAME DE GRIGNAN

Aux Rochers, <dimanche> 13e septembre [1671].

Enfin, ma bonne, voilà deux de vos lettres que je reçois à la fois. C'est ainsi que je devrais toujours les recevoir, et il s'en faut bien que je n'aie réglément cette joie, sans que ni moi ni le petit Dubois nous puissions encore savoir ni pourquoi ni comment je les reçois quelquefois, ni pourquoi je ne les reçois pas ; il tâche à me démêler ce mystère. Cependant j'ai bien perdu de vos lettres, et c'est une étrange perte pour moi. Je crois, ma bonne, que vous aimez mes lettres, mais c'est une chose bien précieuse pour moi que les vôtres. Il y a de l'esprit, de l'agrément, du bon sens, de la tendresse, et le tout d'un style qui me touche et qui me plaît ; enfin je puis dire que

Rien ne peut réparer les biens que j'ai perdus[1] !

C'est une chose, aussi, bien désagréable que de n'avoir pas reçu les deux lettres d'affaires ; il n'y a pas de plaisir à perdre ce qui se dit là-dessus. Notre Abbé en est inconsolable et se plaignait de votre silence. La lettre que vous lui avez écrite et qu'il n'a point reçue l'afflige très véritablement. Il vaudrait mieux qu'elle fût encore où est sa réponse que d'être entre les mains de qui n'a pas besoin de ces sortes de détails[2]. Enfin je sens tous les chagrins que cela peut donner.

Mais, ma bonne, la peur que vous avez eue et qui vous oblige à garder le lit m'en fait bien plus qu'à vous. Je suis persuadée que rien ne vous est si contraire que ces sortes d'émotions. Je vous en parlais l'autre jour, dans une de mes lettres, comme de la chose du monde que vous devez le plus éviter. Ce fut l'unique sujet du malheur qui vous arriva à Livry, et si c'était encore le même Chevalier, il ne mourrait que de ma main. Vous deviez bien me mander ce qui vous avait effrayée. Songez qu'il faut que je sois huit jours sans savoir ce que votre sagesse aura produit. Je vous en remercie, ma bonne, et suis assurée qu'en gardant votre lit, vous pensez à moi.

Notre Coadjuteur m'a écrit des merveilles, mais je ne suis pas d'assez bonne humeur pour lui répondre ; la main droite est plus embarrassée par le chagrin de l'esprit que par la goutte de la main gauche. Quoiqu'il m'explique fort nettement la relation qu'il y a de l'une à l'autre, j'ai été tentée, au bout de son raisonnement, de dire comme à la farce de Molière, après un discours à peu près de la même force : *Et c'est cela qui fait que votre fille est muette*. Des comédiens de campagne l'ont jouée parfaitement bien à Vitré, où on pensa pâmer de rire[1].

Ce que vous dites de la *Murinette* est extrêmement vrai. Il est certain que son humeur est aimable, quoiqu'il y ait quelque chose de brusque et de sec, mais cela est ajusté avec de si bons sentiments qu'il est impossible que cela déplaise. Je m'en vais <envoyer> vos deux lettres à Nantes, à d'Harouys et au comte des Chapelles. Ce dernier ne respirait que cette réponse. Pour d'Harouys, il s'embarquait à payer aux États cent mille francs plus qu'il n'avait de fonds, et trouvait que cela ne valait pas la peine de le dire. Un de ses amis s'en aperçut. Il est vrai que ce ne fut qu'un cri de toute la Bretagne, jusqu'à ce qu'on lui eût fait justice ; il est adoré partout, et c'est avec raison[2].

Un beau matin nos États donnèrent des gratifications pour cent mille écus. Un bas Breton me dit qu'il pensait que les États allassent mourir, de les voir ainsi faire leur testament, et donner leur bien à tout le monde. Plût à Dieu qu'à proportion on fût aussi libéral en votre Provence ! J'aime nos Bretons ; ils sentent un peu le vin, mais votre fleur d'orange ne cache pas de si bons cœurs. J'en excepte les Grignan, un, deux, trois, quatre, cinq, six, que j'aime, que j'estime, et que j'honore tous au prorata de leurs dignités.

Vous avez des fruits que je dévore déjà par avance. J'en mangerai l'année qui vient, si je ne meurs entre ci et là. Quelle joie, ma bonne ! et que j'aime le temps à venir, quelque mal qu'il me puisse faire d'ailleurs, quand je songe au bien qu'il m'apporte tous les jours ! Conservez votre santé, votre beauté, votre amitié entre ci et là, afin que rien ne manque à ma joie.

Que dites-vous de celle de M. d'Andilly, de voir M. de Pomponne ministre et secrétaire d'État ? En vérité, il faut louer le Roi d'un si beau choix. Il était en Suède ; il pense à lui et lui donne cette charge de M. de Lyonne, avec toutes les facilités nécessaires pour faire qu'il la puisse payer. Quelles merveilles ne fera-t-il point en cette place, et quelle joie et ses amis et ses amies n'en doivent-ils point avoir ? Vous savez la part que j'y dois prendre ; c'est sur un choix comme celui-là que je ferais fort bien une ode à la louange du Roi. Un petit mot de réjouissance au père ou au fils ne serait-il point de bonne grâce à vous, ma bonne, qui êtes si aimée de toute la famille ?

Mais il faut vous bien porter et que cette frayeur ne vous ait rien gâté. Il me semble que vous êtes dans votre septième mois ; cela me fait trembler, et d'autant plus que c'est un garçon. Vous me le promettez au moins ; n'allez pas, par votre négligence, le laisser devenir fille. Je vous avoue que j'ouvrirai vos lettres de vendredi avec une grande impatience et une grande émotion. Mais elles ne sont pas d'importance, mes émotions, et un verre d'eau en fait l'office[1].

Nous sommes de bonnes friponnes, de tout ce que nous disons sur le sujet de Mme de Coëtquen[2].

Vous prenez goût à Nicole. Je ne sais où je prendrai un autre livre de morale pour vous soutenir le cœur ; je vous renverrai à vos anciens amis[3]. On dit que Monsieur de Condom en a fait un, qui dit que, pourvu qu'on croie les mystères, c'est assez, et improuve fort toutes nos chicanes sur le saint sacrement, qui ne font que des hérésies. On dit qu'il n'y a rien de plus beau. Voilà votre fait[4].

Le bonhomme d'Andilly me demanda l'autre jour votre adresse pour vous envoyer ce beau recueil de M. de Saint-Cyran. J'en fus ravie, car j'avais dessein de lui demander tout franchement. Notre cher Abbé vous embrasse mille fois. Mon Dieu ! qu'il est habile et que vous avez raison de le souhaiter ! La Mousse prépare déjà sa réponse à cette belle pièce que vous composez. Je n'ai point reçu la lettre que vous écrivez à Mlle de Méri, au lieu de la mienne.

Je crois que vous vous moquez quand vous me parlez de mes libéralités présentes ; c'est pour me faire honte. Ah ! ma bonne, quelle poussière au prix de ce que je voudrais faire ! Je me réjouis de M. de Pomponne, quand je songe que je pourrai peut-être vous servir par lui (mais vous n'avez besoin que de M. de Grignan et de vous[5]). Enfin nous ne pouvions pas souhaiter à cette place un homme qui fût plus de nos amis. M. de Coulanges, qui vous va voir, vous dira de quelle grâce le Roi a fait cette action.

Adieu, mon enfant. Mon Dieu ! n'êtes-vous point tombée ? Vous ne me dites rien. Vous me ménagez, mais je suis bien pis de n'avoir pour bornes que mon imagination. Ce médecin me fait peur. Que fait-il à Grignan ? Et vous n'osez remuer ni pied ni patte ! On n'a point de repos quand on aime.

DE L'ABBÉ DE COULANGES

Hélas ! ma belle Comtesse, vous peut-il venir dans l'esprit que je ne vous aime toujours très tendrement quand je ne vous le dirais jamais ? Votre chère mère sera toujours ma caution, et vous en répondra assurément comme d'elle-même. Vous ne sauriez croire le chagrin que j'ai que cette grande lettre que vous m'avez écrite de vos affaires soit égarée, car ce qui vous touche m'est sensible au dernier point. Je n'y vois d'autres remèdes que de vous aller voir pour en parler tête à tête.

81. À MADAME DE GRIGNAN

Aux Rochers, ce <mercredi> 16e septembre [1671].

Je suis méchante aujourd'hui, ma bonne ; je suis comme quand vous me disiez : « Vous êtes méchante. » Je suis triste ; je n'ai point de vos nouvelles. La *grande amitié n'est jamais tranquille*, MAXIME. Il pleut ; nous sommes seuls. En un mot, je vous souhaite plus de joie que je n'en ai aujourd'hui. Ce qui embarrasse fort mon Abbé, La Mousse et mes gens, c'est qu'il n'y a point de remède à mon chagrin. Je voudrais qu'il fût vendredi pour avoir une de vos lettres, et il n'est que mercredi. Voilà sur quoi on ne sait que me faire. Toute leur habileté est à bout et si, par l'excès de leur amitié, ils m'assuraient pour me contenter qu'il est vendredi, ce serait encore pis, car si je n'avais point de vos lettres ce jour-là, il n'y aurait pas un brin de raison avec moi, de sorte que je suis contrainte d'avoir patience, quoique ce soit une vertu, comme vous savez, qui n'est guère à mon usage ; enfin je serai satisfaite avant qu'il soit trois jours.

J'ai une extrême envie de savoir comme vous vous portez de cette frayeur. C'est mon aversion que les frayeurs. Pour moi, je ne suis pas grosse, mais elles me la font devenir, c'est-à-dire qu'elles me mettent dans un état qui renverse entièrement ma santé. Mon inquiétude présente ne va pas jusque là ; je suis persuadée que la sagesse que vous avez eue de garder le lit vous aura entièrement remise. Ne me venez point dire que vous ne me manderez plus rien de votre santé ; vous me mettrez au désespoir, et n'ayant plus de confiance à ce que vous me diriez, je serais toujours comme je suis présentement. Il faut avouer que nous sommes à une belle distance l'une de l'autre, et que si l'on avait quelque chose sur le cœur dont on attendît du soulagement, on aurait un beau loisir pour se pendre.

Je voulus hier prendre une petite dose de *Morale* ; je m'en trouvai assez bien. Mais je me trouve encore mieux d'une petite critique contre la *Bérénice* de Racine, qui me parut fort plaisante et fort spirituelle ; c'est de l'auteur des *Sylphides*, des *Gnomes* et des *Salamandres*. Il y a cinq ou six petits mots qui ne valent rien du tout, et même qui sont d'un homme qui ne sait pas le monde. Cela donne de la peine, mais comme ce ne sont que des mots en passant, il ne faut point s'en offenser, et regarder tout le reste et le tour qu'il donne à cette critique ; je vous assure que cela est joli[1]. Je crus que cette bagatelle vous aurait divertie, et je vous souhaitai dans votre petit cabinet auprès de moi, sauf à vous en retourner dans votre beau château quand vous auriez achevé cette lecture. Je vous avoue pourtant que j'aurais quelque peine à vous laisser partir si tôt. C'est une chose bien dure pour moi que de vous dire adieu ; je sais ce que m'a coûté le dernier. Il serait bien de l'humeur où je suis d'en parler. Mais je n'y pense encore qu'en tremblant ; ainsi vous êtes à couvert de ce chapitre. J'espère que cette lettre vous trouvera gaie. Si cela est, je vous prie de la brûler tout à l'heure ; ce serait une chose bien extraordinaire qu'elle fût agréable avec ce chien d'esprit que je me sens. Le Coadjuteur est bien heureux que je ne lui fasse pas réponse aujourd'hui.

J'ai envie de vous faire vingt-cinq ou trente questions pour finir dignement cet ouvrage. Avez-vous des muscats ? vous ne me parlez que de figues. Avez-vous bien chaud ? vous ne m'en dites rien. Avez-vous de ces aimables bêtes[1] que nous avions à Paris ? Avez-vous eu longtemps votre tante d'Harcourt ? Vous jugez bien qu'ayant perdu tant de vos lettres, je suis dans une assez grande ignorance et que j'ai perdu la suite de votre discours. Pincez-vous toujours cette pauvre Golier ? Vous battez-vous avec Adhémar ? de ces batteries qui me font demander : « Mais que voulez-vous donc ? » Est-il toujours le *petit glorieux* ? Croit-il pas toujours être de bien meilleure maison que ses frères[2] ? Ah ! que je voudrais bien battre quelqu'un ! Que je serais obligée à quelque Breton qui me viendrait faire une sotte proposition qui m'obligeât de me mettre en colère ! Vous me disiez l'autre jour que vous étiez bien aise que je fusse dans ma solitude et que j'y penserais à vous. C'est bien rencontré ; c'est que je n'y pense pas toujours, au milieu de Vitré, de Paris, de la cour, et du paradis si j'y étais ? Adieu, ma bonne, voici le bel endroit de ma lettre. Je finis parce que je trouve que ceci extravague un peu ; encore a-t-on son honneur à garder. Si je n'étais point brouillée avec le chocolat, j'en prendrais une chopine ; il ferait un bel effet avec cette belle disposition que vous voyez.

82. À MADAME DE GRIGNAN

Aux Rochers, dimanche 20 septembre [1671].

<Mon Dieu ! ma bonne, que je suis aise, que je suis contente, et que la crainte et la joie que j'eus vendredi fut extrême ! Enfin, ma très chère bonne, je trouvai deux de vos lettres dont le dessus était écrit de votre propre main. On ne peut expliquer ce que l'on sent dans ces moments, et même, afin que ma joie fût complète, j'eus les deux paquets, dont on m'ôte quelquefois le premier. Cependant j'ai perdu des lettres d'affaires et des détails dont j'aurais une extrême curiosité. Il est difficile de nous en consoler que l'année qui vient. Notre cher oncle souhaite ce voyage, et vous rendra tous les services que vous pouvez attendre de son habileté et de son affection.>

Ce n'est pas sans raison, ma chère fille, que vous fûtes troublée du mal du pauvre chevalier de Buous ; il est étrange. C'est un garçon qui me plaisait dès Paris ; je n'ai pas de peine à croire tout le bien que vous m'en dites. Ce qui est plus extraordinaire, c'est cette crainte de la mort. C'est un beau sujet de faire des réflexions que l'état où vous me le dépeignez. Il est certain qu'en ce temps-là nous aurons de la foi de reste ; elle fera tous nos désespoirs et tous nos troubles. Et ce temps, que nous prodiguons et que nous voulons qui coule présentement, nous manquera, et nous donnerions toutes choses pour avoir un de ces jours que nous perdons avec tant d'insensibilité. Voilà de quoi je m'entretiens dans ce mail que vous connaissez. La morale chrétienne est excellente à tous les maux, mais je la veux chrétienne ; elle est trop creuse et trop inutile autrement. Ma Mousse me trouve quelquefois assez raisonnable là-dessus, et puis un souffle, un rayon de soleil emporte toutes les réflexions du soir. Nous parlons quelquefois de l'opinion d'Origène[1] et de la nôtre ; vous aurez peine à nous faire entrer une éternité de supplices dans la tête, à moins que <d'un ordre du Roi, ou de la sainte Écriture>.

Je suis fort aise que vous ayez trouvé cette requête jolie[2]. Sans être aussi habile que vous, je l'ai entendue *per discrezione*[3], <et> l'ai trouvée admirable. La Mousse est fort glorieux d'avoir fait en vous une si merveilleuse écolière.

Je vous plains de quitter Grignan. Vous y êtes en bonne compagnie ; c'est une belle maison, une belle vue, un bel air. Vous allez dans une petite ville étouffée[4], où peut-être il y aura des maladies et du mauvais air ; cela me déplaît. Et ce pauvre Coulanges qui ne vous trouvera point, il me fait pitié. Enfin sa destinée n'est pas de vous voir à Grignan. Peut-être le mènerez-vous à vos États. Mais c'est une grande différence, et vous devez bien sentir le désagrément de ce voyage, dans l'état où vous êtes et dans la saison où nous sommes. Vous y verrez l'effet des protestations de Monsieur de Marseille. Je les trouve bien sophistiquées, et avec de grandes restrictions. Les assurances que je lui donne de mon amitié sont à peu près dans le même style. Il vous assure de son service sous condition, et moi, de mon amitié sous condition aussi, et lui disant que je ne doute point du tout que vous n'ayez toujours de nouveaux sujets de lui être obligée[1].

M. de Lavardin vint tout droit de Rennes ici jeudi au soir, et me conta les magnificences de la réception qu'on lui a faite. Il prêta le serment au Parlement et fit une très agréable harangue. Je le remenai le lendemain à Vitré, pour reprendre son équipage et gagner Paris. L'évêque de Léon a été à la dernière extrémité à Vitré, avec un transport au cerveau, qui le rendait bien pareil à *Marphise*[2] ; il est hors d'affaire.

Je serai ici jusqu'à la fin de novembre, et puis j'irai embrasser et mener chez moi mes *petites entrailles*, et au printemps, la Provence, si Dieu nous donne la vie. Notre Abbé la souhaite pour vous aller voir avec moi, et vous ramener. Il y aura bien longtemps que vous serez en Provence. Il est vrai qu'il ne faudrait s'attacher à rien, et qu'à tout moment on se trouve le cœur arraché dans les grandes et les petites choses ; mais le moyen ? Il faut donc toujours avoir cette *Morale* dans les mains, comme du vinaigre au nez, de peur de s'évanouir. Je vous avoue, ma <bonne>, que mon cœur me fait bien souffrir ; j'ai bien meilleur marché de mon esprit et de mon humeur.

<Je suis très contente de votre amitié. Ne croyez pas au moins que je sois trop délicate et trop difficile. Ma tendresse me pourrait rendre telle, mais je ne l'ai jamais écoutée, et quand elle n'est point raisonnable, je la gourmande. Mais croyez-moi de bonne foi, et dans le temps que je vous aime le plus et que je crois que vous m'aimez, croyez que les choses qui m'ont touchée auraient touché qui que ce soit au monde. Je vous dis tout cela pour vous ôter de l'esprit qu'il y ait aucune peine à vivre avec moi, ni qu'il faille des observations fatigantes. Non, ma bonne, il faut faire comme vous faites, et comme

vous avez su si bien faire quand vous avez voulu ; cette capacité qui est en vous rendrait le contraire plus douloureux. Mais où vais-je ? Comptez au moins que vous ne perdez aucune de vos tendresses pour moi. Je vois et je sens tout, et j'ai toute l'application qui est inséparable de la grande amitié[1].>

Je vous trouve admirable de faire des portraits de moi dont la beauté vous étonne vous-même. Savez-vous bien que vous vous jouez à me trouver médiocre, de la dernière médiocrité, quand vous me comparerez à votre idée pleine d'exagération ? Voici qui ressemble un peu à *détruire par sa présence*[2], mais cela est vrai ; il faut que cela passe. J'ai ri de ce Carpentras[3] que vous enfermez pendant que vous avez affaire, en l'assurant qu'il veut faire la *siesta*. Vos dames sont bien dépeintes avec leurs habits d'oripeau[4]. Mais quels chiens de visages ! Je ne les ai jamais vus nulle part[5]. Que le vôtre, que je vois avec ce petit habit uni, est agréable et beau, et que je voudrais bien le voir et le baiser de tout mon cœur ! Au nom de Dieu, ma <bonne>, conservez-vous ; évitez les occasions d'être effrayée. Je n'approuve guère d'avoir voyagé dans votre septième. Je prie Dieu qu'il guérisse ce pauvre Chevalier[6]. J'embrasse les vauriens[7]. Vous ne pouviez pas me donner une plus petite idée de la place que j'ai dans le cœur de M. de Grignan qu'en me disant que c'est le reste de ce que vous n'y occupez pas. Je sais ce que c'est que de tels restes ; il faut être bien aisée à contenter pour en être contente. La Mousse souhaite fort que cette ligne s'achève.

Savez-vous que le Roi a reçu M. d'Andilly comme nous aurions pu faire ? Vivons et laissons M. de Pomponne s'établir dans une si belle place.

83. À MADAME DE GRIGNAN

Aux Rochers, ce <mercredi> 23 septembre [1671].

Enfin, ma chère bonne, nous voilà retombés dans le plus épouvantable temps qu'on puisse imaginer[1]. Il y a quatre jours qu'il fait un orage continuel. Toutes nos allées sont noyées ; on ne s'y promène plus. Nos maçons, nos charpentiers gardent la chambre. Enfin j'en hais ce pays, et je souhaite à tous moments votre soleil. Peut-être que vous souhaitez ma pluie ; nous faisons bien <toutes> deux.

<Nous avons à Vitré> ce pauvre petit abbé de Montigny, évêque de Léon, qui part aujourd'hui, comme je crois, pour voir un pays beaucoup plus beau que ceux-ci. Enfin, après avoir été ballotté cinq ou six fois de la mort à la vie, les redoublements opiniâtres de la fièvre ont décidé en faveur de la mort. Il ne s'en soucie guère, car son cerveau est embarrassé. Mais son frère l'avocat général[2] s'en soucie beaucoup, et pleure très souvent avec moi, car je le vais voir, et suis son unique consolation ; c'est en ces occasions où il faut faire des merveilles. Du reste, je suis dans ma chambre à lire, sans oser mettre le nez dehors. Mon cœur est content, parce que je crois que vous vous portez bien. Cela me fait souffrir les tempêtes, car ce sont des tempêtes continuelles. Sans ce repos que me donne mon cœur, je ne souffrirais pas impunément l'affront que me fait le mois de septembre. C'est une trahison, dans la saison où nous sommes, au milieu de vingt ouvriers ; je ferais un beau bruit, *Quos ego*[3] !

Je poursuis cette *Morale* de Nicole que je trouve délicieuse. Elle ne m'a encore donné aucune leçon contre la pluie, mais j'en attends, car j'y trouve tout.

Et la conformité à la volonté de Dieu[1] me pourrait suffire, si je ne voulais un remède spécifique. Enfin je trouve ce livre admirable. Personne n'a écrit sur ce ton que ces Messieurs, car je mets Pascal de moitié à tout ce qui est de beau. On aime tant à entendre parler de soi et de ses sentiments que, quoique ce soit en mal, nous en sommes charmés. J'ai même pardonné l'*enflure du cœur* en faveur du reste, et je maintiens qu'il n'y a point d'autre mot pour expliquer la vanité et l'orgueil, qui sont proprement du vent ; cherchez un autre mot. J'achèverai cette lecture avec plaisir.

Nous lisons aussi l'histoire de France depuis le roi Jean[2]. Je veux la débrouiller dans ma tête, au moins autant que l'histoire romaine où je n'ai ni parents, ni amis ; encore trouve-t-on ici des noms de connaissance. Enfin, tant que nous aurons des livres, nous ne nous pendrons point. Vous jugez bien qu'avec cette humeur, je ne suis pas désagréable à notre Mousse. Nous avons, pour la dévotion, ce recueil des lettres de M. de Saint-Cyran, que M. d'Andilly vous enverra, que vous trouverez admirable. Voilà, ma bonne, tout ce que vous peut dire une vraie *solitaire*[3].

On me mande que Mme de Verneuil est très malade. Le Roi causa une demi-heure avec le bonhomme d'Andilly[4], aussi plaisamment, aussi bonnement, aussi agréablement qu'il est possible. Il était aise de faire voir son esprit à ce bon vieillard et d'attirer sa juste admiration. Il témoigna qu'il était plein du plaisir d'avoir choisi M. de Pomponne, qu'il l'attendait avec impatience, qu'il aurait soin de ses affaires, qu'il savait qu'il n'était pas riche. Il dit au bonhomme qu'il y avait de la vanité à lui d'avoir mis, dans la préface de *Josèphe*[5], qu'il avait quatre-vingts ans, que c'était un péché. On riait, on avait de l'esprit, le Roi disant qu'il ne crût pas qu'il le laissât en repos dans son désert, qu'il l'enverrait quérir, qu'il le voulait voir comme un homme illustre par toutes sortes de raisons. Comme le bonhomme l'assurait de sa fidélité, il dit qu'il n'en doutait point, et qu'il savait trop bien tous ses devoirs pour manquer à celui-là, que quand on servait bien Dieu, on servait bien son Roi. Enfin ce furent des merveilles. Il eut soin de l'envoyer dîner, de le faire promener dans une calèche ; il en a parlé un jour entier en l'admirant. Pour le bonhomme, il est transporté et dit de moment en moment, sentant qu'il en a besoin : « Il faut s'humilier. » Vous pouvez penser la joie que tout cela me donne, et la part que j'y prends[1].

Je vous crois présentement à vos États ; j'attends toujours de vos nouvelles avec impatience, et du procédé de l'Évêque, sur lequel je ne serai pas si aisée à contenter que l'année passée. Adieu, ma très bonne et très aimable ; vous savez bien si je suis à vous et si vous pouvez compter sûrement sur mon amitié. Dubois m'a mandé que depuis qu'il avait écrit à Lyon et à Pierrelatte, vos paquets venaient fort bien. En effet il y a trois semaines que j'en reçois deux à la fois. C'est justement mon compte. Je voudrais bien que mes lettres vous donnassent autant de joie que les vôtres m'en donnent. Ma chère enfant, <je vous embrasse> mille fois.

84. À MADAME DE GRIGNAN

Aux Rochers, dimanche 27 septembre [1671].

Je le veux, ma <bonne>, ne parlons plus de la perte de nos lettres ; cela ennuie de toute façon. Je n'ai pas trop de peine à m'en taire présentement, car, Dieu merci, je les reçois depuis un mois comme je le puis souhaiter, et vous pouvez m'écrire un peu plus franchement qu'à celui qui les avait prises, et que vous croyez toujours entretenir quand vous m'écrivez. Cependant, <ma bonne,> vous voulez fort bien qu'il sache que vous m'aimez ; vous ne lui celez rien là-dessus, et vous en parlez, ce me semble, sans crainte d'être entendue. Ce que vous me dites sur ce sujet me remplit le cœur. Je vous avoue que je vous crois et que cette confiance fait l'unique douceur de ma vie et le but de tous mes désirs. Elle est accompagnée de plusieurs amertumes ; mais enfin ce sont des suites nécessaires, et quand on ne souffre que par la tendresse, on trouve de la patience. Je finis toujours ce chapitre le plus tôt que je puis ; je ne le finirais point, si je n'avais un soin extrême de finir.

Je suis ravie, <ma bonne,> que vous ayez une belle-sœur aimable, et qui vous puisse servir de compagnie et de consolation ; c'est une chose que je vous souhaite à tous moments, et personne n'a plus de besoin que vous d'une société agréable. Sans cela, vous vous creusez l'esprit d'une si étrange manière que vous vous détruisez vous-même. Vous ne vous amusez point à des bagatelles ; ou vous rêvez noir[1], ou il vous faut de la conversation. On ne peut pas être plus contente que je le suis de l'approbation que vous donnez à cette aimable belle-sœur ; je compte que c'est Mme de Rochebonne, qui a de l'air du Coadjuteur, et son esprit, et son humeur, et sa plaisanterie. Si vous voulez lui faire mes compliments par avance, vous me ferez beaucoup de plaisir ; <mais vous ne voulez pas. Je ne trouve pas que vous vouliez aussi assurer votre Premier Président de mon très humble service. Il m'a fait mille compliments par Bandol ; je lui en ai rendu par la même voie et

j'ai adressé la lettre droit à Aix. En voilà une de votre Évêque, vous y verrez toujours les mêmes précautions ; il ne veut pas être pris par le bec. Nous verrons un peu sa manière de peindre. J'espère fort au Premier Président, et à la présence des Grignan, et à la vôtre, et à la petitesse du présent, et à la bonté de vos raisons[1]. Hélas ! il n'en faut pas tant en Bretagne, et j'ai quelquefois sur le cœur de n'avoir pas demandé dix mille écus pour vous. Plût à Dieu que quelqu'un voulût vous en donner cent, comme on les a donnés ici à une seule personne ! Je vous conterai quelque jour ce que je ne veux point dire ici.

Je commence à voir le temps que je partirai pour la Provence ; ce sera bien pis quand je compterai de Paris. Mais, ma bonne, je vous avoue que je ne compte point de vous laisser après moi ; j'en pleurerais dès à présent comme M. du Gué. Je prétends vous ramener avec moi. Je crois qu'après deux ans de Provence, ce sera une chose assez raisonnable. Je vois ce que vous pensez, et c'est cela qu'il faut prévoir de bonne heure, et être persuadée que tout ce qui dépendra de moi vous est acquis. Voilà une de mes grandes douleurs de ne pouvoir pas faire tout ce que mon cœur voudrait ardemment ; mais ce que je puis est toujours assez pour vous ôter de grands embarras et pour vous donner des facilités. Je ne pense qu'à vous, ma bonne, et je ne souhaite et n'imagine rien que par rapport à vous ; cela est vrai, et vous le croyez. Plût à Dieu que vous en puissiez voir des effets tels que je les désire !>

Voilà M. de Pomponne en état d'être envié. Vous me parlez sur cela bien agréablement. Je m'en vais en écrire au bonhomme. Je vous ai dit tout ce que je savais là-dessus. Il m'a écrit deux fois depuis sa faveur, et moi aussi deux fois. Il n'a rien de plus sensible que mon amitié, à ce qu'il me mande, et de voir que mes approbations ont vingt ans d'avance sur toutes celles qu'on va donner à son fils, et vingt ans dont il y a eu des années difficiles à soutenir[1]. Enfin voici un changement extraordinaire, c'est un plaisir que d'être spectateur.

En voici encore un du comte de Guiche[2], qui revient. Mais je fais la charge de d'Hacqueville qui est depuis vingt jours au chevet du maréchal, malade, et qui sans doute vous aura mandé toutes choses, et la visite que le Roi lui fit il y a cinq ou six jours. Je crois que Vardes ne sera pas longtemps à recevoir la même grâce que le comte de Guiche ; il me semble que leurs malheurs figurent ensemble. C'est à vous à nous mander ce qu'on en espère en votre pays.

Voilà une lettre que j'écris à votre Évêque ; lisez-la. <Si vous la trouvez bonne, faites-la cacheter et la lui donnez ; si elle ne vous plaît pas, brûlez-la. Elle ne vous oblige à rien. Vous voyez> mieux que moi si elle est à propos ou non ; d'ici je ne la crois pas mal, mais ce n'est pas d'ici qu'il en faut juger. Vous savez que je n'ai qu'un trait de plume ; ainsi mes lettres sont fort négligées, mais c'est mon style, et peut-être qu'il fera autant d'effet qu'un autre plus ajusté. Si j'étais à portée d'en recevoir votre avis, vous savez combien je l'estime, et combien de fois il m'a réformée, mais nous sommes aux deux bouts de la France ; ainsi il n'y a rien à faire qu'à juger si elle convient ou non, et sur cela, la donner ou la brûler. <Ce n'est pas sans chagrin qu'on sollicite une si petite chose, mais il faut se vaincre dans les sentiments qu'on aurait fort naturellement là-dessus. J'ai de plus à vous dire que j'ai vu faire ici des pas pour moins, et que tout ce qui vient tous les ans est excellent, et qu'enfin chacun a ses raisons.

M. et Mme de Chaulnes m'écrivent de six lieues d'ici, avec des tendresses et des reconnaissances de l'*honneur que je leur avais fait par ma présence* (c'est ainsi qu'ils disent), qu'ils n'oublieront jamais.>

Pour vos dates, ma <bonne>, je suis de votre avis ; c'est une légèreté que de changer tous les jours. Quand on se trouve bien du 26 ou du 16, par exemple, pourquoi changer ? C'est même une chose désobligeante pour ceux qui vous l'ont dit. Un homme d'honneur, un honnête homme vous dit une chose bonnement et comme elle est, et vous ne le croyez qu'un jour. Le lendemain, qu'un autre vous dise autrement, vous le croyez. Vous êtes toujours pour le dernier qui parle ; c'est le moyen de faire autant d'ennemis qu'il y a de jours en l'an. Ne prenez point cette conduite, <ma bonne,> tenez-vous au 26 ou au 16, quand vous vous en trouverez bien ; ne suivez point mon exemple, ni celui du monde corrompu, qui suit le temps et change comme lui. Soyez constante et croyez qu'au lieu de vouloir vous soumettre à mon calendrier, c'est moi qui approuve le vôtre. Je fais juge le Coadjuteur, ou Mme de Rochebonne, si je ne dis pas bien[1].

J'ai bien envie de savoir si vous aurez vu ce pauvre M. de Coulanges ; cela est bien cruel qu'il ait pris la peine de faire tant de chemin pour vous voir un moment, et peut-être point du tout.

Le pauvre Léon[2] a toujours été à l'agonie depuis que je vous ai mandé qu'il se mourait. Il y est plus que jamais, et il saura bientôt mieux que vous si la matière raisonne. C'est un dommage extrême que la perte de ce petit évêque ; c'était, comme disent nos amis, un esprit lumineux sur la philosophie. Le vôtre l'est aussi. Vos lettres sont ma vie ; je ne vous dis pas la moitié ni le quart de l'amitié que j'ai pour vous.

85. À MADAME DE GRIGNAN

Aux Rochers, ce <mercredi> 30 septembre [1671].

Je crois que présentement l'opinion *léonique*[1] est la plus assurée ; il voit, ma bonne, de quoi il est question, et si la matière raisonne ou si elle ne raisonne pas, et quelle sorte de petite intelligence Dieu a donnée aux bêtes, et tout le reste. Vous voyez bien que je le crois dans le ciel : *o che spero*[2] *!* Il mourut lundi matin. Je fus à Vitré ; je le vis et voudrais ne l'avoir point vu. Son frère l'avocat général me parut inconsolable. Je lui offris de venir pleurer en liberté dans mes bois ; il me dit qu'il était trop affligé pour chercher cette consolation. Ce pauvre petit évêque avait trente-cinq ans ; il était établi. Il avait un des plus beaux esprits du monde pour les sciences. C'est ce qui l'a tué, comme Pascal ; il s'est épuisé. Vous n'avez pas trop affaire de ce détail, mais c'est la nouvelle du pays, il faut que vous en passiez par là. Et puis il me semble que la mort est l'affaire de tout le monde et que les conséquences viennent bien droit jusqu'à nous.

Je lis M. Nicole avec un plaisir qui m'enlève ; surtout je suis charmée du troisième <traité, « *Des*> Moyens de conserver la paix avec les hommes[3] ». Lisez-le, je vous prie, avec attention, et voyez comme il fait voir nettement le cœur humain, et comme chacun s'y trouve, et philosophes et jansénistes et molinistes, et tout le monde enfin. Ce qui s'appelle chercher dans le fond du cœur avec une lanterne, c'est ce qu'il fait. Il nous découvre ce que nous sentons tous les jours, et que nous n'avons pas l'esprit de démêler ou la sincérité d'avouer ; en un mot, je n'ai jamais vu écrire comme ces Messieurs-là.

Sans la consolation de la lecture, nous mourrions d'ennui présentement. Il pleut sans cesse ; il ne vous en faut pas dire davantage pour vous représenter notre tristesse. Mais vous qui avez un soleil que j'envie, je vous plains, ma bonne, d'avoir quitté votre Grignan. Il y fait beau, vous y étiez en liberté avec une bonne compagnie, et au milieu de l'automne, vous le quittez pour vous enfermer dans une petite ville ; cela me blesse l'imagination. M. de Grignan ne pouvait-il pas différer son Assemblée ? N'en est-il pas le maître ? Et ce pauvre Coulanges, qu'est-il devenu ? Notre solitude nous fait la tête si creuse que nous nous faisons des affaires de tout. Les lettres et les réponses font de l'occupation, mais il y a du temps de reste. Je lis et relis et relis les vôtres avec un plaisir et une tendresse que je souhaite que vous puissiez imaginer, car je ne vous la saurais dire ; il y en a une dans vos dernières que j'ai le bonheur de croire, et qui soutient ma vie.

On me mande toujours des merveilles de ma petite mie ; elle a grand'part à l'impatience que j'ai de retourner à Paris. Je n'ose vous parler du bonheur de Louvigny, qui traite avec le Roi de la charge de son père ; c'est une sorte d'établissement qui n'est pas bon à méditer[1]. Mandez-moi des nouvelles de cette pauvre Monaco, mais surtout, ma bonne, de votre santé, de vos affaires. Voilà ce qui me tient à cœur souverainement.

Notre Abbé est trop glorieux de toutes les douceurs que vous lui mandez. Je suis contente de lui sur votre sujet. Pour La Mousse, il fait des catéchismes les fêtes et les dimanches : il veut aller en paradis ; je lui dis que c'est par curiosité, et afin d'être assuré une bonne fois si le soleil est un amas qui se remue avec violence ou si c'est un globe de feu. L'autre jour, il interrogeait des petits enfants ; et après plusieurs questions, ils confondirent tout ensemble, de sorte que, venant à leur demander qui était la Vierge, ils répondirent tous l'un après l'autre que c'était le créateur du ciel et de la terre. Il ne fut point ébranlé pour les petits enfants, mais voyant que des hommes, des femmes, et même des vieillards disaient la même chose, il en fut persuadé et se rendit à l'opinion commune. Enfin il ne savait plus où il en était ; et si je ne fusse arrivée là-dessus, il ne s'en fût jamais tiré. Cette nouvelle opinion eût bien fait un autre désordre que le mouvement des petites parties[1].

Adieu, ma très chère enfant ; vous voyez bien que se chatouiller pour se faire rire, c'est justement ce que nous faisons. Je vous embrasse et vous baise tendrement, et vous prie de me laisser penser à vous, et vous aimer de tout mon cœur.

86. À MADAME DE GRIGNAN

Aux Rochers, dimanche 4 octobre [1671].

Vous voilà donc, ma chère fille, à votre Assemblée ; je vous ai mandé combien je trouvais mauvais que M. de Grignan l'eût mise en ce temps, pour vous ôter tout l'agrément de votre séjour de campagne, et tout le plaisir de votre bonne compagnie. Vous y avez perdu aussi le pauvre Coulanges, qui m'écrit de Lyon tous ses déplaisirs, qu'il est triste et confus, mangeant tristement son avoine, et ne songeant plus qu'à s'en retourner à Paris, c'est-à-dire à Autry[2], d'où il ne serait pas sorti sans l'espérance de vous voir. Toute sa consolation, c'est de parler de vous avec ce chamarier de Rochebonne qui ne se peut taire de vos perfections. Si je n'avais point trouvé ridicule de vous envoyer toutes mes lettres, je vous aurais envoyé celle-là avec celle du comte des Chapelles ; <mais voilà sa réponse qui suffira, avec deux autres lettres que je veux que vous ayez, celle de M. Le Camus et celle de M. d'Harouys.> Je pense que, pour vous donner le temps de lire tout ce que je vous envoie, la civilité m'obligerait à finir ici ma lettre ; mais je veux savoir auparavant si vous n'avez point ri de la rêverie naturelle que je fis à Vitré, en priant ce gentilhomme de basse Bretagne de nous faire vitement dîner. Je crus que cela vous ferait souvenir de cet homme à La Merci, que je voulais qui raccommodât mes manches, et qui était le clerc d'un secrétaire du Roi.

Mais ce que vous dites du soleil et de la lune, de M. de Chaulnes et de M. de Lavardin, est très bien dit, et que pour vous, vous êtes toujours sur l'horizon. Cela est vrai, ma fille, vous ne vous reposez jamais, vous êtes toujours dans le mouvement, et je tremble quand je pense à votre état et à votre courage, qui assurément passe de beaucoup vos forces. Je conclus comme vous que quand vous voudrez vous reposer, il ne sera plus temps, et qu'il n'y aura aucune ressource à vos fatigues passées. Cette pensée m'occupe et m'afflige beaucoup, car enfin ce ne sont plus ici les premiers pas, ce sont les derniers ; ce sont des brèches sur d'autres brèches, et des abîmes sur des abîmes[1]. Nous en parlons souvent, notre Abbé et moi, quoique peu instruits ; mais à vue de pays on juge bien où tout ceci peut aller. Cet endroit est bien digne de votre attention, car il n'y va pas d'une chute médiocre. On va bien loin, dit-on, quand on est las, mais quand on a les jambes rompues, on ne va plus du tout. Je crois que vous êtes assez habile pour appuyer sur ces considérations, et pour en parler avec notre Coadjuteur, qui a tout ce qui est nécessaire pour vous bien conseiller, car il a un grand sens, un bon esprit, un courage digne du nom qu'il porte ; il faut tout cela pour décider dans une occasion comme celle-ci. Notre Abbé s'estime bien heureux que vous comptiez son avis pour quelque chose. Il ne souhaite la vie et la santé que pour vous aller donner ses conseils, et prendre le jeton[1], dont vous savez qu'il s'aide parfaitement bien. Voici, ma chère enfant, une lettre qui n'est pas délicieuse, mais encore faut-il parler quelquefois des choses importantes qui tiennent au cœur. Et puis, vous savez, et je vous l'ai dit en chanson, *on ne rit pas toujours* ; non assurément, il s'en faut beaucoup. Cependant il ne faut pas que vous fassiez de la bile noire. Songez uniquement à votre santé, si vous aimez la mienne, et croyez qu'aussitôt que je serai délogée à Pâques[2], je ne penserai plus qu'à vous aller voir et vous donner toutes les facilités possibles pour revenir avec moi, dans un degré moins élevé, mais plus commode. Que dit Adhémar du retour du comte de Guiche ? Adieu, mon enfant, je suis à vous. J'embrasse Monsieur le Lieutenant général qui n'est plus chasseur[3].

87. À MADAME DE GRIGNAN

Aux Rochers, ce <mercredi> 7e octobre [1671].

Vous savez que je suis toujours un peu entêtée de mes lectures. Ceux à qui je parle ou à qui j'écris ont intérêt que je lise de bons livres. Celui dont je veux parler présentement, c'est toujours de Nicole, et c'est du traité « D'Entretenir la paix entre les hommes ». Ma bonne, j'en suis charmée ; je n'ai jamais rien vu de plus utile, ni si plein d'esprit et de lumière. Si vous ne l'avez lu, lisez-le ; et si vous l'avez lu, relisez-le avec une nouvelle attention. Je crois que tout le monde s'y trouve ; pour moi, je crois qu'il a été fait à mon intention. J'espère aussi d'en profiter ; j'y ferai mes efforts. Vous savez que je ne puis souffrir que les vieilles gens disent : « Je suis trop vieux pour me corriger. » Je pardonnerais plutôt à une jeune personne de tenir ce discours. La jeunesse est si aimable qu'il faudrait l'adorer si l'âme et l'esprit étaient aussi parfaits que le corps ; mais quand on n'est plus jeune, c'est alors qu'il faut se perfectionner et tâcher de regagner du côté des bonnes qualités ce qu'on perd du côté des agréables. Il y a longtemps que j'ai fait ces réflexions, et par cette raison, je veux tous les jours travailler à mon esprit, à mon âme, à mon cœur, à mes sentiments. Voilà de quoi je suis pleine et de quoi je remplis cette lettre, n'ayant pas beaucoup d'autres sujets.

Je vous crois à Lambesc, ma bonne, mais je ne vous vois pas bien d'ici ; il y a des ombres à mon imagination qui vous <couvrent> à ma vue. Je m'étais fait le château de Grignan ; je voyais votre appartement, je me promenais sur votre terrasse, j'allais à la messe dans votre belle église. Mais je ne sais plus où j'en suis. J'attends avec grande impatience des nouvelles de ce lieu-là, et des nouvelles de l'Évêque ; il y avait dans mon dernier paquet une lettre qui me donnait beaucoup d'espérance. Quoique vous ayez été deux ordinaires sans m'écrire, j'espère un peu d'avoir vendredi une lettre de vous, et si je n'en ai point, vous avez été si prévoyante que je n'en serai point en peine. Il y a des soins, comme par exemple celui-là, qui marquent tant de bontés, de tendresses et d'amitiés qu'on en est charmée. Adieu, ma très chère et très aimable et très aimée. Je ne veux point vous écrire davantage aujourd'hui, quoique mon loisir soit grand. Je n'ai que des riens à vous mander ; c'est abuser d'une lieutenante générale qui tient les États, et qui n'est pas sans affaires. Cela est bon quand vous êtes dans votre palais d'Apollidon. Notre Abbé, notre Mousse, sont toujours tout à vous ; pour moi, ma bonne, vous êtes mon cœur et ma vie. <*Deposto ho il cor nelle sue mani ; a lei starà di farsi amare quanto le piace*[1].>

Après avoir été tout le temps que je suis ici sans recevoir aucune lettre de Corbinelli, enfin j'en ai reçu une qui me fait voir que toutes ses lettres ont été perdues ainsi que les vôtres ; <il en avait mis une dans un de vos paquets.> Cela me rendait injuste envers lui ; je lui ai fait des réparations. J'attends les siennes, car je lui écrivais toujours, et il ne recevait point mes lettres <aussi. Je vous dis tout ceci, afin que si vous le voyez, vous sachiez que répondre.>

Le comte de Guiche est à la cour tout seul de son air et de sa manière, un héros de roman[2], qui ne ressemble point au reste des hommes ; voilà ce qu'on me mande.

88. À MADAME DE GRIGNAN

Aux Rochers, dimanche 11 octobre [1671].

Vous avez été fâchée de quitter Grignan. Vous avez eu raison ; j'en ai été quasi aussi triste que vous, et j'ai senti votre éloignement de vingt lieues[3], comme je sentirais un changement de climat. Rien ne me console que la sûreté où vous serez à Aix pour votre santé. Vous accoucherez au bout de l'an tout juste[1]. J'emploie tous mes jours à songer à ceux de l'année passée que je passais avec vous. Il est vrai qu'on ne peut pas avoir moins perdu de temps que vous avez fait ; mais si, après cette couche-ci, M. de Grignan ne vous donne quelque repos, comme on fait à une bonne terre, bien loin d'être persuadée de son amitié, je croirai qu'il veut se défaire de vous. Et le moyen de résister à ces continuelles fatigues ? il n'y a ni jeunesse ni santé qui n'en soient détruites. Enfin, je lui demande pour vous cette marque de sa tendresse et de sa complaisance. Je ne veux point vous trouver grosse ; je veux que vous veniez vous promener avec moi dans ces prés que vous me promettez, et que nous mangions de ce divin muscat sans crainte de la colique. Nous ne pensons qu'à notre voyage, et si notre Abbé vous peut être bon à quelque chose, il sera au comble de ses désirs. Vous nous souhaitez ; il n'en faut pas tant pour nous faire voler vers vous. Nous quitterons les Rochers à la fin du mois qui vient. Il me semble que ce sont les premiers pas, et j'en sens de la joie ; j'en aurai beaucoup si vous arrivez à Aix en bonne santé. Je ne trouve pas bien prudent d'avoir fait ce voyage de Lambesc au milieu de votre sept.

Mais quelle folie de s'appeler M. et Mme de Grignan et le chevalier de Grignan[2], et vous venir faire la révérence ? Qu'est-ce que ces Grignan-là ? Pourquoi n'êtes-vous pas uniques en votre espèce ? Celle de vos scorpions me fait grand-peur ; vous savez bien au moins que leur piqûre est mortelle. Je suis persuadée que, puisque vous avez des bâtiments pour vous garantir du chaud, vous n'êtes point aussi sans de l'huile de scorpion pour vous servir de contrepoison. Je ne connaissais la Provence que par les grenadiers, les orangers et les jasmins ; voilà comme on nous la dépeint[1]. Pour nous, ce sont des châtaignes qui font notre ornement ; j'en avais l'autre jour trois ou quatre paniers autour de moi. J'en fis bouillir, j'en fis rôtir, j'en mis dans ma poche. On en sert dans les plats, on marche dessus ; c'est la Bretagne dans son triomphe.

Monsieur d'Uzès est à son abbaye près d'Angers[2]. Il m'a envoyé un exprès. Il dit qu'il me viendra voir, mais je n'en crois rien. Il dit que vous êtes adorable et adorée de tous les Grignan ; je le crois. Vous l'êtes ici pour le moins autant, sans offenser personne. Mon oncle est comme je le souhaite sur votre sujet ; Dieu nous le conserve ! La Mousse approuve fort que vous laissiez reposer votre lettre ; on ne juge jamais bien d'abord de ces sortes d'ouvrages. Il vous conseille même de la faire voir à quelqu'un de vos amis ; ils en jugent mieux que nous-mêmes. En attendant, il est tout à vous. Que dirai-je à nos Grignan ? Vous êtes bien méchante de leur faire voir toutes mes folies[3]. Pour vous qui les connaissez, il n'est pas possible de vous les cacher ; mais eux, avec qui j'ai mon honneur à garder... Adieu, ma chère enfant. Je vous recommande ma vie ; vous savez ce que vous avez à faire pour la conserver.

89. À MADAME DE GRIGNAN

Aux Rochers, mercredi 14 octobre [1671].

Je m'en vais vous mander un petit secret ; n'en parlez pas, je vous prie, si personne ne vous l'a mandé. Vous saurez que notre pauvre d'Hacqueville a tant fait, et s'est si fort tourmenté autour de ses amis, qu'il en est tombé malade. On prend même plaisir à dire que c'est de la petite vérole, et qu'il a vu tous les jours M. de Chevreuse[1] qui l'a. Je ne le crois point, mais voici ce qui est. On lui a écrit une lettre d'une main inconnue, où on lui demande une heure le lendemain, de sept à huit, pour une consultation pour le cardinal de Retz. On marque ensuite toutes les heures du jour, comme il a accoutumé de les employer. On le prie de venir voir donner un remède à cinq heures à M. le maréchal de Gramont, et d'aller quérir dans son carrosse M. Brayer pour le petit de Monaco[2]. On l'avertit d'envoyer savoir des nouvelles de tous les malades dont on lui fait la liste. On le conjure de ne pas manquer de se trouver le soir chez Mlle de Clisson, qui a de grands maux de mère[3]. On parle du commerce de Provence et de tous les pays de l'Europe, et l'on finit par : *Dormez, dormez, vous ne sauriez mieux faire*[4]. Enfin il a montré cette lettre avec un tel chagrin, que je meurs de peur que cela n'augmente sa fièvre. Ne me citez jamais, sur la vie. On vous le mandera peut-être d'ailleurs.

Je sais que M. de Coulanges a eu le courage de vous aller chercher à Lambesc. Ma fille, que je l'aime d'avoir pris cette peine ! qu'il a bien fait ! qu'il est aimable ! que je l'embrasserai de bon cœur ! et que vous méritez bien qu'on en fasse davantage pour vous ! Mais tout le monde n'est pas digne de le comprendre, et c'est un mérite que d'être entré, comme il a fait, dans cette vérité. Aussi vous lui avez écrit des merveilles, et je vous en loue et vous en remercie, car vous savez comme je l'aime. Adhémar sera trop aise de revenir avec lui.

L'abbé Têtu est retourné en Touraine, n'ayant pu durer à Paris ; et, pour varier un peu la phrase, il a mené à ce second voyage toute la *case*[5] de Richelieu. Si vous pouviez croire que ce fût pour vous que Paris lui fût insupportable, vous seriez bien plus glorieuse ; mais vous seriez seule de votre sentiment.

Il y a de la division dans la maison de Gramont entre les deux frères ; notre ami d'Hacqueville est fort mêlé là-dedans. Louvigny n'a pas assez d'argent pour acheter la charge ; je ne sais si l'on vous mande ce détail[1].

J'étais hier dans une petite allée, à main gauche du mail, très obscure ; je la trouvai belle. Je fis écrire sur un arbre :

E di mezzo l'horrore esce il diletto[2].

Si M. de Coulanges est encore avec vous, embrassez-le pour moi, et l'assurez que je suis fort contente de lui. Et ces pauvres Grignan, n'auront-ils rien ? Et vous, ma chère enfant, quoi ! pas un mot d'amitié ?

90. À MADAME DE GRIGNAN

Aux Rochers, dimanche 18 octobre [1671].

L'envie que vous avez d'envoyer ma première lettre à quelqu'un, afin qu'elle ne soit pas perdue, m'a fait rire, et souvenir d'une Bretonne qui voulait avoir un *factum* qui m'avait fait gagner un procès pour gagner le sien aussi[3].

Vous voilà donc à Lambesc, ma fille. Mais vous êtes grosse jusqu'au menton ; la mode de votre pays me fait peur. Quoi ! ce n'est donc rien que de ne faire qu'un enfant ; une fille n'oserait s'en plaindre, et les dames en font ordinairement deux ou trois. Je n'aime point cette grosseur excessive ; tout au moins cela vous donne de cruelles incommodités.

Écoutez, Monsieur de Grignan, c'est à vous que je parle : vous n'aurez que des rudesses de moi pour toutes vos douceurs. Vous vous plaisez dans vos œuvres ; au lieu d'avoir pitié de ma fille, vous ne faites qu'en rire. Il paraît bien que vous ne savez ce que c'est que d'accoucher. Mais écoutez, voici une nouvelle que j'ai à vous dire : c'est que, si après ce garçon-ci vous ne lui donnez quelque repos, je croirai que vous ne l'aimez point, que vous ne m'aimez point aussi, et je n'irai point en Provence. Vos hirondelles auront beau m'appeler, point de nouvelles. Et de plus j'oubliais ceci, c'est que je vous ôterai votre femme. Pensez-vous que je vous l'aie donnée pour la tuer, pour détruire sa santé, sa beauté, sa jeunesse ? Il n'y a point de raillerie ; je vous demanderai cette grâce à genoux en temps et lieu. En attendant, admirez ma confiance de vous faire une menace de ne point aller en Provence. Vous voyez par là que vous ne perdez ni votre amitié, ni vos paroles. Nous sommes persuadés, notre Abbé et moi, que vous serez aise de nous voir ; nous vous mènerons La Mousse aussi, qui vous rend grâce de votre souvenir. Et pourvu que je ne trouve point une femme grosse et toujours grosse et encore grosse, vous verrez si nous ne sommes pas des gens de parole. En attendant, ayez-en un soin extrême et prenez garde qu'elle n'accouche à Lambesc. Adieu, mon cher Comte[1].

Je reviens à vous, ma belle, et vous dis donc que je vous plains fort. Songez à ne pas accoucher à Lambesc ; quand vous aurez passé le huitième[2], il n'y a plus d'heure. Vous avez présentement M. de Coulanges. Qu'il est heureux de vous voir ! qu'il a bien fait d'avoir pris courage, et vous de l'avoir pressé ! Embrassez-le pour moi, et vos autres Grignan ; car on ne saurait s'empêcher de les aimer.

Ma tante me mande que votre enfant pince tout comme vous ; elle est méchante. Je meurs d'envie de la voir. Hélas ! j'aurais grand besoin de cet homme noir pour me faire prendre un chemin dans l'air. Celui de terre devient si épouvantable que je crains quelquefois que nous ne soyons assiégés ici par les eaux. Il est vrai qu'après vous avoir vu partir pour la Provence au milieu des abîmes, il faut croire qu'il n'y a rien d'impossible. Mais je reviens à votre histoire. Je m'étais moquée de celle de La Mousse, mais je ne me moque pas de celle-ci. Vous me l'avez très bien contée, et si bien que j'en frissonnais en la lisant ; le cœur m'en battait. En vérité, c'est la plus étrange chose du monde. Cet Auger enfin, c'est un garçon que j'ai vu et à qui je parlerai, et qui conte cela tout naïvement. Je crois qu'on ne peut rien voir de plus positif ; c'est un sylphe assurément. Après la promesse que vous faites, je ne doute pas qu'il n'y ait presse à qui vous portera ici. La récompense est digne d'être bien disputée, et si je ne vous vois arriver, je croirai que cela viendra de la guerre que cette préférence aura émue entre eux. Cette guerre sera très bien fondée, et si les sylphes pouvaient périr, ils ne le pourraient faire dans une plus belle occasion. Enfin, ma chère fille, je vous remercie mille fois de m'avoir si bien conté cette histoire d'original ; c'est la première de cette nature dont je voudrais répondre[1].

Je trouve plaisants les miracles de votre solitaire. J'en doute fort puisqu'il les croit, et M. de Grignan a grande raison de l'aller prêcher de temps en temps. Sa vanité pourrait bien le conduire du milieu de son désert dans le milieu de l'enfer. Ce serait un beau chemin. Il n'eût pas été besoin de prendre tant de peines ; s'il ne va que là, on y va fort bien de partout. Je craindrai donc pour son salut, jusqu'à ce que vous m'en assuriez. Je vous crois, et je sais que vous êtes tout comme il faut pour n'être persuadée qu'à bonnes enseignes. Dieu est tout-puissant, qui est-ce qui en doute ? Mais nous ne méritons guère qu'il nous montre sa puissance[1].

Je suis fort aise que M. de Grignan ait bien harangué. Cela est agréable pour soi ; on ne se soucie pas des autres. M. de Chaulnes parla bien aussi, un peu pesamment, mais cela n'était pas mal à un gouverneur. Pour Lavardin, il a la langue bien pendue.

J'ai mandé à Corbinelli qu'assurément son paquet avait été perdu avec tant d'autres lettres que je regrette tous les jours.

Adieu, ma chère fille, je vous aime si passionnément que j'en cache une partie, afin de ne vous point accabler. Je vous remercie de vos soins, de votre amitié, de vos lettres ; ma vie tient à toutes ces choses-là.

91. À MADAME DE GRIGNAN

Aux Rochers, ce <mercredi> 21 octobre [1671].

Mon Dieu, ma bonne, que votre ventre me pèse ! et que vous n'êtes pas seule qu'il fait étouffer ! Le grand intérêt que je prends à votre santé me ferait devenir habile, si j'étais auprès de vous. Je donne des avis à la petite Deville qui feraient croire à Mme Moreau[2] que j'ai eu des enfants. En vérité, j'en ai beaucoup appris depuis trois ans. Mais j'avoue qu'auparavant cela l'honnêteté et la préciosité d'un long veuvage m'avaient laissée dans une profonde ignorance ; je deviens matrone à vue d'œil.

Vous avez M. de Coulanges présentement, qui vous aura bien réjoui le cœur ; mais vous ne l'aurez plus quand vous recevrez cette lettre. Je l'aimerai toute ma vie du courage qu'il a eu de vous aller trouver jusqu'à Lambesc ; j'ai fort envie de savoir des nouvelles de ce pays-là. Je suis accablée de celles de Paris ; surtout la répétition du mariage de Monsieur me fait sécher sur le pied. Je suis en butte à tout le monde, et tel qui ne m'a jamais écrit s'en avise, pour mon malheur, afin de me l'apprendre. Je viens d'écrire à l'abbé de Pontcarré que je le conjure de ne m'en plus rompre la tête, et de la Palatine qui va quérir la princesse, et du maréchal du Plessis qui va l'épouser à Metz[1], et de Monsieur qui va consommer à Châlons, et du Roi qui les va voir à Villers-Cotterets ; qu'en un mot, je n'en veux plus entendre parler qu'ils n'aient couché et recouché ensemble ; que je voudrais être à Paris pour n'entendre plus de nouvelles ; qu'encore, si je me pouvais venger sur les Bretons de la cruauté de mes amis, je prendrais patience, mais qu'ils sont six mois à raisonner sans ennui sur une nouvelle de la cour, et à la regarder de tous les côtés ; que pour moi, il me reste encore quelque petit air du monde, qui fait que je me lasse aisément de tous ces dits et redits. En effet, je me détourne des lettres où je crois qu'on m'en pourrait parler encore, et je me jette avidement et par préférence sur les lettres d'affaires. Je lus hier avec un plaisir extrême une lettre du bonhomme La Maison[2] ; j'étais bien assurée qu'il ne m'en dirait rien. En effet, il ne m'en dit pas un mot, et salue toujours humblement Madame la Comtesse, comme si elle était encore à mes côtés. Hélas ! il ne m'en faudrait guère prier pour me faire pleurer présentement ; un tour de mail sur le soir en ferait l'office.

À propos, il y a des loups dans mon bois ; j'ai deux

ou trois gardes qui me suivent les soirs, le fusil sur l'épaule ; Beaulieu est le capitaine[1]. Nous avons honoré depuis deux jours le clair de la lune de notre présence, entre onze heures et minuit. Nous vîmes d'abord un homme noir ; je songeai à celui d'Auger, et me préparais déjà à refuser la jarretière. Il s'approcha, et il se trouva que c'était La Mousse. Un peu plus loin nous vîmes un corps blanc tout étendu. Nous approchâmes assez hardiment de celui-là ; c'était un arbre que j'avais fait abattre la semaine passée. Voilà des aventures bien extraordinaires ; je crains que vous n'en soyez effrayée en l'état où vous êtes. Buvez un verre d'eau, ma bonne. Si nous avions des sylphes à notre commandement, nous pourrions vous conter quelque histoire digne de vous divertir, mais il n'appartient qu'à vous de voir une pareille diablerie sans en pouvoir douter. Quand ce ne serait que pour parler à Auger, il faut que j'aille en Provence[2]. Cette histoire m'a bien occupée et bien divertie ; j'en ai envoyé la copie à ma tante, dans la pensée que vous n'auriez pas eu le courage de l'écrire deux fois si bien et si exactement. Dieu sait quel goût je trouve à ces sortes de choses en comparaison des *Renaudots*[3], qui égayent leurs plumes à mes dépens. Il y a de certaines choses qu'on aimerait tant à savoir ! Mais de celles-là, pas un mot. Quand quelque chose me plaît, je vous le mande, sans songer que peut-être je suis un écho moi-même ; si cela était, ma bonne, il faudrait m'en avertir par amitié.

J'écrivis l'autre jour à *Figuriborum*[4] sur son ambassade. Il ne m'a point fait réponse ; je m'en prends à vous. Adieu, ma très aimable Comtesse. Je vous vois, je pense à vous sans cesse ; je vous aime de toute la tendresse de mon cœur et je ne pense point qu'on puisse aimer davantage. Mille amitiés aux Grignan, à proportion de ce que vous croyez qu'ils m'aiment. Cette règle est bonne, je m'en fie à vous. Mon Abbé est tout à vous et la belle Mousse.

92. À MADAME DE GRIGNAN

Aux Rochers, dimanche 25e octobre [1671].

Me revoilà dans mes lamentations du prophète Jérémie. Je n'ai reçu qu'un paquet cette semaine, et voilà l'autre perdu. Vous n'avez point été sept jours sans m'écrire ; il y a cela entre vos lettres. Ma bonne, c'est un démon qui les dérobe, et qui s'en joue ; c'est le sylphe d'Auger. Quoi qu'il en soit, j'en suis inconsolable. Voilà une lettre pour votre Évêque. Vous avez très bien fait d'ouvrir la sienne ; elle est toute farcie de tendresse. Je le prends par ses paroles, et je compte là-dessus plus qu'il ne voudrait ; c'est très bien fait, pourquoi s'embarque-t-il dans de si extrêmes protestations ? Je crois que ma réponse n'est point mal. La fin est bien méchante, bien commune ; j'ai quasi donné dans la *justice de croire* mais voilà justement où je ne m'en soucie pas. J'ai une extrême envie de savoir comme il se retirera de cette Assemblée-ci. Il est vrai que je ménage M. Le Camus, dans la vue que ce commerce vous peut être bon ; j'en ferais davantage pour le moindre de vos intérêts. Vous avez vu comme il est content de la civilité de M. de Grignan touchant son secrétaire ; il fallait faire comme il a fait, quoique en vérité cela soit, comme vous dites, très injuste. J'en suis fâchée à cause de Davonneau, mais je ne puis croire que la province ne le récompense pas et n'ait point égard aux services qu'il rend ; ce serait une chose horrible et inouïe, et malhonnête au dernier point[1].

Je vous prie, ma bonne, si vous n'avez point jeté mes dernières lettres, mandez-moi s'il n'y <en> a pas une du 30e septembre. Eh bien ! c'est justement celle où vous me disiez de l'avoir reçue que le diable a emportée ; j'en reviens toujours là, parce que j'en suis désespérée. Si vous saviez comme je vous aime premièrement, et puis comme j'aime vos lettres, vous comprendriez bien facilement la noirceur du chagrin que cette perte me donne.

On me mande que le Roi a donné un régiment au chevalier de Grignan ; je crois que c'est Adhémar. Hélas ! est-ce quelque chose de bon ? je le souhaite[1].

Mais que dirons-nous de M. de Coulanges ? N'est-ce point le plus joli homme du monde ? J'ai lu sa lettre, tout comme vous l'aviez imaginé, c'est-à-dire en pâmant de rire ; toute sa lettre est excellente, et ses chapitres. Mon Dieu ! que j'ai envie de le voir, de l'embrasser, de parler de vous avec lui ! Il est ravi de tout ce que vous faites, et en vérité il a raison ; on ne peut assez vous admirer. Je ne saurais faire les honneurs de vous, et j'en suis touchée tout comme les autres, et j'en demeure d'accord avec mes bons amis, sans faire comme la présidente Jeannin ; vous souvient-il de ce petit conte[2] ? Enfin, ma bonne, que vous manque-t-il ? Vous le renviez sur M. de Pomponne. Au milieu de mon rire, je me suis senti des serrements de cœur qui ne paraissaient point y devoir trouver leur place, et que je trouvais fort bien le moyen d'y mettre ; tous chemins vont à Rome, c'est-à-dire tout me va droit au cœur. M. de Coulanges écrit tout cela bien plaisamment, et nous en avons ri, tout comme vous l'avez imaginé, et assurément aux mêmes endroits. J'examinerai bien cet hiver avec lui tous les chapitres[3], et surtout celui de la coiffure ; il me paraît assez comme celui d'Aristote dans son chapitre des chapeaux.

Mais le chocolat, qu'en dirons-nous ? N'avez-vous point peur de vous brûler le sang ? Tous ces effets si miraculeux ne nous cacheront-ils point quelque embrasement ? Qu'en disent vos médecins ? Dans l'état où vous êtes, ma bonne, rassurez-moi, car je crains ses effets. Je l'aime, comme vous savez, mais il me semble qu'il m'a brûlée, et, de plus, j'en ai bien entendu dire du mal ; mais vous dépeignez et vous dites si bien les merveilles qu'il fait en vous, que je ne sais pas que dire. Cet endroit est plaisant de la lettre de M. de Coulanges, mais tout ; je vous assure qu'elle est plaisante.

Mandez-moi bien des nouvelles de l'Évêque. Adieu, ma très et très aimable. Je prendrai plaisir à lire dans le chapitre de la tendresse que vous avez pour moi ; je vous promets de demeurer fixée dans l'opinion que j'en ai. Mais, pour plus grande sûreté, ma bonne, soyez fixée aussi à m'en donner des marques, comme vous faites. Vous savez avec quelle passion je vous aime, et quelle inclination j'ai eue toute ma vie pour vous. Tout ce qui peut m'avoir rendue haïssable venait de ce fonds ; il est en vous de me rendre la vie heureuse ou malheureuse. J'embrasse ce Comte.

La marquise de Coëtlogon prit tant de chocolat, étant grosse l'année passée, qu'elle accoucha d'un petit garçon noir comme le diable, qui mourut. Il est vrai que les lettres de notre petit ami[1] ne sont nullement agréables ; il y a trop de paroles. Il fait bien d'être honnête homme d'ailleurs.

Si vous marquez vos dates, vous verrez bien celles que je ne reçois pas ; par exemple, la dernière de la semaine passée était du 7 octobre, celle d'avant-hier était du 14e. Voilà sept jours ! Assurément, il y en a une du 3 ou du 4 qui est perdue, et c'est de cela que je crie comme une aigle.

Je fais réponse à M. de Coulanges ; ma tante ne le

croit plus auprès de vous. Je viens d'écrire un petit mot à M. Le Camus ; il ne vous saurait nuire et fera peut-être du bien au pauvre Davonneau ; je le voudrais de tout mon cœur ; il serait bien injuste qu'il n'eût rien, étant dans le service actuel.

Adieu, bonne. Adieu, belle. Je vous baise et vous embrasse d'un cœur que Dieu voit.

93. À MADAME DE GRIGNAN

Aux Rochers, ce <mercredi> 28e octobre [1671].

Des scorpions ! il me semble, ma bonne, que c'était là un vrai chapitre pour le livre de M. de Coulanges. Celui de l'étonnement de vos entrailles sur la glace et le chocolat est une matière que je veux traiter à fond avec lui, mais plutôt avec vous et vous demander de bonne foi si vos entrailles n'en sont point offensées, et si elles ne vous font point de bonnes coliques pour vous apprendre à leur donner de telles *antipéristases*[1]. J'ai voulu me raccommoder avec le chocolat ; j'en pris avant-hier pour digérer mon dîner, afin de bien souper, et j'en pris hier pour me nourrir, et pour jeûner jusqu'au soir. Il me fit tous les effets que je voulais ; voilà de quoi je le trouve plaisant, c'est qu'il agit selon l'intention.

Je ne sais pas, ma bonne, ce que vous avez fait ce matin ; pour moi, je me suis mise dans la rosée jusqu'à mi-jambes pour prendre des alignements. Je fais des allées de retour tout autour de mon parc, qui seront d'une grande beauté ; si mon fils aime les bois et les promenades, il bénira bien ma mémoire[2]. Mais, à propos de mère, on accuse celle du marquis de Senneterre de l'avoir fait assassiner[3].

Il a été criblé de cinq ou six coups de fusil ; on croit qu'il mourra. Voilà une belle scène pour notre petite amie. Je mande à mon fils que j'approuve le procédé de cette mère, et que voilà comme il faut corriger ses enfants, et que je veux faire amitié avec elle. Je crois qu'il est à Paris, votre petit frère. Il aime mieux m'y attendre que de revenir ici ; il fait bien.

Mais que dites-vous, ma bonne, de l'infidélité de mon mari, l'abbé d'Effiat ? Je suis malheureuse en maris[1] ; il a épousé une jeune nymphe de quinze ans, fille de M. et de Mme de La Bazinière, façonnière et coquette en perfection. Le mariage s'est fait en Touraine ; il a quitté quarante mille livres de rente de bénéfices pour... Dieu veuille qu'il soit content ! Tout le monde en doute, et trouve qu'il aurait bien mieux fait de s'en tenir à moi.

M. d'Harouys m'écrit ceci : « Mandez à Mme de *Carignan* que je l'adore ; elle est à ses petits États, mais ce ne sont pas gens comme nous, qui donnons des cent mille écus. Mais au moins qu'ils lui donnent autant qu'à M<me> de Chaulnes pour sa bienvenue. » Il aura beau souhaiter, et moi aussi : vos esprits sont secs, et leur cœur s'en <ressent> ; le soleil boit toute leur humidité, qui fait la bonté et la tendresse.

Ma bonne, je vous embrasse mille fois ; je suis toujours dans la douleur d'avoir perdu un de vos paquets, la semaine passée. La Provence est devenue mon vrai pays. C'est de là que viennent tous mes biens et tous mes maux. J'attends toujours les vendredis avec impatience ; c'est le jour de vos lettres. Saint-Pavin avait fait un jour un épigramme sur les vendredis, qui était un jour qu'il me voyait chez l'Abbé[2]. Il parlait aux dieux, et finissait :

Multipliez les vendredis,
Je vous quitte de tout le reste.

A l'applicazione, Signora[1].

Monsieur d'Angers m'écrit des merveilles de vous[2]. Il a fort vu Monsieur d'Uzès, qui ne se peut taire de vos perfections. Vous lui êtes très obligée de son amitié ; il en est plein, et la répand avec mille louanges qui vous font admirer. Mon Abbé vous aime très parfaitement, La Mousse vous honore, et moi je vous quitte : ah ! marâtre ! Un mot aux chers Grignan.

94. À MADAME DE GRIGNAN

Aux Rochers, dimanche 1er novembre [1671].

Si cette première lettre de Coulanges que j'ai perdue était comme les trois autres, il en faut pleurer ; car, tout de bon, on ne peut écrire plus agréablement. Vous[3] faites un dialogue entre vous autres, qui vaut tout ce qu'on peut dire ; chacun y dit son mot très plaisamment. Pour vous, ma fille, je vous reconnais bien à consentir que Coulanges s'en aille demain plutôt qu'à demeurer avec vous toute sa vie. Cette éternité vous fait peur, comme à moi d'aller en litière avec quelqu'un : je ne veux point vous dire la seule personne du monde avec qui j'y voudrais aller.

Je suis fort aise de connaître *Jacquemart* et *Marguerite*[4] : il me semble que je suis avec vous tous, et il me semble que je vous vois et M. de Coulanges. Il faut avouer que vous êtes une honnête femme de vous ajuster comme vous faites en Provence avec votre mari, et d'avoir passé neuf mois avec nous à Paris, comme une vraie demoiselle de Lorraine ; vous souvient-il de ce manteau noir, dont vous nous honoriez tous les jours[1] ? J'espère que je renouvellerai tous vos ajustements quand j'arriverai à Grignan. Mais point de grossesse, mon cher Grignan, je vous en conjure tendrement ; ayez pitié de votre aimable femme, laissez-la reposer comme une bonne terre. Si vous me le promettez, je vous aimerai de tout mon cœur.

Je comprends, ma fille, la crainte que vous avez de perdre votre Premier Président. Votre imagination va vite, car il n'est point en danger[2] ; voilà les tours que me fait la mienne à tout moment. Il me semble toujours que tout ce que j'aime, que tout ce qui m'est bon, va m'échapper ; et cela donne de telles détresses à mon cœur que si elles étaient continuelles comme elles sont vives, je n'y pourrais pas résister. Sur cela il faut faire des actes de résignation à l'ordre et la volonté de Dieu[3]. M. Nicole n'est-il pas encore admirable là-dessus ? J'en suis charmée, je n'ai rien vu de pareil. Il est vrai que c'est une perfection un peu au-dessus de l'humanité, que l'indifférence qu'il veut de nous pour l'estime ou l'improbation du monde ; je suis moins capable que personne de la comprendre. Mais quoique dans l'exécution on se trouve faible, c'est pourtant un plaisir que de méditer avec lui, et de faire réflexion sur la vanité de la joie ou de la tristesse que nous recevons d'une telle fumée ; et à force de trouver son raisonnement vrai, il ne serait pas impossible qu'on s'en servît dans certaines occasions. En un mot, c'est toujours un trésor, quoi que nous en puissions faire, d'avoir un si bon miroir des faiblesses de notre cœur. M. d'Andilly est aussi content que nous de ce beau livre.

M. de Coulanges vous a gagné votre argent, mais vous avez bien ri en récompense ; rien ne peut égaler ce qu'il a écrit à sa femme[1]. Je ne crois pas que je le quitte cet hiver, tant je serai ravie de parler de vous avec un homme qui vous a vue et admirée de si près. Pour Adhémar, puisqu'il est méchant, je le chasserai ; il est vrai qu'il a un régiment, et qu'il entrera par force. On me mande que ce régiment est une distinction agréable ; mais n'est-ce point aussi une ruine ? Ce que je trouve de bon, c'est que le Roi se soit souvenu d'Adhémar, en absence. Plût à Dieu qu'il se souvînt aussi de son aîné, puisqu'il va bien jusqu'en Suède[2] chercher de fidèles serviteurs !

J'aime le Coadjuteur de m'aimer encore. Adhémar, Chevalier, approchez-vous, que je vous embrasse, je suis attachée à ces Grignan. Il s'en faut bien que le livre de M. Nicole ne fasse en moi de si beaux effets qu'en M. de Grignan. J'ai des liens de tous côtés, mais surtout j'en ai un qui est dans la moelle de mes os ; et que fera là-dessus M. Nicole ? Mon Dieu, que je sais bien l'admirer ! mais que je suis loin de cette bienheureuse indifférence qu'il nous veut inspirer ! Adieu, ma très chère petite. Ne me plaignez-vous point de ce que je m'en vais souffrir, présentement que vous êtes dans votre neuf ? Conservez-vous si vous m'aimez.

Je sens de la tristesse de voir tous vos visages de Paris vous quitter l'un après l'autre ; il est vrai que vous avez votre mari, qui est aussi un visage de Paris. Ma fille, il ne faut point se laisser oublier dans ce pays-là ; il faut que je vous ramène, je vous en ferai demeurer d'accord.

Le mariage de l'abbé d'Effiat n'est point fait, comme on me l'avait mandé. Il demande du temps pour y penser, et je crois cette affaire rompue.

<Monsieur le Comte, j'ai bien de la peine à vous pardonner d'avoir mis encore ma fille en cet état, et je suis bien aise que vous remarquiez quand je ne

fais point mention de vous dans mes lettres : voilà justement ce que je voulais.>

95. À MADAME DE GRIGNAN

Aux Rochers, mercredi 4 novembre [1671].

Ah ! ma fille, il y a aujourd'hui deux ans qu'il se passa une étrange scène à Livry et que mon cœur fut dans une terrible presse. Il faut passer légèrement sur de tels souvenirs. Il y a de certaines pensées qui égratignent la tête.

Parlons un peu de M. Nicole ; il y a longtemps que nous n'en avons rien dit. Je trouve votre réflexion fort bonne et fort juste sur ce que vous dites de l'indifférence qu'il veut que l'on ait sur l'approbation ou l'improbation du prochain. Je crois, comme vous, qu'il faut un peu de grâce, et que la philosophie seule ne suffit pas[1]. Il nous met à un si haut point la paix et l'union avec le prochain et nous conseille de l'acquérir aux dépens de tant de choses qu'il n'y a pas moyen après cela d'être indifférente sur ce qu'il pense de nous[2]. Devinez ce que je fais : je recommence ce traité. Je voudrais bien en faire un bouillon et l'avaler. Ce qu'il dit de l'orgueil, et de l'amour-propre qui se trouve dans toutes les disputes, que l'on couvre du beau nom de l'amour de la vérité, est une chose qui me ravit[3]. Enfin ce traité est fait pour bien du monde, mais je crois principalement qu'on n'a eu que moi en vue. Il dit que l'éloquence et la facilité de parler donnent un certain *éclat* aux pensées. Cette expression m'a paru belle et nouvelle ; le mot d'*éclat* est bien placé, ne le trouvez-vous pas[4] ? Il faut que nous relisions ce livre à

Grignan. Si j'étais votre garde pendant votre couche, ce serait notre fait ; hélas ! que vous puis-je faire de si loin ? Je fais dire tous les jours la messe pour vous ; voilà mon emploi, et d'avoir bien des inquiétudes qui ne vous serviront de rien, mais qu'il est impossible de n'avoir pas.

Cependant j'ai dix ou douze charpentiers en l'air, qui élèvent ma charpente, qui courent sur des solives, qui ne tiennent à rien, qui sont à tout moment sur le point de se rompre le cou, qui me font mal au dos à force de leur aider d'en bas. On songe à ce bel effet de la Providence que fait la cupidité[1], et l'on remercie Dieu qu'il y ait des hommes qui, pour douze sols, veuillent bien faire ce que d'autres ne feraient pas pour cent mille écus : *Ô trop heureux, ceux qui plantent des choux ! quand ils ont un pied à terre, l'autre n'en est pas loin*. Je tiens ceci d'un bon auteur[2].

Nous avons aussi des planteurs qui font des allées nouvelles, et dont je tiens moi-même les arbres quand il ne pleut pas à verse. Mais le temps nous désole, et fait qu'on souhaiterait un sylphe pour nous porter à Paris. Mme de La Fayette me mande que, puisque vous me mandez sérieusement l'histoire d'Auger, elle est persuadée qu'elle est vraie, et que vous ne vous moquez point de moi. Elle pensait que ce fût une folie de M. de Coulanges, et cela se pouvait très bien penser. Si vous lui en écrivez, que ce soit sur ce ton.

M. de Louvigny, comme vous voyez, n'a pas eu la force d'acheter la charge de son père. Voilà M. de La Feuillade bien établi ; je ne croyais pas qu'il dût si bien rentrer dans le chemin de la fortune. Ma tante a eu une bouffée de fièvre qui m'a fait peur[3]. Votre fille a mal aux dents et pince comme vous ; cela est plaisant. Que vous dirai-je de plus ? Songez que je suis dans un désert ; jamais je n'ai vu moins de monde que cette année. La Troche, que j'attendais, est malade. Nous sommes donc seuls. Nous lisons beaucoup et l'on trouve le soir et le lendemain comme ailleurs.

Adieu, ma chère enfant ; je suis à vous, sans aucune exagération ni fin de lettre, *hasta la muerte*[1] inclusivement. J'embrasse M. de Claudiopolis, et le colonel Adhémar et le beau Chevalier[2]. Pour M. de Grignan, il a son fait à part.

[À MONSIEUR DE GRIGNAN]

Voilà ce que je vous adresse, à vous qui êtes un badin, à vous qui faites des applications ; j'ai trouvé celle-ci toute faite au bout de ma plume, et tout en riant je dis la vérité. Je souhaite que le temps passe ; à quel prix ? Hélas ! au prix de ma vie. C'est une grande folie que de vouloir acheter si cher une chose qui vient infailliblement, mais enfin cela est ainsi.

Je ne sais si vous aviez l'année passée d'aussi grandes inquiétudes que celles que je sens que je vais avoir ; si cela est, je vous plains, et j'espère de votre amitié les mêmes soins que j'eus de vous. Adieu, mon très cher ; ne soyez pas paresseux d'écrire en ce temps-là.

Pour Monsieur de Grignan.

96. À MADAME DE GRIGNAN

Aux Rochers, mercredi 11 novembre [1671].

Plût à Dieu, ma fille, que de penser continuellement à vous avec toutes les tendresses et les inquiétudes possibles vous pût être bon à quelque chose ! Il me semble que l'état où je suis ne devrait point vous être entièrement inutile ; cependant il ne vous sert de rien, et de quoi pourrait-il vous servir à deux cents lieues de vous ? Je crois que l'on songe à tout où vous êtes, qu'on a toutes les prévoyances, qu'on a pris le bon parti entre aller à Aix ou retourner à Grignan, qu'on a fait venir de bonne heure une sage-femme pour vous y accoutumer un peu, et vous épargner au moins ce qu'on peut vous épargner, je veux dire le chagrin et l'impatience que donne un visage entièrement inconnu. Pour une garde, il faut que vos femmes vous secourent en cette occasion ; elles se souviennent de tout le manège de Mme Moreau. Et vous, ma fille, vous aurez soin de garder le silence, et vous ne croirez pas faire, comme à Paris, un fort bon marché d'acheter le plaisir de parler par un grand accès de fièvre. Que vous dirai-je enfin, et que vous puis-je dire que des choses à peu près de cet agrément ? J'ai la tête pleine de tout ceci, je vous en parle ; cela est naturel. Si cela vous ennuie, cela est naturel aussi. Je ne suis point blessée de toutes les choses qui sont à leur place. Il faudrait donc ne vous point écrire jusqu'à ce que je susse que vous êtes accouchée, et ce serait une étrange chose. Il vaut mieux, ma fille, que vous accoutumiez votre esprit à souffrir les pensées justes et naturelles, dont on est rempli dans certaines occasions. Peut-être que vous serez accouchée quand vous recevrez cette lettre ; mais qu'importe ? pourvu qu'elle vous trouve en bonne santé. J'attends vendredi avec de grandes impatiences ; voilà comme je suis à toujours pousser le temps avec l'épaule, et c'est ce que je n'aimais point à faire, et que je n'avais fait de ma vie, trouvant toujours que le temps marche assez sans qu'on le hâte d'aller.

Mme de La Fayette me mande qu'elle vous va écrire. Je crois qu'elle n'aura pas manqué de vous apprendre que la M[arans] entra l'autre jour chez la Reine à la comédie espagnole, tout effarée, ayant perdu la tramontane dès le premier pas. Elle prit la place de Mme du Fresnoy ; on se moqua d'elle, comme d'une folle très mal apprise[1].

L'autre jour Pomenars passa par ici. Il venait de Laval, où il trouva une grande assemblée de peuple ; il demanda ce que c'était. « C'est, lui dit-on, que l'on pend en effigie un gentilhomme qui avait enlevé la fille de M. le comte de Créance. »

Cet homme-là, Sire, c'était lui-même[2].

Il approcha. Il trouva que le peintre l'avait mal habillé ; il s'en plaignit. Il alla souper et coucher chez le juge qui l'avait condamné. Le lendemain il vint ici, pâmant de rire ; il en partit cependant dès le grand matin, le jour d'après.

Pour des devises, hélas ! ma fille, ma pauvre tête n'est guère en état de songer, ni d'imaginer. Cependant, comme il y a douze heures au jour, et plus de cinquante à la nuit, j'ai trouvé dans ma mémoire *une fusée poussée fort haut*, avec ces mots :

Che pera, pur che s'inalzi.

Plût à Dieu que je l'eusse inventée ! je la trouve toute faite pour Adhémar : *Qu'elle périsse, pourvu qu'elle s'élève !* Je crains de l'avoir vue dans ces quadrilles (je ne m'en souviens pourtant pas précisément), mais je la trouve si jolie que je ne crois point qu'elle vienne de moi[3]. Je me souviens bien d'avoir vu dans un livre, au sujet d'un amant qui avait été assez hardi pour se déclarer, *une fusée en l'air,* avec ces mots : *Da l'ardore l'ardire*[1] ; elle est belle, mais ce n'est pas cela. Je ne sais même si celle que je voudrais avoir faite est dans la justesse des devises ; je n'ai aucune lumière là-dessus. Mais en gros elle m'a plu, et si elle était bonne, et qu'elle se trouvât dans les quadrilles, ou dans un cachet, ce ne serait pas un grand mal : il est difficile d'en faire de toutes nouvelles. Vous m'avez entendue mille fois ravauder sur ce demi-vers du Tasse que je voulais employer à toute force, *l'alte non temo*[2]. J'ai tant fait que le comte des Chapelles a fait faire un cachet avec un aigle qui approche du soleil, *l'alte non temo ;* il est joli. Ma pauvre enfant, peut-être que tout cela ne vaut rien, et je ne m'en soucierai guère, pourvu que vous vous portiez bien.

97. À MADAME DE GRIGNAN

Aux Rochers, dimanche 15 novembre [1671].

Quand je vous ai demandé si vous n'aviez point jeté mes dernières lettres, c'était un air ; car, de bonne foi, quoiqu'elles ne méritent point tout l'honneur que vous leur faites, je crois qu'après avoir gardé celles que je vous écrivais quand vous faisiez des poupées, vous garderez encore celles-ci. Mais il n'y a plus de cassettes capables de les contenir ; hélas ! il faudra des coffres.

Je ne crois pas qu'il y ait rien de plus plaisant que ce que vous dites du nom d'*Adhémar*. Enfin la seule rature de ses lettres, c'est à la signature[3]. Je suis bien empêchée pour le nom du régiment ; je vous en ai mandé mon avis. Vous savez comme je suis pour *Adhémar*, et que je voudrais le maintenir au péril de ma vie ; mais je crains que nous ne soyons pas les plus forts. Pour la devise, elle est jolie :

Che peri, pur che m'inalzi.

Voilà le vrai discours d'un *petit glorieux*, d'un petit ambitieux, d'un petit téméraire, d'un petit impétueux, d'un petit maréchal de France. J'ai bien envie d'en savoir votre avis, et où je l'ai pêchée ; car je ne crois pas l'avoir faite.

Pour M. de Grignan, ah ! je le crois ; je suis assurée qu'il aime mieux une grive que vous[1] ; et si cela est, j'aime mieux un hibou que lui. Qu'il s'examine ; je l'aime comme il vous aime, à proportion. Je sais bien toujours qu'il y a une chose qui m'en fera juger.

Mais, ma fille, n'admirez-vous point les erreurs et les contretemps que fait l'éloignement ! Je suis en peine de vous quand vous êtes en bonne santé ; et quand vous serez malade, une de vos lettres me redonnera de la joie. Mais cette joie ne peut être longue, car enfin il faut accoucher, et c'est cela qui vient dans le milieu du cœur et qui trouble avec raison, jusqu'à ce que j'apprenne votre heureux accouchement. Vous êtes donc résolue d'accoucher à Lambesc ? Avez-vous votre chirurgien ? La petite Deville me mande que vous le connaissez ; c'est beaucoup. Je crains qu'il ne soit jeune, puisqu'il vous saigne, et les jeunes gens n'ont guère d'expérience. Enfin je ne sais ce que je dis. Mais ayez soin de vous pardessus toutes choses ; vos expériences doivent vous avoir rendue sage. Pour moi, je suis d'une capacité qui me surprend.

Vous ai-je dit que je faisais planter la plus belle

place du monde ? Je me plante moi-même au milieu de la place, où personne ne me tient compagnie, parce qu'on meurt de froid. La Mousse fait vingt tours pour s'échauffer, l'Abbé va et vient pour nos affaires, et moi, je suis là, fichée avec ma casaque, à penser à la Provence, car cette pensée ne me quitte jamais. Je voudrais bien apprendre ici les nouvelles de votre accouchement. La fatigue des chemins et ma violente inquiétude ne me paraissent pas deux choses qu'on puisse supporter à la fois.

Mandez-moi de bonne foi quel nom prendra Adhémar ; je le trouve empêché. M. de Grignan défend *Grignan*, et a raison ; Rouville défend l'autre[1]. Il faudra se réduire au *petit glorieux*. Adieu, ma très chère et très aimable ; je crois que vous m'aimez et le croirai tant que vous voudrez. Comment pourrais-je vivre sans le croire ?

Vous voulez savoir si nous avons encore des feuilles vertes ? oui, beaucoup. Elles sont mêlées d'aurore et de feuille-morte ; cela fait une étoffe admirable.

Voilà deux bonnes veuves, Mme de Senneterre et Mme de Leuville : l'une est plus riche que l'autre, mais l'autre est plus jolie que l'une. Vous ne me dites rien de votre Assemblée ; elle dure plus que nos États. Parlez-moi au moins de votre santé, et pour ce que vous appelez des fadaises, je ne trouve que cela de bon. Hélas ! si vous les haïssiez, vous n'auriez qu'à brûler mes lettres sans les lire.

Notre Abbé vous embrasse paternellement ; il vous conjure de faire, pendant que vous y serez, tous les enfants que vous voudrez faire, et de n'en point garder pour quand nous arriverons. Adieu, ma chère enfant, je vous recommande ma vie.

98. À MADAME DE GRIGNAN

Aux Rochers, mercredi 18 novembre [1671].

Eh, mon Dieu ! ma chère enfant, en quel état vous trouvera cette lettre ! Il sera le 28 du mois ; vous serez accouchée, je l'espère, et très heureusement. J'ai besoin de me dire souvent ces paroles pour me soutenir le cœur, qui est quelquefois tellement pressé que je ne sais qu'en faire ; mais il est bien naturel d'être comme je suis dans une occasion comme celle-ci. J'attends mes vendredis, et je supplie ceux qui se sont divertis à prendre vos lettres de finir ce jeu jusqu'à ce que vous soyez accouchée. On en veut aussi aux miennes ; j'en suis au désespoir, car vous savez qu'encore que je ne fasse pas grand cas de mes lettres, je veux pourtant toujours que ceux à qui je les écris les reçoivent. Ce n'est jamais pour d'autres, ni pour être perdues que je les écris. J'ai donc regret à tout ce que vous ne recevez pas. Quelle vision de prendre une de mes lettres ! Il me semble que nous sommes à un degré de parenté qui ne donne point de curiosité. Voilà qui est insupportable ; n'en parlons plus.

De la façon dont M. d'Hacqueville m'écrit, Mme de Montausier est morte ; il l'avait laissée à l'agonie. S'il faut écrire à M. de Montausier et à Mme de Crussol, me voilà plus empêchée[1] que quand Adhémar écrivit au Roi et aux ministres. Je ne saurais plus écrire depuis que mes lettres ne vont point à vous ; me voilà demeurée tout court. Je songe quelquefois que, pendant que je me creuse la tête, on tire peut-être le canon, on est aise, on se réjouit pour votre accouchement. Cela peut être, mais je ne le sais pas encore, et on languit en attendant[2]. Il gèle à pierre fendre ; je suis tout le jour à trotter dans ces bois. Il ferait très beau s'en aller, et quand nous partirons, la pluie nous accablera. Voilà de belles réflexions. Quand on n'a pas autre chose à dire, il vaudrait tout autant finir.

99. À MADAME DE GRIGNAN

Aux Rochers, dimanche 22 novembre [1671].

Mme de Louvigny est accouchée d'un fils ; vous voyez bien, ma chère enfant, que vous en aurez un aussi. Vous vous y attendez d'une telle sorte que, comme vous dites, *la signora qui mit au monde une fille* ne fut pas plus attrapée que vous le seriez si ce malheur vous arrivait[1]. Je fais prier Dieu sans cesse pour cet heureux moment, d'où dépend ma vie plus que la vôtre. Je ne crois pas que je puisse me résoudre à quitter ce lieu avant que d'en savoir des nouvelles. Cette sorte d'inquiétude ne se peut porter sur des chemins où je ne recevrais point de lettres. C'est donc vous, ma fille, qui m'arrêtez.

Je suis très affligée de l'état où vous me représentez votre Premier Président. C'est une perte considérable pour vous ; il faut que votre malheur soit bien fort pour tuer un homme de cet âge[2], et si bien fait, et d'une si belle physionomie. Si Dieu vous le rend, ce sera un miracle. Je n'eusse jamais cru prendre un si grand intérêt à un premier président de Provence, mais la Provence est mon pays, depuis que vous y êtes.

Enfin, voilà Mme de Richelieu à la place de Mme de Montausier[3]. Quelle joie pour bien des gens ! quel chagrin pour d'autres ! Voilà le monde. Vous êtes fort aimée dans cette maison. Pour moi, je prends peu d'intérêt à tout cela, et ne conserve mes amis de la cour que dans la vue de vous être quelquefois bonne en votre absence[1]. J'ai reçu une lettre de M. de Pomponne, toute pleine d'une vraie et sincère amitié. Il est bien content du Roi son maître ; il ne trompera personne dans la bonne opinion qu'on a de lui.

Je ne doute nullement de l'histoire d'Auger, et n'en ai jamais douté ; c'est une vision de Mme de La Fayette, fondée sur la folie de M. de Coulanges. Présentement, elle la croit comme moi.

L'hiver est ici dans toute son horreur. Je suis dans les jardins, ou au coin de mon feu ; on ne peut s'amuser à rien ; quand on est loin de ses tisons, il faut courir. Je passerai encore deux vendredis aux Rochers, où j'espère que j'apprendrai votre heureux accouchement. M. de Grignan est obligé d'avoir soin de moi, comme j'ai eu soin de lui en pareille occasion.

100. À MADAME DE GRIGNAN

Aux Rochers, mercredi 25 novembre [1671].

J'ai appris par mes lettres de Paris la mort de votre Premier Président. Je ne puis vous dire combien j'en suis affligée. Il était fort honnête homme et fort aimable de sa personne, mais ce qui me le rendait très considérable, c'est l'amitié qui était entre vous, c'est de penser à ce que vous était une si bonne liaison. Et quand je me suis bien creusée sur ce sujet, je me retourne, et je trouve dans mon cœur l'inquiétude de votre santé et la pensée de votre accouchement. Je ne sais comment je n'ai pas eu l'esprit de vous conseiller ce que vous avez fait, moi qui craignais également de vous voir affronter la petite vérole à Aix ou retourner sur vos pas à Grignan. Il n'y avait qu'à ne bouger d'où vous êtes ; vous avez pris le bon parti. Je crois que vous aurez été saignée ; je crois que vous aurez été prévoyante. Je crois enfin, et j'espère, que tout ira bien ; Mme de Louvigny vous a donné un très bon exemple. Mais dans l'attente de cette nouvelle, on souffre beaucoup. Je voudrais bien la recevoir ici ; j'attends vendredi de vos lettres avec mon impatience ordinaire. Je crois que vous me parlerez bien aussi de la mort de ce pauvre homme ; je crains qu'elle ne vous ait émue, et ne vous ait fait beaucoup de mal en l'état où vous êtes. Je ne puis, ma très chère, vous en dire davantage dans celui où je suis. Ce n'est pourtant pas manque de loisir, je vous en assure. Ce n'est pas manque aussi d'amitié pour vous ; au contraire, c'est ce qui me rend trop sensible à toutes les pensées de Provence, et qui fait que ne pouvant vous dire que des choses tristes, et trouvant que vous n'en avez pas besoin, je vous quitte après vous avoir tendrement embrassée.

101. À MADAME DE GRIGNAN

Aux Rochers, dimanche 29 novembre [1671].

Il m'est impossible, très impossible de vous dire, ma chère fille, la joie que j'ai reçue en ouvrant ce bienheureux paquet qui m'a appris votre heureux accouchement. En voyant une lettre de M. de Grignan, je me suis doutée que vous étiez accouchée ; mais de ne point voir de ces aimables dessus de lettre de votre main, c'était une étrange affaire. Il y en avait pourtant une de vous du 15[1], mais je la regardais sans la voir, parce que celle de M. de Grignan me troublait la tête. Enfin je l'ai ouverte avec un tremblement extraordinaire, et j'ai trouvé tout ce que je pouvais souhaiter au monde. Que pensez-vous qu'on fasse dans ces excès de joie ? Demandez au Coadjuteur ; vous ne vous y êtes jamais trouvée[2]. Savez-vous donc ce que l'on fait ? Le cœur se serre, et l'on pleure sans pouvoir s'en empêcher. C'est ce que j'ai fait, ma chère fille, avec beaucoup de plaisir ; ce sont des larmes d'une douceur qu'on ne peut comparer à rien, pas même aux joies les plus brillantes. Comme vous êtes philosophe, vous savez les raisons de tous ces effets. Pour moi, je les sens, et je m'en vais faire dire autant de messes pour remercier Dieu de cette grâce, que j'en faisais dire pour la lui demander. Si l'état où je suis durait longtemps, la vie serait trop agréable ; mais il faut jouir du bien présent, les chagrins reviennent assez tôt. La jolie chose d'accoucher d'un garçon, et de l'avoir fait nommer par la Provence[3] ! Voilà qui est à souhait. Ma fille, je vous remercie plus de mille fois des trois lignes que vous m'avez écrites ; elles m'ont donné l'achèvement d'une joie complète. Mon Abbé est transporté comme moi, et notre Mousse est ravi. Adieu, mon ange ; j'ai bien d'autres lettres à écrire que la vôtre.

102. À MADAME DE GRIGNAN

Aux Rochers, ce <mercredi> 2e décembre [1671].

Enfin, ma bonne, après les premiers transports de ma joie, j'ai trouvé qu'il me faut encore vendredi des lettres de Provence, pour me donner une entière satisfaction. Il arrive tant d'accidents aux femmes en couche, et vous avez la langue si bien pendue, à ce que me dit M. de Grignan, qu'il me faut pour le moins neuf jours de bonne santé pour me faire partir joyeusement. J'aurai donc mes lettres de vendredi, et puis je partirai, et je recevrai celles de l'autre vendredi à Malicorne. Je suis tout étonnée de ne plus trouver sur mon cœur, ni le jour, ni la nuit, ce caillou que vous y aviez mis par l'inquiétude de votre accouchement. Je me trouve si heureuse que je ne cesse d'en remercier Dieu ; je n'espérais point d'en être si tôt quitte. J'ai reçu des compliments sans nombre et sans mesure, et du côté de Paris par mille lettres, et du côté de la Bretagne. On a bu la santé du petit bambin à plus d'une lieue autour d'ici. J'ai donné de quoi boire ; j'ai donné à souper à mes gens, ni plus ni moins que la veille des Rois. Mais rien ne m'a été plus agréable que le compliment de Pilois, qui vint le matin, avec sa pelle sur le dos, et me dit : « Madame, je viens me réjouir, parce qu'on m'a dit que Madame la Comtesse était accouchée d'un petit gars. » Cela vaut mieux que toutes les phrases du monde. M. de Montmoron est couru ici[1]. Entre plusieurs propos, on a parlé de devises ; il y est très habile. Il dit qu'il n'a jamais vu en aucun lieu celle que je conseille à Adhémar. Il connaît celle de la fusée avec le mot : *da l'ardore l'ardire*, mais ce n'est pas cela. L'autre est plus parfaite, à ce qu'il dit :

Che pera, pur che s'inalzi.

Soit qu'elle vienne de chez moi, ou d'ailleurs, il la trouve admirable.

Mais que dites-vous de M. de Lauzun ? Vous souvient-il quelle sorte de bruit il faisait il y a un an ? Qui nous eût dit : « Dans un an il sera prisonnier », l'eussions-nous cru ? *Vanité des vanités ! et tout est vanité*[1].

On dit que la nouvelle Madame n'est point du tout embarrassée de la grandeur de son rang. On dit qu'elle ne fait pas cas des médecins et encore moins des médecines. <On vous mandera comme elle est faite. Quand on lui présenta son médecin, elle dit qu'elle n'en avait que faire, qu'elle n'avait jamais été ni saignée, ni purgée ;> quand elle a quelque incommodité, elle se promène et s'en guérit par l'exercice : <*Lasciamo la andar, che fara buon viaggio*[2].>

Vous voyez bien, ma bonne, que je vous écris comme à une femme qui sera dans son vingt-deux ou vingt-troisième jour de couche. Je commence même à croire qu'il est temps de faire souvenir M. de Grignan de la parole qu'il m'a donnée. Enfin songez que voici la troisième fois que vous accouchez au mois de novembre ; ce sera au mois de septembre cette fois si vous ne le gouvernez. Demandez-lui cette grâce en faveur du joli présent que vous lui avez fait. Voici encore un autre raisonnement. Vous avez beaucoup plus souffert que si on vous avait rouée ; cela est certain. Ne serait-il point au désespoir, s'il vous aime, d'être cause que tous les ans vous souffrissiez un pareil supplice ? Ne craint-il point, à la fin, de vous perdre ? Après toutes ces bonnes raisons, je n'ai plus rien à dire, sinon que, par ma foi, je n'irai pas en Provence si vous êtes grosse ; je souhaite que ce lui soit une menace. Pour moi, j'en serais désespérée, mais je soutiendrai la gageure ; ce ne sera pas la première fois que je l'aurai soutenue.

Adieu, divine Comtesse. Je baise le petit enfant, je l'aime tendrement, mais j'aime bien madame sa mère <et, de longtemps, ce degré ne lui passera par-dessus la tête>. J'ai fort envie de savoir de vos nouvelles, de celles de l'Assemblée, de l'effet de votre baptême. Un peu de patience et je saurai tout, mais vous savez, ma bonne, que c'est une vertu qui n'est guère à mon usage. J'embrasse M. de Grignan et les autres Grignan. Mon Abbé vous honore, et La Mousse.

103. À GUITAUT

Ce [mercredi] 2e décembre, aux Rochers, [1671].

Je juge de la joie que vous donne l'accouchement de Provence, par la tristesse que m'a donnée la longueur de votre mal ; cette mesure est assez juste[1]. J'en ai parlé plusieurs fois à M. d'Hacqueville, et je vois bien qu'il ne vous en a pas fait un secret. Je ne sais quand vous délogez, mais je serai avant Noël à Paris, et en quelque lieu que vous soyez[2], je trouverai bien le moyen de passer quelque soirée avec vous. Nous avons mille choses à dire, et pourvu que nous n'ayons que Mme de Guitaut pour témoin de nos confiances, je suis assurée que nous ne nous en repentirons point.

J'ai besoin de vos raisonnements pour me consoler de la mort de M. d'Oppède ; je la vois par un côté qui me la fait paraître fort mauvaise pour nos amis[3]. J'attendrai vos lumières ; celles de Bretagne ne sont pas fort claires. Pour M. de Lauzun, on me mande que personne n'en sait encore plus que moi. Mais le sujet de moraliser est grand, quand on se souvient de l'année passée, justement dans ce temps-ci ; peut-on oublier cet endroit, quand on vivrait mille ans ? Et le voilà avec M. Foucquet[1]. Adieu, Monsieur. Je remets le reste au coin de votre feu, mais je veux qu'en attendant, vous soyez persuadé que je vous honore et vous estime de tout mon cœur.

Et vous aussi, Madame, je reçois avec beaucoup de joie la proposition que vous me faites pour mon petit-fils. J'avais dessein de vous prévenir de bonne heure. Ce n'était point pour rien que j'avais tant de soin de vous pendant ce feu ; j'avais mes desseins, soit que vous eussiez un fils ou une fille. Mais que je vous loue de vouloir faire une héritière ! Si messieurs vos maris vous aimaient tant, Mesdames, voudraient-ils vous faire souffrir tous les ans un plus grand supplice que ne sont ceux des roués ? Voilà comme je regarde vos rechutes, et c'est la vraie manière dont on les doit regarder. Je me tue d'en écrire en Provence, et je menace que si ma fille est encore grosse et toujours grosse, je n'irai point les voir ; je verrai s'ils me souhaitent. Cependant, Madame, j'aurai bientôt l'honneur de vous voir, et ma destinée est tellement d'être votre voisine, que je vais loger à Pâques tout auprès de la maison que vous avez louée. Vous pourriez, Madame, avoir une plus agréable compagnie, mais non pas une qui vous soit plus acquise, ni qui soit plus sincèrement votre très humble et très obéissante servante.

M. DE RABUTIN CHANTAL.

À Monsieur, Monsieur le comte de Guitaut.

104. À MADAME DE GRIGNAN

Aux Rochers, dimanche 6 décembre [1671].

Ces dernières lettres ne m'étaient pas moins nécessaires, pour mon repos, que celles que je reçus il y a huit jours. Ce fut une joie si parfaite pour moi que celle de votre heureux accouchement, que ne pouvant demeurer en cet état, je me tourmentai des accidents qui peuvent arriver après. Il me fallait donc ces secondes lettres, et les voilà, ma fille, telles que je pouvais les souhaiter.

Vous avez eu la colique, vous avez eu la fièvre de votre lait, mais vous voilà quitte de tout. Votre fils a été trois heures sans pisser, à ce que me dit le Coadjuteur ; vous étiez déjà toute épouvantée. Ah ! vraiment, vous voilà bien plaisante avec votre amour maternel ; quelle folie ! est-ce qu'on aime cela ? Il est blond, c'est ce qui vous charme ; vous aimez les blondins. Voilà qui est bien honnête ! M. de Grignan fait fort bien d'en être jaloux. *Vous le quittez*, dit-il, *pour le premier venu* ; c'est pour le dernier venu qu'il veut dire. Enfin ce garçon-là fera bien des jaloux. Le Coadjuteur m'écrit des détails dignes de M. Chais ou de Mme Robinet. Il me semble que vous jouez aux petits soufflets avec le Coadjuteur, n'est-il point vrai ? Je souhaite que ma présence ne vous redonne point son amitié ; c'est un bonheur pour vous que je serai bien aise de trouver tout établi.

Approchez, Monsieur le Secrétaire. Vous riez de ma devise. Vous dites qu'elle est dans tous les livres : je le crois ; un habile homme pourtant sur cette matière ne l'a point trouvée. Mais enfin je n'ai point cru l'avoir faite ; je conviens que d'autres l'ont imaginée. Mais avouez du moins qu'on ne peut vous l'appliquer sans vous faire plaisir[1].

Pour moi, ma chère enfant, n'ayant plus d'inquiétude sur votre compte, je pars dans trois jours. Je ne recevrai plus ici de vos lettres ; j'en aurai à Malicorne. Je ne puis assez vous remercier des petites lignes que vous mettez dans les lettres de ces Grignan.

Et vous, mon cher Comte, je vous plains ; je vois bien que vous n'êtes plus rien auprès de ce petit blondin. Voilà qui remettra la blancheur dans votre maison, qui par malheur s'en était un peu éloignée. Mais cependant je vous demande pardon de la comparaison du hibou. Il est vrai qu'elle est choquante, mais j'étais outrée de la préférence que vous faisiez hautement d'une grive à ma fille ; si vous vous en repentez, je m'en repentirai aussi. J'ai bien envie de savoir des nouvelles de votre Assemblée. Je voudrais bien que vous y pussiez faire l'affaire du Roi et la vôtre ; il serait fâcheux qu'elle se séparât sans rien conclure. Monsieur de Marseille m'accable de son amitié, et me rend compte de son démêlé avec le Coadjuteur, et de la santé de ma fille. Il a couru à Paris ce démêlé ; on me le mande, comme si je n'avais aucun commerce en Provence. Hélas ! c'est mon vrai pays.

Adieu, <mon très cher,> et vous, brave Adhémar, et vous, ma très chère et très aimable accouchée. Il faut que je vous dise, comme Barrillon me disait un jour : « Ceux qui vous aiment plus que moi vous aiment trop. » Quand on est si loin, on ne fait quasi rien, on ne dit quasi rien, qui ne soit hors de sa place. On pleure quand il faut rire. On rit quand on devrait pleurer. On craint pour les jeunes chirurgiens de soixante-quatre ans[1]. Enfin, ma fille, ce sont les contretemps de l'éloignement. J'y joins l'ignorance de la Provence, que je ne connais point. Vous avez un avantage qui vous empêche de me faire rire ; c'est que vous connaissez ce pays-ci. Tout cela m'oblige de me rapprocher de vous, et d'aller ensuite en Provence afin de m'instruire.

Mme de Richelieu est assez bien placée. Si Mme Scarron y a contribué, elle est digne d'envie ; sa joie est la plus solide qu'on puisse avoir en ce monde. <On me mande que Vardes revient[2].>

105. À MADAME DE GRIGNAN

Aux Rochers, mercredi 9 décembre [1671].

Je pars tout présentement, ma fille, pour m'en aller à Paris. Je quitte avec regret cette solitude, quand je songe que je ne vous trouverai pas ; sans la Provence, je doute que j'y fusse retournée cet hiver, mais le dessein que j'ai de faire ce voyage me fait prendre cette avance, n'étant pas possible d'y aller d'ici, ni de passer à Paris comme on passe à Orléans. Me voilà donc partie. Je m'en vais coucher chez Mme de Loresse votre parente[3], pour éviter le pavé de Laval. J'y serai demain, et vendredi j'enverrai à Laval quérir mes lettres, où l'on me les doit adresser ; et on me viendra trouver à Meslay, où je coucherai ; après cela je n'en espère plus qu'à Paris[4]. Si pendant cette marche vous étiez aussi quelque ordinaire sans recevoir de mes nouvelles, vous n'en serez point en peine. Je ne suis ni grosse, ni accouchée, ni téméraire en carrosse. Je n'ai point de pont d'Avignon à passer. Le temps est très beau ; mon voyage ira son train. Et comme je ne suis plus en peine de vous, il n'y a plus rien à craindre pour moi.

Je suis accablée de compliments pour la naissance de mon joli petit-fils. Je serai fort aise de savoir encore de ses nouvelles vendredi, et des vôtres encore davantage.

Le pauvre M. de Lauzun est à Pignerol. M. d'Harouys en est très affligé, mais il me mande que la joie de votre accouchement, et le nom et la naissance de votre fils, se sont fait un passage au travers de sa tristesse. Et je l'assure aussi, en récompense, que sa tristesse s'est fait un passage au travers de ma joie.

Adieu, ma chère enfant. Il faut partir ; je suis épouvantée du regret que j'ai de quitter ces bois. Je ne veux point vous dire la part que vous avez à mon indifférence pour Paris ; vous ne savez que trop combien vous m'êtes chère.

106. À MADAME DE GRIGNAN

À Malicorne, dimanche 13e décembre [1671]

Enfin, ma chère bonne, me voilà par voie et par chemin, par le plus beau temps du monde. Je fais fort bien une lieue ou deux à pied, aussi bien que Madame. Pour La Mousse, il court comme un perdu. Il est un peu embarrassé de ne pas bien dormir ; vous savez qu'il ne sait point n'être pas à son aise. Je partis donc mercredi, comme je vous avais mandé. Je vins à Loresse, où l'on me donna deux chevaux ; je consentis à la violence qu'on me fit pour les accepter. Nous avons quatre chevaux à chaque calèche ; cela va comme le vent.

Vendredi j'arrivai à Laval ; j'arrêtai à la poste où je devais recevoir votre paquet. Pendant que je discourais à la poste, je vois arriver justement cet honnête homme, cet homme si obligeant, crotté jusqu'au cul, qui m'apportait votre lettre ; je pensai l'embrasser. Vous jugez bien qu'à m'entendre parler ainsi, je ne suis pas en colère contre la poste. En effet, ma bonne, ce n'est point elle qui a eu tort. C'est assurément, comme vous aviez dit, des ennemis du petit Dubois, qui, le voyant se vanter de notre commerce et se panader[1] dans les occupations qu'il lui donnait, ont pris plaisir à lui donner le déplaisir de lui dérober nos lettres. D'abord je ne m'en suis pas aperçue, parce que je croyais que vous ne m'écriviez qu'une fois la semaine. Mais quand j'ai su que vous m'écriviez deux, j'ai été, ma bonne, dans le désespoir ; j'ai eu des regrets et des douleurs de cette perte qui me faisaient perdre l'esprit. Je trouvais que vous étiez cruelle de ne me pas répondre ni mander de certaines choses, mais tout était dans ce que je ne recevais pas. J'en ai perdu encore une depuis, avec la même douleur, et on a pris aussi, de Paris à Paris[2], une des miennes. Il s'en faut bien que je n'y aie tant de regret, mais je suis ravie, ma bonne, que vous vous en soyez aperçue. Je m'étais fait un petit chagrin fichu dans la pensée que vous n'y auriez pas pris garde.

Je reviens à la joie que j'eus de recevoir vos deux lettres dans un même paquet, de la main crottée de ce postillon. Je vis défaire la petite malle devant moi. Et en même temps, *frast, frast*, je démêle le mien, et je trouve enfin, ma bonne, que vous vous portez bien. Vous m'écrivez dans la lettre d'Adhémar, et puis vous m'écrivez de votre chef au coin de votre feu, le seizième de votre couche. Ma bonne, rien n'est pareil à la joie sensible que me donna cette assurance de votre santé ; je vous conjure de n'en point abuser. Ne m'écrivez point de grandes lettres ; restaurez-vous, et ne commencez pas si tôt à vous épuiser. Hélas ! mon enfant, vous avez été bien cruellement malade ; je serais morte de voir un si long travail. On vous saigna enfin ; on commençait d'avoir peur. Quand je pense à cet état, j'en suis troublée, et j'en tremble, et je ne puis me rendormir sur cette pensée, tant elle me frappe l'imagination.

Je mande à Mme de La Fayette et à M. d'Hacqueville ce que vous me mandez. J'eus la même pensée, et je trouvais que la Marans devait être contente, ou plutôt malcontente, puisqu'elle n'avait pas sujet d'exercer ses obligeantes et modestes pensées[1]. Je trouve plaisant que vous ayez songé à elle.

J'approuve fort que vous ne vous fassiez point saigner si tôt ; je crois que c'est ce qui fait tomber les cheveux que de ne pas attendre qu'ils soient raffermis dans la tête. J'écrirai à vos chères gardes. Mais la poste m'attend comme si j'étais gouvernante du Maine, et je prends plaisir de la faire attendre, par grandeur.

Je veux parler de mon petit garçon. Ah ! ma bonne, qu'il est joli ! Ses grands yeux sont bien une marque de votre honnêteté, mais c'est assez. Je vous prie que le nez ne demeure point longtemps *entre la crainte et l'espérance*[2] ; que cela est plaisamment dit ! Cette incertitude est étrange ; jamais un petit nez n'eut tant à craindre ni à espérer : il y a bien des nez entre les deux, qu'il peut choisir. Puisqu'il a de grands yeux, qu'il songe à vous contenter. Vous n'auriez que la bouche, puisqu'elle est petite ; ce ne serait pas assez. Ma bonne, vous l'aimez follement, mais donnez-le bien à Dieu, afin qu'il vous le conserve. D'où vient qu'il est si faible ? N'est-ce pas qu'il ne s'aidait pas pendant votre travail ? Car j'ai ouï dire aux femmes qui ont eu des enfants que c'est cette faiblesse qui fait qu'on est bien malade. Enfin, ma bonne, conservez bien ce cher enfant, mais donnez-le à Dieu, si vous voulez qu'il vous le donne, cette répétition est d'une grand-mère chrétienne ; Mme Pernelle en dirait autant, mais elle dirait bien[1].

Adieu, ma très bonne. Enfin la patience échappe à mon ami le postillon ; je ne veux pas abuser de son honnêteté. Je ne recevrai de vos lettres qu'à Paris. Je serai ravie d'embrasser ma petite mie ; vous la regardez comme un chien, et moi je veux l'aimer, notre Abbé, notre Mousse, et moi. J'embrasse ce Grignan, et je vous prie de vous souvenir de vos douleurs en temps et lieu, comme vous me le promettez. Pour Adhémar, je l'aime assurément ; a-t-il oublié qu'il est ma belle passion ? Tout de bon, je ne pense pas que j'écris ! J'écrirai mille amitiés à vos aimables gardes. La petite Deville m'a écrit une lettre admirable. Je suis à vous, ma chère et ma très chère.

107. À MADAME DE GRIGNAN

À Paris, ce <vendredi> 18e décembre [1671].

J'arrive tout présentement, ma très chère bonne. Je suis chez ma tante, entourée, embrassée, questionnée de toute ma famille et de la sienne ; mais je quitte tout pour vous dire bonjour, aussi bien qu'aux autres. M. de Coulanges m'attend pour m'amener chez lui, où il dit que je loge, parce qu'un fils de Mme de Bonneuil a la petite vérole chez moi. Elle avait dessein très obligeamment d'en faire un secret, mais on a découvert le mystère. On a mené ma petite chez M. de Coulanges ; je l'attends pour retourner avec elle, parce que ma tante veut voir notre entrevue. C'eût été une chose fâcheuse pour moi que d'exposer cet enfant et d'être bannie, durant six semaines, du commerce de mes amis, parce que le fils de Mme de Bonneuil a la petite vérole[1].

Me voilà donc chez Mme de Sanzei et M. de Coulanges[2], que j'adore parce qu'il me parle de vous. Mais savez-vous ce qui m'arrive ? c'est que je pleure, et mon cœur se serre si étrangement que je lui fais signe de se taire, et il se tait. J'ai les yeux rouges, et on parle vitement d'autre chose, à condition pourtant qu'un jour je m'abandonnerai à parler de vous tant que terre nous pourra porter, aux dépens de tout ce qui en pourra arriver. Il me conte que vous fermiez les yeux, que vous étiez dans ma chambre, et que certainement vous étiez à Paris, parce que voilà M. de Coulanges[3]. Il m'a joué cela très plaisamment, et je suis ravie que vous soyez encore un peu folle ; je mourais de peur que vous ne fussiez toujours Madame la Gouvernante. Mon Dieu, ma bonne, que je m'en vais causer avec M. de Coulanges ! Je vous conjure de vous conserver vous-même, c'est-à-dire d'être vous-même le plus que vous pourrez ; que je ne vous trouve point changée. Songez aussi à votre beauté ; engraissez-vous, restaurez-vous, souvenez-vous de vos bonnes résolutions. Et si M. de Grignan vous aime, qu'il vous donne du temps pour vous remettre ; autrement, c'en est fait pour jamais, vous serez toujours maigre comme Mme de Saint-Hérem. Je suis ravie de vous donner cette idée ; rien ne vous doit faire plus de peur. Je suis aise d'avoir trouvé cette ressemblance ; évitez-la donc, car vous savez que vous m'êtes chère en tout et partout, et votre personne tout entière. Pour votre petit fils, l'état où il a été ne raccommode pas le chocolat avec moi. Je suis persuadée qu'il a été brûlé, et c'est un grand bonheur qu'il ait été humecté et qu'il se porte bien ; le voilà sauvé. Ne craignez point qu'il tette trop. Je n'ai reçu qu'une lettre de vous cette semaine ; je crois que j'en ai perdu une, car j'en dois avoir deux, aussi bien qu'en Bretagne.

DE COULANGES

Je ferme les yeux, et quand je les ouvre, je vois cette *mère-beauté* qui fait vos délices et les miens, et cela me fait voir que je suis à Paris. Je m'en vais bien l'entretenir de toutes vos perfections. Savez-vous bien que je suis plus entêté de vous que jamais, et que je suis tout prêt de prendre la place du chevalier de Breteuil[1] ? Je sais que cette place ne plaît point à M. de Grignan, et c'est ce qui me retient dans une si grande entreprise. En vérité, Madame la Comtesse, vous êtes un chef-d'œuvre de la nature, et c'est de ce mot dont je me sers pour parler de vous. Je fus hier chez M. de La Rochefoucauld ; je m'y trouvai en tiers avec lui et M. de Longueville. Il y fut beaucoup question de la Provence, et le tout pour parler de vous. Adieu, ma belle Comtesse. Je vous vois d'ici dans votre lit : que vous y êtes belle ! je vois votre chambre, je vois cet homme dans votre tapisserie, qui découvre sa poitrine. Croyez que si vous voyiez la mienne à l'heure qu'il est, vous verriez mon cœur comme vous voyez le sien. Il est à vous, ce cœur, il languit pour vous ; mais ne le dites pas à M. de Grignan. Votre fille est une petite beauté brune fort jolie : la voilà. Elle me baise fort malproprement, mais elle ne crie jamais. Elle est belle, mais je l'aime assurément beaucoup moins que vous. Il n'y a plus moyen de parler de vous à cette adorable mère ; les grosses larmes lui tombent des yeux. Mon Dieu, quelle mère !

<Quoi ! on ne connaît point les restringents en Provence[1] ? Hélas ! que deviennent donc les pauvres maris, et les pauvres… je ne veux pas croire qu'il y en ait.>

108. À MADAME DE GRIGNAN

<À Paris,> du <mercredi> 23e décembre [1671].

Je vous écris par provision, ma bonne, parce que je veux causer avec vous. Un moment après que j'eus envoyé mon paquet le jour que j'arrivai, le petit Dubois m'apporta celui que je croyais égaré ; vous pouvez penser avec quelle joie je le reçus. Je n'y pus faire réponse, parce que Mme de La Fayette, Mme de Saint-Géran, Mme de Villars, me vinrent embrasser.

Vous avez tous les étonnements que doit donner un malheur comme celui de M. de Lauzun. Toutes vos réflexions sont justes et naturelles ; tous ceux qui ont de l'esprit les ont faites. Mais on commence à n'y plus penser ; voici un bon pays pour oublier les malheureux. On a su qu'il avait fait son voyage dans un si grand désespoir qu'on ne le quittait pas d'un moment. On le voulut faire descendre dans un endroit dangereux ; il répondit : « Ces malheurs-là ne sont pas faits pour moi. » Il dit qu'il est très innocent à l'égard du Roi, mais que son crime est d'avoir des ennemis trop puissants[2]. Le Roi n'a rien dit, et ce silence déclare assez la qualité de son crime. Il crut que l'on le laisserait à Pierre-Encise[1], et commençait à Lyon à faire ses compliments à M. d'Artagnan. Mais quand il sut qu'on le menait à Pignerol, il soupira, et dit : « Je suis perdu. » On avait grand'pitié de sa disgrâce dans les villes où il passait. Pour vous dire le vrai, elle est extrême.

Le Roi envoya quérir le lendemain M. de Marsillac, et lui dit : « Je vous donne le gouvernement de Berry qu'avait Lauzun. » Marsillac répondit : « Sire, Votre Majesté, qui sait mieux les règles de l'honneur que personne du monde, se souvienne, s'il lui plaît, que je n'étais pas ami de M. de Lauzun, qu'elle ait la bonté de se mettre un moment en ma place, et qu'elle juge si je dois accepter la grâce qu'elle me fait. » Le Roi lui dit : « Vous êtes trop scrupuleux, monsieur le prince. J'en sais autant qu'un autre là-dessus, mais vous n'en devez faire aucune difficulté. — Sire, puisque Votre Majesté l'approuve, je me jette à ses pieds pour la remercier. — Mais, dit le Roi, je vous ai donné une pension de douze mille francs, en attendant que vous eussiez quelque chose de mieux. — Oui, Sire, je la remets entre vos mains. — Et moi, dit le Roi, je vous la redonne encore une fois, et je m'en vais vous faire honneur de vos beaux sentiments. » En disant cela, il se tourna vers les ministres, leur conta les scrupules de M. de Marsillac, et dit : « J'admire la différence. Jamais Lauzun n'avait daigné me remercier du gouvernement de Berry et n'en avait pas pris les provisions, et voilà un homme comblé de reconnaissance. » Tout ceci est extrêmement vrai ; M. de La Rochefoucauld me le vient de conter. J'ai cru que vous ne haïriez pas ces détails ; si je me trompais, ma bonne, mandez-le-moi. Le pauvre homme est très mal de la goutte, et bien pis que les autres années. Il m'a bien parlé de vous, et vous aime toujours comme sa fille. Le duc de Marsillac[1] m'est venu voir, et l'on me parle toujours de ma chère enfant.

J'ai enfin pris courage ; j'ai causé deux heures avec M. de Coulanges. Je ne le puis quitter. C'est un grand bonheur que le hasard m'ait fait loger chez lui.

Je ne sais si vous aurez su que Villarceaux, parlant au Roi d'une charge pour son fils, prit habilement l'occasion de lui dire qu'il y avait des gens qui se mêlaient de dire à sa nièce que Sa Majesté avait quelque dessein pour elle, que si cela était, il le suppliait de se servir de lui, que l'affaire serait mieux entre ses mains que dans celles des autres, et qu'il s'y emploierait avec succès[2]. Le Roi se mit à rire, et dit : « Villarceaux, nous sommes trop vieux, vous et moi, pour attaquer des demoiselles de quinze ans », et comme un galant homme, se moqua de lui et conta ce discours chez les dames. Ce sont des vérités que tout ceci. Les *Anges* sont enragées, et ne veulent plus voir leur oncle, qui, de son côté, est fort honteux. Et n'y a nul chiffre à tout ceci[3], mais je trouve que le Roi fait partout un si bon personnage qu'il n'est point besoin de mystère quand on en parle.

On a trouvé, dit-on, mille belles <merveilles> dans les cassettes de M. de Lauzun : des portraits sans compte et sans nombre, des nudités, une sans tête, une autre les yeux crevés (c'est votre voisine[4]), des cheveux grands et petits, des étiquettes pour éviter la confusion. À l'un : *grison* d'une telle ; à l'autre : *mousson* de la mère ; à l'autre : *blondin pris en bon lieu*. Ainsi mille gentillesses, mais je n'en voudrais pas jurer, car vous savez comme on invente dans ces occasions.

J'ai vu M. de Mesmes, qui enfin a perdu sa chère

femme[1]. Il a pleuré et sangloté en me voyant, et moi, je n'ai jamais pu retenir mes larmes. Toute la France a visité cette maison. Je vous conseille, ma chère bonne, d'y faire des compliments ; vous le devez par le souvenir de Livry que vous aimez encore.

J'ai reçu, ma bonne, votre lettre du 13 ; c'est au bout de sept jours présentement. En vérité, je tremble de penser qu'un enfant de trois semaines ait eu la fièvre et la petite vérole. C'est la chose du monde la plus extraordinaire. Mon Dieu ! ma bonne, d'où vient cette chaleur extrême dans ce petit corps ? Ne vous a-t-on rien dit du chocolat ? Je n'ai point le cœur content là-dessus. Je suis en peine de ce petit dauphin ; je l'aime, et comme je sais que vous l'aimez, j'y suis fortement attachée. Vous sentez donc l'amour maternel ; j'en suis fort aise. Eh bien ! moquez-vous présentement des craintes, des inquiétudes, des prévoyances, des tendresses, qui mettent le cœur en presse, du trouble que cela jette sur toute la vie ; vous ne serez plus étonnée de tous mes sentiments. J'ai cette obligation à cette petite créature. Je fais bien prier Dieu pour lui, et n'en suis pas moins en peine que vous. J'attends de ses nouvelles avec impatience ; je n'ai pas huit jours à attendre ici comme aux Rochers. Voilà le plus grand agrément que je trouve ici ; car enfin, ma bonne, de bonne foi, vous m'êtes toutes choses, et vos lettres que je reçois deux fois la semaine font mon unique et sensible consolation en votre absence. Elles sont agréables, elles me sont chères, elles me plaisent. Je les relis aussi bien que vous faites les miennes ; mais comme je suis une pleureuse, je ne puis pas seulement approcher des premières[2] sans pleurer du fond de mon cœur.

Est-il possible que les miennes vous soient agréables au point que vous me le dites ? Je ne les trouve point telles au sortir de mes mains ; je crois qu'elles deviennent ainsi quand elles ont passé par les vôtres. Enfin, ma bonne, c'est un grand bonheur que vous les aimiez, car, de la manière dont vous en êtes accablée, vous seriez fort à plaindre si cela était autrement. M. de Coulanges est bien en peine de savoir laquelle de vos *Madames* y prend goût. Nous trouvons que c'est un bon signe pour elle, car mon style est si négligé qu'il faut avoir un esprit naturel et du monde pour s'en pouvoir accommoder.

Je vous prie, ma bonne, ne vous fiez point aux deux lits ; c'est un sujet de tentation. Faites coucher quelqu'un dans votre chambre ; sérieusement, ayez pitié de vous, de votre santé, et de la mienne.

Et vous, Monsieur le Comte, je verrai bien si vous me voulez en Provence ; ne faites point de méchantes plaisanteries là-dessus. Ma fille n'est point éveillée ; je vous réponds d'elle. Et pour vous, ne cherchez point noise. Songez aux affaires de votre province, ou bien je serai persuadée que je ne suis point *votre bonne*, et que vous voulez voir la fin de la mère et de la fille.

Je reviens à vos affaires. C'est une cruelle chose que l'affaire du Roi soit si difficile à conclure[1]. N'avez-vous point envoyé ici ? Si l'on voulait vous remettre cinquante mille francs, comme à nous cent mille écus, vous auriez bientôt fini. Ce serait un grand chagrin pour vous, si vous étiez obligé de finir l'Assemblée sans rien conclure. Et vos propres affaires ? je ne vois pas qu'il en soit nulle question. J'ai envoyé prier l'abbé de Grignan[2] de me venir voir, parce que Monsieur d'Uzès est un peu malade. Je voulais lui dire les dispositions où l'on est ici touchant la Provence et les Provençaux. On ne peut écrire tout ce que nous avons dit. Nous tâchons de ne pas laisser ignorer de quelle manière vous vous appliquez à servir le Roi dans la place où vous êtes ; je voudrais bien vous pouvoir servir dans celle où je suis. Donnez-m'en les moyens, ou pour mieux dire, souhaitez que j'aie autant de pouvoir que de bonne volonté. Adieu, Monsieur le Comte.

Je reviens à vous, Madame la Comtesse, pour vous dire que j'ai envoyé quérir Pecquet pour discourir de la petite vérole de ce petit enfant. Il en est épouvanté, mais il admire sa force d'avoir pu chasser ce venin, et croit qu'il vivra cent ans après avoir si bien commencé.

Enfin j'ai parlé quinze ou seize heures à M. de Coulanges ! Je ne crois pas qu'on puisse parler à d'autres qu'à lui :

Çà, courage ! mon cœur, point de faiblesse humaine[1] ;

et en me fortifiant ainsi, j'ai passé par-dessus mes premières faiblesses. Mais <Catau> m'a mise encore une fois en déroute. Elle entra ; il me sembla qu'elle me devait dire : « Madame, Madame vous donne le bonjour, elle vous prie de la venir voir. » Elle me reparla de tout votre voyage, et que quelquefois vous vous souveniez de moi. Je fus une heure assez impertinente[2].

Je m'amuse à votre fille. Vous n'en faites pas grand cas, mais croyez-moi, que nous vous le rendrons bien. On m'embrasse, on me connaît, on me rit, on m'appelle. Je suis *Maman* tout court, et de celle de Provence, pas un mot.

J'ai reçu mille visites de tous vos amis et les miens ; cela fait une assez grande troupe. L'abbé Têtu a du temps de reste, à cause de l'hôtel de Richelieu qu'il n'a plus[1] ; de sorte que nous en profitons. Mme de Soubise est grosse de quatre enfants, à voir son ventre.

Je reçois votre lettre du 16. Je ne me tairai pas des merveilles que fait M. de Grignan pour le service de Sa Majesté ; je l'avais déjà fait aux occasions, et le ferai encore. Je verrai demain M. Le Camus ; il m'est venu chercher, le seul moment que je fus chez M. de Mesmes. À propos, ma bonne, il ne faut pas seulement lui écrire, mais à Mme d'Avaux pour elle et son mari, et à d'Irval, sur peine de la vie[2] ; les compliments ne suffisent pas en ces occasions. J'ai vu ce matin le Chevalier ; Dieu sait de quoi nous avons parlé. J'attends Rippert avec impatience[3]. Je serai ravie que les affaires de votre Assemblée soient finies. Mais où irez-vous achever l'hiver ? On dit que la petite vérole est partout ; voilà de quoi me troubler. Vous faites un beau compliment à votre fille.

Au reste, le Roi part le 5 de janvier pour Châlons, et plusieurs autres tours, quelques revues en chemin faisant[4]. Le voyage sera de douze jours ; mais les officiers et les troupes iront plus loin. Pour moi, je soupçonne encore quelques expéditions comme celle de la Franche-Comté. Vous savez que le Roi *est un héros de toutes les saisons*[5]. Les pauvres courtisans sont désolés ; ils n'ont pas un sou. Brancas me demandait hier sérieusement si je ne voudrais point prêter sur gages, et m'assura qu'il n'en parlerait point, et qu'il aimait mieux avoir affaire à moi qu'à un autre. La Trousse me prie de lui apprendre quelques-uns des secrets de Pomenars pour subsister honnêtement[6]. Enfin, ils sont abîmés. Je la suis de la nouvelle que vous me mandez de M. Deville. Quoi ? Deville ! quoi ? sa femme ! Les cornes me viennent à la tête, et pourtant je crois que vous avez raison[1]. Voilà une lettre de *Trochanire*, songez à la réponse.

Voilà Châtillon[2] que j'exhorte de vous faire un impromptu sur-le-champ. Il me demande huit jours, <et je l'assure déjà qu'il ne sera que réchauffé, et qu'il le tirera du fond de cette gibecière que vous connaissez.> Adieu, ma divine bonne. Il y a raison partout ; cette lettre est devenue un juste volume. J'embrasse le laborieux Grignan, le *seigneur Corbeau*, le présomptueux Adhémar, et le fortuné Louis de Provence, sur qui tous les astrologues disent que les fées ont soufflé. *E con questo mi raccomando*[3].

Et pour inscription : *Livre dédié à Madame la [comtesse] de Grignan, mère de mon petit-fils*.

109. À MADAME DE GRIGNAN

À Paris, le jour de Noël, vendredi [25 décembre 1671].

Le lendemain que j'eus reçu votre lettre, qui fut hier, M. Le Camus me vint voir. Je lui fis voir ce qu'il avait à dire sur les soins, le zèle et l'application de M. de Grignan pour faire réussir l'affaire de Sa Majesté. M. de Lavardin vint aussi, qui m'assura qu'il m'en rendrait compte en bon lieu avant la fin du jour. Je ne pouvais trouver deux hommes plus propres à mon dessein : c'est la basse et le dessus[4]. Le soir, j'allai chez Monsieur d'Uzès, qui est encore dans sa chambre ; nous parlâmes fort de vos affaires. Nous avions appris les mêmes choses, et le dessein qu'on avait d'envoyer un ordre pour séparer l'Assemblée, et de leur faire sentir en quelque autre occasion ce que c'est que de ne pas obéir. Ce serait une chose fâcheuse, car Dieu sait comme on dirait : « Voilà ce que c'est que de n'avoir plus le Premier Président. » Nous attendons Rippert avec impatience. Le voyage est toujours assuré, et même avancé d'un jour.

Ma bonne, j'ai fort songé à M. et à Mlle Deville ; leur chute me paraît étrange. On dit que votre maison est orageuse et qu'on aura conduit cette affaire avec adresse. Il est vrai que les gens qui demandent leur congé serrent le cœur et font voir peu d'affection. Mais c'est la scène du *Dépit amoureux*, quand on ne le demande que par le désespoir de n'être plus bien avec la princesse ; et puis il se fait une pelote de neige ; le congé accordé est une douleur qui confirme la première. Peut-être que le grand air de Deville vous a fait résoudre sur-le-champ. Il n'est pas impossible que vous trouviez quelqu'un dans le pays pour remplir sa place, mais rien ne vous consolera de sa femme. Elle est habile, elle s'entend aux enfants, et même j'ai appris que vous aviez dessein d'en faire la gouvernante de votre fils ; c'était bien fait. Elle est soigneuse, elle est affectionnée, elle a de l'honneur et de la conscience, elle est ménagère et eût bien conservé tout ce qui eût été sous sa charge. Enfin je ne vous puis dire le regret que j'ai que vous ne l'ayez plus. J'avais l'esprit en repos de mille choses, en songeant qu'elle en aurait soin. Mandez-moi un peu plus au long toute cette histoire[1].

Au reste, ma bonne, j'ai le cœur serré, et très serré de ne vous avoir point ici. Je serais bien plus heureuse s'il y avait quelqu'un que j'aimasse autant que vous ; je serais consolée de votre absence. Mais je n'ai pas encore trouvé cette égalité, ni rien qui en approche. Mille choses imprévues me font souvenir de vous par-dessus le souvenir ordinaire, et me mettent en déroute. Je suis en peine de savoir où vous irez après votre Assemblée. Aix et Arles sont empestés de la petite vérole ; Grignan est bien froid ; Salon est bien seul. Venez dans ma chambre, ma bonne, vous y serez très bien reçue.

Adieu, vous en voilà quitte pour cette fois ; ce ne sera point ici un second tome[1] : je ne sais plus rien. Si vous vouliez me faire des questions, on vous répondrait. Je n'ai encore guère sorti. J'ai été cette nuit aux Minimes ; je m'en vais en Bourdaloue. On dit qu'il s'est mis à dépeindre les gens[2], et que l'autre jour il fit trois points de la retraite de Tréville. Il n'y manquait que le nom, mais il n'en était pas besoin. Avec tout cela on dit qu'il passe toutes les merveilles passées, et que personne n'a prêché jusqu'ici.

Mille baisemains aux Grignan. Mon Abbé est à vous. La Mousse est content de son billet ; il a raison : il est joli. Et moi je vous embrasse mille fois.

Voilà votre fille au coin de mon feu, avec son petit manteau d'ouate. Elle parle plaisamment : *et titata, tetita, y totata*.

Pour ma trop chère et trop aimée.

À Paris, le jour de Noël, à onze heures du soir.

Je vous ai écrit ce matin, mais je reçois, ma bonne, la lettre que vous m'avez écrite par Rippert ; Monsieur d'Uzès me l'envoie. Vous me rendez un très bon compte des affaires de Provence. J'en fais tout ce qu'il en faut faire. Je prie Dieu que le Roi se contente de ce qu'ils ont résolu ! La peinture de leur tête, et du procédé qu'il faut tenir avec eux, est admirable, et le radoucissement de l'Évêque est naturel. Je souhaite fort que l'on soit content ici de M. de Grignan ; c'est une grande justice, puisqu'il a fait tout ce qui se peut faire. Mais ne fera-t-il rien pour lui ?

ou, pour mieux dire, les Provençaux ne lui feront-ils point quelque amitié ? Je ferai des merveilles à votre Président[1], et m'acquitterai fort bien des emplettes. Mais songez que voici bien des fêtes.

Voilà Mme Scarron qui a soupé avec nous. Elle dit que, de tous les millions de lettres que Mme de Richelieu a reçues, celle de M. de Grignan était la meilleure, qu'elle <l'> a eue longtemps dans sa poche, qu'elle l'a montrée, qu'on ne saurait mieux écrire, ni plus galamment, ni plus noblement, ni plus obligeamment, ni plus tendrement pour feu Mme de Montausier ; enfin elle en a été ravie. J'ai juré que je vous le manderais[2].

Hélas ! ma petite, vous dites bien vrai : au milieu de Paris, je vous souhaite, je vous cherche, je languis, et ne me puis accoutumer à ne vous avoir pas. Je suis en peine de votre séjour, de votre santé ; j'en suis triste et saisie, et bien souvent, il faut que j'en pleure afin de ne pas étouffer.

Je ferai part de votre lettre à d'Hacqueville et à M. Le Camus. Je ne songe qu'à la Provence. Je me trouve présentement votre voisine,

Et de Paris, je ne vois
Tout au plus que vingt semaines
Entre ma Philis et moi.

J'attendais votre frère ; on le renvoie de la moitié du chemin, à cause du voyage. Je ne dirai à Rippert que ce qu'il faut. J'ai été au sermon ; mon cœur n'en a pas été ému. Ce Bourdaloue,

Tant de fois éprouvé,
L'a laissé comme il l'a trouvé.

C'est peut-être ma faute.

Adieu, mon ange. Je suis pressée ; je verrai demain Rippert. Assurément je vous baise et vous embrasse et vous tends les bras : hélas ! venez !

M. de Coulanges vous adore. Sa femme vous embrasse. Mme Scarron vous dit cent douceurs.

110. À MADAME DE GRIGNAN

À Paris, mercredi 30e décembre [1671].

J'ai déjà fait comme réponse à la lettre de M. de Rippert ; je vous écrivis trois fois ce jour-là. Une belle et sûre marque de la légère disposition que j'ai à ne vous pas haïr, c'est que je voudrais vous pouvoir écrire douze fois le jour. Cette pensée, ma bonne, ne vous fait-elle point comme l'offre que vous faisait M. de Coulanges, de passer sa vie avec vous ? En vérité, vous n'auriez pas peu d'affaires, car je vous écris aussi prolixement que j'écris laconiquement aux autres. Mais baste ! parlons de nos affaires.

Nous avons eu de terribles alarmes hier ; sans Mme de Coulanges, nous aurions mal dormi[1]. J'avais donné l'alarme à Monsieur d'Uzès, mais j'en avais retenu la plus grande partie pour moi. M. de Lavardin, qui, par parenthèse, est le plus appliqué et le plus obligeant du monde, m'avait donné des avis, Rippert avait vu les éclairs, et nous attendions la chute du tonnerre, dont nous étions au désespoir. Mais enfin Mme de Coulanges courut de bonne grâce chez M. Le Tellier, et nous rapporta qu'enfin le Roi avait la bonté de se contenter, pour cette fois, du présent que lui faisait la Provence, qu'il avait égard à ses raisons, et qu'il était content de M. de Grignan. Cette bonne nouvelle nous fit revenir de mort à vie, et nous avons dormi.

Soyez assurée, ma bonne, que tout ce qu'on a dit du zèle et de l'application de M. de Grignan pour le service du Roi n'a pas été inutile ; cela s'est dit en bon lieu et a fait son effet. Les Provençaux peuvent s'assurer qu'ils lui ont l'obligation d'un traitement si doux et que, sans lui, ils auraient senti ce que c'est que de ne pas obéir aveuglément. Le Languedoc n'a fait aucune difficulté de donner ce que le Roi a demandé, et sans aucune façon, ils ont donné dix-sept cent mille francs. La Bourgogne a fait de même. La Bretagne donne plus qu'on ne veut. Il n'y a que cette petite Provence ; jugez comme cela paraît à ceux qui trouvent tout soumis ! Celui qui les gouverne a beaucoup contribué à leur faire obtenir grâce ; c'est une vérité qui s'est démêlée devant nos yeux.

Rippert est présentement à Versailles ; son retour confirmera toutes choses, et je l'attendrai pour finir ma lettre, c'est-à-dire pour la fermer. Je l'ai fort interrogé sur votre santé, ma bonne. Je ne suis point contente de vous ; il faut que je vous gronde. Vous avez traité votre accouchement comme celui de la femme d'un colonel suisse. Vous ne prenez point assez de bouillons. Vous avez caqueté dès le troisième jour, vous vous êtes levée dès le dixième, et vous vous étonnez après cela si vous êtes maigre. J'espérais que vous vous amuseriez à vous conserver, à vous restaurer, à vous rengraisser. Où avez-vous pris la fantaisie d'imiter Mme de Crussol ? Je tâche toujours de vous corriger par les exemples ; cette conduite ne la change point, mais elle vous changera. Enfin, ma bonne, c'est me fâcher et m'offenser que de défigurer votre beau et très aimable visage. Vous savez comme je l'aime ; ne devriez-vous pas le conserver pour moi ?

J'ai vu Mme du Puy-du-Fou. J'ai vu Mme de Crussol, Mme de Saint-Étienne, Mlles de Grignan ; l'aînée est sa mère toute faite[1]. Mme de Valavoire m'est venue chercher ; je m'en vais la voir après dîner.

Je ne vous dis point ce que m'est tout ce qui a rapport à vous, et l'effet que m'a fait Rippert (tout cela est aisé à imaginer), ni toutes les visites, ni tous les baisemains, ni toutes les conversations où vous êtes célébrée, ni les louanges extrêmes que l'on dit de vous partout et dans les meilleurs lieux du monde — les différences, les préférences, les comparaisons avantageuses ; je ne finirais point, ce serait la matière d'un juste volume.

À sept heures du soir.

J'arrive de la ville. Je n'ai point trouvé Mme de Valavoire. J'ai vu sa sœur[2], c'est de même. Je la retrouverai un autre jour. J'ai envoyé quérir votre lettre à la poste ; j'étais chez Mme de Villars. Ce que mon cœur sent en recevant vos lettres, est digne de la profonde tendresse que j'ai pour vous. À mon retour ici, Rippert était déjà passé. Mais il a dit à la [porte] qu'on me dît qu'il est parfaitement content, tellement donc, ma bonne, que voilà qui est à souhait. Voilà une grosse pierre hors de dessus mon cœur !

Hélas ! vous dites bien, quand vous dites que la Provence est ma demeure fixe, puisque c'est la vôtre. <Paris me suffoque,> et je voudrais déjà être partie pour Grignan. Mais, ma bonne, où vous n'êtes pas, quelle solitude ! Si vous allez dans votre château, vous serez comme sur la montagne[3]. Je ne puis être contente, ma bonne ; c'est une vérité que je sens à toute heure ! Vous me manquez partout, et tout ce qui me fait souvenir de vous me traverse le cœur.

Monsieur d'Uzès vous apprendra le détail du voyage

de Rippert ; il vous portera les étoffes que vous me demandez. N'avez-vous point, ma bonne, envie de quelque chose ? Ayez l'amitié de me le mander ; cette confiance me charmerait.

DE MADAME DE SANZEI

Je vous veux toujours écrire, Madame, et l'on ne le veut jamais. Tantôt, M. de Coulanges a mal aux yeux, et il dit que c'est une raison qui m'en doit empêcher. Du moins, ne m'empêchera-t-on pas de vous aimer, de vous admirer, et de vous trouver plus belle que Mlle de Grignan. Elle est plus jeune que vous, mais je connais mille gens qui vous aiment mieux...

Elle a été interrompue par M. de Richelieu, Mme Scarron, Guilleragues, l'abbé Têtu, qui soupent ici[1]. On ne vous oublie point et vos louanges remplissent l'air. Mme Scarron sera encore à Paris deux ou trois jours, et puis adieu pour des siècles ! Le voyage du Roi devient incertain[2], quoique les troupes marchent. Le pauvre La Trousse s'en va, et Sévigné s'achemine déjà. Ils vont vers Cologne ; cette équipée les désespère.

Adieu, ma chère bonne. Tout le monde vous baise les mains. M. de Coulanges vous adore. Je me trouve très bien ici, et je pousserai l'air de la petite vérole fort loin. Cette grande maison, où je ne trouve que Mme de Bonneuil, au lieu de vous, ne me donne nulle envie d'y retourner. M. de Coulanges m'est délicieux ; nous parlons sans cesse de vous. J'aime Grignan de tout mon cœur, et Adhémar amoureusement.

Je suis toujours très fâchée que la petite Deville vous ait quittée ; vous ne m'en dites plus rien. Votre fille est jolie. L'abbé Têtu me prie de vous faire dix mille compliments. Je ne sais point de nouvelles. Vous savez il y a longtemps, ma bonne, que je suis tout à vous.

Ma tante me paraît très malade ; cela me fâche et m'occupe[1]. Je donnerai votre lettre à M. de La Rochefoucauld ; je suis assurée qu'il la trouvera très bonne. Je hais les dessus de vos lettres où il y a : *Madame la marquise de Sévigné* ; appelle-moi *Pierrot*[2]. Les autres sont aimables, et donnent une disposition tendre à lire le reste. M. d'Andilly vous envoie deux livres ; Dubois s'est fait fort de vous les faire tenir.

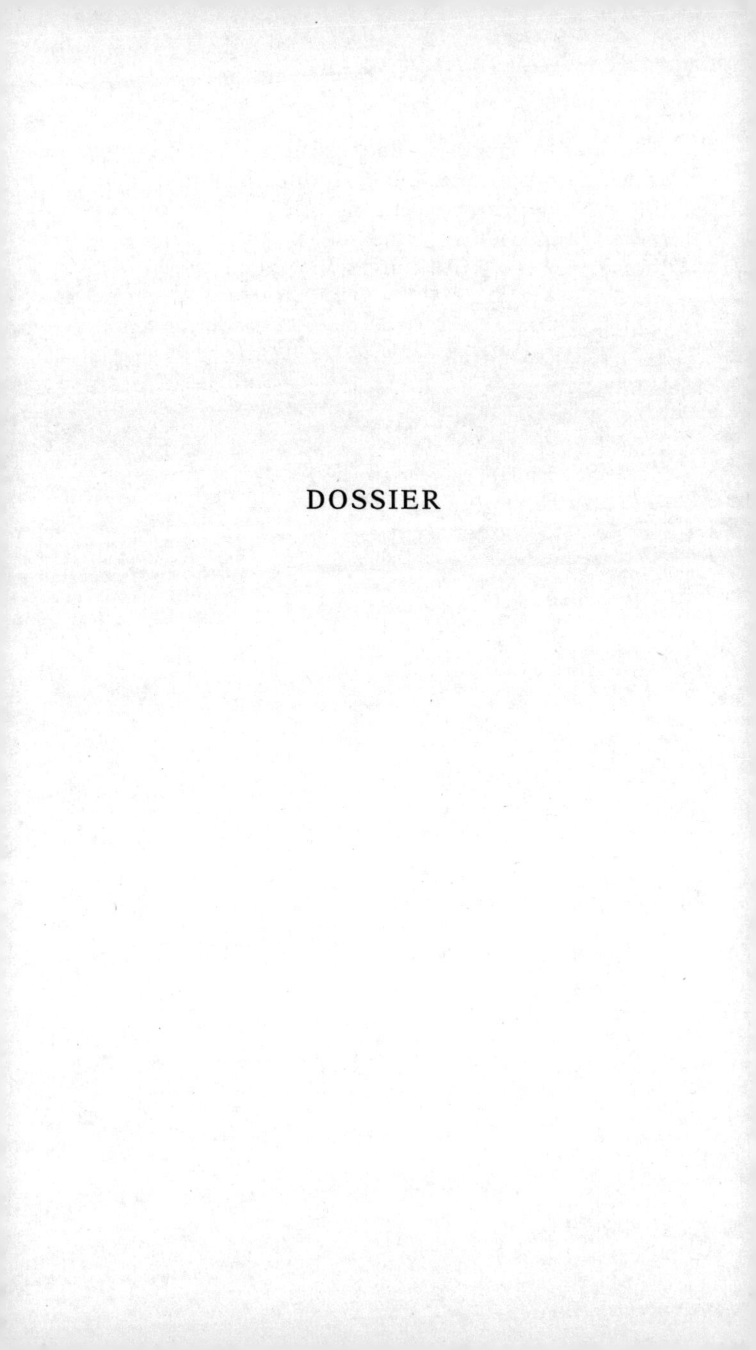

DOSSIER

CHRONOLOGIE

1596. Naissance de Celse-Bénigne de Rabutin-Chantal, père de Mme de Sévigné, lui-même fils de Jeanne de Chantal qui fonde en 1610 la congrégation de la Visitation.

1603. Naissance de Marie de Coulanges, mère de Mme de Sévigné.

1613. Naissance de Ménage.
Naissance de La Rochefoucauld.

1618. Naissance de Bussy-Rabutin.

1621. Charles de Sévigné épouse Marguerite Vassé, fille de Lancelot de Vassé et de Françoise de Gondi, tante du futur cardinal de Retz.

1623. Naissance d'Henri de Sévigné, futur époux de Marie de Rabutin-Chantal (16 mars).
Christophe de Coulanges, le frère de Marie, devient, à seize ans, abbé de Livry, au nord-est de Paris.
Mariage à Paris, église Saint-Paul, de Celse-Bénigne de Rabutin-Chantal, avec Marie de Coulanges (14 mai).

1624. J.-L. Guez de Balzac, premier recueil de *Lettres*.

1626. Naissance de Marie de Rabutin-Chantal, future marquise de Sévigné, à Paris, place Royale (5 février).

1627. Celse-Bénigne de Rabutin, baron de Chantal, est tué dans un combat contre les Anglais à l'île de Ré.

1631. Henriette de Coulanges, sœur de Marie, baronne de Chantal, épouse François Le Hardi, seigneur de La Trousse.
Théophraste Renaudot fonde la *Gazette*.
1632. Naissance, au château de Grignan, de François Adhémar de Monteil, futur comte de Grignan (15 septembre).
1633. Mort de Marie de Coulanges (21 août).
1634. Naissance de Marie-Madeleine Pioche de La Vergne, future comtesse de La Fayette.
1637. J.-L. Guez de Balzac, recueil de *Nouvelles lettres*.
1638. Naissance de Louis XIV.
1640. Publication de l'*Augustinus*, œuvre posthume de Jansénius.
1644. Mariage, à l'église Saint-Gervais à Paris, de Marie de Rabutin-Chantal et d'Henri de Sévigné (4 août).
1646. Naissance à Paris, rue des Lions, de Françoise-Marguerite de Sévigné, future comtesse de Grignan (10 octobre). Elle sera baptisée à l'église Saint-Paul (28 octobre).
1648. Naissance, aux Rochers, de Charles de Sévigné (12 mars), baptisé le même jour à la paroisse d'Étrelles.
Mort de Voiture.
1650. Contrat de mariage de Bussy, auquel signent M. et Mme de Sévigné (27 avril).
Vincent Voiture, *Œuvres*.
1651. Henri de Sévigné se bat en duel contre Miossens, chevalier d'Albret, pour Mme de Gondran sa maîtresse (4 février). Il meurt le surlendemain.
1653. Foucquet surintendant des Finances.
Condamnation des cinq propositions.
1655. Mariage de Mlle de La Vergne avec le comte de La Fayette. Mme de Sévigné signe au contrat (14 février).
J. de Marigny, *Lettres*.
1656. Balzac, *Lettres familières à M. Chapelain*.
1657. Mlle de Scudéry publie le portrait de Mme de Sévigné sous le nom de Clarinte dans la troisième partie de *Clélie* (février).

1658. Mariage (4 mai) de François de Grignan avec Angélique-Clarisse d'Angennes, qui mourra en 1664.
P. Costar, *Lettres*.

1659. Mort de Philippe II de Coulanges, oncle et ancien tuteur de Marie de Rabutin (11 juin).
Paix des Pyrénées.

1661. Mort de Mazarin. Début du gouvernement personnel de Louis XIV.
Fêtes de Vaux en l'honneur du roi (17 août).
Arrestation de Foucquet à Nantes (5 septembre).

1663. Mlle de Sévigné danse à la cour le ballet des Arts (*Muse historique* du 20 janvier).

1664. Dispersion des religieuses de Port-Royal (août).
Condamnation de Foucquet (20 décembre).

1665. Publication clandestine de l'*Histoire amoureuse des Gaules* de Bussy-Rabutin.
Emprisonnement de Bussy à la Bastille (17 avril).
Fondation du *Journal des savants*.

1666. Bussy a permission de se rendre en exil dans ses terres (10 août).
Mariage (17 juin) de François de Grignan avec Marie-Angélique du Puy-du-Fou, qui mourra l'année suivante.

1668. Projet de contrat de mariage et accord préliminaire entre François de Grignan et Mlle de Sévigné (6 octobre).

1669. Le contrat de mariage de Françoise-Marguerite de Sévigné et de François de Grignan est signé à l'hôtel de La Rochefoucauld, rue de Seine (27 janvier).
Mariage de Françoise-Marguerite de Sévigné et de François de Grignan, à Paris, en l'église Saint-Nicolas-des-Champs (29 janvier).
Fausse couche de Mme de Grignan à Livry (4 novembre).
M. de Grignan est nommé lieutenant général pour le Roi au gouvernement de Provence (29 novembre).
Lettres portugaises traduites en français (Guilleragues).

1670. M. de Grignan quitte Paris pour la Provence (19 avril). Son entrée à Aix (19 mai). Sa réception au Parlement (21 mai).
Naissance à Paris de Marie-Blanche, première fille du comte de Grignan et de Françoise-Marguerite (15 novembre).
Première édition des *Pensées* de Pascal, dans la version de Port-Royal, préparée par Nicole.

1671. Départ de Mme de Grignan pour la Provence (4 février).
Naissance à Lambesc de Louis-Provence de Grignan (17 novembre).

1672. Départ de Mme de Sévigné pour Grignan (13 juillet) ; elle y arrive le 30 juillet.

1673. Départ de Mme de Sévigné pour Paris (5 octobre) ; elle y arrive le 1er novembre après un détour par la Bourgogne.

1674. Arrivée à Paris de Mme de Grignan (février).
Naissance à Paris de Pauline, future marquise de Simiane (9 septembre).

1675. Mme de Sévigné accompagne jusqu'à Fontainebleau sa fille qui regagne la Provence (24 mai).

1676. Premier voyage de Mme de Sévigné à Vichy (mai-juin).
Retour à Paris de Mme de Grignan (22 décembre).
Arrestation de la Brinvilliers ; début de l'affaire des poisons.

1677. Mme de Grignan regagne la Provence (8 juin).
Seconde cure de Mme de Sévigné à Vichy (août-septembre-octobre).
Mme de Sévigné s'installe (fin octobre) à l'hôtel de Carnavalet où elle habitera jusqu'à sa mort.
Retour de Mme de Grignan à Paris (novembre).

1678-1679. Traités de Nimègue, avec la Hollande (10 août 1678), l'Espagne (17 septembre 1678), l'Empereur (5 février 1679).

1679. Mort du cardinal de Retz (24 août).
Départ de Mme de Grignan pour la Provence (13 septembre).

1680. Arrivée de Mme de Grignan à Paris (décembre).
Mort de La Rochefoucauld.
Mort de Foucquet.
Robert Arnauld d'Andilly, *Lettres*.

1682. Bussy est rappelé d'exil (9 avril).
Déclaration des évêques de France sur les libertés gallicanes (« Quatre articles »).

1684. Mariage de Charles de Sévigné avec Marguerite de Mauron (8 février).
Mme de Sévigné quitte sa fille à Paris pour aller régler ses affaires aux Rochers (12 septembre).

1685. Mme de Sévigné rentre de Bretagne et retrouve sa fille (12 septembre).
Mort du comte de Guitaut.
Révocation de l'édit de Nantes (18 octobre).

1686. Ligue d'Augsbourg (9 juillet).

1687. Mort de l'abbé de Coulanges (29 août).
Mme de Sévigné laisse sa fille à Paris pour aller prendre les eaux à Bourbon (septembre-octobre).

1688. Mme de Grignan regagne la Provence (3 octobre).
Invasion de l'Angleterre par Guillaume d'Orange (15 novembre).

1690. Mme de Sévigné, depuis la Bretagne, rejoint directement sa fille à Grignan, où elle arrive le 24 octobre.

1691. Retour à Paris de Mme de Sévigné accompagnée de sa fille et de son gendre.

1692. Mort de Ménage.

1693. Mort de Bussy-Rabutin.
Mort de Mme de La Fayette.

1694. Mme de Grignan regagne la Provence (25 ou 26 mars) ; sa mère l'y rejoint en mai.
Mort d'Antoine Arnauld.

1695. Mariage de Louis-Provence de Grignan avec Anne-Marguerite de Saint-Amans (2 janvier).
Mme de Grignan est gravement malade.
Mariage de Pauline de Grignan avec Louis de Simiane (29 novembre).
Mort de Nicole.

1696. Mort de Mme de Sévigné à Grignan (17 avril).
Bussy-Rabutin, *Mémoires*.

1697. Mort de Jean-Baptiste de Grignan.
Bussy-Rabutin, *Lettres*.

1704. Mort de Louis-Provence de Grignan (10 octobre).

1705. Mort de la comtesse de Grignan (13 août).

1713. Mort de Charles de Sévigné (26 mars).
Mort du chevalier de Grignan (novembre).

1714. Mort du comte de Grignan (31 décembre).

1715. Mort de Louis XIV.

1725. Première édition (clandestine et partielle) des *Lettres* de Mme de Sévigné.

1736. Mort d'Anne-Marguerite de Saint-Amans, veuve de Louis-Provence.

1737. Mort de Jeanne-Marguerite de Bréhant, veuve de Charles de Sévigné.
Mort de Pauline de Simiane.

BIBLIOGRAPHIE

SOURCE

Mme de Sévigné. Correspondance, éd. Roger Duchêne, Gallimard, « Bibliothèque de la Pléiade », 1972-1978, 3 vol.

OUVRAGES CRITIQUES

DUCHÊNE, Jacqueline, *Françoise de Grignan ou le mal d'amour*, Fayard, 1985.

—, *François de Grignan*, Éditions Jeanne Laffitte, 2008.

DUCHÊNE, Roger, *Mme de Sévigné et la lettre d'amour*, Bordas, 1970 ; éd. augmentée, Klincksieck, 1992.

—, *Mme de Sévigné ou la chance d'être femme. Biographie*, Fayard, 1982 ; nouvelle éd. revue et corrigée, 2002.

—, *Naissances d'un écrivain, Mme de Sévigné*, Fayard, 1996.

FREIDEL, Nathalie, *La Conquête de l'intime. Public et privé dans la* Correspondance *de Madame de Sévigné*, Honoré Champion, 2009.

LONGINO FARRELL, Michèle, *Performing Motherhood. The Sévigné Correspondance*, Hanovre-Londres, University Press of New England, 1991.

NIES, Fritz, *Les* Lettres *de Mme de Sévigné. Conventions du genre et sociologie des publics*, Honoré Champion, 2001.

ARTICLES CRITIQUES

AVIGDOR, Eva, « La vraie préciosité d'une véritable précieuse », *XVIIe siècle*, n° 108, 1975, p. 59-74.

BARNWELL, Harry, « The Vatel letters and the narrative art of Mme de Sévigné », *Seventeen Century French Studies*, VIII, 1986, p. 185-196.

BEUGNOT, Bernard, « Mme de Sévigné telle qu'en elle-même enfin ? », *French Forum*, V, 1980, p. 207-217.

BLANC, André, « La rhétorique de l'adieu dans les lettres à Mme de Grignan », dans *Mme de Sévigné (1626-1696). Provence, spectacles, « lanternes »*, Colloque international du tricentenaire de la mort de Mme de Sévigné, Grignan, Direction des Archives de France, 1996, p. 361-372.

BLOCH-DANO, Évelyne, « Mme de Sévigné aux Rochers », *Magazine littéraire*, n° 347, 1996, p. 16.

BRAY, Bernard, « Quelques aspects du système épistolaire de Mme de Sévigné », *RHLF*, LXIX, 1969, p. 491-505.

—, « L'épistolière au miroir. Réciprocité, réponse et rivalité dans les lettres de Mme de Sévigné à sa fille », *Marseille*, n° 95, 1973, p. 23-29.

—, « Mme de Sévigné et l'art de la narration », dans *L'Intelligence du passé, les faits, l'écriture et le sens. Mélanges offerts à J. Lafond*, Tours, 1988, p. 295-302.

—, « Une femme de Vitré. Mme de Sévigné épistolière aux Rochers », dans *La Bretagne au XVIIe siècle*, Vannes, 1991, p. 349-368.

—, « L'art épistolaire de Mme de Sévigné », *Europe*, LXXIV, n° 801-802, 1996, p. 9-18.

—, « Le style épistolaire. La leçon de Mme de Sévigné », *Littératures classiques*, n° 28, 1996, p. 197-209.

—, « Premier lecteur, premier admirateur, le cousin Rabutin », *RHLF*, XCVI, 1996, p. 366-377.

BURY, Emmanuel, « Mme de Sévigné face aux critiques du XIXe siècle : Sainte-Beuve et consorts », *RHLF*, XCVI, 1996, p. 446-460.

CAGNAT, Constance, « Les histoires tragiques de Mme de sévigné », *XVIIe siècle*, n° 175, 1992, p. 219-234.

CARTMILL, Constance, « Le général et le singulier, ou les avatars de On dans les *Lettres* de Mme de Sévigné », *Œuvres et critiques*, XIX, 1, 1994, p. 135-137.

—, « Mme de Sévigné et la théorie de la sympathie », dans *Provence, spectacles, « lanternes »*, *op. cit.*, p. 277-286.

— « Inventions du moi à l'âge classique : Sévigné et Bussy-Rabutin », *Paragraphes*, n° 17, 1998, p. 117-123.

—, « Les déguisements du moi dans la *Correspondance* de Mme de Sévigné ou la naissance de l'autobiographique », dans *La spiritualité / L'épistolaire / Le merveilleux au Grand Siècle*, *op. cit.*, t. III, p. 139-146.

—, « La providence de Mme de Sévigné : jansénisme ou mondanité ? », dans *La Femme au XVIIe siècle*, Actes du colloque de Vancouver, oct. 2000, éd. R. G. Hodgson, Tübingen, *Biblio 17*, n° 138, 2002, p. 315-324.

CHÉDOZEAU, Bernard, « Quelques notes sur la religion de Mme de Sévigné », *Europe*, n° 801-802, 1996, p. 113-122.

COULET, Henri, « Mme de Sévigné sur la scène », dans *Correspondances. Mélanges offerts à R. Duchêne*, Tübingen-Aix-en-Provence, 1992, p. 437-446.

CROQUETTE, Bernard, « La lettre des foins est-elle de Mme de Sévigné ? », *XVIIe siècle*, XXXVII, 1985, p. 317-320.

DANDREY, Patrick, « Pouvoir et séduction. Mme de Sévigné, *Esther* et le roi », *Cahiers de littérature du XVIIe siècle*, VII, 1985, p. 23-50.

DEPRETTO, Laure, « La Lettre à l'Ermite ou le détail scandaleux », dans *Complications de textes : les microlectures, Fabula L.H.T. (Littérature, histoire, théorie)*, n° 3, 2007, URL : http://www.fabula.org/lht/3/Depretto.html

—, « Annoncer l'incertain : les fausses nouvelles dans les lettres de Mme de Sévigné », *Littératures classiques*, n° 71, 2010, p. 221-236.

DESPRECHINS, Anne, « Regard de Mme de Sévigné sur le jardin », dans *Correspondances. Mélanges offerts à R. Duchêne*, Tübingen-Aix-en-Provence, 1992, p. 395-404.

—, « Mme de Sévigné sourde au langage des formes »,

dans « *Diversité, c'est ma devise.* » *Mélanges J. Grimm*, Paris-Seattle-Tübingen, 1994, p. 147-155.

DOSTIE, Pierre, « "Il ne faut point qu'il sorte du talent qu'il a de conter." Mme de Sévigné, critique des *Fables* de La Fontaine », *Cahiers d'histoire des littératures romanes*, XIX, 1995, p. 251-260.

DUCHÊNE, Jacqueline, « Derrière le rideau », *Europe*, n° 801-802, 1996, p. 90-99.

—, « Mes petites entrailles ou l'art d'être grand-mère de Mme de Sévigné », dans *Autour de Mme de Sévigné. Deux colloques pour un tricentenaire*, éd. R. Duchêne et P. Ronzeaud, Tübingen, *PFSCL, Biblio 17*, 1997, p. 51-60.

DUCHÊNE, Roger, « Les Provençaux de Mme de Sévigné », *Marseille*, n° 95, 1973, p. 5-8.

—, « Du destinataire au public ou les métamorphoses d'une correspondance privée », *RHLF*, LXXVI, 1976, p. 29-46.

— « Mme de Sévigné et le style négligé », *Œuvres et critiques*, n° 2, 1976, p. 113-127.

—, « Signification du romanesque : l'exemple de Mme de Sévigné », *RHLF*, 1977, p. 578-594.

—, « Une grande dame et la rhétorique : Mme de Sévigné et le P. Le Bossu », dans *Critique et création littéraire en France au XVIIe siècle*, CNRS, 1977, p. 273-285.

—, « Texte public, texte privé. Le cas des lettres de Mme de Sévigné », *PFSCL*, n° 15, 1981, p. 31-69.

—, « Comment lisait Mme de Sévigné », *Littératures classiques*, n° 6, 1982, p. 35-49.

—, « La lettre et l'information. Le cas de Mme de Sévigné », dans *Mme de Sévigné et la lettre d'amour*, Klincksieck, 1992, p. 389-400.

—, « Art et hasard. Petit bilan de la correspondance de Mme de Sévigné », dans *Ouverture et dialogue. Mélanges offerts à W. Leiner à l'occasion de son soixantième anniversaire*, Tübingen, 1988, p. 133-145.

—, « Le mythe de l'épistolière : Mme de Sévigné », dans *L'Épistolarité à travers les siècles, geste de communication et / ou d'écriture*, dir. M. Bossis, Stuttgart, Steiner, 1989, p. 11-19.

—, « Lettre et conversation », dans *Art épistolaire et art de la conversation en France,* dir. B. Bray et Ch. Strosetzi, Wolfenbüttel, 1991, p. 93-102.

—, « Genre masculin, pratique féminine. De “l'épistolière inconnue” à la marquise de Sévigné », *Europe,* n° 801-802, 1996, p. 27-39.

—, « Métamorphoses », *RHLF,* XCVI, 1996, p. 359-365.

—, « Un horizon qui se perd dans l'infini », *PFSCL,* n° 58, 2003, p. 209-230.

ESCOLA, Marc, « La seconde main de la Marquise : fiction et diction dans la Correspondance de Mme de Sévigné », *La Licorne,* n° 79, « Le savoir des genres », Presses Universitaires de Rennes, p. 201-210.

FISCHER, Martine, « De la devinette dans les lettres de Mme de Sévigné », dans *Provence, spectacles, « lanternes », op. cit.,* p. 233-240.

FREIDEL, Nathalie, « Le badinage de Mme de Sévigné : respect des conventions ou attitude originale ? », *PFSCL,* n° 60, 2004, p. 175-192.

—, « Pratique citationnelle et écriture de l'intime dans la *Correspondance* de Mme de Sévigné », dans *Une langue à soi,* dir. C. Lignereux et J. Piat, Pessac, Presses Universitaires de Bordeaux, 2009, p. 57-72.

—, « “Une petite dévote qui ne vaut guère”. Humour et dévotion chez Mme de Sévigné », dans *L'Esprit des Lettres. Mélanges offerts à J.-P. Landry,* éd. O. Leplatre, Droz — *Cahiers du Gadges,* 2010, p. 300-318.

—, « Débats épistolaires : du modèle galant à la lettre intime », dans *Concordia discors,* éd. B. Bolduc et H. Goldwyn, *Biblio 17,* 194, vol. II, narr verlag, 2011, p. 23-32.

GÉRARD, Mireille, « Molière dans la correspondance de Mme de Sévigné », *RHLF,* LXXIII, 1973, p. 608-625.

—, « Mme de Sévigné et Port-Royal : le milieu familial (1619-1644) », dans *Chroniques de Port-Royal,* 1989, p. 9-31.

—, « Le *corpus cornelianum* dans la correspondance de Mme de sévigné », dans *L'Art du théâtre. Mélanges en hommage à R. Garapon,* PUF, 1992, p. 121-131.

—, « L'idée de badinage en prose dans la *Correspondance* de Mme de Sévigné : premières remarques », dans *Provence, spectacles, « lanternes », op. cit.*, p. 223-232.

GOLDSMITH, Elisabeth, « Proust on Mme de Sévigné's letters. Some aspects of epistolary writing », *PFSCL*, n° 15, 1981, p. 117-127.

—, « Mme de Sévigné's epistolary retreat », *L'Esprit Créateur*, n° 2, 1983, p. 70-79.

GRASSI, Marie-Claire, « Naissance d'un nouveau modèle : L'apparition de Mme de Sévigné dans les traités d'art épistolaire », *RHLF*, XCVI, 1996, p. 378-393.

GUÉNOUN, Solange, « Correspondance et paradoxe », *PFSCL*, n° 15, 1981, p. 137-152.

HAROCHE-BOUZINAC, Geneviève, « Voltaire et Mme de Sévigné, un éloge en contrepoint », *RHLF*, XCVI, 1996, p. 394-403.

HOWARD MONTFORT, Catherine, « Quelques réflexions sur les fortunes de Mme de Sévigné », *PFSCL*, n° 15, 1981, p. 153-162.

—, « Voltaire et ses contemporains face à Mme de Sévigné : originalité ou conformisme de l'homme de goût », *Marseille*, n° 132-133, 1983, p. 44-49.

—, « Ordre et contestation chez Mme de Sévigné », dans *Ordre et contestation chez les classiques*, juin 1991, *PFSCL*, II, 1992, p. 17-31.

KILLEEN, Marie-Chantal, « Loin des yeux, près du cœur : Mme de Sévigné et le supplément d'écriture », *PFSCL*, n° 54, 2001, p. 121-134.

LANDY-HOUILLON, Isabelle, « Bussy-Rabutin et Mme de Sévigné, provinciaux malgré eux », *Marseille*, n° 101, 1975, p. 9-17.

—, « Une expression féminine de l'amour au XVIIe siècle. L'exemple de Mme de Sévigné », *L'Information littéraire*, XXXIV, 1982, p. 194-197.

—, « Mme de Sévigné, choix, mesure et démesure », dans *Mélanges de langue et de littérature française offerts à P. Larthomas*, Paris, École Normale Supérieure de Jeunes Filles, 1985, p. 251-266.

—, « Mme de Sévigné : "Dire en chantant" », dans *Corres-*

pondances. Mélanges offerts à R. Duchêne, Presses universitaires d'Aix-en-Provence, 1992, p. 405-415.

—, « Lettre et oralité », dans *Art épistolaire et art de la conversation à l'époque classique en France*, *op. cit.*, p. 81-91.

—, « Mme de Sévigné et l'opéra », *Europe*, n° 801-802, 1996, p. 100-112.

—, « L'ellipse. Une figure chez Mme de Sévigné », *Littératures classiques*, n° 28, 1996, p. 285-294.

—, « L'hétérogénéité du langage dans quelques lettres de Mme de Sévigné », dans *Mélanges de littérature épistolaire offerts à B. Bray*, Klincksieck, 1996, p. 109-119.

LANDRY, Jean-Pierre, « Mme de Sévigné et les prédicateurs », dans *Provence, spectacles, « lanternes »*, *op. cit.*, p. 319-334.

LASSALLE, Thérèse, « Une grand-mère au XVIIe siècle, Mme de Sévigné », *Littératures classiques*, n° 14, 1991, p. 161-177.

LEPLATRE, Olivier, « Les lanterneries de Mme de Sévigné », dans *Provence, spectacles, « lanternes »*, *op. cit.*, p. 213-222.

LÉVI, Anthony, « Paris, Provence, politique et pouvoir », dans *Provence, spectacles, « lanternes »*, *op. cit.*, p. 109-118.

LIGNEREUX, Cécile, « L'inscription des larmes dans les lettres de Mme de Sévigné : tentation élégiaque et art de plaire épistolaire », *Littératures classiques*, n° 62, 2007, p. 79-91.

—, « Imaginaire augustinien et tendresse maternelle dans les lettres de Mme de Sévigné », *Biblio 17*, 175, 2008, p. 257-274.

—, « Scénographies mondaines et réglages polyphoniques dans les lettres de Mme de Sévigné : l'exemple des compliments », dans *Une langue à soi*, *op. cit.*, 2009, p. 139-158.

—, « La déformalisation du dialogue épistolaire dans les lettres de Mme de Sévigné », *Littératures classiques*, n° 71, 2010, p. 113-128.

MAGNÉ, Bernard, « Humanisme et culture féminine au XVIIe siècle d'après les *Lettres* de Mme de Sévigné », *Marseille*, n° 95, 1973, p. 37-42.

MAYER, Denise, « Le portrait de Mme de Sévigné par Mme de La Fayette », *XVIIe siècle*, n° 101, 1973, p. 71-87.

MESNARD, Jean, « D'Hacqueville, familier du cardinal de Retz et de Mme de Sévigné », dans *Correspondances. Mélanges offerts à R. Duchêne*, *op. cit.*, p. 365-385.

MOLINIÉ, Georges, « Le style de Mme de Sévigné est-il précieux ? », *L'information grammaticale*, n° 16, 1983, p. 35-37.

NIDERST, Alain, « La Provence de Madeleine de Scudéry et de Mme de Sévigné », dans *Provence, spectacles, « lanternes »*, *op. cit.*, p. 127-136.

NIES, Fritz, « Quelques aspects lexicaux des *Lettres* de Mme de Sévigné », *Marseille*, n° 95, 1973, p. 15-22.

—, « La fortune des Lettres », *PFSCL*, n° 15, 1981, p. 129-135.

—, « Roger Duchêne, un lecteur (pas ?) comme les autres », *PFSCL*, n° 60, 2004, p. 223-230.

PLACELLA SOMMELLA, Paola, « Voyage réel et voyage imaginaire dans les *Lettres* de Mme de Sévigné », *PFSCL*, n° 24, 1986, p. 189-206.

—, « Une femme de son temps », *Europe*, n° 801-802, 1996, p. 49-56.

—, « Mme de Sévigné en Italie », *RHLF*, XCVI, 1996, p. 436-445.

—, « Rochers et muscat : La Provence dans l'imaginaire sévignéen », dans *Provence, spectacles, « lanternes »*, *op. cit.*, p. 119-126.

—, « L'image du pouvoir dans les *Lettres* de Mme de Sévigné », dans *Politique et littérature en France aux XVIe et XVIIe siècles*, Nizet, 1997, p. 391-404.

RAFFALLI, Bernard, « La culture de Mme de Sévigné », *Europe*, n° 801-802, 1996, p. 69-79.

REGUIG-NAYA, Delphine, « Descartes à la lettre : poétique épistolaire et philosophie mondaine chez Mme de Sévigné », *XVIIe siècle*, n° 216, 2002, p. 511-525.

SWEETSER, Marie-Odile, « La lettre comme instance autobiographique : le cas de Mme de Sévigné », *French Literature Series*, XII, 1985, p. 32-40.

—, « Mme de Sévigné, écrivain sans le savoir ? », *CAIEF*, XXXIX, 1987, p. 141-157.

—, « Les registres du style », *Europe*, n° 801-802, 1996, p. 19-26.

VERDIER, Gabrielle, « Les *Lucrèces* sortent du grenier. Portraits de femmes dans les *Lettres* de Mme de Sévigné », *PFSCL*, n° 15, 1981, p. 71-87.

VIALA, Alain, « Un jeu d'images. Amateur, mondaine, écrivain ? », *Europe*, n° 801-802, 1996, p. 57-68.

WEED, Patricia, « Le bestiaire de Mme de Sévigné », *PFSCL*, n° 15, 1981, p. 95-107.

—, « Mme de Sévigné : les espaces de la solitude », *French Studies*, vol. 38, n° 3, 1984, p. 268-285.

WIESER, Dagmar, « Proust et Mme de Sévigné », *RHLF*, C, 2000, p. 91-106.

WOOD, Allen G., « Epistolary style in Voiture and Mme de Sévigné », *PFSCL*, XV, 1988, p. 229-238.

ZOBERMAN, Pierre, « Épistolarité et intertextualité : Mme de Sévigné et l'écriture de la lettre », XVIIe *siècle*, n° 200, 1998, p. 433-452.

NOTES

1. À COULANGES

Page 41.

1. Philippe-Emmanuel de *Coulanges* est le cousin de Mme de Sévigné. Ils ont grandi ensemble après que Marie de Rabutin-Chantal, orpheline, a été recueillie par son grand-père maternel, Philippe Ier de Coulanges, puis, à la mort de celui-ci, par son oncle, Philippe II de Coulanges. Il sera toujours un correspondant complice et privilégié. Bon vivant et heureux caractère, il écrit à Mme de Sévigné des lettres qui la font « pâmer de rire ». Il était aussi l'auteur de chansons.

2. Cette lettre, fameuse entre toutes, témoigne de la culture ludique dont la lettre se fait ici le vecteur. Le jeu de la devinette et la technique de la réponse différée évoquent l'atmosphère des salons dans lesquels Mme de Sévigné avait brillé au cours des deux décennies précédentes.

3. Après un voyage en Provence, M. et Mme de Coulanges se trouvaient à *Lyon*, chez le père de la seconde, qui y était intendant.

4. L'exemple des *siècles passés* serait celui de Marie d'Angleterre qui, veuve de Louis XII, épousa trois mois plus tard le duc de Suffolk. Selon une lettre du roi aux représentants de la France auprès des puissances étrangères, Lauzun et Mademoiselle alléguaient « qu'ils avaient en leur faveur plusieurs exemples, non seulement des

princesses du sang royal qui ont fait l'honneur à des gentilshommes de les épouser, mais même des reines douairières de France ». La joie de *Mme de Rohan* et de *Mme de Hauterive* vient de ce qu'elles s'étaient, elles aussi, mésalliées.

Page 42.

1. Antoine Nompar de Caumont, connu d'abord sous le nom de comte de Puyguilhem, puis sous celui de *Lauzun*, avait trente-huit ans au moment de cette aventure. Favori de Louis XIV, il avança rapidement à partir de 1657. Disgracié en 1671, il sera conduit à Pignerol avec Foucquet. Mademoiselle abandonnera une bonne part de ses biens aux enfants de Mme de Montespan pour l'en faire sortir en 1681 ; peut-être l'épousa-t-elle secrètement après son retour à la cour. Lauzun continua d'avoir une destinée romanesque et mourut en 1723, à quatre-vingt-dix ans, après avoir épousé en 1695 la fille du maréchal de Lorges.

2. Louise-Françoise de *La Vallière*, dame d'honneur d'Henriette d'Angleterre, fut la maîtresse de Louis XIV. Mais, en 1670, il la délaissait au profit de Mme de Montespan, et il aurait pu vouloir l'établir en la mariant à son favori. — Paule-Marguerite de Gondi, fille et héritière de Pierre de Gondi, frère aîné du cardinal, et de Catherine de Gondi, duchesse de *Retz*, avait alors quinze ans. C'était un parti important. — Henriette-Louise *Colbert*, seconde fille du ministre, épousera le 21 janvier 1671 Paul de Beauvillier, fils du duc de Saint-Aignan. Elle était accordée avec lui depuis janvier 1667, ce qui explique en quoi la nouvelle serait surprenante. — La fille aînée du duc de *Créquy*, qui épousa le duc de La Trémouille, n'avait que huit ans ; est-ce une fille du maréchal ?

3. *Mademoiselle*, dont Mme de Sévigné énumère ici habilement les plus beaux titres, était le meilleur parti de France par sa naissance et aussi, comme le rappelle la lettre suivante, par ses biens. La princesse a rapporté dans ses *Mémoires* la longue liste de ses mariages manqués depuis Charles, futur roi d'Angleterre, jusqu'à Lauzun. On disait qu'elle avait tué son mari pendant la Fronde, en

faisant pointer le canon de la Bastille sur les troupes du roi pour sauver Condé, qu'elle aimait. Depuis que *Monsieur*, Philippe d'Orléans, était devenu veuf six mois plus tôt, il avait été fortement question de le marier à Mademoiselle, qui rapporte dans ses *Mémoires* qu'elle refusa dans l'espoir d'épouser Lauzun.

4. Les *ordinaires* de Paris à Lyon partaient les lundi, mercredi et vendredi. Celui du lundi s'arrêtait dans cette ville ; les deux autres continuaient jusqu'en Provence.

2. À COULANGES

Page 43.

1. *Barbons* : le mot de Mme de Sévigné est péjoratif ; elle est déçue du dénouement malheureux du roman. En fait, ces « vieillards » qui ne connaissent rien à l'amour sont menés par Condé (quarante-neuf ans) à peine plus vieux que Mademoiselle (quarante-trois ans). Dès qu'il fut connu, le projet avait fait scandale. On en parla jusque dans les pays étrangers, puisque Louis XIV n'hésita pas à envoyer une lettre à ses ambassadeurs pour y justifier son revirement.

3. À BUSSY-RABUTIN

Page 44.

1. Roger de *Rabutin*, comte de *Bussy*, est cousin de Mme de Sévigné et compte parmi les premiers correspondants avec qui la jeune épistolière a fait ses armes. Marqué par l'esprit galant et badin à ses débuts, leur commerce est passé par une période de fortes tensions, dans la décennie précédente, après la publication subreptice d'un roman satirique de Bussy, l'*Histoire amoureuse des Gaules*, qui valut à son auteur la prison puis l'exil. La

marquise n'a jamais pardonné à son cousin l'insertion dans cette œuvre scandaleuse d'un portrait d'elle satirique (Bussy-Rabutin, *Histoire amoureuse des Gaules*, éd. R. Duchêne, « Folio classique », 1993, p. 197-209).

2. Bussy, le 8 décembre, écrit à Corbinelli qu'il a eu deux mois durant « ici » (à Bussy) ce *Plombières*, qui n'apparaît pas autrement dans ses *Mémoires* ni dans l'*Histoire amoureuse des Gaules*.

3. *Coups de tonnerre de bonheur* : allusion probable au sort de Lauzun, dont Mme de Sévigné, le même jour, évoque la chute dans sa lettre à Coulanges.

4. Marie-Blanche, première *fille* de Françoise-Marguerite, venait après les deux filles nées du premier mariage du comte avec Angélique-Clarisse d'Angennes, Louise-Catherine en juillet 1660 et Julie-Françoise en juillet 1663 ; elles apparaîtront dans les *Lettres* respectivement sous les noms de Mlle de Grignan et de Mlle d'Alérac.

5. Élie de Damas, grand-tante du marquis de *Thianges*, était aussi grand-mère de Bussy, d'où le cousinage.

6. Corneille, *Le Cid* (III, IV). L'ordre des noms est inversé.

Page 45.

1. Cette complicité dans l'esprit et le rire, c'est le *rabutinage*, version personnalisée du badinage mondain.

2. *Une autre tête* : celle du roi, naturellement.

4. DE BUSSY-RABUTIN

3. *Consoler* : ironie envers une sollicitude qui n'en retourne pas moins le couteau dans la plaie.

Page 46.

1. *Il est bien heureux* : Thianges a la chance d'être l'oncle de la maîtresse du roi.

5. À COULANGES

Page 47.

1. Le *Louvre*, où logeait le roi, désigne la cour, qui avait fait visite à Mademoiselle aux Tuileries, où elle habitait. Mme de Sévigné ne se place ici que sur le plan social des personnages, ce qui favorise la transposition littéraire de l'événement en tragédie. Et c'est pourquoi aussi, dans le jeu de l'amour et de la fortune, elle ne considère que le second point de vue, soulignant que Lauzun a gardé les bonnes grâces du roi. Il n'en est pas de même dans la lettre suivante.

6. À COULANGES

2. L'annonce du mariage est du lundi *15* ; l'interdiction royale du jeudi 18. La coupure chronologique au 20 s'explique par le fait que Mme de Sévigné répond à la réponse de Coulanges à sa propre lettre du 19.

Page 48.

1. *Le Tellier*, fils du chancelier, frère de Louvois, *coadjuteur* de l'archevêque de *Reims* depuis 1668, deviendra archevêque le 3 août 1671 par la mort du cardinal Barberini. Mademoiselle avait renoncé à l'idée d'être mariée par lui. « Il nous revint quelques contes, écrit-elle, que l'on dit qu'il avait faits, qui ne nous plurent pas. Le curé du lieu nous parut bon pour cela. » C'était celui de Charenton, et le mariage devait avoir lieu chez le maréchal de Créquy.

2. Corneille, *Polyeucte* (II, I). Le premier vers a été adapté à la circonstance, au lieu de : « Je ne la puis du moins blâmer d'un mauvais choix. » La flatterie est habile et en situation ; Mademoiselle a noté que la maison de Caumont, à laquelle appartenait Lauzun, prétendait descendre des rois d'Écosse.

Page 49.

1. Cette dernière phrase explique le changement de ton et de style entre cette lettre et les précédentes. Mme de Sévigné rapporte en confidence ce qu'elle a su et vu personnellement, dans une lettre qui n'est pas destinée à être montrée. C'est pourquoi elle avoue son émotion et cesse de transformer l'événement en roman ou en tragédie pour le raconter tel qu'elle l'a vécu.

7. À MONSIEUR DE GRIGNAN

Page 50.

1. *Mme de Rochefort* était née, comme Françoise-Marguerite, en 1646 et passait pour aimer son mari ; elle se montrera insensible aux avances de La Fare et plus encore de Louvois. L'exemple est donc bien choisi pour convaincre M. de Grignan.

2. Marie-Angélique de Lorraine, demoiselle *d'Harcourt*, était cousine germaine de M. de Grignan et de son frère le Coadjuteur. Le 7 février 1671 (trois jours après le départ de Mme de Grignan et de son beau-frère), elle épousa le duc de Cadaval, grand seigneur portugais ; elle mourut en couches à Lisbonne en juin 1674.

3. Hugues de *Lyonne*, secrétaire d'État pour les affaires étrangères depuis 1661, avait procuration du duc de Cadaval pour tenir sa place dans les cérémonies de son mariage avec Mlle d'Harcourt.

Page 51.

1. *Aucun agrément* : passage révélateur de l'atmosphère tendue dans laquelle s'ouvrit la séparation.

8. À BUSSY-RABUTIN

2. *Celle-là* : allusion à l'*Histoire amoureuse des Gaules.*

Page 52.

1. *Mme la Princesse* : épouse du duc d'Enghien, nièce de Richelieu par sa mère. Bien qu'elle eût contribué pendant la Fronde à l'organisation de la résistance et à la délivrance de son mari, celui-ci ne pouvait la souffrir. Elle s'ennuyait et prit des amants. Condé profita de l'esclandre pour exiler la princesse à Châteauroux, où elle resta, quasi séquestrée, jusqu'à sa mort en 1694.

2. Ce *Duval* fut condamné aux galères. Mme de Sévigné le vit, alors qu'il partait pour Marseille (lettre du 10 avril 1671) ; d'après une note du recueil Maurepas, il mourut empoisonné avant d'y arriver.

3. Né en 1642, Jean-Louis de *Rabutin* descendait du quatrième fils d'Amé de Rabutin, cinquième aïeul de Bussy et sixième de Mme de Sévigné. Il s'échappa, fit un beau mariage et devint « maréchal des Armées de l'Empereur ». Il a écrit des *Mémoires*, qui ont été publiés en 1773.

4. *Cela fait grand bruit* : le 13, la *Gazette* donna de l'événement une version officielle et édulcorée.

5. *Le sujet de la noise...* : en rappelant le portrait satirique et en rendant toujours Bussy responsable des inconvénients d'une disgrâce dont il s'affirmait consolé, Mme de Sévigné ouvre une nouvelle fois les hostilités. Bussy réagit très vivement dans sa réponse, et sa correspondante cessa ses attaques.

9. DE BUSSY-RABUTIN

Page 53.

1. *Les preuves* : en 1660, conformément à la décision du Roi, un arrêt oblige toutes les familles à fournir les preuves de leurs titres de noblesse. Bussy a entrepris des

recherches qui aboutiront à l'*Histoire généalogique de la maison de Rabutin*, achevée quinze ans plus tard.

Page 54.

1. *Les sottises qui s'en dirent* : pour contrer les allusions constantes de Mme de Sévigné aux circonstances de sa disgrâce, Bussy lui rappelle qu'elle avait bien failli être compromise elle-même dix ans auparavant, au moment de l'affaire Foucquet, après que certaines de ses lettres avaient été trouvées dans la cassette du Surintendant.

2. *Je n'aimerais pas...* : la fermeté du ton de Bussy est tout à fait exceptionnelle. C'est une menace de rupture, et Mme de Sévigné, qui le comprit, rendit les armes.

10. À MADAME DE GRIGNAN

3. Autographe, musée Carnavalet. Selon une note de Charavay, ce billet aurait été retrouvé lors de l'ouverture du caveau des Adhémar à Grignan en 1793.

11. À MADAME DE GRIGNAN

Page 55.

1. Mme de Sévigné a préféré au couvent familier de la Visitation de la rue Saint-Antoine, proche de la rue de Thorigny où elle habitait depuis Pâques 1669, celui du faubourg Saint-Jacques, près de l'église Saint-Jacques du Haut-Pas. La marquise s'y rendait quand elle était triste, et y retrouvait le souvenir de sa fille qui y fut un temps élevée. Dans une lettre ultérieure, Agnès réapparaît sous le nom de Madeleine-Agnès, qui salue Mme de Grignan en Notre-Seigneur ; c'était donc une religieuse, et qui connaissait la comtesse. Quant à *Mme du Housset*, Mme de Sévigné en mentionne une, le 17 septembre 1690, née

Marie d'Aguesseau ; plus importante que son identité est sa présence à la Visitation, qui accueillait des pensionnaires laïques.

2. *Mme de La Fayette* habitait rue de Vaugirard, à l'angle de la rue Férou, derrière le Luxembourg, assez près du couvent de la Visitation qui était situé de l'autre côté du jardin. Elle avait eu deux sœurs cadettes, Éléonore-Armande et Isabelle-Louise, toutes deux placées au couvent des ursulines de Valençay. On ne connaît rien d'elles, pas même à laquelle des deux s'applique l'annonce faite ici.

3. *Mélusine,* chantée par Jean d'Arras, avait, selon la légende, épousé un Lusignan, famille dont les La Rochefoucauld prétendaient descendre ; il y avait une *Mélusine* dans leurs armoiries à l'église d'Anais en Charente. Cela doit être rapproché du sobriquet donné ici à Françoise de Montalais, comtesse de Marans, que La Rochefoucauld appelait sa *mère,* vraisemblablement par plaisanterie sur cette filiation fabuleuse. Mme de Marans faisait partie des amis de Mme de Sévigné, et avait signé à ce titre au contrat de mariage de Françoise-Marguerite. Quant à l'affaire, il doit s'agir, non comme on l'a dit, de plaisanteries sur une fausse couche de la comtesse en 1669, mais de médisances récentes et même actuelles. Peut-être *Mélusine* avait-elle commenté malignement les retardements apportés au départ depuis la naissance de Marie-Blanche, en novembre 1670.

4. *D'Hacqueville,* abbé et conseiller du roi, avait, comme Mme de Marans, signé au contrat de Françoise-Marguerite ; il y représentait le cardinal de Retz, dont il avait été camarade de collège, et qu'il avait servi pendant la Fronde (il apparaît à ce titre dans les *Mémoires*). Il y avait une famille parlementaire de ce nom, à laquelle il appartenait probablement. Il fut un confident régulier de Mme de Sévigné ; c'est en cette qualité qu'il intervient auprès de Mme de Marans. La suite des lettres montre d'ailleurs toute la coterie en action contre l'amie qui avait « trahi ».

5. La maison de Mme de Sévigné, rue de Thorigny, est décrite par M. Dumolin (*Études de topographie parisienne,* t. III, p. 425). En allant à son appartement, situé au second,

Mme de Sévigné trouvait sur son chemin celui de sa fille, qui était au premier. La *pauvre petite fille* est Marie-Blanche, que la comtesse avait laissée à Paris, ses deux mois et demi lui rendant le voyage de Provence impossible en hiver.

Page 56.

1. *Mme de La Troche,* femme d'un conseiller du Parlement de Rennes, était très liée à Mme de Sévigné qui la surnomme parfois *Trochanire.*

2. *M. de Coulanges* habitait la rue du Parc-Royal, au nord de la place Royale, actuelle place des Vosges, dans le quartier du Marais comme la rue de Thorigny ; Mme de Sévigné peut s'y rendre en voisine. Plusieurs lettres des débuts de la correspondance sont achevées chez Coulanges, mais non celle-ci.

3. Le terme de *compliments* désigne alors tout un éventail d'actes de civilité ; ici il s'agit des regrets exprimés à l'occasion du départ de la comtesse.

4. *Mme de Lavardin,* amie de longue date, habitait elle aussi au Marais, dans l'un des hôtels de la place Royale. Elle joue souvent auprès de Mme de Sévigné le rôle d'informatrice. Entre la première et la seconde partie de sa lettre, Mme de Sévigné a modifié son programme ; elle écrit chez elle. Elle a néanmoins maintenu son dessein d'apprendre les nouvelles et d'en informer Mme de Grignan. L'usage est, en effet, de ne pas écrire de Paris sans leur faire place.

Page 57.

1. Dans ce paragraphe de nouvelles brèves, Mme de Sévigné s'acquitte de la charge de gazetière qui l'avait conduite chez Mme de Lavardin. Elle reviendra à plusieurs reprises sur le mariage de la jolie Charlotte-Éléonore de La Mothe-*Houdancourt* avec Louis-Charles de Lévi, duc de *Ventadour,* d'une laideur proverbiale et débauché notoire ; il eut lieu le 14 mars 1671. Elle reparlera aussi de *Mme Mazarin,* Hortense Mancini, nièce du Cardinal, et de ses démêlés avec son mari ; en décembre 1670,

celle-ci avait été exilée au Lys, ancienne abbaye de l'ordre de Cîteaux, près de Melun.

2. L'effet d'annonce sur le ton des moralistes est suivi d'une historiette galante qui ne déparerait pas l'*Histoire amoureuse* de Bussy. L'affaire scandaleuse dont il est question met en cause des personnages en vue (le marquis de Béthune fut longtemps ambassadeur de Pologne) dans la sphère mi-publique, mi-privée des hôtels parisiens (l'hôtel de Richelieu se voulait l'héritier de l'esprit de celui de Rambouillet). *Mme d'Heudicourt*, que Saint-Simon décrit « belle comme le jour », est condamnée sévèrement, moins pour sa liaison avec Béthune, que pour sa double ingratitude, envers le maréchal d'Albret, qui l'a élevée, et envers Mme Scarron, dont elle était l'amie. La lettre suivante la montre forcée de s'exiler. Derrière ce verdict du monde se dissimule cependant l'ombre du pouvoir d'État : ce sont apparemment les lettres de Mme d'Heudicourt à Béthune, dans lesquelles elle tenait des propos indiscrets et imprudents sur la liaison du roi avec Mme de Montespan, qui causèrent sa disgrâce.

3. *Cette consolation...* : cela est dit par antiphrase.

12. À MADAME DE GRIGNAN

4. Mme de Sévigné a reçu une *lettre* le 5, et une le 8. Mais elle aurait dû en recevoir une autre, écrite dans l'intervalle, et non encore arrivée. Elle revient sur le même manque à la première ligne de la lettre suivante : elle a reçu trois lettres au lieu de quatre ; puis elle annonce l'arrivée de la lettre manquante, écrite de Nogent. Le regret de Mme de Sévigné vient de ce que ce pays est moins éloigné de Paris que Sully d'où elle a reçu la seconde lettre. La question postale, particulièrement importante en ce début de la correspondance, demeurera un thème constant, mais qui s'organisera bientôt autour de courriers réguliers. — *Ma bonne* est le plus usuel des termes d'amitié de Mme de Sévigné envers sa fille. Cet emploi semble lui être

propre, mais les expressions de tendresse comportant le mot « bonne » étaient fréquentes ; Chapelain, dans une lettre à Mme de La Trousse du 3 octobre 1661, désigne Mme de Sévigné par l'expression « notre bonne ».

Page 58.

1. L'image obsédante du *carrosse* qui s'éloigne revient dans la lettre suivante. Tous les départs de la comtesse sont liés à une vision concrète, carrosse ou bateau, qui disparaît.

2. *Mme de Guénégaud*, belle-sœur de Mme du Plessis-Guénégaud, avec laquelle il ne faut pas la confondre, vivait à Moulins dans un demi-exil. Elle était femme de Claude de Guénégaud, trésorier de l'épargne destitué et poursuivi après la disgrâce de Foucquet.

Page 59.

1. Mme de Sévigné distingue des connaissances mondaines, la *duchesse de Verneuil* et la *duchesse d'Arpajon*, avec lesquelles elle ne veut pas se divertir, et des amies intimes, comme Mme de La Fayette et, ici, *Mme de Villars*, auprès desquelles elle pleure.

2. Les sermons de *Monsieur d'Agen*, Claude Joly, ont été publiés, après sa mort, à partir de 1691. Ancien curé de Saint-Nicolas-des-Champs, il était hostile aux jésuites qui auraient pourtant, selon le père Rapin, favorisé les débuts de sa carrière. Il fit partie des évêques qui soutinrent les jansénistes et aidèrent à conclure la paix de l'Église en 1668. Pour Mme de Sévigné, il avait surtout le mérite d'avoir autrefois « examiné » la vocation que Françoise-Marguerite avait cru avoir.

3. La visite à *Mme de Puisieux* est une visite de condoléances pour la mort de son frère. *Mme du Puy-du-Fou* avait été la seconde belle-mère de M. de Grignan ; la marquise la consultait surtout sur des détails de la vie pratique.

4. *Au faubourg* : au faubourg Saint-Germain, chez Mme de La Fayette.

5. Joseph de Grignan porta le nom d'*Adhémar* jusqu'à la mort de son frère Charles, en février 1672. Il apparaît ensuite dans la correspondance comme le chevalier de

Grignan. Mme de Sévigné, dans la lettre suivante, parle encore de ce *lit* portatif offert à Mme de Grignan par son beau-frère afin de lui assurer un sommeil réparateur que le mauvais équipement des auberges ne garantissait pas.

6. *C'était une des plus belles fêtes*... : la nouvelle sera développée dans la seconde partie de la même lettre.

7. *Toutes les trahisons*... : suite et fin de l'histoire galante de la lettre précédente.

8. Mme de Sévigné aime écrire à plusieurs reprises, parfois en plusieurs jours. Ici, la lettre se compose de deux parties à peu près égales, dont la seconde a été écrite juste avant d'aller chez Mme de La Fayette. Un visiteur, qu'elle ne nomme pas, a dû, dans l'intervalle, lui apporter les nouvelles plus développées qu'elle ajoute et qui servent de prétexte à une nouvelle lettre.

9. *Monsieur l'Intendant* : François du Gué-Bagnols, père de Mme de Coulanges. Mme de Sévigné note non seulement d'où viennent les lettres qu'elle reçoit, mais encore où elle a adressé les siennes ; elle veut faciliter la comptabilité de sa correspondance avec Mme de Grignan. Les imperfections de la poste et l'importance qu'elle attribuait à l'échange épistolaire expliquent ce soin.

Page 60.

1. Marie-Madeleine de Rochechouart-Mortemart, sœur de Mme de Montespan, venait de succéder à Jeanne-Baptiste de Bourbon, décédée, comme abbesse de *Fontevrault*. La présence de princes du sang à la cérémonie d'intronisation dut provoquer des querelles de préséance, et explique pourquoi les prélats durent se contenter de *tabourets*.

2. *La fête d'hier* : le mariage de Mlle d'Harcourt avec le duc de Lyonne, annoncé dans la première partie de la lettre. Mme de Sévigné note l'absence de la Grande Mademoiselle, brouillée avec la maison de Guise. L'hôtel de Guise s'étendait au Marais de la rue du Paradis à la rue des Quatre-Fils en longeant la rue du Chaume.

3. *Dragons* : le terme, qui appartient à l'idiolecte familier des lettres à Mme de Grignan, est employé au sens d'*inquiétudes*.

4. Jean-Antoine *d'Irval* appartenait à la famille de Mesmes, avec laquelle Mme de Sévigné entretenait de cordiales relations, favorisées par leur voisinage de Livry. Les médisances de Mme de Marans auraient selon cet informateur porté sur la fausse couche de Mme de Grignan à Livry en novembre 1669, causée par l'émotion qu'elle avait ressentie en voyant son beau-frère tomber de cheval.

Page 61.

1. *Seigneur Corbeau* : surnom que le Coadjuteur devait à son teint sombre. La question de Mme de Sévigné revient à demander si Mme de Grignan est en assez bons termes avec lui pour le plaisanter. Le départ pour la Provence avant le mariage de Mlle d'Harcourt avait causé leur mésentente.

2. *Mme Robinet* : allusion à l'accouchement de novembre 1670, au cours duquel il avait fallu faire venir une sage-femme en catastrophe, Mme de Grignan s'étant d'abord opposée à ce qu'on appelât Mme Robinet (surnommée la *Robinette*). Cette dernière est depuis restée le symbole de l'imprévoyance et de la témérité de la comtesse.

13. À MADAME DE GRIGNAN

Page 62.

1. Ce commentaire louangeur du style épistolaire de Mme de Grignan situe l'art épistolaire au confluent d'une esthétique (le naturel), d'une éthique (le vrai) et d'une pragmatique (« quel effet elles me font »).

2. *J'ai évité les autres* : thème de la retraite déjà développé dans les deux lettres précédentes.

3. Le comte et la comtesse de *Guitaut* figurent parmi les correspondants réguliers de Mme de Sévigné. Exilés sur leurs terres d'Époisses à la suite d'une querelle d'intérêt avec le prince de Condé, ils étaient voisins de la marquise qui possédait une terre à Bourbilly.

4. Le texte est peu sûr ; il semble n'y avoir eu alors que deux *Grignan* à Paris : Jacques, l'évêque d'Uzès, et Joseph Adhémar, bientôt chevalier de Grignan.

5. *Le lit était bon* : allusion gaillarde au lit offert par le beau-frère de Mme de Grignan.

Page 63.

1. *Ma seconde à Lyon* : seconde lettre adressée à Lyon, la première lettre, celle du 6 février, ayant été envoyée à Moulins.

2. *J'ai reçu la vôtre, etc.* : Proust a cité ce texte dans *La Prisonnière*, à propos de sa mère qui, dit-il, lui reprochait « de ne pas l'avertir immédiatement » après réception de « chacune » de ses lettres.

3. *Traverser la France* : anticipation des voyages à venir ; les 750 kilomètres de Paris à Aix (environ 200 lieues) joints aux 350 kilomètres que Mme de Sévigné allait faire pour se rendre aux Rochers (une centaine de lieues) font les *trois cents* lieues. Elles équivalent aussi à peu près à la distance qui sépare la Bretagne de la Provence, que la marquise avait le projet de franchir directement. Elle y renoncera plus loin et ne fera ce long voyage qu'en 1690, lorsqu'elle se rendra en Provence pour la seconde fois.

4. Sa *bonté*, c'est d'avoir abandonné le mariage à faire pour l'accompagner.

5. *Monsieur de Marseille* : l'évêque de Marseille gagnait la Provence pour assister à l'assemblée générale des communautés de cette province, ouverte à Lambesc.

Page 64.

1. *Chocolatière* : Mme de Sévigné partage ici les préjugés de ses contemporains sur le chocolat, ne le considérant que comme un remède et se plaçant du point de vue de la santé, non du goût. Plus loin, il fera l'objet d'une condamnation radicale.

2. L'*abbé Guéton* et sa mère étaient de très proches voisins de Mme de Sévigné, occupant une maison sise sur l'emplacement de l'actuel numéro 10 de la rue de Thorigny, alors qu'elle habitait un hôtel situé en arrière de l'actuel numéro 8. Les attaches lyonnaises de l'abbé expli-

quent pourquoi la marquise va le consulter sur « la route de Lyon » que sa fille va emprunter.

Page 65.

1. *Deville, Golier* : domestiques de la comtesse.

14. À MADAME DE GRIGNAN

2. *Ce que je viens d'apprendre* : Mme de Sévigné a souvent pratiqué ainsi la « lettre-journal ». Ici le besoin d'écrire est stimulé, ou excusé, par les nouvelles, en particulier par la fuite de La Vallière. L'épistolière ne semble d'ailleurs pas annoncer la nouvelle, mais apporter un complément d'information (elle rappelle *cette lettre que l'on n'a point vue* comme si elle en avait déjà parlé) ; sans doute avait-elle ajouté à ce sujet, dans la lettre précédente du mercredi, un mot qui est perdu.

3. Les *Amelot* avaient été dans les intérêts du cardinal de Retz pendant la Fronde. Cela, plus encore que les anciens rapports d'affaires et les liens de voisinage (ils habitaient au Marais), explique que Mme de Grignan doive envoyer un mot de condoléances.

Page 66.

1. Il y avait un couvent de la Visitation à *Chaillot* depuis 1651 ; Henriette de France, chassée du trône d'Angleterre, s'y était retirée. « La duchesse de La Vallière se mit, comme vous savez, aux filles de Sainte-Marie de Chaillot le mercredi des Cendres [11 février] ; elle avait parlé légèrement au roi la veille. Sa Majesté l'envoya quérir par Bellefonds inutilement, mais M. de Colbert y alla et lui dit qu'il avait ordre de se servir de l'autorité du roi, si elle l'y obligeait, de sorte qu'il fallut obéir. Le roi témoigna la plus grande affliction du monde en cette rencontre et la plus grande joie » (Mme de Montmorency à Bussy, 25 février 1671). Colbert a été souvent accusé de favoriser les amours royales et de servir au besoin d'entremetteur.

Bellefonds, qui était dévot, jouera encore un grand rôle dans la retraite définitive de La Vallière, trois ans plus tard.

2. *Au Pont* : le Pont-Saint-Esprit sur le Rhône. Au XVIIe siècle encore, il n'y avait que trois ponts sur le Rhône : celui-ci, le pont d'Avignon, un peu plus ancien, et le pont de la Guillotière à Lyon, construit seulement dans la seconde moitié du XVIe siècle.

3. *Au coin du feu* : c'est toujours la même volonté de retraite.

4. Jacques *Langlade*, d'abord secrétaire du duc de Bouillon, avait été grand frondeur. Il se rallia ensuite à Mazarin et devint secrétaire de cabinet. Mme de Motteville dit qu'il avait l'« esprit vif et plein de lumière ». Il était resté l'ami de La Rochefoucauld et se trouvait par contrecoup en relation avec Mme de Sévigné.

5. Le carnaval de 1671 semble pourtant avoir été très brillant. La *Gazette* signale, à partir du 24 janvier, les fêtes qui faisaient alterner la tragédie de *Bellérophon*, la comédie-ballet de *Psyché* et les bals ; elle note la fin des divertissements le Mardi gras par un « grand bal dans le palais des Tuileries, où toute la cour, à la réserve de Monsieur, qui demeura dans son deuil, forma une mascarade des plus belles et des plus brillantes ». Il est vrai que ces divertissements officiels étaient ennuyeux pour beaucoup. Dès 1667, d'Ormesson signale dans son *Journal* la désaffection du public pour ces réjouissances.

15. À BUSSY-RABUTIN

Page 68.

1. *Querelle d'Allemands* : l'expression désigne les procès sans fondement caractéristiques de l'échange galant, affrontements métaphoriques dans lesquels le désaccord feint dissimule une entente complice. Cette manière ironique de rappeler les brouilleries passées semble vouloir mettre un terme à la période galante de leur correspon-

dance. De fait, ce commerce s'éteint quasi tout à fait pour l'année qui nous intéresse ; il reprendra plus tard sur d'autres bases.

16. À MADAME DE GRIGNAN

2. *Il faut bien que je pleure* : le motif des larmes s'accompagne de précautions oratoires visant à ménager les bienséances. Cette tension entre l'effort de contrôle de soi et l'irruption du pathos élégiaque se solde par un morceau d'éloquence.

Page 69.

1. *Raymond* : cantatrice célèbre par sa beauté et sa belle voix. Elle se retira au couvent de la Visitation du faubourg Saint-Germain. — La *comtesse de Lude* est l'épouse de l'ami de Mme de Sévigné, le duc du Lude, grand maître de l'artillerie depuis 1669.

2. *Un nouveau récit du ballet* : cette nouveauté, c'est la comédie-ballet de *Psyché,* due à la collaboration de Molière, Corneille, Quinault et Lully, dont la première représentation avait eu lieu le 17 janvier, à la salle des machines des Tuileries

3. Jules *Mascaron* prêchait cette année-là le carême à Saint-Gervais, paroisse de la marquise. — Le carême de 1671, que *Bourdaloue* prêcha à Notre-Dame, confirma son succès de l'année précédente. Il fut tel que Mme de Sévigné ne put aller l'entendre.

4. *L'oraison pour Monsieur le Marquis* : c'est-à-dire pour être bientôt mère d'un fils, le marquis de Grignan.

Page 70.

1. Le *grand homme* est le roi ; la *dame,* ou bien Mme de La Vallière, qui s'enfuit le lendemain à Chaillot, ou bien Mme de Montespan, dont Mlle de Montpensier a noté également l'absence dans ses *Mémoires*. Discours codé, où l'allusion et l'antiphrase semblent mimer la mascarade.

2. « Mademoiselle, personne n'est encore mort de votre absence, hormis moi, et je ne crains point de vous le dire ainsi crûment, parce que je crois que vous ne vous en soucierez guère » (Voiture, lettre à Mlle de Rambouillet, été 1639).

3. Les demoiselles de *Valençay* étaient religieuses à la Visitation de Moulins, où se trouvait le mausolée d'Henri de Montmorency, décapité en 1632 à Toulouse pour rébellion.

4. Le mot *confiance* est ici employé dans un sens qui unit au sens actuel du mot celui de confidence qu'il prend souvent au XVIIe siècle. Les réticences s'expliquent par les désaccords entre Mme de Grignan et son beau-frère au sujet du départ.

Page 71.

1. Mlle de Sévigné avait pris en 1666 le chemin de la *Loire* pour se rendre en Bretagne avec sa mère.

2. Mme de Sévigné et les Grignan avaient *loué* une maison rue de Thorigny pour trois ans à partir du 1er avril 1669, moyennant 3 000 livres par an. On essayait de sous-louer le premier étage désormais vide, jusqu'à la fin du bail en 1672. Le 8 avril, la marquise n'était pas encore parvenue à le céder pour moins de 500 écus. Le 6 mai, elle n'avait toujours pas trouvé preneur, mais, à son retour de Bretagne, il était occupé par Mme de Bonneuil.

Page 72.

1. *La Comtesse,* sans autre précision, était la comtesse de Fiesque, du moins dans le milieu de Mlle de Montpensier, que Mme de Sévigné fréquentait.

2. L'effet d'accumulation conduit à des approximations. *Ma tante,* c'est Mme de La Trousse (Henriette de Coulanges, sœur cadette de Mme de Sévigné, qui lui servit de chaperon) ; *ma cousine,* probablement une de ses filles, Mlle de Méri, amie de Mme de Grignan ; *mes oncles,* l'abbé de Coulanges, Chésières et peut-être Saint-Aubin ; *mes cousins,* Philippe-Emmanuel de Coulanges et peut-être d'Harouys, fils et gendre de Philippe II ; *mes cousines,* Mlle de La Trousse, sœur de Mlle de Méri et Anne-

Marie de Coulanges, Mme de Sanzei, sœur de Philippe-Emmanuel.

3. *Mme de Vauvineux* : fille d'un président au parlement de Paris, elle habitait la maison voisine de celle de Mme de Sévigné.

4. « Se mettre *à l'âtre*, c'est parmi les nourrices s'asseoir sur l'âtre » (Furetière). Celles-ci se mettaient près du feu pour changer les enfants.

5. *Mme de Janson* : Geneviève de Briançon, marquise de Janson, femme du frère aîné de l'évêque de Marseille, Laurent de Forbin. — *Mme Le Blanc* : Provençale, sans doute Anne d'Hugonely, femme de Jacques Le Blanc de Valfère, trésorier des états de Provence en août 1672.

6. *Vos pauvres filles* : la *petite Deville* et la *pauvre Golier* (des dernières lignes de la lettre 13), domestiques, non les filles du comte, alors dans le couvent d'une de leurs tantes, à Reims.

17. À MADAME DE GRIGNAN

Page 73.

1. *Guitaut* était locataire dans un immeuble correspondant à l'actuel n° 4 de la rue de Thorigny, dans lequel il vivait avec sa mère, Jeanne d'Eygua, alors très âgée. Les flammes passaient par-dessus la maison de *Mme de Vauvineux* (n° 6 actuel), et éclairaient la cour de Mme de Sévigné, dont le logis, à la hauteur du n° 8, était en retrait. M. et Mme de Guitaut trouvèrent refuge chez les Guéton, propriétaires de Mme de Sévigné, à l'emplacement du n° 10. Le logement de l'ambassadeur de Venise, chez lequel Mme de Vauvineux fit porter son mobilier, se trouvait au n° 5 ; c'est l'hôtel Salé.

2. Le *cabinet* est à la fois un meuble, avec tiroirs et serrures, pour placer les objets précieux, et la pièce dans laquelle il se trouve.

3. *La petite de Vauvineux* : Charlotte-Élisabeth de Vauvineux, qui n'avait que neuf ans lors de l'incendie.

Page 74

1. *Comme dans une île* : devant l'hôtel de Mme de Sévigné s'étendait une vaste cour, dont le côté sud, de forme ovale, était bordé par les écuries et les remises. D'autres cours plus petites séparaient l'hôtel des maisons de la rue de Thorigny et de la rue Sainte-Anastase, et des jardins l'isolaient au sud et à l'est.

2. Les *capucins* de la rue d'Orléans jouaient le rôle de pompiers. Mais leurs moyens restaient rudimentaires ; l'on se bornait à faire la part du feu — à sauver l'essentiel en laissant brûler le reste.

3. Corneille, *Le Cid* (IV, III). Mais, dans le vers fameux qui termine le récit du combat contre les Maures, il y a « cessa » au lieu de *finit*.

4. François *Le Blanc*, maître d'hôtel du roi, était le propriétaire de l'appartement occupé par les Guitaut.

Page 75.

1. *Des lettres de Monsieur le Prince* : sans doute des lettres d'affaires ; Guitaut était alors en désaccord avec Condé.

2. *Mme Guéton* : la propriétaire de la maison de Mme de Sévigné.

3. *Boucher*, « fameux chirurgien » selon le chansonnier Maurepas. — *Il* désigne l'enfant qui ne peut manquer de naître.

Page 76.

1. *Poisson* : le mariage de Mlle d'Houdancourt, fixé au 19 février, dut être reporté jusqu'au 14 mars ; le repas de mariage était un repas maigre, à cause du carême.

2. *Mme de Piennes*, l'une des plus belles femmes de la cour, passait pour être aimée de Colbert, ce qui assurait sa faveur et celle de sa famille.

3. *Votre affaire aux états* : le vote par l'Assemblée d'une gratification pour l'entretien des gardes de M. de Grignan.

4. *Monsieur du Mans* : Philibert-Emmanuel de Lavardin, le beau-frère de l'amie de Mme de Sévigné, chez lequel celle-ci dînait presque tous les vendredis. — *Cour-*

celles : il avait épousé, en 1666, Marie Sidonia de Lenoncourt dont les désordres étaient notoires.

5. *D'Olonne* : autre mari dont les malheurs étaient célèbres. Les multiples aventures galantes de sa femme, désignée sous le pseudonyme d'Ardélise, constituent la première partie de l'*Histoire amoureuse des Gaules*.

6. *J'en ai été fort aise* : parce que cela devait ôter au beau-frère de Mme de Grignan tout regret de l'avoir accompagnée sans attendre la noce. Le mot *diamant* prend ici métaphoriquement le sens de cadeau.

Page 77.

1. *Lanternes* et *lanterneries* appartiennent à l'idiolecte de la correspondance avec Mme de Grignan. D'après Furetière, « se dit des discours, des choses de néant ». L'épistolière l'emploie dans des contextes assez divers, tantôt, comme ici, pour désigner des nouvelles salées et des historiettes frivoles, tantôt pour qualifier des folies, rêveries auxquelles la conduit la licence de sa plume.

2. *M. du Gué* : le père de Mme de Coulanges, intendant de Lyon, qui avait écrit.

18. DE BUSSY-RABUTIN

Page 78.

1. *Une seule personne* : Bussy, d'après sa correspondance, avait parlé de son projet de *Mémoires* à deux personnes au moins, Mmes de Scudéry et de Montmorency.

2. *C'est là mon principal dessein* : les *Mémoires* sont devenus la grande affaire de Bussy pendant son exil ; il ne cessera plus de les reprendre et de les augmenter, y insérant toute la correspondance qu'il échangea en ce temps-là. Il en communiqua des extraits à certains de ses amis, et en lira par exemple des pages à Mme de Sévigné, à Livry, en 1676. Il en fera des « morceaux choisis » à l'intention du roi, qui les verra en 1680. Les *Mémoires* furent publiés, trois ans après sa mort, par son fils Amé-

Nicolas, dans une version abrégée, qui s'arrête en 1666, avec l'exil.

19. À MADAME DE GRIGNAN

Page 79.

1. *Cette montagne* : Perrin précise, dans l'édition de 1754, qu'il s'agit de la montagne de Tarare, entre Roanne et Lyon, « autrefois très difficile à passer ». Voiture la cite, dans la lettre de « la berne », comme ce qui empêche Mlle de Bourbon, alors à Lyon, de le voir dans son ascension. Le règlement ordonnait aux courriers de ne circuler *qu'entre deux soleils*, c'est-à-dire entre le lever et le coucher du soleil.

Page 80.

1. *La Vauvinette* : surnom amical quelquefois donné à Mme de Vauvineux. — *La d'Escars* : Françoise-Charlotte Bureau de La Rabatelière, d'une famille poitevine, avait épousé en 1663 Charles d'Escars, marquis de Merville, dont elle eut deux filles. — *Mme du Gué* : Marie-Angélique Turpin, femme de François du Gué, l'intendant de Lyon, et mère de Mme de Coulanges.
2. *Rippert* : « capitaine des gardes » de M. de Grignan. Il avait dû aller au-devant de la comtesse jusqu'à Lyon.
3. Jean *Pecquet*, anatomiste célèbre, était le médecin de Foucquet. Il accepta d'être enfermé avec lui pour le soigner après son arrestation. Après le procès, il fut exilé à Dieppe puis obtint la permission d'exercer dans la capitale. Mme de Sévigné le consultait.

Page 81.

1. Première apparition, par le biais d'une intrigue galante, de Charles, *frère* de Mme de Grignan, jusque-là en quartier d'hiver à Nancy, avec ses gendarmes-Dauphin.
2. Le fils aîné du duc et de la duchesse de Longueville avait dû être interné à l'abbaye de Saint-Georges, près de

Rouen. Comme on n'ignorait pas que le cadet était fils de La Rochefoucauld, la décision de lui transférer les biens et les titres de son *frère* n'allait pas sans difficulté, en particulier de la part de Condé, frère de la duchesse.

3. Mme de Marans passait pour être ou avoir été la maîtresse du nouveau duc de Longueville.

4. Fausse nouvelle (voir le début de la lettre suivante). Antoine *Vallot,* premier médecin du roi, avait pris parti pour les remèdes nouveaux, ce qui lui attira les injures de Guy Patin. Mais, grâce à l'émétique, il sauva Louis XIV en 1658, ce qui contribua beaucoup à la diffusion des médicaments chimiques.

20. À MADAME DE GRIGNAN

Page 82.

1. Quoique les sources impriment du Chesnay, nous rétablissons *Duchesne*, d'après le témoignage de la *Vie de Costar*, qui cite un Duchesne, médecin au Mans, « de grande réputation » et « d'une très grande étude ».

2. À son propre neveu, Philippe-Jules Mancini (le duc de Nevers), *Mazarin* avait préféré pour héritier Armand-Charles de La Meilleraye, fils d'un cousin germain de Richelieu. Il lui avait donné son nom à condition qu'il épousât sa nièce Hortense Mancini, née à Rome en 1646, ce qu'il fit en février 1661. La dévotion le conduisait à des absurdités, par exemple à briser, à cause de leur nudité, des statues de prix. Le mariage fut un échec total. En janvier 1667, d'Harouys, cousin par alliance de Mme de Sévigné, travaillait à une réconciliation, qui ne dura pas. Après 1671, la séparation fut définitive, et la duchesse, qui fut l'amie de Saint-Evremond, mourut en Angleterre en 1699. Bussy, le 13 mars, résume la situation d'une phrase : « Mme Mazarin est bien folle, je l'avoue ; mais il faut que vous confessiez que M. Mazarin est bien sot. »

3. *L'abbé de La Victoire* : au diocèse de Senlis depuis 1636, « plus occupé de littérature que de théologie », selon V. Cousin.

4. *Benserade* : le poète et l'académicien, et surtout, pour Mme de Sévigné, le librettiste des *Ballets* dans lesquels sa fille avait dansé à la cour. Elle le rencontrait chez Monsieur du Mans, à l'hôtel de Lavardin.

Page 83.

1. *M. de Duras* : Jacques-Henri de Durfort, fils du marquis de Duras et d'une sœur du duc de Bouillon et de Turenne, était très en faveur, et le duc de Charost devra lui céder sa charge de capitaine des gardes du corps en 1672. Il avait épousé en 1668 la sœur du duc de Ventadour.

2. *Mlle de La Mothe* : Anne-Lucie de La Mothe-Houdancourt, cousine de la duchesse de Ventadour. Madame et la duchesse de Soissons l'avaient avancée en 1661-1662 pour être la rivale de La Vallière.

3. *Cardinal de Bouillon* : Emmanuel de La Tour, frère du duc de Bouillon et neveu de Turenne, cardinal en 1669 à vingt-six ans. Il fut grand aumônier de France en décembre 1671.

4. *Nous*, c'est Mme de Sévigné et Coulanges : ils sont *sorciers*, écrit-elle plus loin, d'avoir si bien deviné. Coulanges, qui revenait de Provence, aidait Mme de Sévigné à imaginer les étapes et les circonstances du voyage. — L'*entrée*, c'est l'arrivée avec réception officielle ; il sera plus loin question de l'entrée à Aix.

Page 84.

1. Mme de Sévigné ne recevra pas habituellement de lettres le vendredi, car le courrier qui arrivait ce jour-là à Paris venait seulement de Lyon, non de Provence. Mme de Grignan avait donc pris soin de faire porter sa lettre de Vienne à Lyon.

2. *Mes paupières bigarrées* : « Mme de Sévigné est inégale jusqu'aux prunelles des yeux, et jusqu'aux paupières ; elle a les yeux de différente couleur [...] » (Bussy, *Histoire amoureuse des Gaules*).

Page 85.

1. Adaptation des vers 4 à 6 du *Temple de la Mort*, poème de Philippe Habert (1605-1637).

2. *Laver la cornette* en parlant d'une femme, c'est la réprimander.

3. En fait, la comtesse ne reviendra à Paris que trois ans plus tard, en février 1674.

4. Le comte de *Brancas* fut l'original du *Ménalque* de La Bruyère et Mme de Sévigné rapportera à sa fille nombre de ses distractions. Plus loin, elle fait aussi mention de son écriture, illisible.

5. *Votre tante* : celle de M. de Grignan. Mme de Grignan est reçue *comme une reine*, parce que, en sa qualité de femme de lieutenant général, on lui faisait, partout en Provence, une *entrée*.

6. *Les détails des gens* : Mme de Sévigné encourage sa fille à renoncer à l'obligation de réserve pour parler de ses proches, de même qu'elle réclame plus loin des narrations. Elle pose là des principes qui demeureront en vigueur jusque dans les dernières lettres conservées : « Je vous écris en détail, car nous aimons ce style, qui est celui de l'amitié » (lettre à Coulanges, 1er décembre 1690, « Bibl. de la Pléiade », t. III, p. 952).

21. À MADAME DE GRIGNAN

Page 86.

1. Entorse au principe du « dialogue épistolaire », conçu d'après le modèle conversationnel, la lettre *de provision* n'est pas une réponse puisqu'elle est commencée avant le jour d'arrivée du courrier de Provence.

2. *Sur ma petite boule* : peut-être une adaptation de l'expression populaire « perdre la boule ».

Page 87.

1. *Lanterneries* : précaution visant à atténuer la « licence poétique » que constitue la longue digression

fantaisiste qui précède, prosopopée de la Paresse de Mme de Grignan.

Page 88.

1. Mme de Sévigné continuera à écrire *d'avance*, parfois en intégrant la *provision* au reste de sa lettre afin d'atténuer l'impact d'épanchements peu conformes au code.

Page 89.

1. Au XVIIe siècle, beaucoup de gens partageaient l'horreur de Mme de Sévigné pour le *Rhône*, dont elle parle d'ailleurs par ouï-dire. Voiture a noté les dangers du voyage : « La résolution qu'avait prise Monsieur le Cardinal d'aller sur le Rhône a été changée sur ce qu'il vit avant-hier, comme il se promenait sur le port, un bateau chargé de soldats, qui courut très grand hasard de se perdre : il y en eut même quelques-uns qui se jetèrent dans l'eau et se noyèrent » (À Lyon, le 23 février 1642). Quand Mlle de Scudéry et son frère revinrent de Marseille, la *Gazette* avait annoncé, le 16 octobre 1647, qu'ils étaient morts noyés dans le Rhône, à Valence ; il fallut démentir.

Page 90.

1. *Rentrées de pique noire* : terme de jeu de cartes, pour désigner une rentrée qui s'accorde mal avec le jeu tenu en main et ici, métaphoriquement, pour exprimer le décalage des sentiments et des préoccupations des épistolières.

2. Avignon et le Comtat-Venaissin étaient gouvernés au nom du pape par un *vice-légat*, Horace Mattei, depuis août 1670.

22. À MADAME DE GRIGNAN

Page 91.

1. Style obscur introduisant le thème des grossesses : si Mme de Grignan se *porte bien*, c'est qu'elle n'a pas été

réglée à la date prévue, et donc qu'elle est *malade*, c'est-à-dire enceinte. C'était le cas : Louis-Provence naîtra le 17 novembre suivant.

2. *Première grossesse* : interrompue par une fausse couche à Livry, par suite d'une émotion trop forte le 4 novembre 1669.

3. *Cette pauvre Caderousse* : Mme de Caderousse était fille de Mme du Plessis-Guénégaud, désignée ici par *on* ; elle devait être brouillée avec sa mère. Elle habitait avec son mari à Avignon, où la comtesse l'avait rencontrée. Le 29 janvier 1674, après avoir précisé qu'elle *perd son sang et sa vie trois semaines tous les mois,* Mme de Sévigné conclut de même que *cela ne peut aller loin.* Mme de Caderousse mourut en décembre 1675.

Page 92.

1. Les Le *Camus,* père et fils, étaient des musiciens réputés ; de même *Ytier,* gendre de Louis de Mollier, luthiste et maître de musique des pages de la chapelle du roi depuis 1654.

2. Promenade dans le Paris des « dames galantes ». Mlle de Lenclos, c'est la célèbre Ninon, qui avait été la maîtresse d'Henri de Sévigné et qui va l'être, à cinquante ans, de son fils Charles. Mme de La Sablière, à qui s'adresse l'épître de La Fontaine, était la femme d'Antoine Rambouillet de La Sablière, fils d'un riche financier ; elle fut la maîtresse de La Fare et se retira aux Incurables en 1680, après avoir été trahie par son amant. Mme de Salins, que Mademoiselle dépeint courant les aventures avec Mme d'Olonne était, elle aussi, femme d'un fils de financier, Garnier de Salins ; elle sera compromise quelques semaines plus tard dans une aventure galante, très probablement avec Charles. Mlle de Fiennes avait été enlevée par le chevalier de Lorraine, dont elle avait eu un fils, avant d'être maîtresse du marquis d'Effiat.

3. *Un cavaliero garbato* : un gentilhomme accompli, *garbato* ayant le sens de bien élevé. L'expression *uomo di garbo* équivaudrait à *galantuomo,* qui correspond à peu près à notre « honnête homme ».

4. *Vous soyez* : impératif archaïque, qui va de pair avec l'évocation de l'ancien *royaume d'Arles*.

5. *Monsieur de Condom* : Bossuet, évêque de Condom depuis le 13 décembre 1669.

Page 93.

1. *Le Dauphin* guérira, mais le duc *d'Anjou* mourra en juillet.

2. *Depuis saint Trophime* : saint Trophime aurait été envoyé par saint Pierre comme évêque d'Arles dès le Ier siècle.

3. *La Gouville* : mère de Mme de Gouville, du célèbre marin, et de six autres enfants.

4. *Ad multos annos* : pour beaucoup d'années. Ce sera, en fait, pour toujours.

23. À MADAME DE GRIGNAN

Page 94.

1. Mme de Sévigné aurait dû recevoir le lundi 9 mars une lettre du dimanche 1er, rapportant l'arrivée de la comtesse à *Aix* le 25 février ; elle ne l'aura que le lundi 16. Dans l'intervalle la lettre du mercredi 4 était arrivée la première. Ces irrégularités, en ce début de la correspondance, suscitent le chagrin et les inquiétudes de Mme de Sévigné, qui ignore si les retards sont dus à la poste ou à l'insouciance de sa fille.

2. Le marquis de *Vardès* fut exilé dans son gouvernement d'Aigues-Mortes à la suite du scandale de la « lettre espagnole », écrite à Marie-Thérèse pour l'informer des amours du roi et de La Vallière. Il fait partie de la jeunesse tapageuse et libertine décrite dans l'*Histoire amoureuse* de Bussy, compensant son peu de penchant pour la gloire des armes par des conquêtes féminines en série. Vardes collectionna les maîtresses. Cette réputation sulfureuse n'empêche pas Mme de Sévigné de maintenir leurs liens d'amitié. — La *petite prime* était un jeu qui se jouait

avec quatre cartes ; l'*hombre*, un jeu espagnol, dans lequel on en distribuait quarante.

3. *L'abbé de Vins* : sans doute le frère du marquis de Vins qui épousa la sœur de Pomponne en 1674. — *Ma paroisse* : Saint-Gervais.

4. Mme de Sévigné joue ici le rôle de commissionnaire tant pour les *galons* que pour l'*argent* à *donner à Adhémar*.

Page 95.

1. *L'abbé Têtu* : Jacques Têtu, abbé de Belval, auteur des *Stances chrétiennes sur divers passages de l'Écriture sainte et des Pères*, était de l'Académie française. C'était un abbé mondain, qui fréquentait chez Pomponne, Mme du Plessis-Guénégaud et Mme de Sablé. Il était né en 1626, comme Mme de Sévigné. Il soupirait pour Mme de Coulanges et l'abbesse de Fontevrault ; « le commerce de l'abbé Têtu avec les femmes a nui à sa fortune », dira Mme de Coulanges. Il l'empêcha en effet de devenir évêque, non d'avoir beaucoup de crédit auprès de Mme de Maintenon.

Page 96.

1. *Mme de Maillane* : d'une ancienne famille d'Arles, établie à Aix et dévouée aux Grignan.

Page 97.

1. « Je deviens parricide, assassin, sacrilège. / Pour qui ? pour une ingrate », s'écrie Oreste après le fameux « Qui te l'a dit ? » d'Hermione (Racine, *Andromaque*, V, IV).

2. La comtesse avait sans doute fait lire au comte et au Coadjuteur le récit de l'incendie, dont ce passage est l'écho.

3. *Les Mesmes* : Jean-Antoine de Mesmes, président à mortier, et ses deux fils, Jean-Jacques, alors comte d'Avaux, et Jean-Antoine, seigneur d'Irval.

4. « *Niobé*, enorgueillie de sa fécondité, osa préférer ses enfants à ceux de Latone, qui en fut irritée au point de faire tuer à coups de flèches les quatorze enfants de Niobé par Apollon et par Diane, dont elle était mère. Niobé, outrée de la plus vive douleur, fut transformée en rocher » (note de Perrin, 1754).

5. Céladon conserve, dans sa *panetière*, les lettres d'Astrée, et, lors de sa « noyade », les eaux du Lignon respectent le précieux paquet. En ce sens, ce qu'on a appelé sa *panetière* était en fait une *cartère*, c'est-à-dire un étui où l'on range lettres et papiers. Une *caverne de larrons* est un rendez-vous de voleurs. Allusion au fait que les lettres de Mme de Grignan n'étaient pas en lieu sûr, puisque tout le monde les avait vues.

Page 98.

1. François de *Clermont-Tonnerre*, évêque de Noyon depuis 1661, était célèbre par sa vanité. Saint-Simon rapporte qu'il avait rempli sa maison de ses armes, qui comportaient deux *clefs* d'argent. Il avait mis « des clefs partout, jusque sur le tabernacle de la chapelle ».

2. *Un voyage* : il s'agit de celui de Provence, à l'état de projet.

3. *Corbinelli* : originaire de Florence, lié successivement à Vardes puis au cardinal de Retz, Corbinelli fut peu chanceux dans le choix de ses protecteurs. Docte mais sachant vivre parmi les mondains, il fut le très proche ami de Mme de Sévigné qui fait souvent appel à sa science et à ses services. En 1687, elle commentera de manière plaisante sa crise mystique.

24. À MADAME DE GRIGNAN

Page 99.

1. *Les Mères de l'Église* : surnom donné aux princesses de *Conti* et de *Longueville*, non à cause de leur science théologique mais en raison de leur piété.

2. *M. d'Ambres* : colonel du régiment de Champagne depuis 1657, François de Gelas de Voisins, marquis d'Ambres, sera, le mois suivant, lieutenant général en Haute-Guyenne. Il venait d'épouser, le 25 février 1671, la veuve de Jean-Louis d'Arpajon, fils de l'amie de Mme de Sévigné.

3. *Scaramouche* : personnage ridicule de la comédie ita-

lienne, inventé par Tiberio Fiurelli ; en 1659, on le crut mort en passant le Rhône.

4. La *foire* Saint-Germain durait du 3 février jusqu'à la semaine sainte. Bussy parle de Claude de Moy de *Riberpré* « aussi grand qu'à son ordinaire ».

Page 100.

1. *Toutes ces choses* : les visites stratégiques auprès des familles dont M. de Grignan était l'allié par ses deux précédents mariages et auprès des Maillane dont les Grignan recherchaient l'appui en Provence.

2. Marie-Élisabeth de *Ludres,* chanoinesse de Poussay (d'où son titre de Madame), née en 1647, était d'une très grande beauté et suscita maintes passions, y compris celle du roi en 1676-1677 ; abandonnée, elle se retira à la Visitation, puis aux dames du Saint-Sacrement de Nancy. Mme de Sévigné imite son zézaiement et l'accent qu'elle conservait de sa Lorraine natale. Louise-Philippe de *Coëtlogon,* d'une famille bretonne, deviendra l'épouse du marquis de Cavoie ; Jeanne de *Rouvroy,* celle du comte de Saint-Vallier. Lydie de Rochefort-*Théobon,* qui était protestante, ne se convertit qu'en 1688 ; elle avait épousé vers 1680 le comte de Beuvron, frère de la duchesse d'Arpajon. Elle était amie de Saint-Simon qui lui attribue « beaucoup d'esprit et de monde ».

3. Certains assuraient, écrit G. Bouchet, dans sa septième *Serée* (1585), intitulée « Des Chiens », que l'eau de la *mer* guérissait « les enragés, si on les jette dedans ; et de fait, on les mène maintenant à la mer comme le plus assuré remède ».

4. Corneille avait donné une *Andromède* en 1650. Henri-Joseph de Peyre, comte de *Tréville,* réussissait fort bien dans le monde, étant « de beaucoup d'esprit et de lecture, fort agréable et fort galant ». La mort de Madame, qu'il avait beaucoup fréquentée, le précipita dans une retraite qu'il ne put soutenir. « Sa vie, écrit Saint-Simon, dégénéra en un haut et bas de haute dévotion et de mollesse et de liberté, qui se succédaient par quartier. »

5. « Contre lequel ni heaume ni bouclier ne peut rien. »

La citation vient soit de Pétrarque, au chapitre Ier du *Triomphe d'Amour* : « ... *Un garzon crudo, / Con arco in mano, e con saette a'fianchi, / Contra le quai non val elmo nè scudo* », soit du chant X du livre II de l'*Orlando innamorato* dans la version de Berni : « *Le fierre ch'hanno l'artiglio si crudo, / Che contra lor non vale elmo nè scudo.* » Le *corpus* italien renaissant fait partie de l'intertexte des lettres, assumant la fonction d'*exempla* davantage que la fable des Anciens. Mme de Sévigné semble mêler ici des souvenirs du *Roland amoureux*, roman burlesque de Berni, et du *Roland furieux*, de l'Arioste, dont l'*alta fantasia* fournit à l'épistolière de fréquentes applications.

Page 101.

1. *Son père* : Bussy a rapporté la liaison d'Henri de Sévigné avec Ninon, qu'il place six mois avant la mort de celui-ci, survenue en février 1651. Cette allusion à Henri de Sévigné est une des rares de la correspondance.
2. *Quelles divines vérités...* : ce sermon du vendredi de la quatrième semaine du carême portait tout entier sur la mort de Lazare, figure de la mort d'une âme souillée par le péché.
3. *Sainte-Marie* : Mlle de Sévigné fut élevée, au moins un temps, à la Visitation du faubourg Saint-Jacques et à celle de Nantes.

25. À MADAME DE GRIGNAN

Page 102.

1. *M. de La Brosse* : ce personnage n'est mentionné qu'ici. La prétérition est une manière plaisante de contourner l'usage et d'expédier la lettre de recommandation.
2. Le bon mot de *Benserade* raille le sort contrasté des maris respectifs de Mme *d'Armagnac*, « la plus belle femme de France jusqu'à sa mort », et de Mme *de Saint-Hérem*, « hideuse à dix-huit ans », selon Saint-Simon.

26. À MADAME DE GRIGNAN

Page 103.

1. *Une de celles-là* : 1er mars. Mme de Sévigné a noté l'arrivée de la lettre du 4 dans la sienne du 11 ; elle y a répondu *avec précipitation*, ce qui l'a empêchée de remarquer que la comtesse, qui lui avait décrit son passage à Arles ne lui a pas raconté son *entrée à Aix*. La lettre de Mme de Grignan du dimanche 1er mars, qui la rapportait, vient seulement d'arriver à Paris en même temps que celle du 8.

2. Lucrèce de Forbin-Soliers était la très belle veuve d'Henri de Rascas, seigneur du *Canet*, premier consul d'Aix en 1652. Le duc de Vendôme en avait été fort amoureux après la mort de sa femme en 1657 ; la cour le fit nommer cardinal en 1667 pour empêcher une mésalliance. Vendôme fit décorer la *chambre* de Mme du Canet, rue de la Verrerie, par le peintre Daret ; les murs et les plafonds furent recouverts de peintures, de glaces et de dorures.

3. *Votre affaire* : M. de Grignan avait l'intention de demander à l'Assemblée une subvention de 5 000 livres pour l'entretien de ses gardes. Les difficultés financières des Grignan venaient de ce que le comte, lieutenant général de Provence, se trouvait obligé de remplir les fonctions d'un gouverneur sans en avoir les appointements touchés par Vendôme.

Page 104.

1. *Ce que vous avez à faire* : Mme de Sévigné aborde la question difficile du retour éventuel de Mme de Grignan à Paris, entravé par l'état de ses finances.

2. *Style à cinq sols* : l'expression contient tout le mépris de l'épistolière pour le style contourné des secrétaires et autres manuels épistolaires.

Page 105.

1. *Saissac* : Louis de Guilhem, d'abord abbé de Clermont puis marquis de Saissac, maître de la garde-robe depuis

1660, rentrera en grâce en 1675 et sera alors maître de cavalerie. Selon Saint-Simon, ce fut Lorges qui dénonça la tricherie après une partie de brelan à cinq où il avait joué pour le Roi appelé par Louvois.

2. *La Trappe* : l'abbaye de Notre-Dame de la Trappe, près de Mortagne, dans l'Orne, était depuis le milieu de 1664 sous la conduite d'Armand-Jean Le Bouthillier de Rancé, qui l'avait réformée. Mme de Sévigné se montre réticente envers cette maison, dont elle blâme les inutiles sévérités.

3. *Son beau-frère* : Toussaint de Forbin-Janson, l'évêque de Marseille, dont on escomptait la bonne volonté pour l'affaire des gardes. Avant la fin de sa lettre, Mme de Sévigné changera d'avis et écrira à l'évêque.

Page 106.

1. *Mme d'Humières* : Louise-Antoinette de La Châtre était mariée, depuis 1653, à Louis d'Humières, gouverneur des Flandres, Hainaut et pays conquis ainsi que des villes de Lille et de Compiègne.

2. *Les étoiles fixes et errantes* de Mme du Canet sont les amants attitrés et les autres.

3. Rippert avait accompagné Mme de Grignan depuis Lyon. Les lettres passent de main en main, mais l'intérêt de Mme de Sévigné va à ce qui parle de sa fille, objet de sa tendresse, non à l'aspect littéraire de cette circulation épistolaire. Coulanges ne lui est si précieux que parce qu'elle peut parler avec lui de la Provence, d'où il revient ; il joue le rôle du confident des romans d'amour. C'est sur cette circulation épistolaire que s'est fondée la thèse selon laquelle il y aurait eu, en réalité, un « public secondaire » des lettres, modifiant la situation de communication apparente.

Page 107.

1. *Monsieur de Mende* : l'évêque de Mende était un Italien, dominicain passé en France avec Michel Mazarin. La lettre en italien fait partie des rituels mondains. Mme de Sévigné semble avoir bénéficié en ce domaine de l'influence de Chapelain, dernier champion de l'italia-

nisme en France, et de Ménage, autre italianisant, avec qui elle correspond au début des années 1660. Mlle de Scudéry, Mme de La Fayette connaissaient aussi cette langue qui semble être accordée aux femmes en compensation de leur éviction de l'étude des langues anciennes et a sans doute représenté pour elles un *medium* essentiel d'accès à la culture.

2. *Monsieur le marquis de Saint-Andiol* : beau-frère du comte de Grignan qui le protégea et le fit nommer *procureur du pays*.

3. *M. d'Harouys* : Guillaume d'Harouys de La Seilleraye avait épousé Marie-Madeleine de Coulanges, sœur de Philippe-Emmanuel, dont il était veuf depuis 1662. Il était trésorier des états de Bretagne, et fut embastillé en 1687 pour n'avoir pas pu rendre ses comptes. Il avait joué un grand rôle dans le mariage de Françoise-Marguerite en prêtant une grande partie de l'argent de la dot ; Mme de Sévigné, qui n'avait pas encore totalement remboursé sa dette, subit le contrecoup de sa faillite. D'Harouys prêta aussi de l'argent aux Grignan.

Page 190.

4. *Bellefonds*, premier maître d'hôtel du Roi depuis 1663, était dévot (plusieurs lettres au maréchal sont conservées dans la *Correspondance* de Bossuet). Le jeu de mots, « Bellefonds / le fonds », et l'insistance, « par un pur sentiment de piété », font pencher pour un commentaire ironique. La marquise ne se laisse pas impressionner par les manifestations trop ostentatoires de la dévotion. Voir plus loin les mentions plaisantes du dévot de Livry.

Page 108.

1. *La Martin* : « fameuse coiffeuse de ce temps-là », affirme l'édition de Rouen ; on ne la trouve pourtant mentionnée que dans Mme de Sévigné. *Se faire testonner* : se faire coiffer. *Bretauder* : tondre inégalement un chien, et, métaphoriquement, couper les cheveux court et irrégulièrement. *Hurlupé*, selon Littré, qui cite ce texte, veut dire « hérissé, ébouriffé », sans doute par altération de

l'ancien mot « hurepé », dans lequel on retrouve le mot hure au sens de poil de la tête. — Début d'un feuilleton particulièrement divertissant sur le thème des caprices de la mode, joignant la satire de la cour à celle des provinces. Forte de la flexibilité autorisée par les interruptions et la fragmentation épistolaire, Mme de Sévigné passera en effet d'une lettre à l'autre du ton de la raillerie, visant ici les splendeurs et misères des femmes de la cour, à de minutieuses recommandations destinées à garantir sa fille des façons ridiculement démodées des provinciales. De sorte que, après avoir condamné sans appel la nouvelle coiffure, elle finira par l'approuver sans réserve — Montgobert, dont il sera souvent question, fut la dame de compagnie de Mme de Grignan jusqu'en 1680.

Page 109.

1. *Une comédienne* : la Champmeslé, Anne Desmares, née en 1644, femme de l'acteur Champmeslé, qui avait débuté en 1669 et qui devint célèbre en jouant Racine. *Despréaux* est le nom sous lequel on connaissait au XVIIe siècle Nicolas Boileau, le poète satirique.

2. Adaptation d'une chanson de Coulanges, *Ah, quelle folie*, à propos du périlleux voyage de Mme de Grignan sur le Rhône.

3. *M. de Barrillon* : Paul de Barrillon d'Amoncourt, conseiller au Parlement depuis 1650, sera ambassadeur en Angleterre de 1677 à 1689. Protestations affectueuses dans le goût de la belle galanterie : il *quitte Paris* pour l'armée *sans regret* parce que Mme de Grignan est absente de la capitale. L'affectation de ce billet galant tranche avec les effusions qui suivent. La « philosophie amoureuse » de Mme de Sévigné est aussi éloignée du modèle tendre que de la morale antique (Sénèque et Épictète).

Page 110.

1. *Fâchée*, c'est-à-dire peinée du départ de sa fille. *Mélusine* est *débellée*, c'est-à-dire défaite comme à la guerre.

27. À MADAME DE GRIGNAN

Page 111.

1. Mme de Sévigné se *plaint à lui* en tant que frère de Louvois, surintendant des postes ; il répond en faisant remarquer que la comtesse ne lui a pas écrit.

2. *Le comte d'Estrées* était vice-amiral du Ponant depuis 1669 et la Guinée était à la mode : « Il est venu un ambassadeur de Guinée pour le commerce de ce pays-là, écrit Mme de Scudéry à Bussy le 8 décembre 1670. Il est chrétien, et a trois femmes épousées dont il en veut vendre une, s'il trouve marchand. On a eu toutes les peines du monde à le faire habiller pour aller à l'audience du roi ; il y voulait aller tout nu. » — L'*aumusse* était une peau en fourrure portée par les chantres pour aller à l'office ; puis elle était devenue un simple ornement, porté sur le bras gauche comme ici.

Page 112.

1. Les *fausses démarches*, ou faux pas, entraînant les fausses couches : nouvelle qui trahit la crainte que Mme de Grignan ne soit bientôt, elle aussi, grosse et imprudente.

2. *Un certain récit de ballet* : le *solo* du ballet de *Psyché*.

3. Toussaint *Desmares*, de l'Oratoire, prédicateur célèbre ; « Desmares, dans Saint-Roch, n'aurait pas mieux prêché », écrit, dans sa satire X, Boileau, qui l'appelle également « docte janséniste. » Cela l'avait fait interdire dès 1648 ; il n'avait pu remonter en chaire qu'après la paix de l'Église, en 1669.

4. *Segrais* était gentilhomme ordinaire de Mademoiselle depuis vingt-quatre ans ; *Guilloire* son médecin. La princesse chassa en effet l'un et l'autre. Elle accuse le premier, dans ses *Mémoires*, d'être intervenu auprès de l'archevêque de Paris pour qu'il lui déconseille de continuer à voir Lauzun après le mariage manqué. Segrais fut recueilli par Mme de La Fayette, chez laquelle il logea de 1671 à 1676 ; *Zaïde* parut sous son nom (1670-1671), et il eut part à *La Princesse de Clèves*.

Page 113.

1. Donner un *rendez-vous d'esprit*, c'est convenir, à la mode précieuse, d'un moment où l'on pensera à l'autre.

28. À MADAME DE GRIGNAN

2. La *médiocrité*, c'est la mesure ; nous dirions l'équilibre.

3. *La coiffure de la reine Catherine de Médicis*, morte en 1589 : c'est la mode d'il y a cent ans. Voir la coiffure de cette reine en 1561 dans son portrait par F. Clouet.

4. La *duchesse de Sully* et la *comtesse de Guiche* étaient belles-sœurs. La première avait dansé dans les ballets royaux avec Françoise-Marguerite. Veuve en 1673, la comtesse de Guiche, « fort belle et toujours sage, sans aucun esprit que celui que donnent l'usage du grand monde et le désir de plaire » (Saint-Simon), se remaria en 1681 au comte du Lude « par inclination réciproque » et le perdit en 1685. Elle appartenait à la cour, où elle fut dame du palais de la reine, puis dame d'honneur de la duchesse de Bourgogne.

5. *Fontaine* pour fontanelle, l'endroit où aboutissent les deux sutures, coronale et sagittale.

6. *Trochanire* : surnom affectueux de Mme de La Troche.

Page 114.

1. Une *chère* : une précieuse, dans le vocabulaire même des précieuses.

2. *Qu'elle est ridicule...* : on comprend que Mme de Sévigné n'a pas porté cette coiffure, faite pour les jeunes.

Page 115.

1. François Quentin, dit *La Vienne* (on le disait paysan originaire des bords de cette rivière), avait été barbier-baigneur. Il venait d'obtenir en décembre 1670 l'une des huit charges de barbier valet de chambre du roi.

2. *Mme de Crussol* : la fille unique du duc de Montausier et de la célèbre Julie d'Angennes avait épousé en 1664 Emmanuel, comte de Crussol, qui sera duc d'Uzès en 1680. Elle appartenait à la cour, et sera dame du palais en 1672.

3. *La petite de Thianges* : Louise-Adélaïde de Damas, fille du marquis de Thianges comme la duchesse de Nevers et, comme elle, nièce de Mme de Montespan. Elle n'avait, selon Mme de Caylus, « que de la blancheur, d'assez beaux yeux et un nez tombant dans une bouche fort vermeille, qui fit dire à M. de Vendôme qu'elle ressemblait à un perroquet qui mange une cerise ».

4. *Mme de Soubise* : elle sera un temps en faveur auprès de Louis XIV.

5. *La Comtesse*, c'est Mme de Fiesque ; *le Comte*, ce doit être son fils, le *Petit Bon*.

Page 116.

1. Le *roi Guillemot* est un personnage mythique, qui apparaît dans les complaintes anciennes et les pamphlets d'Eustache Le Noble, puis un peu partout pour désigner les temps anciens. — *Tapon*, selon le Dictionnaire de l'Académie, se dit en parlant des étoffes que l'on bouchonne et que l'on met en tas. *Taponner*, ce doit être donner du mouvement aux cheveux en les bouchonnant. Mme de Sévigné emploie aussi *taponnage*.

2. Pour remercier le ciel de ce que la comtesse ait échappé au naufrage, *Coulanges* avait dû composer une *chanson* à l'imitation des inscriptions votives des églises. Le 9 mai 1680, Mme de Sévigné remarquera au contraire qu'*il n'y a pas beaucoup d'ex-voto pour les naufrages de la Loire*. À défaut d'*ex-voto*, on trouve, dans les chansons de Coulanges, un couplet « pour Mme la comtesse de G[rignan], qui pensa se noyer, en allant en Provence. Sur l'air : *Ah, quelle folie !* couplet retourné : Ah, quelle folie ! / D'exposer sa vie / Au courant de l'eau / Dans un petit bateau ! / L'on peut, quand on est misérable, / Chercher un écueil favorable / Pour y faire son tombeau ; / Mais risquer sa vie / Sous un ciel si beau / Si près de son château, / Ah, quelle folie ! »

Page 117.

1. *L'appareil* : l'ensemble des pièces du pansement que l'on applique sur une lésion. Joint au terme *d'opération*, il transforme les soins de coiffure en une sorte de chirurgie.

2. *Chez M. de La Rochefoucauld* : à l'hôtel de Liancourt, rue de Seine.

Page 118.

1. *Savoir ce qui sera enfin résolu* : Monsieur de Marseille s'opposait à la gratification de M. de Grignan, sous prétexte qu'elle aurait accru les charges de la province, mais il appuyait la demande du roi, qui voulait augmenter la contribution de la Provence.

2. En fait le 18 mai, Mme de Sévigné ayant été retardée par son fils qui l'accompagnera.

3. *Mme d'Angoulême* : Henriette de La Guiche avait eu pour second mari Louis-Emmanuel de Valois, duc d'Angoulême. Il avait été gouverneur de Provence, d'où les relations de la duchesse avec cette province et l'autorité de son avis.

4. La phrase sur le *billet*, probablement une reconnaissance de dette, a peut-être été maladroitement intercalée lors de la copie entre ce qui est dit de la nécessité de la comptabilité postale et des *éventails* dont Mme de Grignan accusera bientôt réception.

Page 119.

1. Deux ans plus tôt, c'était le mariage de Françoise-Marguerite, au sujet duquel Vivonne avait dû oublier de complimenter Mme de Sévigné. Frère de Mme de Montespan, il était depuis 1669 général des galères et, à ce titre, résidait souvent à Marseille. Il avait été l'ami de Bussy et avait participé avec lui à la scandaleuse partie de Roissy, décrite à la fin de l'*Histoire amoureuse*.

2. Formule d'amour qui parodie sans doute le rythme et le sens de la formule du « canon » de la messe, *cum ipso et in ipso et per ipsum*. L'épistolière intègre fréquemment, avec une grande liberté, le discours sacré aux moindres

circonstances de l'échange intime, s'ingéniant à détourner ou faire des applications plaisantes de l'écriture sainte ou de la Bible : « Je m'accommode parfaitement à votre égard d'aimer mon prochain comme moi-même » (9 mars 1689).

29. À MADAME DE GRIGNAN

3. C'est l'oncle de Mme de Sévigné, Christophe de Coulanges, qui était abbé à *Livry*. Mme de Sévigné était chez elle dans l'abbaye, située à quatre lieues au nord-est de Paris, non loin de la forêt de Bondy. Elle y fait régulièrement retraite.

4. Une *terrible causerie*, parce que Mme de Sévigné aurait voulu ne pas écrire et offrir son silence à Dieu.

5. *Hélène* était la femme de chambre de Mme de Sévigné, Philippe *Hébert*, l'un de ses domestiques, *Marphise*, sa chienne ; celle-ci devait son nom à une guerrière du *Roland furieux* de l'Arioste.

6. *M'ennuyer pour l'amour de Dieu* : passage caractéristique de l'ambiguïté du discours de la retraite et de l'humour avec lequel Mme de Sévigné traite son aspiration à la dévotion. En 1690, elle se définit encore comme *une petite dévote qui ne vaut guère.*

Page 120.

1. Le *jubilé* est une indulgence attachée à l'accomplissement de certaines pratiques (communions, visites d'églises, etc.).

Page 122.

1. *Dévote* : l'ironie ici, comme dans maints passages des lettres, suggère que Mme de Sévigné ne fait pas grand cas de cet état auquel elle prétend aspirer. En matière religieuse comme en matière de style, la marquise fait preuve d'une indépendance remarquable en un temps où l'on se soumet volontiers aux préceptes de l'*Introduction à la vie*

dévote et où l'on se fait gouverner par des directeurs de conscience.

2. La *relation* de Bandol racontait vraisemblablement l'arrivée de Mme de Grignan à Aix.

3. *Les prophéties* : des rumeurs au sujet du retour de Vardes à la cour.

Page 123.

1. Les principes à la base de l'art de la conversation — l'à-propos, la nécessité de plaire — servent ici de justification à la pratique épistolaire.

2. *Digne* : Toussaint de Forbin-Janson avait été évêque de Digne avant de l'être de Marseille, d'où le jeu de mots.

3. Plaisanterie sur les excès de la dévotion ; le zèle excessif, les « pruderies », la piété trop démonstrative font l'objet dans les lettres d'une satire dans le ton du *Tartuffe*, que l'épistolière cite fréquemment. Mme de Sévigné reparlera de ce dévot et reviendra à cette occasion, en la précisant, sur l'image du *verre d'eau*.

4. *Bourdaloue* : on envoyait les laquais garder les places pour leurs maîtres ; la *presse*, c'est-à-dire la foule et la bousculade, et ces places réservées deux jours à l'avance, montrent le succès croissant du prédicateur, que Mme de Sévigné finira par surnommer plaisamment *le Grand Pan* (28 mars 1689).

5. Est *méchant* ce qui ne vaut rien, au sens où l'on parle de méchants vers. C'est donc au nom du bon goût que, par plaisanterie, Mme de Sévigné recommande à sa fille de s'ennuyer aux mauvais sermons. Elle déplorera souvent la médiocrité des prédicateurs de Provence. Voir plus loin : « Comment peut-on aimer Dieu, quand on n'entend jamais bien parler de lui ? »

Page 124.

1. Le *maréchal d'Albret* descendait de Jeanne de Béarn, héritière de Miossens, et d'Étienne, fils naturel, légitimé en 1527, du cinquième fils de Charles II, sieur d'Albret. Le *procès* devait porter sur cette légitimation qui remontait à plus de cent ans.

2. Le 15 avril, Mme de Sévigné accusera réception de la lettre demandée. Mme de Vaudémont était, selon Saint-Simon, « tout occupée de sa grandeur, de ses chimères et [...] de sa santé, tout empesée, toute composée [...], en deux mots rien d'aimable, rien de sociable, rien de naturel ».

3. Ces deux vers terminent un madrigal de Montreuil : « Pourquoi me demandez-vous tant / Si mes feux dureront, si je serai constant ? / Jusques à quand mon cœur vivra sous votre empire ? / Ah ! Philis, vous avez grand tort. / Comment vous le pourrais-je dire ? / Rien n'est plus incertain que l'heure de la mort. »

4. *De bonne heure* : cela est dit par antiphrase, comme le prouvent les allusions à l'heure tardive à laquelle Mme de Grignan envoyait ses lettres et à l'office des Ténèbres, qui se disait dans la nuit du Vendredi saint.

Page 125.

1. Allusion à l'avance faite par Mme de Sévigné et l'abbé de Coulanges sur le remboursement d'une somme due par le comte à son frère Adhémar.

30. À MADAME DE GRIGNAN

2. Préambule à un divertissement : l'épistolière soigne ses effets d'annonce. Elle laisse à *d'Hacqueville* le soin de transmettre les nouvelles et se réserve anecdotes piquantes et « choses vues ». La scène de comédie qu'elle compose à propos des querelles de préséances chez Mademoiselle dépasse largement le cadre convenu de la narration plaisante évoquée plus haut.

3. *La Gêvres* : femme du duc de Gêvres qui avait, en 1669, selon la volonté du roi, cédé à Lauzun sa charge de capitaine des gardes et reçu en échange celle de premier gentilhomme de la chambre. C'est à Mme de Gêvres que Mme de Sévigné refuse de céder sa place, favorisant Mme d'Arpajon, une de ses relations mondaines.

Page 126.

1. La duchesse de Gêvres était *maigre* : « une espèce de fée grande et maigre, qui marchait comme ces grands oiseaux qu'on appelle des demoiselles de Numidie ». Elle prêtait à la moquerie ; Saint-Simon, de qui est ce portrait, raconte qu'elle savait s'en défendre, même contre les princesses.

2. Les *deux livres* sont la troisième partie des *Contes* et les *Fables nouvelles et autres poésies*, dont les achevés d'imprimer sont respectivement datés des 27 janvier et 12 mars 1671. Mme de Grignan ne semblait pas apprécier autant que sa mère le poète qui, en 1668, lui avait dédié « Le Lion amoureux ».

3. Les *nouvelles apprises* renvoient à une partie de lettre actuellement perdue.

Page 127.

1. Même sujet de conversation chez Mademoiselle, la veille.

2. *Ce divin tabouret* : les duchesses seules avaient le droit d'être assises en présence de la reine sur un tabouret, que la jolie La Mothe-Houdancourt avait acheté en épousant l'horrible Ventadour. — *Le Grand-Maître* de l'artillerie depuis 1669 était Henri de Daillon, comte, puis en 1675 duc du Lude. Il avait été amoureux de Mme de Sévigné, et celle-ci l'aurait aimé, à en croire du moins l'*Histoire amoureuse.*

3. *M. de Grignan* avait une belle taille, mais il n'était pas beau. Cette brusque rentrée dans le monde fait contraste avec la retraite à Livry qui la précède immédiatement. Tout montre que l'épistolière était sensible aux décalages provoqués dans les lettres par ces changements de décor ; l'écriture joue de cette juxtaposition des matines de Livry avec les tabourets des duchesses. Brillante actrice de la « comédie à cent actes divers », elle tient aussi bien le rôle d'une « solitaire » que celui d'une Célimène.

Page 128.

1. *Micomicon* : royaume du *Don Quichotte* dont « le démesuré géant Pandafilando de la vue louche » tient

écartée l'infortunée princesse Micomicona, sa légitime héritière (IVe partie, chap. XXIX et XXX). Il symbolise les espoirs dont on est injustement frustré (ici le mariage avec Lauzun). La marquise défend Segrais *à la romaine*, c'est-à-dire sans crainte de déplaire.

2. *Hurlubrelu* : le terme figure dans la liste des nombreux néologismes relevés par Fritz Nies (*Les lettres de Mme de Sévigné. Conventions du genre et sociologie des publics*). Chez Furetière, c'est un terme populaire pour qualifier un homme qui agit étourdiment, inconsidérément. Il s'applique donc aux malheureuses dont l'âge rend malséante la nouvelle coiffure.

3. *Un printemps d'hôtellerie* : « allusion à ces mauvais tableaux qu'on trouve couramment dans les cabarets » (note de l'édition de Rouen).

4. Ce *Saint-Germain* était l'ami d'un autre impie, Denis Sanguin de Saint-Pavin, seigneur de Livry, voisin de Mme de Sévigné lorsqu'elle était à l'abbaye de son oncle. Il joignait l'impiété à la débauche.

5. La *bonne qualité* prêtée par Ninon à Mme de Grignan, c'est le libertinage non des mœurs mais de l'esprit, qu'elle déduit du cartésianisme de la comtesse.

Page 129.

1. *Diablerie* : la Champmeslé avait joué Hermione à Pâques 1670, puis Bérénice à la fin de la même année. Elle sera bientôt Atalide dans *Bajazet*, puis Iphigénie et Phèdre. Les débauches de Charles avec la bohème ne compromettent pas seulement le salut de son âme mais aussi les finances familiales, déjà bien mal en point.

2. Les *minimes* appartenaient à un ordre religieux fondé par saint François de Paule en 1435 ; il s'agit ici du minime qui prêchait, à Aix, un carême dont le ridicule a été évoqué déjà dans la lettre précédente.

3. La *côte*, c'est Ève, c'est-à-dire la femme créée par Dieu à partir d'une côte d'Adam ; d'où les jeux de mots en cascade. L'*apôtre qui court après sa côte*, c'est peut-être le duc de Mazarin ou quelque mari abandonné par sa femme ; la *troisième côte de M. de Grignan*, c'est

Françoise-Marguerite, et ses *côtes rompues*, les deux femmes dont il était veuf. On pense aussi à Bossuet qui, dans les *Élévations sur les mystères*, appelle la femme « un os surnuméraire » de l'homme. La plaisanterie constitue un nouvel exemple de l'irrévérence envers le discours sacré, prétexte à « rire à côtes rompues ».

4. Louis Habert de *Montmor*, cousin de Philippe Habert, l'auteur du *Temple de la Mort*, avait alors vingt-sept ans. Il fut nommé évêque de Perpignan en 1680 et mourut en 1695 à Montpellier. Mme de Sévigné était liée à sa famille.

Page 130.

1. Vraisemblablement Nicolas *Le Camus*, procureur général et, en 1672, premier président à la cour des aides. Il servait M. de Vendôme, gouverneur de Provence, et apparaît plusieurs fois à ce titre dans la correspondance.

2. Comme inspirée par l'éloquence sacrée dont elle vient de faire l'éloge, la plume caméléonesque de la marquise compose ici un sermon, transposant le message évangélique en émouvante déclaration d'affection. Le verbe *écumer* est employé dans son sens figuré de « retenir pour soi le moins bon ». Il fournit une comparaison virtuose entre le temps de la cohabitation, où la marquise « écumait la chambre de sa fille », c'est-à-dire lui épargnait les visites importunes, et le temps de la séparation où elle souhaite « écumer son cœur », c'est-à-dire le soulager de tous les « ennuis » et les « peines ».

31. À MADAME DE GRIGNAN

Page 131.

1. *Une infinité de lettres...* : la reprise de l'activité mondaine de la marquise, manifeste dans la lettre précédente, se prolonge ici en un redoublement d'activité épistolaire.

2. *Voilà ses réponses* : Le Camus répond sur les affaires de Provence avec une diligence comparable à celle de ces

héros de l'histoire romaine, qui avaient annoncé la victoire des Romains contre les Latins, menés par Tarquin le Superbe.

3. *Monsieur le Duc* : Henri-Jules de Bourbon-Condé, duc d'Enghien. Il semble avoir été assez lié avec Mlle de Sévigné. Il avait la survivance du gouvernement de la Bourgogne, dont son père, le Grand Condé, avait la charge, et il allait en présider les états à sa place.

4. *Ils jouaient aux petits soufflets* : Mme de Sévigné emploie la même expression au sujet des rapports de Mme de Grignan et du Coadjuteur d'Arles, son beau-frère, marqués par une suite de brouilles et de réconciliations.

5. *Elle sentait la chair fraîche* : Mme de Sévigné tourne ainsi joliment Mme de Marans en une mangeuse d'hommes. Elle avait été la maîtresse du duc d'Enghien. Vers 1668, elle en avait eu une fille appelée Guenani (anagramme d'Enghien). En 1671, elle passait pour la maîtresse du duc de Longueville.

6. *Son fils* : La Rochefoucauld, par plaisanterie.

Page 132.

1. *Chez Mme du Puy-du-Fou* : à l'hôtel de Bellièvre, derrière Saint-Germain-l'Auxerrois, loin de la rue de Vaugirard où habitait Mme de La Fayette et de la rue de Seine où habitait La Rochefoucauld.

2. Le *marquis de Ragni* avait signé au contrat de mariage de Françoise-Marguerite, en qualité de cousin de la mariée.

3. *Mme de Schomberg* : Marie de Hautefort, veuve du maréchal de Schomberg, avait été platoniquement aimée de Louis XIII. Elle était parente de La Marans, qui habitait avec elle dans une maison du faubourg Saint-Antoine, rue de Charonne, à côté du couvent de la Madeleine.

4. Trait d'une comédie de Raymond Poisson, le *Sot vengé* (1661). Lubine oblige Lubin à rapporter au boucher une tête de veau trop avancée ; Lubin répond : « J'y vais, ne me frappe donc pas ; / Mais, comme il ne la pourra vendre, / Il ne la voudra pas reprendre. »

Page 133.

1. *Paiement* : les charges militaires et les gouvernements, comme les offices parlementaires, devaient être acquis à prix d'argent, en général du possesseur précédent.

32. À MADAME DE GRIGNAN

2. *Dimanche*, au lieu du lundi, grâce au meilleur état des routes et à l'allongement de la durée du jour.

3. *Cette maison* : Mme de Grignan fait retraite au couvent de la Visitation d'Aix. En tant qu'arrière-petite-fille de la mère de Chantal, fondatrice de l'ordre, elle y fut toujours accueillie comme chez elle. C'est là qu'on placera Marie-Blanche de Grignan, la « petite enfant » dont Mme de Sévigné a alors la garde.

4. La première partie de cette lettre répond à celle que Mme de Grignan avait écrite le Samedi saint, 28 mars ; la retraite de la fille à Sainte-Marie correspond à celle de la mère à Livry. Les communions sont évoquées à l'occasion des communions pascales. La comtesse accuse de coquetterie les Provençales qui faisaient de leurs dévotions une occasion de paraître ; leur voile s'ouvrait des deux côtés et ne cachait que le haut du visage.

5. Non les *cérémonies* religieuses, mais celles de la politesse mondaine. Mlle de Scudéry a raconté dans ses lettres les cérémonies des dames de Marseille, qui ont « toute la civilité et toute la courtoisie possibles ». Elle avait dû rester sans sortir pendant quatre jours pour recevoir leurs visites. « Le plus fâcheux, conclut-elle, est qu'il les faut conduire jusqu'au milieu de la rue, et qu'à chaque porte, il faut une heure de compliments. »

Page 134.

1. *La jeune merveille* : la Champmeslé.

2. Dans une épître à Mme de Montausier, Voiture rapporte que ces mots étaient d'une chanson de Condé lui-

même, sur son échec en 1647 devant Lérida en Espagne : « J'admire dedans votre lettre / Celui qui dit que son dada / Demeura court à Lérida ; / Et dis de plus en assurance / Que je ne sais qu'un homme en France / Qui de la sorte osât rimer, / Et l'osant, osât se nommer. » Bussy-Rabutin, dans l'*Histoire amoureuse*, a raconté une scène analogue sur les insuffisances de Guiche envers Mme d'Olonne.

Page 135.

1. On reproduit traditionnellement dans les œuvres de Racine, comme dans celles de Boileau, une *épigramme* sur un sujet voisin, qui touche le même milieu à la même époque : « De six amants, contents et non jaloux, / Qui, tour à tour, servaient madame Claude, / Le moins volage était Jean son époux. / Un jour pourtant, d'humeur un peu trop chaude, / Serrait de près sa servante aux yeux doux, / Lorsqu'un des six lui dit : "Que faites-vous ? / Le jeu n'est sûr avec cette ribaude ; / Ah ! voulez-vous, Jeanjean, nous gâter tous ?" » Le recueil de Tralage commente : « La femme était grosse de son galant et sa servante était grosse de M. de Champmeslé en même temps. »

2. Les *gentillesses* sont des façons de dire spirituelles et inattendues. — Les *citrouilles* sont des fruits dont les semences, considérées comme adoucissantes, étaient l'une des quatre « semences froides majeures » des Anciens ; l'expression de Ninon revient donc à marquer superlativement la froideur, c'est-à-dire le manque de tempérament de Charles.

3. *Une femme de Sucy* : la suite de la lettre montre qu'il s'agit de Mme de La Guette, de Sucy-en-Brie, village situé au sud-est de Paris, près de la boucle de la Marne à Saint-Maur. Philippe Ier de Coulanges y avait acheté un château entouré d'un domaine où Mme de Sévigné allait souvent dans son enfance.

Page 136.

1. C'est le médecin qui est *expéditif*, au dire de l'apothicaire : « Au reste, il n'est pas de ces médecins qui marchandent les maladies : c'est un homme expéditif, qui

aime à dépêcher ses malades ; et quand on a à mourir, cela se fait avec lui le plus vite du monde » (Molière, *Monsieur de Pourceaugnac*, I, v, 1669).

2. *Deux cent cinquante livres* annuelles, au lieu de trois cent vingt à la nourrice précédente. Le changement, qui a pour but une amélioration de la qualité, s'accompagne d'un bénéfice sur le prix.

3. *Ma tante* : Mme de La Trousse. Son château se trouvait à une cinquantaine de kilomètres de Paris, près de Lisy-sur-Ourcq, non loin de Meaux.

Page 137.

1. *Régenter* : professer dans un collège, puis gouverner avec autorité. — *Vraie commère* est employé ici dans le sens de « bonne commère », c'est-à-dire de femme de tête qu'on n'intimide pas facilement. — Le *ménage* : l'organisation de la maison, ici de la vie matérielle de Marie-Blanche.

2. Les dépenses d'un officier d'infanterie étaient plus grandes que celles d'un officier de cavalerie. Mme de Sévigné notera que les gouverneurs aussi vont à *l'hôpital*, autrement dit se ruinent pour le service du roi.

3. *M. de Monaco* : Louis Grimaldi, prince de Monaco, duc de Valentinois, pair de France, devait d'autant moins apprécier le faste des Grignan que, selon Saint-Simon, « c'était un Italien glorieux, fantasque, avare ». Il était d'ailleurs « gros comme un muid et ne voyait pas jusqu'à la pointe de son ventre ».

Page 138.

1. Mme de Sévigné donnera à plusieurs reprises ce conseil, mais les terres n'étaient léguées au comte qu'avec substitution pour ses enfants, c'est-à-dire à condition de les leur transmettre ; il les possédait donc comme un usufruitier plutôt que comme un propriétaire.

2. *Une figure de Benoît* : d'abord peintre, Antoine Benoît (1632-1717) se rendit célèbre par ses modelages de figures en cire ; de 1660 à 1704, Louis XIV posa sept fois pour lui. On lui attribue aussi la « chambre sublime ».

3. *De Tacite* : c'est-à-dire dans le style de Tacite. Mme de Sévigné le lisait en traduction comme sa fille.

4. *M. de Vendôme* : Louis-Joseph, duc de Vendôme et de Mercœur, qui avait alors seize ans, était le gouverneur en titre de la Provence, en survivance de son père. Il ne se rendit dans son gouvernement qu'une fois, en 1681, et n'exerça jamais sa charge. Le Camus est souvent mentionné à propos de Vendôme et des affaires de Provence ; il n'y avait aucun titre officiel, mais devait servir d'homme d'affaires au gouverneur.

5. *L'affaire du secrétaire* : allusion à un conflit à propos d'une gratification accordée par l'Assemblée au secrétaire du comte de Grignan plutôt qu'à celui du duc de Vendôme.

Page 139.

1. Mme de Grignan entre dans le badinage de sa mère et surenchérit sur la vision burlesque des chanoines de Guinée.

2. *Malade* : c'est-à-dire enceinte.

33. À MADAME DE GRIGNAN

Page 140.

1. *M. de Magalotti* : c'était, selon Saint-Simon, « un de ces braves » que Mazarin « avait attirés auprès de lui par le privilège de la nation [...]. C'était un homme délicieux et magnifique, aimé et considéré ». Il avait « bien de l'esprit, de l'entendement et de la générosité ».

Page 141.

1. Parodie du vers du *Tartuffe* (I, v) : « C'est un homme... qui ah ! un homme... un homme enfin. »

2. *Georget* : Mme de Sévigné parlera plusieurs fois de ce « fameux cordonnier pour femmes ».

3. *Mme de Monaco* : elle avait brillé à la cour, dansé avec Mme de Grignan dans les ballets, et s'était compromise dans des galanteries.

4. Nouvelle variante amusante du genre incontournable de la lettre de recommandation.

34. À MADAME DE GRIGNAN

5. Il y avait un arsenal des galères à *Marseille*. Le convoi des galériens, enchaînés les uns aux autres, faisait une longue file qui pouvait atteindre 4 ou 500 hommes.

Page 142.

1. L'*orviétan* est une variante de la thériaque, l'un des remèdes de base au XVIIe siècle. Dans *L'Amour médecin* (II, VII), l'opérateur célèbre les vertus d'un remède miracle et conclut : « Ô grande puissance de mon orviétan ! » En attribuant le vers à Coulanges, Mme de Sévigné doit faire allusion à une parodie de Molière par son cousin ; elle ne se trouve pas dans les chansons conservées.
2. À travers *Aristote* et *Descartes*, Mme de Sévigné oppose l'ancien et le nouveau modèle philosophique. Dans les *Passions de l'âme* (art. 193 et 194), Descartes ne nie pas l'existence de l'ingratitude mais conteste qu'elle soit une passion.

Page 143.

1. Parce que *Digne* n'est pas loin d'Aix.
2. *Bavardin* : mot-valise. C'est aller bavarder chez Mme de Lavardin.
3. *Toujours malade* : le passage dans lequel Mme de Sévigné annonçait cette maladie n'est pas conservé.

Page 144.

1. *M. de Briole* : le comte de Briole (orthographe phonétique), ou plutôt de Briord, appartenait à la maison du Grand Condé.
2. C'est par jeu que *Mme de Fiesque* parle d'elle à la troisième personne, et par jeu aussi qu'elle feint d'être intéressée. Elle ignorait la valeur de l'argent ; Mme de Sévigné la plaisante plusieurs fois à ce sujet.
3. Le 23 mars, l'Assemblée avait accordé au comte *cinq*

mille livres non pour ses gardes, mais « par reconnaissance » pour ses bons offices et sans engagement pour l'avenir. Ce n'était qu'une demi-victoire.

36. À MADAME DE GRIGNAN

Page 146.

1. *N'achetez jamais rien...* : la gêne financière de Mme de Grignan se devine à travers ce conseil, comme celle de Mme de Sévigné dans les résistances de la comtesse aux cadeaux de sa mère. Les *gants* faisaient traditionnellement partie des présents qu'on offrait en recevant gens en place ou visiteurs de marque, et Mme de Grignan avait dû en recevoir plusieurs paires.

Page 147.

1. *La mode m'a entraînée* : allusion à son revirement au sujet des cheveux courts. — Dans cette croisade contre le *chocolat*, Mme de Sévigné prend pour garant le duc du Lude, *Grand maître* de l'artillerie.
2. *Le serein* : Furetière le définit comme une « humidité froide et invisible qui tombe vers le coucher du soleil, qui engendre les rhumes et les catarrhes » et est « dangereux aux vieillards ».

Page 148.

1. *La petite tête revenante* : c'est-à-dire une tête sur laquelle les cheveux commencent à repousser.
2. *Les cheveux de deux paroisses* : les provinciales, en retard sur la mode, se coiffent avec la raie au milieu et, ne sachant pas friser leurs cheveux, les lissent avec de la pommade.
3. *Cela mord-il ?* : reprise de la pointe finale du portrait par Mme de Grignan du cardinal Grimaldi dont l'apparence et le mauvais caractère prêtaient à la satire. — Une *vision* est une image produite par l'imagination, mais aussi une idée folle et extravagante.

4. Le *reversis* est un jeu de cartes d'origine espagnole, dont le nom s'explique par son principe : le gagnant est celui qui fait le moins de levées. Saint-Pavin a célébré le goût de Mlle de Sévigné pour ce jeu : « La jeune *Iris* n'a de souci / Que pour le jeu du reversis ; / De son cœur il s'est rendu maître... »

5. Le *mail* est le nom d'un jeu dans lequel on pousse des boules avec un maillet, comme au croquet ou au golf. C'est aussi celui du lieu, planté d'arbres, où l'on y joue. Il y en avait un à Aix, un aussi aux Rochers, en Bretagne, où Mme de Sévigné doit bientôt partir. — Le *désert*, c'est à peu près la *solitude* décrite à propos de Livry et de la Trappe. Comme Mme de Sévigné, La Fontaine, dans *Le Songe d'un habitant du Mogol*, utilise les deux mots à peu près dans le même sens.

6. *La Trappe* : Mme de Sévigné a souvent blâmé l'excessive sévérité de ce monastère réformé par Rancé, qu'elle compare ici aux *Petites-Maisons*, asile d'aliénés parisien et thème fréquent du discours satirique (on le retrouve chez Boileau).

Page 149.

1. Mme de Sévigné appelle *petits esprits* les « esprits animaux » de la philosophie cartésienne, sortes de particules subtiles qui auraient animé les corps. Elle attribue, ou feint d'attribuer, aux *petits esprits* une autonomie qu'ils n'ont pas chez Descartes, et les fait ici voyager de Paris en Provence. Ils servent à expliquer la *sympathie*, ou aptitude à éprouver les mêmes affections, ce qui n'est pas dans la philosophie cartésienne.

2. *Comédiens* : d'Aix, le 10 avril, M. de Monaco écrit au marquis de Crillon : « Grignan me retient aujourd'hui pour une très fameuse comédie, et demain je partirai pour vous aller attendre à Monaco. »

3. *La Canette beauté* : Mme du Canet. — Le *pourpre*, ainsi nommé à cause des taches pourprées apparaissant sur l'épiderme, est le nom d'une maladie fébrile. — Mme de Grignan se trouvait à Lambesc, où le lieutenant général était logé dans le palais du Parlement ; *la ville* désigne Aix.

Page 150.

1. *Le bonhomme Éson* : le vieux père de Jason, que Médée rajeunit en le coupant en morceaux et en le faisant bouillir. — *Se ravigoter*, pour Charles, c'est, dans toute la force du terme, se faire remettre en vigueur.

2. *La Première Présidente* : épouse de Forbin d'Oppède, premier président du Parlement d'Aix-en-Provence.

3. *Tous les ans* : à l'occasion de l'assemblée des communautés de Provence à Lambesc.

37. À MADAME DE GRIGNAN

Page 151.

1. *Sur la pointe d'une aiguille* signifie la quasi-absence de sujet ; c'est qu'en raison du rythme des courriers, Mme de Sévigné n'a pas de réponse à faire le vendredi, alors qu'elle répond à deux lettres le mercredi. D'Avaux écrivait à Voiture : « Vous bâtissez des *Iliades* sur des pointes d'aiguille. »

Page 152.

1. Corneille, *Héraclius* (III, I).

2. Un *demi-setier* est une exagération plaisante ; le setier correspondait à 8 pintes de 0,93 litre. Cela ferait un excédent journalier de près de 4 litres de lait.

3. *Gourville* : dévoué à La Rochefoucauld, dont il avait été le secrétaire, Gourville était devenu, après la Fronde, l'homme de confiance du prince de Condé ; il dirigeait sa maison et ses affaires. Il a laissé des *Mémoires*.

Page 153.

1. *Il* : désigne alternativement Gourville et Hébert dans ce passage. Malgré ses espoirs, Hébert ne réussira pas à l'hôtel de Condé.

2. Mme de Sévigné reprend ici la nouvelle qualifiée de *lanternes* au début de la même lettre.

3. Un *service* est constitué par l'ensemble des plats que l'on sert, puis que l'on enlève à la fois.

4. *M. le Marquis* : le fils unique de la marquise de Lavardin allait partir pour la Flandre avec le roi. Il était depuis 1670 lieutenant général en Bretagne.

Page 154.

1. Le surnom de *Pierrot* a pour origine une anecdote gaillarde : le Chancelier, dit une note du chansonnier Maurepas, « étant un jour enfermé avec une garce, qui l'appelait toujours Monseigneur, il lui dit, dans l'emportement du plaisir, de le nommer plutôt Pierrot ». — *Seigneur Corbeau* est le surnom habituel du Coadjuteur.

2. Même passage de la confidence scabreuse à la religion que dans les lettres précédentes. Cela n'ôte rien à la verdeur du style. *Précieuses* doit s'entendre par antiphrase et par référence aux Précieuses prudes.

Page 155.

1. *Versailles* : depuis 1668, sous la direction de Le Vau, on travaillait à agrandir la modeste construction de Louis XIII. En 1671, Louis XIV décida de bâtir une ville autour du château, dont il voulait faire le centre de son domaine. C'est seulement en 1682 que le roi put s'établir à demeure à Versailles.

38. À MADAME DE GRIGNAN

Page 156.

1. Les craintes de Mme de Grignan suffiront pour qu'à l'avenir Mme de Sévigné ne perde pas une occasion de ridiculiser *Mme de Brissac*.

2. *Un lieu d'honneur* : par antiphrase, c'est-à-dire dans un lieu de débauche.

3. Trouver *chape-chute*, c'est trouver une aubaine. Si Mme de Sévigné emploie ici l'expression dans le sens d'être victime d'une mésaventure, c'est encore par anti-

phrase, comme lorsqu'elle affirme ironiquement que Charles aura son *fait*, c'est-à-dire ce qui lui est convenable.

Page 157.

1. *Comédienne* : la Champmeslé, dont l'amant, ici, n'est pas Racine, mais quelque noble personnage, homme d'épée, comme le comte de Clermont-Tonnerre dont on parla beaucoup en 1677. Les propos de Ninon ont déjà été rapportés en partie. — *La Visionnaire* : Sestiane, dans la pièce de Desmarets de Saint-Sorlin (*Les Visionnaires*, 1637), qui veut parler à tout prix de la comédie, sa « passion ».

Page 158.

1. *Tôpe* : terme de jeu de dés pour annoncer qu'on mise autant que l'adversaire. Au figuré : Charles sait montrer autant d'esprit que ses interlocuteurs.

Page 159.

1. D'un côté, Mme de Sévigné se soumet aux conseils de la raison, personnifiée par d'Hacqueville, de l'autre, elle continue à se bercer d'illusions. Mme de Grignan ne reviendra à Paris qu'en février 1674, trois ans plus tard, et la maison ne lui conviendra pas.
2. *Fanfan*, qui signifie petit enfant, sert aussi à désigner un grand niais.

Page 160.

1. *Comme votre sœur* : la sœur de Mme de Marans était Mlle de Montalais qui avait été fille d'honneur d'Henriette d'Angleterre et qui s'était compromise dans l'affaire de la lettre espagnole. Les deux femmes ne s'aimaient guère, d'où la malice.
2. *Je riais sous ma coiffe* : même sens que dans l'expression rire sous cape, mais ici *coiffe* n'est pas purement métaphorique ; le mot désigne l'ajustement en tissu qui recouvrait en partie la tête des femmes qui n'avaient pas sacrifié à la nouvelle mode.
3. *De Méri* : Suzanne de La Trousse, dite Mlle de Méri,

l'une des deux filles de la tante de Mme de Sévigné, avait figuré parmi les Précieuses, à en croire la correspondance de Huet et de Mme de La Fayette. Elle était fort liée avec Mme de Grignan.

4. *Mes lettres* : lettres envoyées à Mme de Grignan pour les distribuer et laissées ouvertes afin qu'elle en dise son avis.

Page 161.

1. *Votre loterie* : c'est le roi, selon Bussy dans l'*Histoire amoureuse*, qui mit les loteries « tellement à la mode que chacun en faisait, les uns d'argent, les autres de bijoux et de meubles ». On voit dans Saint-Simon que la vogue des loteries dura tout le siècle. On dut les interdire entre particuliers.

2. Les *dessus* de lettres étaient parfois l'occasion de plaisanteries entre le frère et la sœur qui s'y livraient à des variations fantaisistes.

3. *Le Chevalier* : l'un des jeunes frères du comte de Grignan. Il était chevalier non profès de l'ordre de Saint-Jean de Jérusalem et capitaine exempt des gardes du corps du Roi. Il mourut le 6 février 1672. Mme de Sévigné a déjà plaisanté l'élégance de Charles-Philippe, comparé ici à *l'image*, c'est-à-dire au portrait du héros qui ouvre le *premier tome* des romans à la mode. Son *point*, c'est la douleur qui le point, attaque de rhumatisme ou de goutte.

4. *De belles conquêtes* : le duc d'Enghien va conquérir la Bourgogne dans le même sens que Mme de Grignan a conquis la Provence.

5. *Nend* : allusion obscure, vraisemblablement à une plaisanterie ; Mme de Grignan saurait mieux prononcer l'italien que M. de Monaco, un Grimaldi, un Italien, d'où la mention qui suit de l'ambassadeur de Venise.

6. Son *frère* aîné, comte de Matignon, qui venait de perdre un fils, âgé de onze ans.

Page 162.

1. *Le roi s'en va* : pour un voyage d'inspection en Flandre.

2. *Adhémar* : Mme de Sévigné laisse à Joseph de Grignan le soin de préciser ce genre de nouvelles, parce qu'il est à la cour. Cela réduit d'autant la part de l'information dans les lettres.

3. Le *Dauphin* avait neuf ans et demi.

39. À MADAME DE GRIGNAN

4. Condé avait préparé la fête (*pris ses mesures*) dans l'espoir d'un temps de *printemps* ou d'*été*.

Page 163.

1. *Aujourd'hui* : en partant pour inspecter Dunkerque et les places frontières, Louis XIV fit sa première halte à Chantilly, chez Condé.

2. Les dispositions prises pour avoir une *relation*, c'est-à-dire un récit détaillé, de la fête de Chantilly, témoignent de la curiosité soulevée par l'événement. La *Gazette* consacre de même onze pages de supplément au compte rendu de la fête, dont elle fait aussi le récit à sa place chronologique.

3. *Sur cette troisième centaine* : non pas en plus des 300 lieues (il y en a seulement 200 de Paris à Aix), mais à l'intérieur d'une troisième centaine de lieues (il y a à peu près 100 lieues de Paris aux Rochers).

Page 164.

1. *Une impénitence finale* : l'application du vocabulaire de la morale chrétienne au choix d'une nouvelle robe de chambre est caractéristique de l'humour avec lequel Mme de Sévigné aborde la question de la dévotion.

2. *Sa face*, c'est-à-dire son aspect. C'était la belle-sœur de la marquise d'Huxelles, amie de Mme de Sévigné.

3. *Monsieur le Premier*, c'est Henri de Beringhen, premier écuyer du roi depuis 1645, par la faveur de la régente « qui le regardait comme son martyr » (Saint-Simon). « L'affaire » de Beringhen et de M. de Grignan

est imaginaire, comme il convient puisque c'est Brancas, le distrait, qui raconte ; cet hiver-là, en effet, Monsieur le Premier était à la cour, et le comte, en Provence.

4. La *fontaine de cristal* fait allusion à la précédente nourrice, jolie mais sans lait.

5. *M. de Salins* : beau-frère du comte de Brancas. Le style obscur fait allusion à une galanterie de son épouse.

Page 165.

1. Hémistiche célèbre de Corneille (*Cinna*, IV, IV) : « On parle d'eau, de Tibre, et l'on se tait du reste. »

2. *Un certain apôtre qui en fait d'autres* : à en juger par la fausse discrétion de Mme de Sévigné, il doit s'agir d'un rendez-vous galant de son fils. La marquise plaisante la tendance de sa fille à la subtilité et aux expressions enveloppées, c'est-à-dire à un *galimatias* analogue à celui qu'elle a utilisé ici par discrétion.

3. *Vatel* avait été maître d'hôtel de Foucquet jusqu'à son arrestation ; Gourville l'appelle « contrôleur chez Monsieur le Prince », et c'est le titre qu'il prend pour signer.

40. À MADAME DE GRIGNAN

Page 166.

1. *Moreuil*, seigneur de Liomer, sera premier gentilhomme de Condé en 1685. Gourville, dans ses *Mémoires*, attribue au suicide de Vatel la même cause que la marquise ; Bussy et ses correspondants acceptent aussi cette version. Certains modernes ont imaginé une intrigue amoureuse, mais nul document n'appuie cette hypothèse. Il reste que Vatel avait déjà présidé aux réceptions du roi et de toute sa cour chez le surintendant Foucquet, aux fêtes de Vaux par exemple, et l'on comprend mal son affolement, cause prétendue de sa mort. L'officielle *Gazette*, dans les nombreuses pages consacrées à la fête, ne fait pas mention du suicide.

2. La *Gazette* a rapporté en détail cette *collation*, dont

Mme de Sévigné n'a retenu que les jonquilles. Elle fut servie dans « le bois des canaux » : « On y voyait un berceau de feuillages ouvert par quatre portiques dont les impostes étaient embellies de festons de fleurs et enfoncé de quatre niches garnies de caisses de citronniers et d'orangers. Trente lustres et autant de girandoles, répandaient sur soixante vases de porcelaine remplis de jonquilles, de narcisses et d'anémones, un jour plus charmant que celui de la nature. Du milieu de cette galante feuillée, un jet s'élevait en une haute pyramide qui était reçue et renvoyée par trois nappes à coquilles, découvrant l'or et le marbre qui en faisaient l'ornement, et semblaient entremêlés à du cristal. Cette pyramide retombant dans la dernière des coquilles, se perdait par quinze mufles dorés sous le rond, avec un bruit harmonieux. Leurs Majestés trouvèrent une collation toute servie, composée de quarante bassins de toutes sortes de confitures, rangés sur ce rond, à l'entour du pied de la pyramide d'eau. » Tout cela avait lieu sur un fond de musique, tirée du ballet de *Psyché,* créé lors du carnaval précédent.

3. *Gourville* venait de rentrer d'exil et de prendre la charge d'intendant du Grand Condé ; ce fait n'est peut-être pas étranger au suicide de Vatel, dont la gestion, peu efficace, a pu avoir été malhonnête.

Page 168.

1. *Medianoche,* « terme qui a passé de l'espagnol dans le français, pour signifier un repas en viande qui se fait immédiatement après minuit sonné, lorsqu'un jour maigre est suivi d'un jour gras » (*Dictionnaire de l'Académie* de 1694). La terre de Liancourt était à quelques lieues de Chantilly.

2. Selon Littré, « *je jette mon bonnet par-dessus les moulins* » est une « phrase par laquelle on terminait les contes que l'on faisait aux enfants, et qui signifie : je ne sais comment finir le conte ».

Page 169.

1. *La Mousse,* prêtre et docteur en théologie. Cartésien, il avait été précepteur de Mme de Grignan ; il accompagnera bientôt Mme de Sévigné dans son voyage de Bretagne.

2. Tallemant des Réaux, dans ses *Historiettes*, appelle Pierre de *Villars* le « Villars de M. le prince de Conti », qui l'avait pris à son service en 1653, à cause de sa bravoure, et qui fit sa fortune. À cause de sa « mine de héros », on le surnommait Orondate, type du héros galant dans le *Grand Cyrus*. Il fit d'abord une carrière militaire puis se tourna vers la diplomatie.

3. *Comme prisonnière* : Mme de Grignan, pendant sa grossesse et en l'absence de son mari, se refusait à sortir de chez elle.

4. D'après Saint-Simon, *Mme de Frontenac* et *Mme d'Outrelaise* « étaient des personnes dont il fallait avoir l'approbation » et qui « donnaient le ton à la meilleure compagnie de la ville et de la cour [...]. On les appelait les *Divines* ». Elles habitaient à l'Arsenal, dans un appartement que le Grand Maître, le duc du Lude, avait donné à Mme de Frontenac ; celle-ci laissa son bien par amitié à M. de Beringhen, dont la femme était sœur de Mme d'Huxelles. Ceux qui *soupent* chez celles-ci sont donc tous liés par la parenté ou l'amitié.

Page 170.

1. *Pomponne* se trouve non loin de Fresnes, sur la Marne. — Le *bonhomme* est Arnauld d'Andilly, qui avait alors quatre-vingt-deux ans et jouait un peu son personnage : « Il me tint mille beaux discours pour être dévote », écrit de même Mademoiselle après être allée le visiter.

2. Poème non identifié.

Page 171.

1. Le *malheur* est la grossesse de Mme de Grignan, à présent confirmée. — La *Guisarde beauté*, c'est Mme de Guise. — *Se blesser*, c'est faire une fausse couche.

2. *La Troche s'en meurt* : de jalousie, à cause de la préférence accordée à Mme de La Fayette.

Page 172.

1. Le *premier tome* : celui des *Fables choisies*, contenant les six premiers livres des *Fables*, paru en 1668. Mme de

Sévigné cite de mémoire ; il faudrait dire : « L'on ne s'en prenait point aux gens du voisinage. » Les titres exacts sont « Le Gland et la Citrouille », « Le Milan et le Rossignol », 6e et 7e fables du recueil de *Fables nouvelles et autres poésies*, qui venait de paraître.

2. *Gagner son procès* : autre anecdote relative à l'étourderie de Brancas qui est allé solliciter dans une chambre alors qu'on le jugeait dans une autre. Le parlement de Paris comportait cinq chambres des enquêtes, la Grand'Chambre, la Tournelle et deux chambres des requêtes.

Page 173.

1. *Maître Paul* : jardinier de Livry.

41. À MADAME DE GRIGNAN

Page 174.

1. La comtesse et son mari restèrent à *Marseille* du 24 avril au 10 mai.

2. Cercle cosmopolite : *Vindisgras* (le comte de Windischgraetz) était un envoyé de l'Empereur ; Frédéric-Armand de Schomberg était originaire du Palatinat ; son épouse avait été, avant son mariage, une Précieuse achevée et l'amie de Mme de Grignan ; l'épouse du marquis de Béthune était sœur de la reine de Pologne. — C'est la lourdeur d'esprit des Allemands qui est visée à travers ce souvenir des premiers vers d'une chanson de Sarasin : « Tirsis, la plupart des amants / Sont des Allemands / De tant pleurer [...]. Car les Amours, qui sont des enfants, / Veulent rire toujours. »

3. François de Vendôme, duc de *Beaufort*, « le roi des Halles » de la Fronde, connaissait mal sa langue maternelle. « Il parlait et pensait comme le peuple », écrit Retz ; et Segrais : « Il savait tous les mots de la langue, mais les employait fort mal », parlant par exemple des « hémisphères » de Richelieu au lieu de ses « émissaires ».

4. *Grosse* : pandémie de grossesses provoquée par celle

de Mme de Grignan. Malthusienne avant l'heure, l'épistolière file non sans humour l'image de la maladie. Le ton suggère davantage l'impatience que la compassion.

Page 175.

1. *Qualités* : gaillardise, peut-être suscitée par le nom suggestif de ce personnage. Saint-Ruth était « grand et bien fait », dit Saint-Simon, mais « extrêmement laid » et surtout « fort brutal » ; il passait pour ivrogne.

2. À *Bourbon* se trouvaient de célèbres cures thermales.

3. Les *Œuvres diverses* de *Segrais* contiennent surtout des anecdotes et des nouvelles galantes. Les chansons satiriques de *Blot* étaient en vogue. Cette partie de rigolade, placée sous l'égide de La Rochefoucauld et de l'auteur de *La Princesse de Clèves*, présente sous un jour inattendu le milieu des moralistes. On ne peut manquer d'être frappé par l'éclectisme des cercles fréquentés par la marquise.

4. *Mme d'Aiguillon* : la duchesse d'Aiguillon, nièce préférée du cardinal, était la tante paternelle du duc de Richelieu.

5. *D'Albret* : gouverneur de la Guyenne.

Page 176.

1. Le *marquis d'Oppède* : fils aîné du premier président au parlement de Provence.

2. Les variantes des différentes éditions hésitent entre *au-dessus* et *au-dessous*. Charles est donc indéfinissable, soit par manque (de personnalité), soit par excès (de changements).

42. À MADAME DE GRIGNAN

Page 177.

1. *Un si bon guide* : c'est non sans précautions et après une *captatio benevolentiae* dans les règles de l'éloquence que Mme de Sévigné annonce sa décision de se rendre en Bretagne comme prévu.

Page 178.

1. Raillerie envers un Provençal qui a cru plaire à la comtesse en complimentant sa mère à rebours du bon goût : *composé* et *étudié* sont en effet devenus des repoussoirs en matière de style et de savoir-vivre.

Page 179.

1. La *fondation* des Filles de la Croix.

2. *Mme de Verneuil*, fille du chancelier Pierre Séguier, accouche-t-elle vraiment d'un enfant nommé Pierre ou d'une pierre des suites de sa néphrétique ? Mme de Sévigné s'amuse.

3. *Mon royaume...* : parodie de l'Évangile (Jean, XVIII, XXXVI).

Page 180.

1. Mme de Grignan fut accueillie en effet par des salves, non de *canon*, mais de boîtes à poudre.

2. Dans le manuscrit Capmas, seule source de ce passage, on lit *de Biese* ; sans doute s'agit-il de Mlle *de Biais*, mariée depuis peu à Saint-Aubin.

3. *Dans des galères* : le roi avait fait construire un nouvel Arsenal achevé en 1669. On le visitait comme une des curiosités de la ville.

4. *Tous les songes sont des présages* : souvenir de La Fontaine, « Un songe, un rien, tout lui fait peur / quand il s'agit de ce qu'il aime » (« Les deux amis », *Fables*, VIII, XI).

Page 181.

1. La *Pentecôte* en 1671 tombait le 17 mai ; Mme de Sévigné ne quitta *Paris* que le lendemain 18.

2. *Mes laquais...* : allusion à la fortune de Gourville, qui avait été valet de chambre du duc.

Page 182.

1. *La justice de croire...* : formules stéréotypées des manuels épistolaires et des commerces de pure civilité. C'est le « style à cinq sols » que Madame de Sévigné critique dans les lettres 26 et 47.

2. On appelait couramment ainsi la *Gazette d'Amsterdam*, publiée en *Hollande* à partir de 1663 par des réfugiés français.

3. Gronderie affectueuse : Mme de Sévigné oppose la séparation d'avec son mari, qui plongeait l'année précédente la comtesse dans le *désespoir* et la séparation présente d'avec sa mère, qui lui inspire de la *reconnaissance* puisqu'elle lui permet de faire bénéficier son entourage des lettres et des nouvelles.

4. Mme de Sévigné ne cite que des contes ; le titre exact du troisième est « Le Petit chien qui secoue de l'argent et des pierreries ». Ce jugement montre que ses réserves portent sur les *Autres poésies*.

5. *L'abbé de Pont-carré* : Pierre Camus de Pontcarré, prieur de Saint-Trojan et aumônier du roi, était d'une famille de parlementaires parisiens. C'était un familier du cardinal de Retz, et un ami de d'Hacqueville.

Page 183.

1. Adaptation d'un vers de Benserade dans le ballet des *Arts*, que Françoise-Marguerite avait dansé en 1663. Esculape y déclare : « C'est à l'Amour à les guérir / et comme il fait les maux, il fait les médecines. » On peut aussi penser à *L'École des femmes* (II, V) : « Vos yeux peuvent, eux seuls, empêcher sa ruine, / Et du mal qu'ils ont fait être la médecine. »

Page 184.

1. *Lettre de crédit* : reconnaissance de dette payable à une certaine date. La situation financière des Grignan les oblige à demander des délais.

43. À MADAME DE GRIGNAN

2. *Le camp de Lorraine* : la Lorraine avait été occupée en août 1670 pour servir de base à l'invasion de la

Hollande. Les gendarmes-Dauphin y demeurèrent jusqu'au rassemblement de Charleroi (avril 1672).

3. *Notre cher ami* : d'Hacqueville.

Page 185.

1. Mme de Sévigné espère que son oncle fera pour les finances des Grignan le même miracle que pour les siennes, mais les situations ne sont pas comparables, surtout à cause de la charge de M. de Grignan.

44. À MADAME DE GRIGNAN

Page 186.

1. Le *mot de guerre* : mot de passe. — *Maman mignonne* : hypocoristique employé par les enfants de Mme de Sévigné.

2. Les galères ne frappent pas seulement l'imagination de la marquise. Elle a sans doute évoqué *Marseille* avec Mlle de Scudéry qui y avait écrit, le 27 décembre 1644 : « Il n'est pas jusqu'aux paroles qui ne perdent ici quelque chose de leur grâce et de leur agrément. Le nom d'esclave, qui est quelquefois si galamment placé et dans des vers d'amour et dans les romans, ne remplit ici l'imagination que de grosses chaînes de fer, de bonnets rouges, de camisoles bleues, de têtes pelées, de mines de Turcs et d'autres semblables choses, puisque l'on ne s'en sert jamais que pour parler de trois ou quatre mille forçats que l'on voit toujours sur le port. »

3. Réminiscence de deux vers du Tasse (*La Jérusalem délivrée,* chant XX, stance XXX). *Bello in si bella vista anco è l'orrore, E di mezzo la tema esce il diletto*, réduits en un seul : « Et du milieu de l'horreur sort le plaisir. »

4. Le *prince Alamir* est le modèle du séducteur dans la *Zaïde* de Mme de La Fayette.

Page 187.

1. *Mme des Pennes* : Renée de Forbin, demi-sœur de l'évêque de Marseille, épouse d'un seigneur des Pennes.

Cléobuline est vraisemblablement une faute de copie pour Cléonisbe. Le *Grand Cyrus* parut en dix volumes de 1649 à 1653 ; l'histoire de Peranius, le « baron de Baume » selon la clef et de Cléonisbe, « Mme des Pennes, baronne de Peyruis, la première dame de Marseille » se trouve dans la VIIIe partie, liv. II ; celle de Thrasibule et d'Alcionide, « Mme de Courbon, femme du lieutenant de roi de Monaco », dans la IIIe partie, liv. III.

2. *Monsieur le Général des galères* : Vivonne.

3. Les *amandes lissées* sont les dragées qui contiennent des amandes. Le passage, qui renvoie aux mésaventures amoureuses de Charles, est un peu leste. Il n'est connu que par l'édition de La Haye ; c'est peut-être une interpolation.

Page 188.

1. *Mme de Coulanges* : Anne-Marie de Coulanges, épouse du comte de Sanzei. Elle était fille de Philippe de Coulanges et sœur de Philippe-Emmanuel, qui lui a consacré plusieurs chansons. La baronnie d'*Autry*, près de Gien, appartenait au comte de Sanzei.

2. La *colique* de Mme de Sévigné et ses circonstances seront rapportées plus loin en détail. — La *suppression* est l'arrêt de toutes les évacuations (transpiration, menstruation, urine, etc.).

3. *Mme de Louvigny* : Marie-Charlotte, fille du maréchal de Castelnau, mariée à Antoine-Charles de Gramont, comte de Louvigny, qui, selon Saint-Simon, « avait poussé la galanterie un peu loin ». En 1671, elle attendait un enfant, dont Mme de Sévigné annoncera la naissance le 22 novembre.

4. *À Fontevrault* : il allait rejoindre la nouvelle abbesse de Fontevrault, au sud de Semur. Richelieu, qui appartenait à la duchesse de ce nom, en est à une vingtaine de kilomètres, mais en revenant sur ses pas, au sud de Chinon.

45. À MADAME DE GRIGNAN

Page 190.

1. Allusion à l'*Amphitryon* de Molière (I, 1). Sosie, avant d'entrer au logis, répète ce qu'il va dire à Alcmène, figurée par sa lanterne posée à terre.

2. *L'effigie*, c'est-à-dire le portrait de Mme de Montausier, absente à cause de sa charge de dame d'honneur, qui la retenait à la cour. — *Gentillesse* est péjoratif, et désigne les subtilités dans la pensée et l'expression, le contraire du naturel.

46. À BUSSY-RABUTIN

3. Cette lettre datée du 19 mai dans les sources, mais écrite la veille du départ pour la Bretagne, est du 17, dimanche de la Pentecôte, ce qui explique la présence de Mme de Sévigné au couvent de la Visitation.

4. *Notre petite sœur de Sainte-Marie* : Diane-Jacqueline, fille aînée de Bussy et de sa première femme, Gabrielle de Toulongeon, était religieuse au couvent de la Visitation de la rue Saint-Antoine. Elle fut plus tard supérieure au couvent de Saumur.

Page 191.

1. L'*occupation* présente, c'est l'*Histoire généalogique*, considérée comme la continuation des *Mémoires*. — *Nos neveux* : nos descendants, selon le sens étymologique.

47. À MADAME DE GRIGNAN

Page 192.

1. *Mme d'Ormesson* : Marie de Fourcy, femme d'Olivier Lefèvre d'Ormesson, le rapporteur du procès Foucquet.

2. Les *Uzès* : François de Crussol, duc d'Uzès, pair de France, chevalier des ordres du Roi depuis 1661. Son fils aîné avait épousé la fille unique du duc et de la duchesse de Montausier.

3. *Un bandeau* : « Les veuves, a noté Perrin, portaient en ce temps-là un bandeau de crêpe sur le front, comme les religieuses en portent un de toile. » L'épistolière s'amuse du contraste comique entre cette marque austère et l'épouse du marquis de Rambures qui, selon La *France devenue italienne*, « avec la passion du jeu, avait encore celle de l'amour jusqu'à l'excès ». Elle disait qu'il était « fort utile de mourir en la grâce de Dieu » et « fort ennuyeux d'y vivre ».

4. *L'abbé de Foix* : Henri-Charles de Foix, abbé de Rebais (en Brie), mort à vingt-quatre ans.

Page 193.

1. Pour avoir régulièrement les lettres de sa fille, Mme de Sévigné s'adresse au plus haut niveau, à Le Tellier, frère de Louvois, surintendant des postes, mais elle s'entend aussi avec Dubois, simple commis, dont l'intervention est essentielle. En effet, de Provence en Bretagne et *vice versa*, les lettres n'étaient pas acheminées directement ; elles devaient être réexpédiées de Paris avec apposition d'une nouvelle adresse, d'où la nécessité de prévenir *Dubois* quand il faudra modifier la destination des lettres à Mme de Grignan.

2. *Les jolies peintures* : antiphrase pour désigner la piètre qualité de la compagnie dont Mme de Sévigné sera entourée en Bretagne. — *Jacquine* était une « fille de basse-cour des Rochers » d'après une note de Perrin. — *Mlle du Plessis*, d'une noble famille de Bretagne, habitait le château d'Argentré, tout près des Rochers et fera l'objet de nombreux portraits satiriques.

Page 194.

1. *Rendre sa gorge*, qui se dit à proprement parler de l'oiseau qui rend la viande après l'avoir avalée, a pris familièrement le sens de vomir.

2. « M. de Vivonne était d'une extrême grosseur » (note de Perrin), et Mme de Grignan enceinte. Le sujet de ce *démêlé* est inconnu. — *Votre évêque*, c'est l'évêque de Marseille, ennemi des Grignan.

3. L'*Intendant* est le père de Mme de Coulanges. Quant à *Dubut*, il apparaît dans des actes notariés comme le maître d'hôtel de Mme de Sévigné.

4. Ces *miroirs*, destinés à embellir le château de Grignan, avaient été offerts par l'abbé de Coulanges. Mme de Sévigné annoncera seulement de Malicorne que l'abbé venait de lui faire donation de ses biens le 16 mai.

Page 195.

1. *Marie* : fille de maître Paul, jardinier de Livry ; elle servait Mme de Sévigné.

2. Mme de Foix avait trois fils : l'aîné, *marié avec un enfant*, était mort en 1665, le deuxième vient de décéder et le dernier, le *petit duc*, ne paraît pas bien vaillant ; il vécut jusqu'en 1714.

3. *L'Armentières beauté* : Henriette de Conflans, dite Mlle d'Armentières, qui devait épouser l'abbé de Foix, puis, plus tard, Cheverny. Elle mourra sans avoir été mariée, à quatre-vingts ans, en 1712. Mlle de Scudéry rapporte à Bussy sa « terrible affliction à la mort de l'abbé de Foix ».

4. *Notre petite Senneterre* : Anne de Longueval, ancienne fille d'honneur d'Anne d'Autriche, mariée depuis 1668 à Henri, marquis de Senneterre, neveu du maréchal de La Ferté. Selon Saint-Simon, elle était très belle et avait « de l'esprit, du crédit, et de l'intrigue ».

5. *Bonnelle* : sur la route de Chartres, à la hauteur de Rambouillet, étape habituelle du voyage vers la Bretagne.

Page 196.

1. Après des hésitations, l'épistolière adopte, à l'intention de son gendre, un ton à mi-chemin entre le galant, conforme aux conventions, et le familier, dans la continuité du dialogue intime.

48. À MADAME DE GRIGNAN

2. *Ici* : Malicorne, à 32 kilomètres du Mans en direction d'Angers, où se trouvait un château appartenant aux Lavardin.

Page 197.

1. *Sylvie*, c'est le nom poétique de l'objet aimé, par exemple dans Saint-Amant (« le soleil levant ») ou dans Théophile. Plutôt qu'un texte précis, Mme de Sévigné semble parodier ici le thème de « la belle matineuse », dont la beauté et l'éclat obligent le soleil levant à rebrousser chemin. Cela revient à dire que l'étape était longue et qu'on est parti de bonne heure.

2. Adaptation de vers empruntés à « L'Aigle et le Hibou » (1er volume des *Fables* de La Fontaine, liv. V, fable XVIII) : « Notre Aigle aperçut d'aventure... / De petits monstres fort hideux, / Rechignés, un air triste, une voix de Mégère, / "Ces enfants ne sont pas, dit l'Aigle, à notre ami : / Croquons-les." Le galant n'en fit pas à demi : / Ses repas ne sont point repas à la légère. » Lavardin avait eu deux filles de sa première femme, dont l'aînée, Anne-Charlotte, était née en 1668.

3. Mme de Sévigné reviendra maintes fois sur ce *livre nouveau*, qui formera le premier tome des *Essais de Morale*, le second étant constitué par *L'Éducation d'un Prince*, paru l'année précédente. Les *Pensées de M. Pascal sur la religion* avaient été publiées pour la première fois en 1669, précisément par les soins de Nicole, d'où le rapprochement des deux auteurs. Dire que leurs œuvres sont *de la même étoffe*, c'est de plus marquer que la matière aussi est la même ; Nicole, en effet, dans le premier volume des *Essais*, traite à sa manière plusieurs thèmes pascaliens, notamment sur l'amour-propre et les deux infinis.

Page 198.

1. *J'en recevrais deux à la fois* : Mme de Sévigné a calculé que les deux lettres de la comtesse (celle du diman-

che et celle du mercredi) lui parviendraient aux Rochers ensemble, le vendredi. Elle avait vu juste, et reçut les lettres selon ce rythme (sauf anomalies dues à des retards) pendant tout son séjour en Bretagne de 1671. Mme de Grignan continua pourtant à écrire deux fois par semaine, par précaution, afin de ne pas prendre le risque que la perte d'une lettre laisse sa correspondante plus d'une semaine sans nouvelles. Mme de Sévigné se plaindra souvent de n'avoir qu'une lettre, ce qui montre le bien-fondé de la précaution prise par sa fille.

2. *La dernière fois que j'y fus* : le dernier séjour de Mme de Sévigné en Bretagne remontait à l'été et l'hiver de 1666 ; Françoise-Marguerite l'y avait accompagnée.

49. DE BUSSY-RABUTIN

Page 199.

1. *Religieuse* : Bussy répond à la lettre écrite de la cellule de sa fille, au couvent de la Visitation.

2. *Cent mille gens me ressemblent* : désinvolture caractéristique du ton du badinage.

3. *À peine pourrons-nous...* : l'exagération sert à insinuer que Mme de Sévigné avait attendu bien longtemps avant de répondre.

Page 200.

1. Bussy ne juge de la situation de Mme de Grignan que par analogie avec sa propre condition d'exilé provincial, sans prendre aucunement en compte les sentiments exprimés par Mme de Sévigné. Ce manque de considération explique sans doute que la marquise n'ait pas répondu avant le début de l'année suivante.

50. À MADAME DE GRIGNAN

Page 201.

1. Jacques *Vaillant* était depuis 1661 le sénéchal de Mme de Sévigné (c'est-à-dire son officier de justice) pour les Rochers et ses terres avoisinantes.

2. *La princesse de Tarente* était une princesse allemande, fille de Guillaume V, landgrave de Hesse-Cassel, apparentée à presque toutes les cours souveraines d'Europe. À côté de cette vraie dame de qualité, Mlle du Plessis incarne le ridicule et l'arriération des provinces. Elle est toutefois la source d'inspiration de portraits et de scènes de comédie qui viennent opportunément pallier la grisaille bretonne et l'absence de nouvelles.

Page 202.

1. Jacques *Pilois* est le jardinier des Rochers. Après son veuvage, Mme de Sévigné s'était plu à embellir le parc, y faisant planter des allées dont le dessin subsiste encore.

2. D'une pratique aussi ritualisée que la *devise,* Mme de Sévigné tire un humour fin et complice : *vago di fama* (« amoureux de gloire »), premiers mots d'un sonnet de Ménage à Mlle de La Vergne, célèbre une campagne militaire de Charles tandis que *bella cosa far niente* (« c'est une belle chose que de ne rien faire ») rappelle ses déboires amoureux.

3. Ce voyage aux Rochers n'est pas un voyage d'agrément. Mme de Sévigné n'y vient pas en vacances mais pour y régler ses affaires.

51. À MADAME DE GRIGNAN

Page 203.

1. Et pourtant l'*Histoire de Bertrand du Guesclin, connétable de France* par Paul Hay du Chastelet, parue en 1666,

était un *in-folio* de 480 pages. Aux Rochers, Mme de Sévigné consacre à la lecture beaucoup plus de temps qu'à Paris et beaucoup plus de place dans ses lettres.

2. Mme de Grignan n'a pas encore reçu la lettre racontant l'incident du cheval *demeuré dès Palaiseau*. Elle a imaginé le voyage de sa mère et exprimé des craintes sur son équipage.

Page 204.

1. Mme de Sévigné ne rate pas une occasion de prôner l'abstinence : elle ne veut pas d'une grossesse de *la nourrice,* qui interromprait l'allaitement de Marie-Blanche. Elle espère que la comtesse accouchera d'un garçon afin qu'une fois la descendance du nom assurée, il ne soit plus question de nouvelle grossesse.

2. La *tante* : Mme de La Trousse.

3. Un *demi-bain* est un bain dans lequel le corps n'est plongé que jusqu'au nombril.

Page 205.

1. À cause du détour par les Rochers et des délais qui en résultent.

Page 206.

1. *Frangipani* avait conspiré contre l'empereur Léopold Ier.

2. *Charon* : un médecin. Il n'apparaît qu'ici dans la *Correspondance*.

3. Hémistiche de *Bradamante* (II, II), que Mme de Sévigné cite sans doute d'après le *Roman comique* de Scarron : « Le grand page [...] jouait le page du vieux duc Aymon et n'avait que deux vers à réciter en toute la pièce ; c'est alors que ce vieillard s'emporte terriblement contre sa fille Bradamante de ce qu'elle ne veut point épouser le fils de l'Empereur, étant amoureuse de Roger. Le page dit à son maître : "Monsieur, rentrons dedans ; je crains que vous tombiez, / Vous n'êtes pas trop bien assuré sur vos pieds." Ce grand sot de page, encore que son rôle fût aisé à retenir, ne laissa pas de le corrompre et dit de fort mauvaise grâce, et tremblant comme un criminel :

“Monsieur, rentrons dedans ; je crains que vous tombiez, / Vous n’êtes pas trop bien assuré sur vos jambes.” Cette mauvaise rime surprit tout le monde ». — *Dessolé*, selon Littré, est un terme de chasse et se dit d’un chien (il ne parle pas de cheval) dont le dessous des pattes est écorché parce qu’il a marché sur un sol trop dur.

Page 207.

1. *Pomenars* : gentilhomme breton et personnage haut en couleur. Il était poursuivi pour fausse monnaie et pour le rapt de la fille du comte de Créance, laquelle venait de l’abandonner au bout de quatorze ans. Les *Mémoires* de J. Rou, qui avait rencontré Pomenars à la Bastille, où on l’avait mis pour un « mécontentement qu’il avait donné à M. de Louvois », le dépeignent comme un homme de « beaucoup d’esprit », mais « athée de profession ». Pomenars va jouer dans la correspondance des Rochers le même rôle que Brancas à Paris ; il permet de l’égayer d’anecdotes plaisantes.

2. *Justice de croire...* : moquerie envers le style formulaire et ses incohérences.

3. *Amitié sincère* : par antiphrase.

4. *L’audace de se faire peindre* : malgré une grossesse.

Page 208.

1. *Mme de La Guette* : la fille de Mme de La Guette.

2. Autrement dit Mme de Grignan n’était pas estimée à sa juste valeur près de sa mère. Une *maille* valait la moitié d’un denier.

3. La comtesse allait arriver pour la première fois à *Grignan*, dont le château, bâti sur une hauteur, n’était pas, comme celui des Rochers, entouré d’allées et d’arbres. Mais il y avait une belle terrasse. — *Mes allées* : le parc des Rochers était une ancienne forêt que la marquise avait transformée en y faisant percer des allées nombreuses et réaliser de nombreux aménagements.

4. L’allusion à la *grotte* est obscure. Quant aux *chanoines*, ils sont comparables à des *fruits d’hiver* pour la rareté des uns et des autres, étant exceptionnel qu’un chapitre soit rattaché à un château.

5. *Fricassé dans la crème fouettée* : variante de l'expression de Ninon, qui souligne non la froideur, mais la légèreté de Charles.

Page 209.

1. L'*Approbation* était une sorte de permis d'imprimer qui figurait en tête ou, plus souvent, à la fin du volume, en plus du Privilège qui fixait la propriété de l'ouvrage. Mme de Sévigné opposera à plusieurs reprises son plaisir de tout lire et la peine de sa fille à terminer les ouvrages commencés. La marquise, qui a cité trois tragédies de Corneille, doit ensuite songer aux romans et à leur fin heureuse puisqu'elle veut *voir tout le monde content*.

2. Vers à la provenance non identifiée.

52. À MADAME DE GRIGNAN

3. *Malentendu* : Mme de Sévigné écrit le mercredi et le dimanche. Elle craint que sa première lettre, arrivée à Paris le vendredi, n'y soit trop tard pour repartir vers la Provence par le courrier du même jour, et ne doive attendre le mercredi. Souvent en effet la seconde lettre rejoint la première dans la capitale, le mardi, et s'en va avec elle par le courrier du lendemain. À Paris, il a fallu les réexpédier et mettre une nouvelle adresse ; c'est le rôle de Dubois.

Page 210.

1. Le *Premier Président* du parlement de Rennes était, depuis 1661, François d'Argouges, qui sera conseiller d'État et du conseil royal des finances en 1685.

2. *M. de Coëtquen* : gouverneur de Saint-Malo.

3. *La Tour de Sévigné* : édifice fortifié intégré aux murailles de Vitré. — Le mépris pour la province est renforcé ici par la crainte que Charles ne préfère au service du roi, comme beaucoup de Bretons, le plaisir de se retirer dans ses terres, comme il le fera en effet après avoir vendu sa charge de guerre en 1683.

4. *Mlle de Croque-Oison* : le nom, francisé à dessein, n'en est pas moins la « traduction » d'un nom réel, celui de la famille Kerquoison ou de Kermoisan. Quant à *Mlle du Cerny*, il s'agit d'une demoiselle de la famille des Lyais.

5. Le *soufflet* : rappel d'un épisode de l'enfance de Françoise-Marguerite, détaillé plus loin.

Page 211.

1. *Notre petite d'Alègre* : Marie-Marguerite d'Alègre n'épousera qu'en 1675 le fils aîné de Colbert, Jean-Baptiste, marquis de Seignelay, plus tard ministre de la Marine.

2. Les *jetons* : pour apprendre à compter, on se servait de trente-six jetons qui, selon leur position sur une table divisée en colonnes, représentaient des valeurs différentes en livres, sols et deniers. On a souvent été égaré par ce texte pour évaluer la richesse de Mme de Sévigné. En fait celle-ci confond la valeur nominale et la valeur vénale de ses rentes sur l'Hôtel de Ville qui composaient l'essentiel de ses héritages, et il faut rabattre au moins de moitié le montant de ses biens comme de la donation de l'abbé de Coulanges. Mme de Sévigné aura mal retenu les explications de son oncle, ou elle les aura présentées sous leur jour le plus favorable, sans tenir compte de ses charges et des « dévaluations », afin de rassurer sa fille sur la justice de la part qui lui avait été attribuée en dot.

Page 212.

1. *Parent* : Toussaint de Forbin-Janson a en effet signé au contrat de mariage comme parent du futur époux.

2. *Faire l'entendue* : agir en personne qui s'y connaît et, péjorativement, faire l'importante. L'expression est employée ici admirativement, pour rappeler la capacité dont Mme de Grignan fait preuve en Provence.

3. *Mme de Valavoire* : femme du marquis de Valavoire, sœur de Mme de Forbin-Soliers, et par conséquent alliée de l'évêque de Marseille.

4. *M. et Mme de Chaulnes* : ces deux personnages deviendront intimes amis de Mme de Sévigné. En juin 1670, le roi avait fait M. de Chaulnes gouverneur de Bretagne, et il venait présider les états pour la première fois en 1671. —

Les *Rohan* présidaient la noblesse aux états en alternance avec les La Trémouille. M. de *Lavardin* était depuis 1670 lieutenant général pour les huit évêchés.

Page 213.

1. Le séjour aux Rochers va être l'occasion d'un approfondissement de la vie spirituelle de Mme de Sévigné. Cette quête discrète n'est toutefois pas celle d'une chrétienne tourmentée comme le montrent la distance amusée, l'autodérision, l'humour fin qui caractérisent ce passage.

2. *Rapsodie* : le terme désigne d'après Furetière « le recueil de plusieurs passages, pensées et autorités qu'on assemble pour en composer quelque ouvrage ». Il souligne ici le caractère disparate et décousu du discours épistolaire.

53. À MADAME DE GRIGNAN

3. Mme de Sévigné aurait dû recevoir le vendredi 12 juin les lettres du samedi 30 mai et du mardi 2 juin.

Page 214.

1. *Cette lettre du 27* désigne une lettre attendue en vain par Chésières, oncle de Mme de Sévigné, alors à peu près établi en Bretagne.

54. À D'HACQUEVILLE

2. On n'a pas la lettre du même jour à Mme de Grignan ; elle a pourtant existé puisque Mme de Sévigné demandera à sa fille si elle l'a reçue.

Page 215.

1. En fait, depuis le vendredi 5, il y a eu trois ordinaires de poste, les lundi 8, vendredi 12 et lundi 15.

2. *Le gros abbé* : l'abbé de Pontcarré, familier du cardinal de Retz et ami de D'Hacqueville.

55. À MADAME DE GRIGNAN

Page 216.

1. *M. de La Souche* : allusion au soulagement d'Arnolphe dans la fameuse et scandaleuse scène du ruban, dans *L'École des femmes*, de Molière. Au désespoir des lettres précédentes succède le repentir et la crainte d'avoir joué un personnage ridicule.

Page 217.

1. *La Fête-Dieu* donnait lieu en Provence à un défilé d'allure toute païenne puisqu'il était censé décrire les ténèbres du paganisme. On y voyait en procession des représentants de toutes les nations païennes, des idolâtres, des dieux antiques, etc.

2. Il y a une *Olympie* aux « yeux abattus et languissants », dans la *Cléopâtre* de La Calprenède (t. VI). Fille du roi de Thrace, elle est capturée en mer par des pirates. Elle tombe malade sur leur vaisseau et leur chef la juge « plus propre au tombeau qu'à l'amour » (t. VII). Il y a une autre Olympie dans l'*Orlando furioso* de l'Arioste. Abandonnée sur une île déserte, elle cherche en vain son époux qui n'est plus à ses côtés, puis aperçoit au loin la voile du navire qui emporte l'infidèle. Alors « toute tremblante, elle se laisse tomber, plus pâle et plus froide que la neige » (chant X, stance XXIV). Cette allusion et le passage qui suit s'expliquent par l'attitude de Mme de Grignan pendant sa première grossesse, loin de son mari.

3. On appelle *tours* ce qui, dans l'habillement, est monté en rond ; la *blonde* est une dentelle de soie : peut-être l'adjectif est-il ici utilisé en ce sens. Les *mouchoirs* étaient une pièce de l'habillement, une sorte de fichu qui couvrait le cou et la gorge. Les détails de mode sont aussi des détails d'économie domestique.

Page 218.

1. *Mlle de Kerborgne* : sans doute la fille de Charles de Perrien de Kercontraly, seigneur de Keramborgne, en Plouaret. Voltaire aussi s'amusera de l'onomastique bretonne, dans *L'Ingénu*.

2. La *terre* qui ne donne que du *blé* est une plaisanterie, tirée d'un mot de la comtesse de Fiesque : « Vous savez qu'elle ne comptait pour rien *les petites terres où il ne vient que du blé* et croyait avoir fait une affaire admirable de l'avoir vitement donnée pour avoir des miroirs d'argent et autres marchandises » (20 juillet 1689).

3. *Rapsoder* : raccommoder comme on peut. L'emploi par Mme de Sévigné est le seul connu des dictionnaires.

Page 219.

1. *Les bons maîtres que j'ai eus* : Chapelain et Ménage, dit-on traditionnellement. Mme de Sévigné a été en effet en rapport avec eux, mais il est peu probable, vu leur situation dans le monde, qu'ils lui aient servi de précepteurs. On conserve une série de lettres à Ménage, datant du début des années 1650. Une lettre de Chapelain de novembre 1663 est une réponse à une consultation à propos du style du Tasse, dans un passage de *La Jérusalem délivrée*, que l'érudit qualifie de « galimatias ».

Page 220.

1. *Les uns gâtent* : ce sont les deux premières femmes du comte.

Page 221.

1. Marie-Blanche a préféré le *nez carré* de sa grand-mère au nez volumineux de son père.

2. *Les bontés de notre abbé*, c'est-à-dire la donation de ses biens.

3. *Son château d'Apollidon* : le château magique construit par l'enchanteur Apollidon, décrit au chapitre I du livre II de l'*Amadis des Gaules*. Il était, comme le château de Grignan, situé en hauteur.

56. À MADAME DE GRIGNAN

Page 222.

1. Vers non identifiés.
2. *Votre procession* : la procession de la Fête-Dieu.

Page 223.

1. *De vilains bohèmes* : « On nommait ainsi certains vagabonds, qui allaient en bandes, courant les villes de province et les campagnes, où ils gagnaient leur vie à danser, à donner la bonne aventure, et surtout à marauder partout où ils pouvaient » (note de Perrin, 1754).
2. Plaisanterie : Pomenars avait cessé de se *raser*, incertain du sort réservé à sa tête à l'issue du procès.
3. *Votre voyage* : d'Aix à Grignan.

57. À MADAME DE GRIGNAN

Page 224.

1. *La première Mme de Grignan* : Angélique-Clarisse d'Angennes.

Page 225.

1. *Leur langage* : le langage de gens qui connaissent la cour, bien différent de celui des Provençaux.
2. *La Toiras* : fille du marquis de Toiras, sénéchal et gouverneur de Montpellier depuis 1661.
3. *Misanthroperie* : néologisme, forgé par l'épistolière sur le mot mis à la mode en 1666 par le titre de la comédie de Molière. C'est ironiquement que Mme de Sévigné attribue ce trait de caractère à Vardes, libertin et séducteur.
4. Les lectures des deux femmes dessinent les contours d'une culture aussi bien classique que moderne. Tacite est lu en traduction, la poésie italienne dans le texte. Quant à *Cléopâtre*, de La Calprenède, Mme de Sévigné y reviendra

plus loin pour tenter de justifier son goût immodéré des romans.

5. *Une chienne de carrossée* : Mme de Sévigné s'emporte contre les visites importunes, qui lui arrivent, aux Rochers, par carrosses entiers. Elle emprunte peut-être à son jardinier, dont elle dit apprécier la conversation, cette verte expression.

Page 226.

1. *Un carrosse plein de Fouesnellerie* : ce sont les importuns ci-dessus mentionnés. Il s'agit de cousins d'Henri de Sévigné, les Fouesnel. La substantivation dépréciative met à mal la noblesse *conservée* de cette famille. — Une *guimbarde* désigne proprement un mauvais chariot à quatre roues et se disait ironiquement d'une femme.

2. Chassé-croisé entre Provence et Bretagne au sujet des fréquentations de Mme de Sévigné et de Mme de Grignan. La complicité se noue à travers la satire bigarrée des provinciales dont les écarts linguistiques renforcent, chez les Parisiennes en exil, le sentiment d'appartenance à une langue.

Page 227.

1. Le château de *Chilly* appartenait alors à La Meilleraye, duc de Mazarin. — Peut-être la *chambre marquée* est-elle déjà celle que l'on montre à Grignan comme la chambre de Mme de Sévigné, au premier étage, avec une très belle vue à l'ouest sur la terrasse des Adhémar et la plaine du Rhône.

2. *Catau* : la marquise réagit à une nouvelle mandée par sa fille. On soupçonnait cette femme, au service de Mme de Grignan, de s'être fait avorter bien que l'enfant soit de son mari parce que le mariage n'était pas encore officiel. Cette action est finalement condamnée comme une atteinte au bon goût davantage qu'aux bonnes mœurs.

3. La pensée des *péchés des autres* (voir la fin de la lettre suivante) fait *rougir* Mme de Grignan.

4. Un *paquet* désigne familièrement tout ce qui charge et gêne et en particulier l'enfant dont une femme est grosse ; il désigne aussi la mauvaise action que l'on met au

compte de quelqu'un. D'où le jeu de mots. Mme de Sévigné *renonce au pacte*, c'est-à-dire qu'elle ne veut pas se charger d'une médisance qui pourrait s'avérer être une calomnie.

Page 228.

1. En allant d'Aix à Grignan, la comtesse était passée par Fontaine-de-Vaucluse, célébrée par *Pétrarque*, qui y aurait habité.

2. L'*ordre dorique*, le plus ancien des trois ordres traditionnels d'architecture, est pris dans un sens figuré pour rappeler l'ancienneté du château. Jeu de mots avec l'*ordre* financier que Mme de Grignan a pour mission de rétablir dans cette auguste demeure.

3. *Un de nos petits amis* : Charles de Sévigné.

4. *Un couple de beaux-frères* : Charles-Philippe (le Chevalier) et Jean-Baptiste, Coadjuteur d'Arles.

Page 229.

1. Comme Mme de Grignan le dira dans sa réponse, cette *maxime* n'est pas dans La Rochefoucauld. La pratique du pastiche est récurrente dans les lettres et contribue, à travers l'imitation d'un style, à une identité d'écriture.

2. Mme de Sévigné a l'intention d'intercéder auprès de *Vivonne*, général des galères.

Page 230.

1. L'expression *gros crevé* rappelle l'excès d'embonpoint de Vivonne. Elle est plus familière et affectueuse que péjorative.

2. La légende veut que la prière de Mme de Sévigné ait été exaucée et qu'en souvenir Mme de Grignan ait été peinte en bohémienne ; ce serait l'original du tableau placé à Grignan dans la chambre dite, pour cette raison, chambre de la bohémienne. Quant à la ressemblance, on se rappelle *Phèdre :* « Il avait votre port, vos yeux, votre langage » (II, v).

3. *Cassandre, Cléopâtre* : romans de La Calprenède en dix et douze volumes, publiés entre 1642 et 1650.

58. À MADAME DE GRIGNAN

Page 231.

1. *La maison* du *Premier Président* est vraisemblablement celle de Forbin d'Oppède, à Oppède, au pied du Lubéron, dont subsistent de très belles ruines. La verdure qu'on y trouve forme en effet un étonnant contraste avec la sécheresse des environs. La comtesse avait dû passer par Oppède en se rendant d'Aix à Grignan par L'Isle-sur-Sorgue et la fontaine de Vaucluse.

2. *Fouesnel* : à quelques kilomètres à l'ouest des Rochers. Mme de Sévigné rend la visite reçue ; satisfaite de son voyage, elle n'adopte pas le même ton de dénigrement que dans la lettre précédente. Il est probable que les *chansons* ont été faites après coup, entre les habitants des Rochers, pour plaisanter les provinciaux.

3. Opposition des lectures simplement divertissantes, dont il a été question jusqu'ici, et des lectures *bonnes* à la vie morale et spirituelle, dont Mme de Sévigné va longuement parler dans les lettres qui suivent.

4. Le marquis de *Tonquedec* : gentilhomme breton, il avait eu à Paris, en juin 1652, dans la ruelle de Mme de Sévigné, une querelle avec le duc de Rohan qui avait fait scandale ; Loret en avait parlé dans sa *Gazette*.

5. Le *petit ami* est le portrait en miniature de Mme de Grignan dont il a été question.

Page 232.

1. Le *guidon* désignait l'étendard d'une compagnie de gendarmerie ou de cavalerie légère, puis l'officier qui le portait. Le 18 avril 1670, Charles de Sévigné avait acquis la charge de guidon des gendarmes-Dauphin.

2. *Guidon le Sauvage* : enchaînement d'idées ; la charge de guidon de Charles suggère le rapprochement ironique avec ce personnage du *Roland furieux*, qui réussit à prouver sa virilité à dix femmes en une nuit. La lettre, dans ses usages et sa matérialité, se prête à tous les détournements

ludiques. Ainsi, les *dessus*, ou adresses des lettres, sont prétextes à un jeu : la *reine d'Aragon* devait être la suscription d'une lettre de Charles à sa sœur, dans son ancien royaume médiéval.

3. Les *selles à tous chevaux* : les formules épistolaires toutes faites.

4. Par une ellipse assez forte, mais fréquente dans les lettres, *les* désigne ceux qui forment l'entourage de Mme de Grignan.

5. *Avoir des meubles* : les châteaux de province, dans lesquels on n'habitait pas constamment, étaient en général démeublés.

6. *Adhémar* : Mme de Sévigné interpelle de façon insolite son gendre en lui rendant le nom de ses aïeux.

59. À MADAME DE GRIGNAN

Page 233.

1. Le *chevalier de Buous* : les premières éditions hésitent sur ce nom. Nous avons rétabli *Buous*. Les Pontevès de Buous étaient alliés aux Grignan ; ce passage semble indiquer que ce personnage se livrait à la piraterie.

Page 234.

1. Mme de Sévigné est *empêchée*, c'est-à-dire embarrassée, par les *états* de Bretagne, qui vont commencer au début d'août ; c'est qu'elle veut ménager les Chaulnes, mais qu'elle craint la dépense qu'elle serait obligée de faire en participant aux différentes cérémonies.

Page 235.

1. *Les beaux desseins* : ironique ; il s'agissait de se faire avorter.

2. *La chandelle des Rois* : selon Furetière, « c'était autrefois une cérémonie de brûler une chandelle fort diversifiée la veille des Rois ». Le *Dictionnaire de l'Académie* de 1694 explique : « On dit d'une étoffe rayée de plusieurs cou-

leurs, d'un habit bigarré de plusieurs couleurs et de celui qui le porte, qu'il est riolé, piolé comme la chandelle des Rois. » C'est donc du mauvais goût de Mlle de Launay que Mme de Sévigné se moque. Elle la compare ensuite à l'incohérence des mauvais romans, dont les épisodes du *second tome* sont en contradiction avec ceux du premier, puis à celle du *Roman de la Rose* pris dans son ensemble *(tout d'un coup)*, si l'on ne distingue pas l'œuvre de Jean de Meung de celle de Guillaume de Lorris.

3. *Bœuve et moutonne* : Mme de Sévigné se moque de la mauvaise prononciation de la Bretonne Mlle du Plessis.

4. *Le Tartuffe* (III, VI) : « Oui, mon frère, je suis un méchant, un coupable, / Un malheureux pécheur, tout plein d'iniquités, / Le plus grand scélérat qui jamais ait été. »

Page 236.

1. *Son paquet* : son enfant. La grossesse de Mme de Grignan conduit sa mère à tenir une chronique conjuratoire des fausses couches, avortements et abandons.

2. *Artaban*, fils de Pompée, est l'un des personnages les plus chevaleresques de *Cléopâtre* ; c'est le « fier », le « généreux », l'« invincible » Artaban.

Page 237.

1. Mme de Sévigné est *inconsolable sur le même ton*, c'est-à-dire en continuant la plaisanterie.

2. Les *esprits animaux communiquaient* la sympathie.

3. Allusion aux deux précédents mariages de M. de Grignan, et à ses deux *belles-mères*, Mme de Rambouillet et Mme du Puy-du-Fou.

60. À MADAME DE GRIGNAN

Page 238.

1. *Rêver* : imaginer, se faire une idée de sa correspondante, non se complaire dans la rêverie.

2. Mais à Mme du Puy-du-Fou de décider souverainement.

3. Achille de *Harlay*, procureur général au Parlement après Foucquet depuis 1661, mourut le 7 juin 1671 ; sa femme, morte en 1657, était Bellièvre comme Mme du Puy-du-Fou ; d'où le *compliment*.

4. *Notre chapelle* : bâtie sous la direction de l'abbé de Coulanges, la chapelle des Rochers avait vraisemblablement été entreprise en 1666, lors du précédent séjour ; elle fut achevée en 1671, mais on n'y dit la première messe que le 15 décembre 1675.

5. Le marquis de *Montlouet* mourut en 1687, à cinquante-neuf ans. La *Gazette* a rapporté l'événement, survenu à Ath : « Le même jour (1er juillet), le sieur de Montlouet, premier écuyer de la grande écurie, en voulant franchir un fossé, son cheval se renversa sur lui et le tua ; de laquelle disgrâce la cour a témoigné beaucoup de douleur. »

Page 239.

1. On fit le 8 juillet, au Val-de-Grâce, un service solennel pour *le bout de l'an de Madame*, c'est-à-dire pour l'anniversaire de la mort d'Henriette d'Angleterre, survenue le 30 juin 1670.

2. L'endroit des *Annales* mentionné ici se trouve à la fin du livre I ; la mort de Germanicus est rapportée dans le livre II. Calpurnius Pison fut gouverneur de Syrie sous l'empereur Tibère ; il y mina la popularité de Germanicus. Celui-ci ordonna à Pison et à sa femme Plancine de quitter la province, mais il mourut peu après et Pison fut accusé d'empoisonnement. Les *héros* moins *prudents* sont ceux de La Calprenède, et de sa *Cléopâtre*.

Page 240.

1. *Mes trois prêtres* : l'abbé de Coulanges, son oncle ; l'abbé Rahuel, concierge des Rochers ; l'abbé de La Mousse.

2. Les *petites bêtes* : puces, punaises, etc.

3. Les distractions de *Brancas* ont souvent fourni dans les lettres de Paris l'occasion de dire des folies ; Mme de Sévigné leur impute ici le silence de son ami.

61. À MADAME DE GRIGNAN

Page 241.

1. Le Coadjuteur fait partie des *beaux-frères* ; son surnom de *Seigneur Corbeau* explique l'expression n'avoir pas de *branche où se reposer*.

2. *Glisser sur les pensées* : effet de sourdine appliqué à l'expression des sentiments et de l'émotion. Mais la volonté de retenue est aussi un aveu de vulnérabilité.

Page 242.

1. *Rêver creux* : penser dans le vide, méditer sur des problèmes qui n'existent pas. Ces créations métaphoriques de l'épistolière pour évoquer la vie affective témoignent de l'effort collectif, souvent repérable dans les œuvres classiques, pour constituer de nouvelles figures et des images productives dans le domaine des passions et de l'analyse des sentiments.

2. *De la même étoffe* : pour rapprocher Nicole et Pascal, Mme de Sévigné avait déjà utilisé la même expression le 23 mai. Le volume des *Essais de morale* qui venait de paraître contient un traité « De la grandeur ». Nicole y souligne les effets de la cupidité ; il mentionne à ce sujet les « courriers » et les « lettres... portées aux extrémités du monde ». Pascal, dans le dernier des *Trois Discours sur la condition des Grands*, a noté plus généralement le rôle de la « concupiscence » comme mobile des actions.

Page 243.

1. *De ce style* : nouvel exemple du recours au pastiche. Voiture aussi a écrit dans le style des vieux romans.

2. Ce désaccord dépasse le contexte de l'échange familier. On assiste alors en effet à une importante mutation du goût, dans le domaine romanesque, dont atteste le *Dialogue des héros de roman*, de Boileau. Le satirique y dénonce les romans héroïques et sentimentaux, qui se complaisent dans un monde de mensonge et de faux-sem-

blants, et raille en particulier leur afféterie de langage et la préciosité de leur style.

3. La *damnation* est la conséquence de la mort subite et de l'absence de confession.

62. À MADAME DE GRIGNAN

Page 244.

1. Le mot *fluxion*, très employé en médecine au XVIIe siècle, est alors assez vague pour désigner aussi bien un abcès dentaire qu'un genou tuméfié.

2. Saint-Amant, *Ode à la solitude* (début de la première strophe).

3. L'*hippogriffe* désigne un animal fabuleux, moitié cheval et moitié griffon. Dans le *Roland furieux*, c'est lui qui sert à Astolphe pour son voyage dans la lune (chant XXXIV, stance XLVIII).

Page 245.

1. *Dans votre tribune* : il y a, dans la collégiale Saint-Sauveur à Grignan, une tribune, accrochée très haut dans le mur gauche ; on y allait directement du château, en descendant quelques marches.

2. *Il ne faut pas qu'il se montre* : parce qu'il n'a pas de congé régulier et devrait être à l'armée.

3. *M. le duc d'Anjou* : Philippe, second fils de Louis XIV, mort le 10 juillet 1671, à trois ans ; le Dauphin restait seul pour assurer la succession.

4. *Les petites entrailles* : l'expression, variation plaisante de la prière mariale (« le fruit de vos entrailles est béni »), vient enrichir l'idiolecte familier de la correspondance pour désigner l'attachement de Mme de Sévigné pour sa petite-fille, Marie-Blanche.

5. Même refus du conformisme épistolaire qu'au sujet de Guitaut. De Marie-Blanche la pensée va à Mme de Villars, qui avait dû parler d'elle dans sa lettre, puis à Mme de Saint-Géran, qui vivait près de Mme de Villars.

6. *Le caractère* : la grosseur des caractères d'imprimerie ; d'où la lecture à la veillée.

Page 246.

1. *Piquer menu* : farcir la viande avec des lardons fins.

63. À MADAME DE GRIGNAN

Page 247.

1. *La Capucine* : petit abri, élevé dans le parc des Rochers. Mme de Grignan y avait envoyé sa lettre, comme sa mère lui avait adressé la sienne dans son *château d'Apollidon*.

2. Le passage en italien (« un peu de pain, un peu de vin ») est trop peu caractéristique pour être considéré comme une tournure idiomatique ou comme une citation. — *C'est bien employé :* c'est bien fait.

Page 248.

1. Premier tercet d'un sonnet de Voiture, sur le thème fameux de la *Belle Matineuse ;* Mme de Sévigné a remplacé « ses yeux » par *vos yeux*. Le second tercet explique la suite des idées de la lettre : « L'onde, la terre et l'air s'allumaient alentour ; / Mais auprès de Philis, on le prit pour l'Aurore, / Et l'on crut que Philis était l'astre du jour. »

2. *Mme de Rochebonne* : belle-sœur de Mme de Grignan.

Page 249.

1. *Une portugaise* : en 1669 avaient paru chez Barbin les *Lettres portugaises traduites en français*, cinq lettres d'amour d'une religieuse portugaise délaissée par son amant. Frédéric Deloffre les considère comme une œuvre littéraire et les attribue à Guilleragues. Mme de Sévigné les cite ici plaisamment comme le modèle de la lettre d'amour passionnée.

2. *La comtesse de Gramont* : Elisabeth Hamilton, dame du palais de la Reine, femme du comte de Gramont, sœur

d'Antoine Hamilton, l'auteur des *Mémoires du comte de Gramont*. Le chansonnier Maurepas a parlé de ses amours avec d'Effiat et surtout avec du Charmel.

Page 250.

1. *L'Ange* : Mlle de Grancey, appelée « le petit ange du Palais-Royal » par le chansonnier Maurepas. Elle tirait de Monsieur des profits énormes et prélevait un droit sur tous les nouveaux promus de sa maison.

Page 251.

1. *Un bon parti* : par antiphrase ; le sieur de *Fromenteau*, un des plus pauvres et des plus minces gentilshommes de France, s'était élevé par la protection de Mme de Beauvais, femme de chambre de la Reine mère. Son épouse avait cinquante-cinq ans et lui presque vingt de moins.

64. À MADAME DE GRIGNAN

2. *Un père que j'avais* : Celse-Bénigne de Rabutin-Chantal fut tué dans un combat contre les Anglais, à l'île de Ré, le 22 juillet 1627. Mme de Sévigné n'a mentionné son père que très rarement.
3. Être *à beau pied sans lance* se dit d'un chevalier démonté et désarmé, par conséquent dénué de tout secours.
4. *La Guerche* : À quelques kilomètres au sud-ouest de Vitré.
5. *Cette duchesse* : la duchesse de Chaulnes.

Page 252.

1. *La Murinette beauté* : Marie-Anne de Murinais était cousine des Chaulnes.
2. *Fille d'un conseiller* : selon le tarif du *Roman bourgeois*, une fille non titrée (comme celle d'un conseiller au Parlement), qui a de 50 à 100 000 écus (150 à 300 000 livres), peut espérer épouser un maître des requêtes, intendant des finances, greffier et notaire au Conseil, pré-

sident aux enquêtes. Pour un président à mortier, vrai marquis, surintendant, duc et pair, il fallait de 200 à 200 000 écus. La fille du conseiller Le Féron, veuve de Saint-Maigrin, a donc eu bien de la chance (ce que Mme de Sévigné appelle sa *fortune*) d'épouser un duc au tarif le plus bas. Pour le même prix, Françoise-Marguerite, d'ancienne noblesse d'épée, n'a trouvé que le comte de Grignan.

Page 253.

1. Le renvoi de *Picard* : la lettre suivante, à Coulanges, est tout entière consacrée à cette affaire.

2. *Mme de Quintin* « avait été fort jolie et parfaitement bien faite », selon Saint-Simon, qui ajoute qu'elle avait « beaucoup d'esprit », qu'elle était estimée d'une petite cour et qu'elle « dominait sur ses soupirants sans se laisser toucher le bout des doigts qu'à bonnes enseignes ». Le chansonnier Maurepas, comme Mme de Sévigné, note que, dès vingt ans, elle ne quittait guère sa chambre ou son lit de repos, et Saint-Simon remarque : « Elle s'était mise sur pied de ne sortir jamais de chez elle et de se lever de sa chaise pour fort peu de gens. »

3. La *chopine* contenait la moitié d'une pinte, à peu près un demi-litre. — *Le Pertre* est un bourg situé à quelques kilomètres au sud-ouest de Vitré.

4. *Un équipage de Jean de Paris* : un équipage somptueux, par allusion au *Roman de Jehan de Paris*.

5. D'après la *Gazette*, la cour quitta Saint-Germain pour Saint-Cloud (22 juillet), puis pour Versailles (29 juillet), puis pour Fontainebleau (3 août) ; elle regagnera Versailles le 31 août. La santé du Dauphin causait d'autant plus d'inquiétudes que le duc d'Anjou venait de mourir.

6. *Le pauvre homme* : souvenir du *Tartuffe*. En fait, Bossuet n'eut jamais l'abbaye de Rebais, vacante par la mort de l'abbé de Foix, mais en 1672, après s'être démis de son évêché en octobre 1671, un autre bénéfice, celui de Saint-Lucien de Beauvais, qui valait 25 000 livres de rentes. Il en avait déjà deux autres, qui lui en assuraient 7 000. Il écrivit un jour à Bellefonds : « Je perdrais plus de la moitié de mon esprit si j'étais à l'étroit dans mon domestique. »

65. À COULANGES

Page 255.

1. Les détails de cette lettre développent le bref récit de la précédente. Mme de Sévigné s'y moque du style des *narrations* et joue à piquer la curiosité de Coulanges comme dans la lettre qui lui annonce le mariage de Mademoiselle et de Lauzun. Mme de Sévigné s'y serait-elle pastichée elle-même ou s'agit-il d'un faux, dans le style de l'auteure ?

66. À MADAME DE GRIGNAN

Page 256.

1. *Précieusement* : comme une précieuse.

Page 258.

1. Écho probable d'un compliment poli de Mme de Chaulnes, rapporté ici ironiquement.
2. *Votre tante d'Harcourt* : sœur de la mère du comte de Grignan. — *Avaler ce poison, cette trompette du jugement*, c'est-à-dire du Jugement dernier comme dans l'*Apocalypse* : excès comique. La plume vengeresse de la marquise ne trouve pas d'image assez dure pour fustiger la mauvaise compagnie. Elle a plusieurs fois parlé d'*écumer la chambre* de Mme de Grignan, c'est-à-dire de retenir chez elle les visites moins agréables, de façon que la comtesse n'ait que le meilleur.
3. *Son certificat* : son certificat de mariage. Catau n'a donc pas été retenue comme nourrice selon l'avis de Mme de Sévigné. A-t-elle été renvoyée, ou seulement *envoyée* à Paris retrouver son mari ? Cette seconde hypothèse expliquerait qu'elle voie Mme de La Trousse, sœur de Chésiè-

res chez qui servait Droguet. Mme de Sévigné aussi la recevra.

4. *Ce maréchal qui devint peintre* : Quentin Matsys ou Massys, peintre flamand, né vers 1640, communément appelé le Maréchal ou le Forgeron d'Anvers. Rapprochement incongru : la condition de la marquise ne la prédestinait pas plus à devenir habile puéricultrice que celle du forgeron à se révéler un grand peintre. Mme de Sévigné était marraine de Marie-Blanche, à laquelle elle donna son prénom.

5. *Ces cousins* : Mme de Sévigné craint que ce qu'on lui a présenté comme des piqûres de moustiques n'ait en fait été produit par une éruption due à une cause interne. Elle parlera souvent de la nécessité de *rafraîchir un sang trop échauffé,* conformément au vocabulaire médical de son temps, dont la base consistait dans l'opposition du chaud et du froid, du sec et de l'humide. Ainsi, dans *L'Amour médecin :* « Mon avis à moi est que cela procède d'une grande chaleur de sang » (II, IV).

Page 259.

1. *Monsieur d'Arles* : l'archevêque d'Arles veillait sur les affaires financières de son neveu, et l'aida souvent en concluant pour lui des emprunts ou des marchés, voire en lui avançant de l'argent. L'allusion au plan de Grignan montre que l'on songeait sérieusement à *achever le château,* ainsi qu'on l'avait proposé au Coadjuteur d'Arles.

2. *Le Buron* était une terre avec château, d'une valeur à peu près égale à celle des Rochers, située non loin de Nantes. Le contrat de mariage de Mme de Sévigné lui avait attribué les revenus de cette terre pour douaire et le château pour habitation en cas de veuvage. Mais elle préféra toujours les Rochers. — *Mme de Molac* : femme du marquis de Molac, gouverneur de Nantes, que Mme de Sévigné avait fréquenté peu après son mariage.

3. Le *labyrinthe* se trouvait à l'extrémité ouest du parc des Rochers.

4. « Se nourrir de souvenir plus que d'espérance. » Il existait, depuis le XVIe siècle, de nombreux manuels

d'*Imprese* ou Devises, tels ceux d'Emanuele Tesauro (1592-1675). D'Italie la mode était passée en France.

Page 260.

1. « Godefroy a déployé le grand étendard de la croix sur la muraille. » Mme de Sévigné cite approximativement (*La Jérusalem délivrée*, chant XVIII, stances XCIX et C).

2. *Guichardin* : Francesco Guicciardini, homme politique italien (1483-1540), qui, dans ses *Ricordi politici e civili*, a tiré de ses expériences un recueil de maximes politiques, et a écrit une *Storia d'Italia*, qui va de 1492 à la mort de Clément VII. Mlle de Murinais avait accompagné M. et Mme de Chaulnes dans leur voyage à Rome en 1667, d'où sa facilité à manier l'italien. Le projet de lire Guichardin ensemble ne semble pas avoir été réalisé, Mme de Sévigné lui ayant préféré Nicole.

3. *Notre Cardinal* : le cardinal de Retz, près duquel se trouvait l'abbé de Pontcarré.

Page 261.

4. *L'abbé Têtu* : voir la note 1, p. 95.

5. Fausse nouvelle. *Elle* : Mme de Chaulnes.

6. La *petite personne* : Éléonore du Puy-de-Murinais, *sœur* de Marie-Anne (la *Murinette beauté*).

7. Il s'agit des chansons composées avec Charles en revenant de chez les Fouesnel (lettre du 1er juillet 1671). Comme on en ignore le contenu, on ne peut deviner pourquoi la comtesse les a mis sur le ton des *dragons* (sujets d'inquiétude).

67. À MADAME DE GRIGNAN

Page 262.

1. Un *embarras* : Racine aussi a utilisé le mot, dans *Esther*, au sens de tracas ou de contretemps : « Des embarras du trône, effet inévitable ».

2. *Rejeter des leçons de silence* sur Mme de Sévigné, c'est

lui faire subir le contrecoup des promesses de ne pas divulguer ses confidences que Vardes avait dû exiger de Mme de Grignan, mais qui, selon l'épistolière, ne la concernaient pas.

Page 263.

1. La famille de Charost était liée à celle de Saint-Simon, d'où l'allusion à *Mme de Brissac,* demi-sœur du mémorialiste. Il est *vieux* parce qu'il est attaché aux traditions et qu'il faut, avec lui, respecter les conventions épistolaires.

2. *Le Comte d'Ayen* : fils aîné du premier duc de Noailles. Il épousa en effet, le 13 août 1671, la fille unique du duc de Bournonville, qui sera dame du palais de la reine.

3. En fait, Mme de Sévigné laissera sa petite-fille à Paris quand elle partira voir Mme de Grignan ; ce fut son père qui, à l'occasion d'un voyage à la cour en 1673, l'emmena en Provence où la marquise se trouvait encore.

4. Le *galimatias,* mot fréquent chez Molière, est un discours embrouillé, dans lequel on se perd, comme dans un *labyrinthe ;* d'où la métaphore de Mme de Sévigné, filée dans la suite. L'aspect remarquable de ce passage provient de la parfaite continuité qu'il instaure entre intérieur et extérieur, le labyrinthe désignant la confusion spatiale, mentale et langagière. Les contours et détours de la phrase sévignéenne rivalisent avec les prouesses de l'art topiaire.

68. À MADAME DE GRIGNAN

Page 264.

1. *La foire de Beaucaire,* dont l'origine remonte au XIIIe siècle, avait une célébrité universelle. Elle se tenait du 21 au 28 juillet ; Mme de Sévigné craignait que Grignan ne servît d'étape aux nobles qui s'y rendaient.

2. Le *train,* ce sont les équipages des invités qui venaient au château ; on les logeait dans les auberges du village aux frais des hôtes.

3. *Jacquier* « était un homme connu de tout le monde et qui s'était acquis l'estime et l'affection de M. de Turenne, les armées duquel il avait toujours fourni de vivres, et s'était enrichi » (Saint-Simon). — *Prendre en partie* : assurer, moyennant une somme donnée, le recouvrement de telle somme d'argent ou la fourniture de telle denrée.

4. *Comme Dulcinée* : allusion à un épisode du *Don Quichotte* de Cervantès. Sancho raconte au chevalier que lorsqu'il a apporté ses lettres à Dulcinée, sa bien-aimée, celle-ci était occupée à vanner du blé. Elle fit placer la lettre sur un sac, ajoutant : « Je ne peux pas la lire jusqu'à ce que j'aie achevé de cribler ce qui est ici. » Alors : « Ô la discrète dame, s'écrie Don Quichotte, c'était afin de lire tout à loisir et y prendre du contentement » (traduction de César Oudin, Paris, 1614, t. I, IVe partie, chap. XXXI).

Page 265.

1. Mme de Sévigné renchérit sur une idée de sa fille mais n'oublie pas d'opposer à la « préciosité » d'un tel développement ce qu'elle appelle des *grossièretés solides*, c'est-à-dire les plaisirs de la véritable présence.

2. Il faudrait *profiter*, c'est-à-dire mettre à profit les réflexions sur la Providence provoquées par cette mort subite. La marquise regrette de n'être pas davantage préoccupée de son propre salut.

3. *Fâchée* : vivement affligée. — *Lenet* fut compagnon des rires de la jeunesse de Mme de Sévigné.

4. *La nouvelle de Mme de Lyonne*, épouse du ministre et secrétaire d'État de Louis XIV : il s'agit d'une histoire galante. « Je crois que c'est M. de Lyonne qui a fait exiler sa femme, mais je ne comprends pas le raisonnement de ce ministre. Ne pouvait-il pas chasser sa femme de son autorité particulière, et la vanité de ne rien faire dans son domestique que par lettres de cachet l'a-t-elle plus touché que la honte d'un plus grand éclat ? J'ai ouï parler quelquefois de parties carrées dans un lit, même d'un homme entre deux guenipes de remparts, mais non pas encore d'un galant entre la mère et la fille. Voilà des amours bien

extraordinaires où la jalousie n'a guère de part » (Mme de Montmorency à Bussy).

5. *Le grand Chevalier* : beau-frère de Mme de Grignan.

69. À MADAME DE GRIGNAN

Page 266.

1. *M. de Guise* : le duc de Guise était à vingt et un ans l'héritier et chef de l'illustre maison.

2. *Transport au cerveau* : perte de la conscience. Mme de Sévigné, comme les médecins du temps, l'attribuait à une surabondance de sang.

3. Mme de Grignan est *bretonne*, c'est-à-dire née d'un père breton.

4. L'entrée de M. de Chaulnes, *au bruit* de l'artillerie, marque le début des états. Ils étaient convoqués tantôt à Nantes, tantôt à Dinan et tantôt à Vitré et réunissaient les commissaires du roi, les députés de l'Église, de la noblesse et du tiers état.

Page 267.

1. L'orchestre ne comporte ni cornemuse ni biniou ; il s'agit d'une musique importée de la capitale, non d'une musique et de danses locales.

2. *M. de Coëtlogon* : fils du gouverneur de Rennes et lieutenant de roi en haute Bretagne. *M. de Locmaria* devint lieutenant général aux armées.

3. *M. Boucherat* : commissaire du Roi aux états de Languedoc et de Bretagne, il sera chancelier de France en 1685.

Page 268.

1. Mme de Sévigné est *étonnée* de la présence de Lavardin parce qu'il n'était pas d'usage que le lieutenant général vienne se faire éclipser par le gouverneur.

2. Les *Fourché* étaient une famille parlementaire bretonne.

3. *Braverie* : magnificence des habits.

70. À MADAME DE GRIGNAN

Page 269.

1. La lettre a dû être écrite en plusieurs jours.

Page 270.

1. « Vous avez du courage au-dessus des autres, et comme le dit le proverbe, Dieu donne *la robe selon le froid* » (lettre à Bussy, 23 octobre 1683).

2. Les paroles de Mme de Grignan, rappelées au début du développement, sont reprises à la fin sous une forme probablement littérale (d'où nos italiques). Elles font en effet songer à certaines pensées de Pascal dénonçant, à la suite de Montaigne, l'inconstance des désirs et des chagrins humains.

3. *Prendre courage*, c'est ne pas se laisser abattre ; *ne pas se déranger*, ne pas changer son train de vie, d'où l'allusion qui suit à l'hôtel de Lavardin (sa *maison*), que Mme de Lavardin garda. Elle venait de perdre l'évêque du Mans, son beau-frère, l'oncle du M. de Lavardin qui est aux états.

Page 271.

1. Dans la *fièvre* tierce, le malade a deux accès en trois jours ; dans la *double tierce*, il a dans les jours intercalaires des accès qui se correspondent.

2. La *première fois*, c'est la fausse couche de Livry en 1669 ; la *dernière*, la naissance de Marie-Blanche.

3. Souvenir des brouilles d'autrefois. La force presque sacrilège de l'expression (*l'enfer*) a empêché Perrin de la conserver ; elle fait contraste avec la litote qui désigne les brouilles (*le contraire*).

Page 272.

1. *Labyrinthe* est employé ici pour *galimatias*, de même que ce mot a été employé pour labyrinthe.

2. *Comme Don Quichotte* : parce qu'elle laisse aller son imagination. Le thème de l'enfant abandonné dans un *panier de jonc* est un souvenir de Moïse, mais surtout des nombreux romans qui ont repris cet épisode ; dans le *Roland furieux* par exemple, la mère de Marphise et de Roger est ainsi abandonnée sur un fleuve.

3. *L'autre*, c'est l'autre charge de M. de Grignan, celle qu'il avait au moment de son mariage ; lieutenant général en Languedoc et n'y étant pas seul, il n'était pas obligé à une résidence presque continuelle, comme en Provence. La phrase sur les états de Languedoc est une réponse à Mme de Grignan, qui avait dû en parler sur la foi de son mari. La pensée glisse ensuite naturellement vers l'assemblée de Lambesc, et vers les 5 000 livres de gratification obtenues l'année précédente. — Plus loin, *Marseille* désigne l'évêque de cette ville, qui s'était opposé à cette *grâce* et s'opposera à sa reconduction.

Page 273.

1. *Caderousse* et *Mérinville* : partis autrefois envisagés pour Françoise-Marguerite. Le premier ne fit jamais carrière ; un désaccord financier avait empêché l'alliance avec le second.

Page 274.

1. L'abbé de *Saint-Cyran*, né en 1581, mort en 1643, fut le compagnon d'études et l'ami de Jansénius, et aussi le confesseur et le directeur de l'élite des religieuses de Port-Royal. C'est parce qu'il défendit le livre de son ami, l'*Augustinus*, publié en 1640, et que la famille Arnauld défendra sa mémoire, que le jansénisme s'implanta en France. Arnauld d'Andilly allait publier les *Instructions chrétiennes tirées des deux volumes de lettres de l'abbé de Saint-Cyran* (achevé d'imprimer du 5 décembre).

71. À MADAME DE GRIGNAN

Page 275.

1. L'expression rappelle le vers de *Cinna* (V, I) : « Le reste ne vaut pas l'honneur d'être nommé. »

2. Mme de Sévigné n'avait pas de vignes à Bourbilly, mais elle était approvisionnée en vin de Bourgogne par ses amis et alliés de la province, en particulier par le président Berbisey. Les *eaux de Forges* étaient une cure située près de Dieppe.

3. *Le Tartuffe* a été publié en 1669. — La publication d'*Andromaque* remonte à 1668. Ce sont donc deux pièces récentes pour la *campagne*.

4. L'*Académie* était le lieu où les jeunes nobles, au sortir du collège, allaient apprendre les armes et l'équitation.

Page 276.

1. *Des Chapelles* était intimement lié avec Mme de Sévigné qui, le 12 mai 1680, rappellera qu'il avait autrefois descendu la Loire avec sa fille et elle. — *Montigny*, né en 1636, avait du goût pour la poésie et la philosophie. Il donna plusieurs pièces au *Recueil* de Sercy et a composé une relation de la fête de Versailles de 1668 à laquelle assistaient Mme de Sévigné et sa fille.

2. *Mme de Coëtquen* était célèbre par la passion qu'elle avait inspirée à Turenne. — *Chésières* était député de la noblesse aux états, d'où le *compliment*.

3. Le *vin de Graves*, comme tous les vins de Bordeaux, était peu apprécié au XVIIe siècle : la politesse de Lavardin est donc par antiphrase. Mme de Sévigné donnera en 1675 un portrait contrasté de ce personnage aux manières déplaisantes mais à la vertu irréprochable (16 octobre 1675).

4. Cependant, on demanda aux commissaires du roi de « réitérer et de transmettre la promesse qu'ils avaient faite en 1669 de ne plus demander à l'avenir de sommes aussi excessives ». Ces réserves, qu'on ne voulut point entendre, expliquent la révolte de 1675. La générosité et

la rapidité des Bretons s'opposent ici à la lenteur et à l'avarice des Provençaux lors des Assemblées.

Page 277.

1. *Quitter généreusement* les honneurs, c'est les quitter à la manière des grandes âmes qui les méprisent. Comme Mme de Sévigné, Montaigne se retirait du monde pour *jouir de soi*.

2. *La justice de croire* : utilisation ironique d'une formule passe-partout.

72. À MADAME DE GRIGNAN

3. Mme de Sévigné craint que, dans son château, Mme de Grignan soit trop loin du secours des médecins. En fait, la comtesse accouchera à Lambesc.

4. Jean Deville, qui menacera bientôt de quitter les Grignan, restera pourtant à leur service pendant tout le premier séjour de la comtesse en Provence en qualité de maître d'hôtel.

Page 278.

1. *Un compliment* : de condoléances, à cause de la mort de l'évêque du Mans.

2. *Être bien en main* : être à portée de M. de Lavardin, dont l'épistolière a déjà insinué que la présence en Bretagne était déplacée. — *Il fait l'amoureux* pour se donner une *contenance*.

3. Mme de Sévigné, qui méprise tant les banalités d'usage, les retrouve et les conseille lorsqu'il s'agit de marquer les distances sociales.

Page 279.

1. En Bretagne, il y avait un gouverneur (Chaulnes) ; deux lieutenants généraux, le marquis de *Molac* pour le comté de Nantes et le marquis de *Lavardin* pour les huit autres évêchés ; deux lieutenants de roi, le marquis de

Coëtlogon pour la haute Bretagne (évêchés de Rennes, Dol, Saint-Malo et Vannes), le marquis de La Coste pour la basse Bretagne (Saint-Brieuc, Tréguier, Léon et Cornouaille). En Provence, il n'y avait qu'un seul lieutenant général et pas de lieutenant de roi ; M. de Grignan, en l'absence du gouverneur, était seul à y commander, d'où la grandeur de sa charge.

2. *Dévotions* : à l'occasion de l'Assomption, le 15 août, l'une des trois ou quatre fêtes de l'année auxquelles Mme de Sévigné communiait.

3. De retour aux Rochers le lundi 17, Mme de Sévigné reviendra en fait à Vitré, sur l'invitation du duc de Chaulnes, dès le dimanche 23 août au soir. — La *taure*, orthographiée *tores* dans le manuscrit Capmas, est le nom donné en boucherie à la génisse pleine.

4. M. de Grignan était seulement lieutenant général faisant fonction de gouverneur et commandant pour le roi en Provence. M. de Chaulnes, qui est gouverneur, fait donc honneur à la comtesse en lui donnant le titre de *gouvernante*.

5. Le rôle d'*Arlequin*, personnage de la comédie italienne, fut tenu successivement par différents acteurs ; en 1671, c'était Dominique Biancolleli : « hors du théâtre, un homme très savant et très sérieux » selon Saint-Simon.

Page 280.

1. *Cette Madame* : la curiosité publique se portait naturellement vers la personnalité de la seconde femme du frère du roi, veuf depuis 1670. Née en 1652, de Charles-Louis Ier, duc de Bavière, palatin du Rhin et prince électeur, Élisabeth-Charlotte de Bavière, qui n'était pas jolie, avait des façons brusques et un solide bon sens. L'essentiel de ses lettres a été traduit de l'allemand et publié ; elles témoignent de son esprit critique, de son sens de l'honneur et de sa haine pour Mme de Maintenon. Comme la première Madame, elle semble avoir aimé le roi. La *Palatine*, c'est Anne de Gonzague (1616-1684), tante de la nouvelle Madame par son père alors que la princesse de Tarente l'était par sa mère. Les médisances de Mme de

Sévigné viennent des goûts tout féminins de Monsieur pour la toilette et rappellent les querelles de son entourage dans lesquelles son épouse, croit-elle, ne pourra entrer, faute de connaître le français ; les lettres d'Élisabeth-Charlotte montrent au contraire ses luttes contre les favoris de son mari et les conflits qui en résultèrent. — *Celle que nous avons perdue*, c'est Henriette d'Angleterre ; sa mort subite à vingt-six ans, l'année précédente, avait causé la consternation parmi tous ceux qu'elle avait conquis par toutes les qualités dont Bossuet fait le panégyrique dans son oraison funèbre.

2. *Les incommodités* : Mme de Sévigné compare les migraines de Mme de La Fayette avec les grands maux de tête de Pascal. C'est aussi un hommage détourné aux qualités intellectuelles de son amie.

3. Le *chamarier* était le chanoine chargé d'administrer les revenus du chapitre. Le chamarier Charles de Rochebonne, qui appartenait au chapitre de Saint-Jean de Lyon, était le frère du mari de Mme de Rochebonne, Thérèse de Grignan.

Page 281.

1. Le même humour sert à moquer les provinciaux de Bretagne et de Provence.
2. *Flachère* : domestique du comte.

73. À MADAME DE GRIGNAN

Page 282.

1. *Puanteur* : le dégoût souvent évoqué de Mme de Grignan pour les parfums est aggravé par la grossesse et oblige la marquise à renoncer à son papier parfumé.

Page 283.

1. Le nom de *Carignan* appartenait à la famille royale de Savoie, et la confusion des rangs accroît le plaisant de la scène.

2. Mme de Sévigné, qui se plaît à souligner l'effronterie de Pomenars, pense au *Bussy* du temps de la partie de Roissy et de l'*Histoire amoureuse*.

3. *Le Bordage* doit être René de Montboucher, d'une maison de Vitré, marquis du Bordage, fief situé dans le diocèse de Rennes, enseigne au régiment de Turenne en 1662, puis capitaine de cavalerie en 1672. Il est piquant que le mari de Mme de Coëtquen fasse agir Turenne, son amant. D'où l'ironie de Mme de Sévigné pour cette affaire qui devait porter sur une querelle de préséance locale.

4. *Lever la paille* : expression proverbiale ; « On dit d'une chose, qu'elle lève la paille, quand elle est singulière et extraordinaire, ou décisive » (Furetière).

Page 284.

1. Ces *Messieurs-là* : les Messieurs de Port-Royal. Mme de Sévigné répond à Mme de Grignan qui avait critiqué le traité « De la faiblesse de l'homme », placé en tête du volume des *Essais de morale* de Nicole, qui venait de paraître. Le mot *enflure* est à la première ligne du traité : « L'orgueil est une enflure du cœur par laquelle l'homme s'étend et se grossit en quelque sorte en lui-même, et rehausse son idée par celle de force, de grandeur et d'excellence. » — *Anatomiser* : « Faire l'anatomie. Il se dit tant au propre qu'au figuré, d'un corps, d'une affaire, d'un ouvrage » (Furetière).

Page 285.

1. *Je lui défends de monter à cheval devant vous* : parce que sa chute avait été cause de la fausse couche de Livry en 1669.

2. *De petites entrailles avec une robe* : l'expression désigne plaisamment Marie-Blanche (voir la lettre 62 et la note 4, p. 245) désormais en âge d'être habillée (voir la lettre 66).

3. Mme de Sévigné évoquera encore le 24 juillet 1689 « ce *sénéchal* de Rennes qui est si fou, qui a eu tant d'aventures ». C'était Charles de Lys depuis 1660. Il avait dû auparavant exercer la fonction de sénéchal chez les parents de Mme de Simiane, qui était bretonne.

4. La *vallée de Josaphat*, c'est la vallée du Cédron entre Jérusalem et le mont des Oliviers ; selon la tradition, ce doit être le lieu du Jugement dernier ; Mme de Sévigné utilise ailleurs l'expression en ce sens. Ici elle renvoie au passé, sans doute à un passé lointain, peut-être à la querelle de Rohan et de Tonquedec dans sa ruelle en juin 1652.

5. Le scandale de *Mme de Lyonne* a déjà été évoqué. Le mariage de la fille de Lyonne et du marquis de Cœuvres ne datait que d'un an.

Page 286.

1. *Saint-Aubin* : un des oncles de Mme de Sévigné, du côté des Coulanges.

74. À MADAME DE GRIGNAN

2. *Votre présidente de Charmes* : personnage non identifié ; peut-être s'agit-il d'une erreur de lecture des copistes.

3. « Hémistiche d'un bout rimé rempli par M. de Grignan » (note de Perrin).

Page 287.

1. *Tira d'affaire* : nouvelle allusion à la fausse couche.

2. *Mme Fourché* : la femme du député aux états ? Les Fourché étaient une famille parlementaire bretonne.

3. *Conter Rome* : c'es-à-dire les ambassades du duc de Chaulnes à Rome en 1667 et 1669.

Page 288.

1. *Le fils* de *La Rochefoucauld* : le prince de Marsillac.

2. *Le prince Adhémar* : désigne par plaisanterie Joseph de Grignan, bientôt surnommé le *petit glorieux*.

Page 289.

1. *Les gages* : les affaires en général et les affaires domestiques en particulier.

2. *Pas plus grands que cela* : Mme de Sévigné citera de nouveau ce mot en l'attribuant à Montbazon. « Comme c'était un homme tout simple, et qui a dit bien des sotti-

ses, on lui a attribué, écrit Tallemant, et au duc d'Uzès aussi, tout ce qui se disait mal à propos. »

75. À MADAME DE GRIGNAN

Page 290.

1. *On n'y regarda pas* semble signifier non qu'on ne regarda pas à la dépense, mais qu'on ne prêta pas attention aux travaux à effectuer.
2. Les *medianoche,* en vogue à la cour, se prenaient après minuit sonné.

Page 291.

1. De Provence à Paris, par les Rochers.
2. *Mlle de Lannion* : de petite noblesse bretonne, d'où l'opposition avec la *seigneurie* du duc de Rohan.

76. À MADAME DE GRIGNAN

Page 292.

1. Le château de Grignan est une *hôtellerie* pour ceux qui vont à la *foire de Beaucaire.*

Page 293.

1. Le château de Grignan avait été construit sur un mamelon qui domine de trente-trois mètres toute la plaine environnante.
2. Nantes est à soixante kilomètres de la mer. Mme de Sévigné y a séjourné quelquefois avant son veuvage, notamment au début de 1646.

Page 294.

1. Les états de Bretagne attribuèrent en effet de nombreuses gratifications. Mme de Sévigné oppose à la facilité des Bretons les difficultés faites à son gendre pour lui

accorder 5 000 livres. — Les *fleurs d'orange* font partie des stéréotypes de la Provence.

2. *Mlle de Kerikivili* doit être Mlle de Keringant de Quenec'hquivily ; *Bruquenvert*, Le Roux de Brescanvel.

3. *Joli* dans le sens vieilli de digne de louanges pour une action méritoire, *heureux* parce qu'il a de la chance d'aller voir Mme de Grignan.

Page 295.

1. *Votre hanche me désole* : parce que le mal à la hanche est interprété comme un signe que le garçon attendu serait devenu fille.

2. La *moyenne région* est un terme de la physique ancienne ; elle commençait au-dessus des plus hautes montagnes, au-dessous de la haute région, surmontée à son tour de la sphère du feu, puis de la sphère de l'éther. La situation de Grignan a donné à Mme de Sévigné l'idée de cet éloge de la *philosophie* et de la *raison* de sa fille.

3. *Des femmes*, c'est-à-dire un entourage de provinciales ennuyeuses. Mme de Sévigné semble reprocher aux Provençaux non des airs guindés mais leur immobilité, leur inaction, leur *indolence*. Sa surprise vient de ce qu'elle oppose à la réalité décrite par Mme de Grignan l'opinion reçue, devenue thème littéraire, qui leur faisait une réputation de vivacité.

Page 296.

1. Sganarelle se plaignait déjà, dans *L'École des maris* de Molière (I, I), de « ces *manches* qu'à table on voit tâter les sauces ».

77. À MADAME DE GRIGNAN

Page 297.

1. *Fronderie* : au sens de mécontentements et de récriminations. Littré ne cite que cet exemple.

2. C'est le *Combourg* rendu célèbre par Chateaubriand.

Au XVIIe siècle, il appartenait aux Coëtquen. Mme de Sévigné rapporte les paroles de celui d'entre eux qui est venu aux Rochers le dimanche précédent — ironiquement, car son petit manoir n'a ni l'antiquité ni la grandeur du château de Combourg.

3. Le marquis de *Termes*, né à Toulouse vers 1639, était le fils d'un oncle du marquis de Montespan. Mme de Sévigné le fréquentera à Vichy en 1677 ; il sera compromis dans l'affaire des poisons et mourra discrédité en 1704. « Il était pauvre, écrit Saint-Simon, avait été très bien fait et très lié avec les dames en sa jeunesse. » Il était venu aux Rochers (lettre du 11 juin 1690), sans doute alors que Françoise-Marguerite y accompagnait sa mère.

4. Les *petites parties* appartiennent au vocabulaire cartésien et désignent les particules les plus simples de la matière, les atomes. Comme la princesse Élisabeth, le prince de Condé était favorable à la philosophie de Descartes, du moins dans sa version malebranchiste. *Disputes* doit être pris ici dans son sens classique de discussion.

Page 298.

1. *J'admire* : je m'étonne.

78. À MADAME DE GRIGNAN

Page 299.

1. *M. de Chattes* appartenait vraisemblablement à la maison de Clermont-Chattes, qui prétendait se rattacher à celle de Clermont-Tonnerre, et qui avait, comme elle, des possessions en Dauphiné. Chattes est situé près de Grenoble ; cela expliquerait la visite à Grignan.

2. Avoir une *ressemblance en détrempe*, c'est avoir le même caractère en moins accusé.

Page 300.

1. Mme de Sévigné a sans doute joué de son crédit auprès de Chaulnes pour favoriser la nomination d'un

député de la province à la cour ainsi que l'attribution d'une des *pensions* que l'État accordait aux gentilshommes pauvres. Puisqu'elle affirme qu'elle n'a rien eu pour elle, elle n'a donc pas obtenu les réparations demandées pour la Tour de Sévigné. L'allusion à Caron, souvent reprise, renvoie aux derniers mots du dialogue de Lucien eux-mêmes repris des *Grenouilles* d'Aristophane : *Caron ou le Contemplateur*, cités ici d'après la traduction de Perrot d'Ablancourt : « Dieux ! qu'est-ce des pauvres mortels ! Rois, lingots, sacrifices, combats, et de Caron, pas un mot ! »

Page 301.

1. *Voilà une pièce...* : la pièce était de Boileau-Despréaux et s'appelait : *Arrêt burlesque donné en la grand'chambre du Parnasse, en faveur des maîtres ès-arts, médecins et professeurs de l'université de Stagyre au pays des chimères, pour le maintien de la doctrine d'Aristote*. Selon Brossette, l'*arrêt* fut composé le 12 août 1671 ; Racine et Bernier y auraient contribué. L'université de Paris songeait alors à obtenir du Parlement un arrêt qui visait particulièrement l'enseignement de la philosophie de Descartes.

79. À MADAME DE GRIGNAN

Page 302.

1. *Goupillon* : queue du renard ; un *petit goupillon* : un petit reste.
2. Les *Feuquières* étaient alliés aux Arnauld.
3. *Un petit rond de bois* : des arbres disposés de façon à former un cercle. — *Tigrerie* est un néologisme pour marquer ses dispositions à faire la tigresse, c'est-à-dire à se fâcher quand on parle d'amour.

Page 303.

1. Devise espagnole : « Plutôt mourir en présence [de l'objet aimé] que vivre en [son] absence. »

Page 304.

1. *Un caractère* : une écriture.

2. *Très humbles serviteurs* : des Chapelles fait le bel esprit ; son laborieux développement met en valeur, par contraste, la légèreté et la rapidité de Mme de Sévigné. Aux conventions et aux hyperboles de la galanterie s'opposent de même, à la fin de la lettre, la simplicité et la réserve dans l'expression de l'émotion et de la tendresse.

80. À MADAME DE GRIGNAN

Page 305.

1. Vers dont nous n'avons pas identifié la source.

2. *Il vaudrait mieux...* : parce que la connaissance du mauvais état de leurs affaires pourrait diminuer le crédit des Grignan.

Page 306.

1. Mme de Sévigné compare son chagrin à la goutte, qui empêchait le Coadjuteur d'écrire. Souvenir du *Médecin malgré lui* (II, IV) : Sganarelle explique bouffonnement à Géronte pourquoi sa fille, Lucinde, a perdu la parole, concluant : « Voilà justement ce qui fait que votre fille est muette. »

2. *D'Harouys* était trésorier des états de Bretagne ; sa gestion n'était pas très sévère, et il fera faillite en 1687.

Page 308.

1. Le *verre d'eau* fait l'office de remède.

2. *Tout ce que nous disons...* : écho d'un passage censuré.

3. *Vos anciens amis* : les jésuites, Mme de Grignan ne partageant pas le préjugé de sa mère en faveur de Port-Royal.

4. *L'Exposition de la doctrine de l'Église catholique sur les matières de controverse* ne fut publiée que plus tard (achevé d'imprimer du 1er décembre 1671).

5. La Provence, par suite des circonstances de son rattachement à la couronne de France, dépendait du ministère des Affaires étrangères, auquel Pomponne venait d'être nommé. Les lettres raconteront les interventions de Mme de Sévigné auprès du ministre, son ami de toujours. Elle propose ici ses services, avec prudence.

81. À MADAME DE GRIGNAN

Page 310.

1. *Une petite critique contre la* Bérénice *de Racine* : l'abbé Montfaucon de Villars, qui venait de publier une *Critique de la* Bérénice *de Racine*, s'occupait d'occultisme et avait donné en 1670 *Le comte de Gabalis, ou Entretiens sur les sciences secrètes* (avec une seconde partie, *Les génies assistants et les gnomes irréconciliables*) ; il mourut assassiné à la fin de 1673. Racine, dans la préface de sa pièce, reprend et précise certains des reproches de Mme de Sévigné : « Et que répondrais-je à un homme qui ne pense rien, et qui ne sait pas même construire ce qu'il pense ? Il parle de protase comme s'il entendait ce mot, et veut que cette première des quatre parties de la tragédie soit toujours la plus proche de la dernière, qui est la catastrophe [...]. Mais je lui pardonne de ne pas savoir les règles du théâtre, puisque heureusement pour le public, il ne s'applique pas à ce genre d'écrire. Ce que je ne lui pardonne pas, c'est de savoir si peu les règles de la bonne plaisanterie, lui qui ne veut pas dire un mot sans plaisanter. Croit-il réjouir beaucoup les honnêtes gens par ces *hélas !* de poche, ces *Mesdemoiselles mes règles*, et quantité d'autres basses affectations, qu'il trouvera condamnées dans tous les bons auteurs, s'il se mêle jamais de les lire. »

Page 311.

1. *Ces aimables bêtes* : les puces et autres bestioles.
2. *Adhémar, le petit glorieux* : frère cadet du comte, ailleurs surnommé le *prince Adhémar*.

82. À MADAME DE GRIGNAN

Page 313.

1. *L'opinion d'Origène* : l'enseignement d'Origène lui valut une réputation universelle au IIIᵉ siècle après Jésus-Christ ; il produisit d'innombrables écrits et ses disciples lui en attribuèrent d'autres encore. L'Église y a relevé et condamné plusieurs hérésies, particulièrement celle qui niait l'éternité des peines.

2. *Cette requête* : présentée par l'Université pour interdire l'enseignement de la philosophie de Descartes.

3. *Per discrezione* : par conjecture et intuition.

4. *Une petite ville étouffée* : Lambesc, à une vingtaine de kilomètres d'Aix ; c'était la ville où se tenait l'assemblée des communautés de Provence, que le comte allait présider.

Page 314.

1. La proximité de l'assemblée explique pourquoi il va être de plus en plus question de l'évêque de *Marseille*, dont Mme de Sévigné a souvent critiqué le style épistolaire.

2. *Pareil à Marphise* : « c'est-à-dire à la petite chienne de Mme de Sévigné qui, selon Descartes, n'était qu'une machine » (note de Perrin).

Page 315.

1. Développement à rapprocher de ceux qui ont déjà évoqué les brouilles ; on retrouve les mêmes litotes (les *choses*, le *contraire*).

2. *Détruire par sa présence* : expression de style formulaire, dont Mme de Sévigné aime se moquer.

3. *Carpentras* : Gaspard de Vintimille, évêque de Carpentras depuis 1662, personnage « fort ennuyeux » selon une note de Perrin.

4. Les *habits d'oripeau* sont faits d'étoffes et de broderies en faux or et en faux argent.

5. Mme de Sévigné a plusieurs fois parlé d'un *chien de visage déjà vu quelque part*. Cette expression parodique est employée ici à la forme négative.

6. *Ce pauvre Chevalier* : le chevalier de Buous.

7. Les *vauriens* : les Grignan, par plaisanterie.

83. À MADAME DE GRIGNAN

Page 316.

1. Mme de Sévigné a déjà noté en juin l'abondance des pluies cette année-là ; d'où le mot *retombés*.

2. *Son frère l'avocat général* : François de Montigny (1629-1692), avocat général au parlement de Rennes de 1653 à 1678.

3. *Quos ego* : épisode célèbre du livre Ier de l'*Énéide*. Par ces deux mots d'une menace qu'il n'achève pas (on pourrait les traduire par : « attendez que je les... »), Neptune fait disparaître les vents qui avaient, sans son ordre, excité une tempête.

Page 317.

1. La *conformité à la volonté de Dieu* est le sujet du second traité du volume des *Essais de morale* que Mme de Sévigné était en train de lire, intitulé : « De la soumission à la volonté de Dieu ».

2. *Depuis le roi Jean* : en remontant aux origines (Jean le Bon, XIVe siècle). Sans doute l'un des tomes de l'*Histoire de France depuis Pharamond jusqu'à maintenant*, publiée de 1643 à 1651 en trois volumes par François de Mézeray.

3. *Une vraie solitaire* : Mme de Sévigné joue sur le mot solitaire qui désigne habituellement ceux qui s'étaient retirés à Port-Royal. Elle dépeint ensuite, par contraste, la visite de l'un d'eux à la cour.

4. Arnauld *d'Andilly* écrivit lui-même une relation « de la réception que le Roi lui fit, lorsqu'il vint le remercier de la grâce qu'il venait d'accorder à son fils ».

5. *La préface de Josèphe* : avertissement placé par

d'Andilly en tête de sa traduction de l'*Histoire de la guerre des Juifs contre les Romains* (1668) faisant suite au volume des *Antiquités judaïques* de Flavius Josèphe.

Page 318.

1. *La part que j'y prends* : à cause de l'ancienneté de son amitié avec les Arnauld, mais aussi à cause de l'espoir que la nomination de Pomponne lui donne de pouvoir intervenir auprès du ministre en faveur des Grignan.

84. À MADAME DE GRIGNAN

Page 319.

1. *Rêver noir* : avoir de sombres pensées.

Page 320.

1. Le *Premier Président* est celui du parlement d'Aix ; l'Évêque, celui de Marseille, tous deux personnages importants à l'Assemblée à laquelle M. de Grignan allait, comme l'année précédente, demander un *petit présent*, sous prétexte de l'entretien de ses gardes.

Page 321.

1. Arnauld d'Andilly, le père de *Pomponne*. Mme de Sévigné évoque à juste titre ses *vingt ans d'avance* puisqu'elle a connu le futur ministre dès 1650. Les années *difficiles à soutenir* sont celles qui ont suivi l'arrestation de Foucquet, dans la disgrâce duquel Pomponne fut entraîné.

2. Le *comte de Guiche* : Mlle de Montpensier, Mme de Motteville, Mme de La Fayette ont parlé de lui. Bussy a fait son portrait dans l'*Histoire amoureuse*. Il avait « de grands yeux noirs, le nez beau, bien fait, la bouche un peu grande, la forme du visage ronde et plate, le teint admirable, le front large, la taille belle, il avait de l'esprit, il savait beaucoup, il était moqueur, léger, présomptueux, brave, étourdi et sans amitié ». Toutes les femmes l'adoraient, mais il préférait les jeunes gens, particulièrement

Manicamp, et Monsieur, frère de Louis XIV. Selon Mme de Motteville, ce fut pourtant à cause d'une femme qu'il fut exilé une première fois, mais c'était l'épouse de Monsieur... Il fut banni de nouveau pour s'être mis avec Vardes et le comte de Soissons de la partie de ceux qui complotèrent pour détourner le roi de Mlle de La Vallière ; c'est en quoi son malheur et celui de Vardes *figurent ensemble*. Mais Vardes ne sera rappelé qu'en 1683. — Mme de Sévigné fait la *charge de d'Hacqueville*, parce qu'elle tient la gazette des nouvelles.

Page 322.

1. Le renvoi au *Coadjuteur* et à *Mme de Rochebonne* s'explique par leur goût de la plaisanterie, qui vient d'être rappelé.

2. *Le pauvre Léon* : J. de Montigny, abbé lettré et cartésien, venait d'être nommé à l'évêché de Saint-Pol-de-Léon.

85. À MADAME DE GRIGNAN

Page 323.

1. *L'opinion léonique* : c'est-à-dire l'opinion de l'abbé de Montigny, évêque de Léon, cartésien convaincu et qui, par conséquent, aurait dû refuser la pensée à la matière et toute sorte d'intelligence aux animaux.

2. *O che spero* : dans un vers de Pétrarque (troisième vers du premier tercet du sonnet *Rapido fiume : Forse (o che spero) il mio tardar le dole :* « Peut-être, et je l'espère, mon retard la chagrine »).

3. Ce *traité* est le quatrième dans l'édition des *Essais de morale* de 1671, non le troisième. Nicole y développe l'idée que, sous couleur de défendre la vérité, nous donnons souvent libre cours à notre malignité naturelle. Il condamne par là toutes les controverses systématiques. Il rappelle en passant qu'il y a des lieux « où toutes les apparences sévères sont bien reçues, et d'autres où elles sont toutes suspectes » et blâme ces jugements « faux et excessifs ».

Page 324.

1. *Louvigny*, frère cadet du comte de Guiche, espérait acquérir la charge de son père, le maréchal de Gramont, colonel des gardes françaises. Cet *établissement*, qui attache à la personne du roi et empêche d'être envoyé en province, explique l'amertume de Mme de Sévigné.

Page 325.

1. Anecdote plaisante renvoyant dos à dos spéculations philosophiques et querelles théologiques, selon un amalgame fréquent chez Mme de Sévigné.

86. À MADAME DE GRIGNAN

2. *À Autry* : chez Mme de Sanzei, la sœur de Coulanges. En réalité, il poursuivit son voyage et rejoignit les Grignan à Lambesc.

Page 326.

1. *Des abîmes sur des abîmes* : amalgame entre l'épuisement des forces de la comtesse et l'épuisement des ressources financières des Grignan.

Page 327.

1. *Prendre le jeton* : faire les comptes, à l'aide des jetons dont on se servait pour calculer.
2. *Je serai délogée* : Mme de Sévigné déménagera, en mai 1672, rue des Trois-Pavillons.
3. *Chasseur* : les chasses matinales du comte à Grignan ont déjà été évoquées.

87. À MADAME DE GRIGNAN

Page 329.

1. « J'ai remis mon cœur entre vos mains ; il ne tiendra qu'à vous de vous faire aimer autant qu'il vous plaira. » Citation non identifiée.

2. Par *héros de roman*, il faut entendre ces personnages qui arrivent de lointaines contrées et suscitent la curiosité précisément en raison de leurs différences.

88. À MADAME DE GRIGNAN

3. Il y a au moins cent trente kilomètres de Grignan à Lambesc ; *vingt lieues* en feraient environ quatre-vingts.

Page 330.

1. *Au bout de l'an* : c'est-à-dire juste un an après la naissance de Marie-Blanche, le 15 novembre. En fait la comtesse accouchera de Louis-Provence le 17 du même mois.

2. Il y avait à Salon des Grignan de Grignan (Grignan étant le nom de famille et non, comme dans le cas des Adhémar de Monteil, celui d'une terre).

Page 331.

1. *Provence [...] voilà comment on nous la dépeint* : Voiture, dans une lettre du 10 juillet 1632 : « Nous nous approchons tous les jours du pays des melons, des figues et des muscats, et nous allons combattre en des lieux où nous ne cueillerons point de palmes qui ne soient mêlées de fleurs d'orange et de grenades. » Mlle de Scudéry écrit de même, de Marseille, le 27 décembre 1644 : « L'hiver qui, aux lieux où vous êtes, est tout hérissé de glaçons, est ici couronné de fleurs. Sincèrement, Mademoiselle, alors même que je vous parle, l'on vient de m'envoyer des bouquets d'anémones, d'œillets, de narcisses, de jasmin, de fleurs d'orange, plus beaux que Mlle de Lorme n'en porte

au mois de mai. Et ce qu'il y a de commode ici est que l'on fait des visites à la fin de décembre, sans avoir besoin de feu, que l'on se promène sur le port comme on se promène aux Tuileries en juillet, qu'il ne pleut qu'en deux mois une fois, et que le soleil y est toujours aussi pur et aussi clair que dans la saison où il fait naître les roses » (À Mlle Paulet).

2. L'*abbaye* de Saint-Georges-sur-Loire, dans le diocèse d'*Angers*.

3. *Toutes mes folies* : cette lettre est l'écho de la lettre du 16 septembre, dans laquelle l'épistolière se livre à d'ingénieuses variations sur le thème de sa mauvaise humeur.

89. À MADAME DE GRIGNAN

Page 332.

1. *M. de Chevreuse* : le duc de Chevreuse et de Luynes était marié depuis février 1667 avec la fille aînée de Colbert. Racine lui a dédié *Britannicus ;* il fut l'ami de Fénelon et de Saint-Simon.

2. *Le petit de Monaco* : aîné des enfants du prince de Monaco. *Brayer* était un médecin ; c'est lui qui assistera Mme de Monaco dans sa dernière maladie.

3. *Mlle de Clisson* : l'une des huit filles de Claude de Bretagne, comte de Vertus, sœur puînée de la duchesse de Montbazon et de Mlle de Vertus. — *Mal de mère* pouvait désigner ou une affection de la matrice, ou les manifestations d'hystérie.

4. La lettre raille l'activité incessante de d'Hacqueville et particulièrement sa complaisance auprès des Grands. Perrin précise en note : « C'est de lui qu'on disait les d'Hacqueville, parce qu'il était partout » (1734), ou « parce qu'il était d'un caractère si officieux qu'il se reproduisait en quelque sorte pour le service de ses amis » (1754).

5. La *case* : la *casa*, la maison de Richelieu.

Page 333.

1. Guiche refusa en effet d'abandonner sa survivance à son frère, qui ne pouvait lui payer les 500 000 livres que valait la charge.

2. Mme de Sévigné a déjà cité approximativement ce vers du Tasse (13 mai 1671).

90. À MADAME DE GRIGNAN

3. *Factum* : « mémoire imprimé qu'on donne aux juges, qui contient le fait du procès raconté sommairement, où on ajoute quelquefois les moyens de droit » (Furetière). Mme de Sévigné renchérit sur la plaisanterie de sa fille.

Page 334.

1. Sans renoncer au ton du badinage, qui caractérise sa correspondance avec le comte, l'épistolière est passée, insensiblement, de la gronderie affectueuse au procès d'intention et de l'astéisme (compliment déguisé) à l'ultimatum. Le passage est caractéristique de l'ambiguïté du badinage et du dualisme galant, qui brouille les frontières entre la littérature et l'ordinaire, le jeu et le sérieux.

2. Mme de Grignan accouchera pourtant à Lambesc.

Page 335.

1. Le passage fait allusion à deux histoires différentes, d'abord entremêlées. La première est *celle de La Mousse*, que Mme de Sévigné avait dû raconter dans un passage censuré par les premiers éditeurs, histoire bretonne, où il devait être question de créatures appartenant au folklore du pays, les Korrigans, capables de transporter les humains d'un lieu à un autre avec la rapidité de l'éclair. La seconde est une histoire que Mme de Grignan a rapportée, sans doute en réponse à sa mère ; elle concerne des faits qui se seraient passés en Provence, racontés par Auger, domestique des Grignan.

Page 336.

1. De la légende, Mme de Sévigné passe au miracle dont, pour finir, elle réaffirme la possibilité tout en récusant sa probabilité, ce qui est conforme à la pensée des gens de Port-Royal, notamment à celle de Nicole dans le traité « De tenter Dieu ». L'incrédulité de Mme de Sévigné pour les *miracles* du solitaire est du même ordre que pour la vision d'Auger : elle le connaît. Il s'agit en effet d'un ancien gentilhomme de Mme de Rambouillet, qui s'était installé en Provence avec l'autorisation de l'archevêque d'Arles. En 1667, il avait fondé un ermitage au val de Cuech sur l'ancienne route de Salon à Aix. Il portait le nom de frère Nicolas et avait une grande réputation de sainteté.

91. À MADAME DE GRIGNAN

2. *Mme Moreau* avait été la garde de Mme de Grignan lors de la naissance de Marie-Blanche.

Page 337.

1. Il était d'usage, pour un mariage princier, que l'époux donne procuration à un haut dignitaire pour *épouser* en son nom. C'est pourquoi la cérémonie du mariage est à *Metz*, en un lieu différent de sa consommation.

2. Le *bonhomme La Maison* : fermier de Bourbilly, en Bourgogne.

Page 338.

1. *Beaulieu* : maître d'hôtel de Mme de Sévigné.

2. L'occultisme d'*Auger* suggère à la marquise ce récit fantasmagorique. — Le *verre d'eau* qui sert de remède est un souvenir de *L'Avare* (I, IV).

3. Les *Renaudots qui égayent leurs plumes à mes dépens*, ce sont les correspondants d'occasion qui écrivent pour raconter, en mauvais style, des nouvelles connues de tout le monde comme celles des gazettes.

4. *Figuriborum* : surnom de d'Irval, plus tard comte d'Avaux, avec lequel Mme de Grignan était prétendument fâchée.

92. À MADAME DE GRIGNAN

Page 339.

1. *Le Camus* : secrétaire du duc de Vendôme ; *Davonneau* : secrétaire de Grignan. Continuation de l'affaire des secrétaires, déjà évoquée (voir la lettre 32 du 8 avril 1671).

Page 340.

1. Souhaiter que ce *régiment* soit *quelque chose de bon*, c'est espérer qu'il a été donné, non *accordé* moyennant finances.

2. Nous ignorons l'anecdote mais le sens est clair : Mme de Sévigné ne veut pas, parce qu'il s'agit de sa fille, en *faire les honneurs*, c'est-à-dire, selon les règles de la politesse, la présenter modestement, sans célébrer ses louanges.

3. Mme de Sévigné reviendra, le mercredi suivant, sur cette lettre en forme de *livre* avec des *chapitres*, d'où la plaisanterie, tirée de Molière. Dans *Le Médecin malgré lui* (II, III), pour faire le savant, Sganarelle cite Hippocrate (non Aristote) qui ordonne, dit-il, à Géronte et à lui-même de se couvrir ; comme on lui demande où, il répond, pris de court : « Dans le chapitre des chapeaux. »

Page 341.

1. Le *petit ami*, en ce temps-là, c'est Dubois, le commis de la poste, *honnête homme* non par ses *paroles* mais *d'ailleurs*, parce qu'il assure à Paris la réexpédition des lettres.

93. À MADAME DE GRIGNAN

Page 342.

1. *Antipéristases* : « Terme dogmatique : action de deux qualités contraires, dont l'une augmente la force de l'autre » (*Dictionnaire de l'Académie*). Littré cite, avec le texte de Mme de Sévigné, un seul exemple tiré d'A. Paré : « L'hiver augmente la chaleur du corps, par antipéristase, c'est-à-dire par contrariété de l'air voisin. » Le mot était à la mode et fournit le titre de l'un des chapitres du *Recueil général des questions traitées dans les conférences du bureau d'adresse* (1666).

2. Mme de Sévigné continue en 1671 les plantations entreprises après son veuvage et poursuivies pendant l'hiver de 1666.

3. Le *marquis de Senneterre* était le fils de Marie de Hautefort et de Charles de Senneterre. Le 13 octobre 1671, à Privas, il fut attiré dans un guet-apens et frappé de sept balles ; il mourut le 25 du même mois. Saint-Simon, comme Mme de Sévigné, soupçonne la mère d'avoir machiné l'assassinat ; pourtant, malgré les accusations de la veuve du marquis (*notre petite amie*), elle ne fut pas inquiétée, faute de preuves.

Page 343.

1. *Je suis malheureuse en maris* : cette seconde allusion à Henri de Sévigné ne lui est pas plus favorable que la première. L'abbé d'Effiat, frère puîné de Cinq-Mars, était lié depuis longtemps à Mme de Sévigné par des liens amicaux. Le mariage évoqué est une fausse nouvelle.

2. Les manuscrits de Conrart ont conservé l'épigramme entière de Saint-Pavin, poète et originaire de Livry, où il voyait Mme de Sévigné chez son oncle : « Seigneur, que vos bontés sont grandes / De nous écouter de si haut ! / On vous fait diverses demandes : / Seul vous savez ce qu'il nous faut. / Je suis honteux de mes faiblesses : / Pour les honneurs, pour les richesses, / Je vous importunai jadis ;

/ J'y renonce, je le proteste : / Multipliez les vendredis, / Je vous quitte de tout le reste. »

Page 344.

1. *A l'applicazione* : faire l'application d'une citation ou d'une formule littéraire, c'est en établir le lien avec une situation réelle, selon un réflexe propre au loisir lettré mondain.

2. *Monsieur d'Angers* : frère d'Arnauld le docteur et d'Arnauld d'Andilly, évêque d'Angers de 1650 à 1692, il mourut en grande réputation de sainteté parmi les jansénistes.

94. À MADAME DE GRIGNAN

3. *Vous* renvoie à Coulanges et aux Grignan qui ont écrit une lettre collective (un *dialogue*), comme ceux auxquels Mme de Sévigné participait naguère dans le cercle des Plessis-Guénégaud.

4. *Jacquemart et Marguerite* : « C'est ainsi qu'on nomme à Lambesc les deux figures de bois qui frappent les heures à l'horloge du beffroi de cette ville » (note de Perrin). Coulanges a composé une chanson à leur sujet : « (Sur l'air : *Dépêchez-vous, prépare ces lieux*) / Quoi, faut-il quitter ce séjour / Où la poste en bien plus d'une heure / M'a conduit avec tant de charmes ? / Ah, je m'en vais incessamment / Verser des larmes / De mon cruel éloignement ! / Je ne suis point un hypocrite, / Nuit et jour je vous regrette tous. / Jacquemart, arrêtez vos coups. / Jacquemart et Marguerite, / À qui diable en avez-vous ? »

Page 345.

1. *Une vraie demoiselle de Lorraine* : la maison de Lorraine avait peu de biens et beaucoup de membres, d'où le *manteau noir*, signe de pauvreté.

2. En fait, le premier président Henri de Forbin d'Oppède mourra à Lambesc le 13 novembre au matin.

3. Le traité « De la soumission à la volonté de Dieu » est le second dans le volume des *Essais* que Mme de Sévigné était en train de lire.

Page 346.

1. *Vous a gagné votre argent* : Mme de Sévigné, qui a appris indirectement, par Mme de Coulanges, les pertes de Grignan au jeu, y fait de même une allusion indirecte.

2. *En Suède* : Pomponne était ambassadeur en Suède au moment de sa nomination comme ministre d'État.

95. À MADAME DE GRIGNAN

Page 347.

1. Nicole le dit aussi : « Nous haïssons naturellement toutes ces choses, parce que nous aimons celles qui y sont contraires, savoir l'estime et l'amour des hommes, la civilité, l'application à ce qu'ils nous regardent, la confiance, la reconnaissance, les humeurs douces et commodes. Ainsi, pour se délivrer de l'impression que font sur notre esprit ces objets de notre haine, il faut travailler à nous délivrer de l'attache que nous avons aux objets contraires. » Puis il ajoute : « Il n'y a que la grâce qui le puisse faire. Mais, comme la grâce se sert des moyens humains, il n'est pas inutile de se remplir l'esprit des considérations qui nous découvrent la vanité de ces objets de notre attachement » (*Essais*, « Des moyens de conserver la paix avec les hommes », IIe partie, chap. I).

2. *Sur ce que* le prochain *pense de nous*.

3. Nicole, traité « Des moyens de conserver... », Ire partie, chap. VII : « L'impatience qui porte à contredire les autres avec chaleur ne vient que de ce que nous ne souffrons qu'avec peine qu'ils aient des sentiments différents des nôtres. C'est parce que ces sentiments sont contraires à notre sens qu'ils nous blessent, et non pas parce qu'ils sont contraires à la vérité. »

4. Même traité, Ire partie, chap. V : « Ceux qui parlent bien

et facilement sont sujets à être attachés à leurs sens et à ne se laisser pas facilement détromper, parce qu'ils sont portés à croire qu'ils ont le même avantage sur l'esprit des autres qu'ils ont, pour le dire ainsi, sur la langue des autres ; l'avantage qu'ils ont en cela leur est visible et palpable, au lieu que leur manque de lumière et d'exactitude dans le raisonnement leur est caché. De plus, la facilité qu'ils ont à parler donne un certain éclat à leurs pensées, quoique fausses, qui les éblouit eux-mêmes ; au lieu que ceux qui parlent avec peine obscurcissent les vérités les plus claires et leur donnent l'air de fausseté, et ils sont même souvent obligés de céder et de paraître convaincus, faute de trouver des termes pour se démêler de ces faussetés éblouissantes. »

Page 348.

1. Mme de Sévigné songe cette fois au premier volume des *Essais* de Nicole, paru en 1670. Le chapitre VI du traité « De la grandeur » montre que « la cupidité prend dans le monde la place de la charité pour remplir les besoins des hommes » : « Quelle charité serait-ce que de bâtir une maison tout entière pour un autre, de la meubler, de la tapisser, de la lui rendre la clé à la main ! La cupidité le fera gaiement. Quelle charité d'aller quérir des remèdes aux humbles, de s'abaisser aux plus viles nourritures, et de rendre aux autres les services les plus bas et les plus pénibles ! La cupidité fait tout cela sans s'en plaindre. »

2. *Je tiens ceci d'un bon auteur* : Rabelais ; ce sont les plaintes de Panurge pendant la tempête. « Ô que trois et quatre fois heureux sont ceux qui plantent choux ! Ô Parques, que ne me filâtes-vous pour planteurs de choux ! Ô que petit est le nombre de ceux à qui Jupiter a telle faveur portée qu'il les a destinés à planter choux ! Car ils ont toujours en terre un pied, l'autre n'en est pas loin » (*Quart livre*, XVIII).

3. *Une bouffée de fièvre* : c'est la première atteinte de la maladie dont Mme de La Trousse mourra en juin 1672.

Page 349.

1. *Hasta la muerte,* « jusqu'à la mort » : c'est le mot d'une devise espagnole rapportée par le père Bouhours dans

le sixième des *Entretiens d'Ariste et d'Eugène*, intitulé « Les devises » ; la première édition du livre est de janvier 1671.

2. Les trois frères du comte : Jean-Baptiste de Grignan, Coadjuteur d'Arles, avait reçu, selon l'usage, un archevêché *in partibus*, celui de *Claudiopolis*. *Adhémar* était *colonel* maintenant qu'il avait un régiment. Quant au *beau Chevalier*, il ressemblait aux héros des romans (voir la lettre 38 du 22 avril 1671, p. 156).

96. À MADAME DE GRIGNAN

Page 351.

1. *Mme du Fresnoy* : Élie du Fresnoy, premier commis au bureau de la guerre, avait épousé Marie Collot, fille d'un apothicaire. Elle était, au dire des contemporains et de Mme de Sévigné elle-même, d'une beauté extraordinaire, qu'elle conserva, selon Saint-Simon, « jusque dans sa dernière vieillesse ». Elle était la maîtresse de Louvois (d'où l'incongruité de la Marans), qui fit créer pour elle le 2 avril 1673 la charge de dame du lit de la reine.

2. Application du vers de Marot, dans l'*Épître au Roi pour avoir été dérobé* : « Ce Monsieur-là, Sire, c'était moi-même. »

3. Cette devise deviendra celle du régiment de Joseph de Grignan. Une variante assez proche figure dans le sixième des *Entretiens d'Ariste et d'Eugène* (voir la note 1, p. 349).

Page 352.

1. « De l'ardeur naît le fait d'oser. » Bouhours, dans le sixième des *Entretiens*, traduit : « De mon ardeur ma hardiesse » ; c'était la devise du maréchal de Bassompierre. Elle est donnée, avec une fusée en l'air, dans *Le Camp de la place Royale*, récit du carrousel de 1612 par Laugier de Porchères.

2. *L'alte non temo, e l'umili non sdegno* : « Je ne crains pas les hautes entreprises et ne dédaigne pas les humbles » (vers de Clorinde, dans *La Jérusalem délivrée*, chant II, stance XLVI).

97. À MADAME DE GRIGNAN

3. *La signature* : Joseph de Grignan, qui avait commission de lever un régiment de son nom, se demandait s'il garderait celui d'Adhémar, qu'il portait en ce temps-là, ou s'il en changerait. La plaisanterie vient de ce qu'Adhémar hésite entre plusieurs noms avant de signer les lettres de remerciements au roi et aux ministres dont il sera question dans la suite. En fait, après la mort de son frère, en février 1672, il prendra le nom de chevalier de Grignan, et son régiment s'appellera *Grignan*.

Page 353.

1. *Une grive* : M. de Grignan aimait la chasse.

Page 354.

1. *Rouville* : François, comte de Rouville, était, par son père, frère de la seconde femme de Bussy. Ses décisions faisaient autorité à la cour.

98. À MADAME DE GRIGNAN

Page 355.

1. *Mme de Montausier* mourut le 15 novembre 1671 ; *Mme de Crussol* était sa fille.
2. Mme de Sévigné ne se trompait pas : Louis-Provence naquit le 17 novembre.

99. À MADAME DE GRIGNAN

Page 356.

1. *La signora qui mit au monde une fille* : Mme de Sévigné s'était servi de ce conte, parmi les plus licencieux de

La Fontaine, pour annoncer la naissance de Marie-Blanche à son père (lettre du 19 novembre 1670, « Bibl. de la Pléiade », t. I, p. 133).

2. Le *Premier Président*, Forbin d'Oppède, avait cinquante et un ans.

3. Comme *Mme de Montausier*, à laquelle elle succédait en qualité de dame d'honneur de la reine, *Mme de Richelieu* apportera à la cour la politesse de l'hôtel de Rambouillet. Cette *maison* : l'hôtel de Richelieu.

Page 357.

1. Cela définit parfaitement la situation de Mme de Sévigné par rapport à la cour au temps des lettres à la comtesse.

101. À MADAME DE GRIGNAN

Page 359.

1. Antérieure à la naissance, le 17 novembre ; celle du comte était du mercredi, donc du 18, jour du baptême.

2. Allusion plaisante à la naissance de Marie-Blanche.

3. *L'avoir fait nommer par la Provence* : on le baptisa Louis-Provence.

102. À MADAME DE GRIGNAN

Page 360.

1. Charles de Sévigné, comte de *Montmoron*, cousin du mari de Mme de Sévigné, appartenait à la branche parlementaire de la famille. Il était, depuis 1659, conseiller au parlement de Rennes.

Page 361.

1. *Lauzun*, arrêté le 25 novembre 1671 et enfermé à Pignerol (forteresse située dans une enclave française

dans le Piémont), comme Foucquet, ne retrouva la liberté qu'en 1681. Selon Saint-Simon et Segrais, il fut victime de la vengeance de Mme de Montespan, qu'il dénigrait auprès du roi. Mme de Sévigné lui applique les paroles célèbres de l'Ecclésiaste, que Bossuet avait prises pour texte de l'oraison funèbre d'Henriette d'Angleterre en 1670 ; d'où le lien des idées avec le paragraphe suivant sur la *nouvelle Madame*.

2. « Ce n'est pas que je fasse des promenades plus longues ni plus fréquentes que je n'avais coutume de les faire chez nous ; mais les gens de ce pays-ci ne savent pas mieux marcher que les oies et, sauf le Roi, Mme de Chevreuse et moi, il n'y a pas un être capable de faire vingt pas sans suer et perdre haleine » (lettre de Madame, du 5 février 1672). Cela explique la malice de Mme de Sévigné et la citation italienne : « Laissons-la aller, elle fera bon voyage. »

103. À GUITAUT

Page 362.

1. Cette lettre à Guitaut (voisin de Mme de Sévigné à Paris, chez qui s'était déroulé l'incendie dont elle a fait un récit mémorable) répond à une lettre de compliments reçue à l'occasion de la naissance de Louis-Provence.

2. *En quelque lieu que vous soyez* : c'est-à-dire que Guitaut habite déjà ou non le logis qu'il doit occuper, près de la nouvelle demeure de Mme de Sévigné.

3. *Pour nos amis* : pour les Grignan, Mme de Sévigné croyant alors qu'ils avaient besoin du premier président de Provence pour établir leur influence.

Page 363.

1. Même idée que dans la lettre à Mme de Grignan, dans laquelle toutefois le nom de *Foucquet* n'est pas prononcé.

104. À MADAME DE GRIGNAN

Page 365.

1. *Monsieur le secrétaire* : Joseph de Grignan, auquel avait été adressée la devise. L'*habile homme* est Sévigné-Montmoron.

Page 366.

1. *Les jeunes chirurgiens* : Mme de Sévigné s'était inquiété à tort de la jeunesse du chirurgien de Lambesc.
2. Le retour de *Vardes* est une fausse nouvelle, entraînée par le retour de Guiche. La *joie* de Mme Scarron serait d'avoir témoigné sa reconnaissance à Mme de Richelieu en contribuant à l'établir à la cour comme dame d'honneur de la reine.

105. À MADAME DE GRIGNAN

3. *Mme de Loresse* : cousine issue de germains de Mme de Grignan.
4. *Pour éviter le pavé de Laval,* c'est-à-dire de la route de Vitré à Laval, Mme de Sévigné s'en va par le sud, se rendant à Loresse à cinq lieues de poste au sud des Rochers. En fait, elle changera d'avis et préférera retarder son voyage et passer elle-même à la poste de Laval le vendredi. Les étapes suivantes seront Malicorne (d'où elle écrira le dimanche) à dix lieues de Meslay, puis Le Mans à sept lieues un quart de Malicorne. Elle arrivera à Paris le vendredi, ayant parcouru cinquante-trois lieues depuis Le Mans.

106. À MADAME DE GRIGNAN

Page 368.

1. *Se panader*, c'est se pavaner. Le mot, utilisé par La Fontaine et par Voltaire, est cité par Furetière en 1690 ; il ne fut accueilli qu'en 1872 dans le *Dictionnaire de l'Académie*.

2. *De Paris à Paris* : c'est-à-dire au moment de la retransmission à Paris.

Page 369.

1. *Obligeantes et modestes pensées* par antiphrase. Cela confirme que ses médisances portaient bien sur la naissance de Marie-Blanche et c'est dans le même esprit qu'il va être question des *grands yeux* de Louis-Provence, *marque* de l'*honnêteté* de la comtesse, puisqu'ils sont ceux de son père.

2. La *crainte* d'avoir un gros nez comme son père et l'*espérance* d'en avoir un joli comme sa mère, qui, sans cela, *n'aurait que la bouche*.

Page 370.

1. *Mme Pernelle* : la mère d'Orgon, dans *Le Tartuffe*, bigote entichée de dévotion et du faux dévot.

107. À MADAME DE GRIGNAN

Page 371.

1. La *tante* est Mme de La Trousse, chez laquelle Mme de Sévigné est descendue d'abord et d'où elle écrit le premier paragraphe. Elle ira loger chez Coulanges, rue du Parc-Royal, en attendant d'emménager dans son nouveau logis, rue des Trois-Pavillons, ne pouvant habiter l'ancien, rue de Thorigny, au-dessus de l'appartement de Mme de Grignan, sous-loué à Mme de Bonneuil.

2. Mme de Sévigné est maintenant arrivée chez *Coulanges* où loge déjà la sœur de celui-ci, *Mme de Sanzei*.

3. Rappel des propos tenus par Mme de Grignan alors que son cousin était près d'elle à Lambesc, d'où il revient ; elle ne peut, disait-elle, être qu'à Paris, dans la *chambre* de sa mère, puisque *Coulanges* est à ses côtés.

Page 372.

1. Louis Le Tonnelier de *Breteuil*, ancien intendant de Languedoc et ancien contrôleur général, eut plusieurs fils dont trois furent reçus chevaliers de Malte en 1650, 1660 et 1662. Né en 1648, son septième enfant, Louis-Nicolas Le Tonnelier, sera l'amant de la présidente Ferrand et le héros de l'*Histoire des amours de Cléante et de Bélise*.

Page 373.

1. Les *restringents*, dans le vocabulaire médical, désignent les médicaments destinés à resserrer ce qui est relâché. Il s'agit peut-être de contraceptifs. Le passage est d'autorité douteuse.

108. À MADAME DE GRIGNAN

2. *Des ennemis trop puissants* : Mme de Montespan.

Page 374.

1. *Pierre-Encise*, près de Lyon, situé sur un rocher qui domine la rive droite de la Saône, était un château qui servait de prison d'État.

Page 375.

1. *Marsillac* portait désormais le titre de duc par la donation de son père.
2. *Villarceaux* : né en 1619, Louis de Mornay, marquis de Villarceaux, était un beau brun, fort riche et fort libertin. Il avait inspiré à Ninon une passion durable. Selon Saint-Simon, « il entretint longtemps Mme Scarron et la tenait presque tout l'été » à Villarceaux, chez lui. Il était frère de Mlle de Grancey. D'après une note de Perrin, la *nièce* est la cadette des deux filles de la maréchale, Louise-

Élisabeth Rouxel. Elle avait dix-huit ans, et non quinze. Sa sœur, Marie-Louise, comtesse de Marey, en avait vingt-trois. Ce sont les *Anges*.

3. Les *Anges* ne sont pas un *chiffre*, c'est-à-dire un nom de code, mais un surnom connu. Bientôt au contraire, au sujet des affaires de Provence, Mme de Sévigné emploiera des chiffres ; elle en avait déjà employé dans les lettres racontant le procès de Foucquet. Le procédé est très fréquent dans les correspondances pour déjouer les risques de perte et la surveillance du cabinet noir. Chez Mme de Sévigné, il revêt aussi une indéniable dimension poétique.

4. *Votre voisine* : Mme de Monaco, qui était alors avec son mari à Monaco, et donc *voisine* de Mme de Grignan, qui ira l'y voir.

Page 376.

1. Mme de Sévigné emploie souvent *enfin* pour dire à la fin.

2. *Des premières*, c'est-à-dire des lettres de la comtesse par opposition aux siennes, ou des premières lignes, selon une variante.

Page 377.

1. *L'affaire du Roi* : la demande du roi, présentée le 7 octobre, portait à 600 000 livres le montant des impôts de la Provence (au lieu de 400 000 l'année précédente), plus 40 000 livres pour construction de barrages. Ce n'est qu'à l'issue de laborieuses négociations assorties de menaces de représailles que Grignan parviendra à faire accepter par l'assemblée le vote de 500 000 livres. Il aura en outre satisfaction pour ses propres *affaires* et obtiendra sa gratification de 5 000 livres malgré l'opposition de l'Évêque.

2. *L'abbé de Grignan* : Louis de Grignan, né en juin 1650, était le plus jeune frère du comte. Il était sous-diacre en 1670.

Page 378.

1. Mme de Sévigné cite de mémoire le vers d'Orgon, qui, dans *Le Tartuffe*, se fortifie contre les exhortations de

Marianne en disant : « Allons, ferme, mon cœur ! Point de faiblesse humaine ! » (IV, III).

2. *Catau* avait été renvoyée de Provence à Paris à la suite d'une fausse couche suspecte ; sa présence chez Mme de Sévigné semble indiquer qu'on ne l'avait pas chassée, mais envoyée rejoindre son mari.

Page 379.

1. *À cause de l'hôtel de Richelieu qu'il n'a plus* : parce que Mme de Richelieu est désormais attachée à la cour.

2. *D'Irval* et *d'Avaux* sont les deux fils du président, *M. de Mesmes*.

3. *Rippert* : capitaine des gardes du comte, envoyé en ambassade pour annoncer les décisions de l'Assemblée ; il arriva à Paris le 25 décembre.

4. *Le Roi part* : fausse nouvelle ; le roi ne partit pas avec les troupes, qui marchèrent seules ; c'étaient déjà les préparatifs de la campagne de Hollande.

5. Souvenir d'un sixain de Mlle de Scudéry à l'occasion de l'invasion de la Franche-Comté en 1668. Il a été conservé par Bussy : « Les héros de l'Antiquité / N'étaient que des héros d'été. / Ils suivaient le printemps comme les hirondelles, / La victoire en hiver pour eux n'avait point d'ailes ; / Mais malgré les frimas, la neige et les glaçons, / Louis est un héros de toutes les saisons. »

6. Les *secrets de Pomenars* : ses recettes de faux-monnayeur.

Page 380.

1. *Les Deville* : ils songeaient à quitter le service des Grignan. Ils ne le feront pas immédiatement.

2. *Châtillon* : il sera capitaine des gardes du corps de Monsieur en 1674. Saint-Simon le cite avec le chevalier de Lorraine ; tous deux « avaient fait une grande fortune par leur figure dont Monsieur s'était entêté plus que de pas un autre ». Châtillon « qui n'avait ni pain, ni sens, ni esprit, s'y releva et y acquit du bien ».

3. « Et avec cela (et là-dessus) je me recommande (je vous baise les mains). »

109. À MADAME DE GRIGNAN

4. En musique, le *dessus* était la partie la plus aiguë, par opposition à la *basse*.

Page 381.

1. Après réflexion, Mme de Sévigné revient sur l'affaire des *Deville* et n'approuve plus autant sa fille. Elle évoque les scènes II et III de l'acte IV du *Dépit amoureux* de Molière.

Page 382.

1. Le début de la lettre a été écrit le jeudi. La deuxième partie, trop brève pour constituer un *second tome,* est du vendredi matin ; Mme de Sévigné y rapporte ses dévotions de la veille, la messe de minuit aux Minimes dont l'église était proche de la place Royale. Elle ajoutera une troisième partie après l'arrivée de Rippert.
2. Les sermons de *Bourdaloue* : dans la *Satire X* (« Sur les femmes »), publiée en 1694, Boileau rappellera cette pratique, se déclarant « écolier ou plutôt singe de Bourdaloue ». Les allusions à Tréville (favori de la première Madame, qui s'était jeté par dépit après sa mort dans une retraite qu'il ne pouvait soutenir) remontaient au troisième dimanche de l'Avent, le 13 décembre, dans le sermon « Sur la sévérité évangélique ».

Page 383.

1. *Votre président* : un président au parlement de Provence.
2. Mme de Sévigné a vanté plusieurs fois le talent épistolaire de son gendre, avec raison si l'on en juge par la fermeté du style des lettres conservées.

110. À MADAME DE GRIGNAN

Page 384.

1. *Mme de Coulanges*, nièce de Le Tellier, sert d'intermédiaire avec la cour.

Page 386.

1. *Mlles de Grignan* : il s'agit des deux filles nées de son premier mariage. Elles étaient alors élevées près de leur tante, Louise-Françoise d'Angennes, troisième fille de Mme de Rambouillet, abbesse de Saint-Étienne de Reims. Mme de Crussol est leur cousine germaine.
2. La *sœur* de Mme Valavoire : Mme de Forbin-Soliers, ou Mme de Buzanval.
3. *Comme sur la montagne* : allusion à la situation du château de Grignan et au livre II des *Amours de Psyché*, de La Fontaine, paru en 1669.

Page 387.

1. *Ici* : chez Coulanges. *M. de Richelieu* était le petit-neveu et l'héritier du cardinal. — *Guilleragues*, d'une famille parlementaire de Bordeaux, était l'auteur des *Lettres portugaises*, parues en 1669. — *Mme Scarron*, future Mme de Maintenon, quittait alors Paris pour aller élever les bâtards royaux.
2. Préparatifs de la guerre. L'électeur de Cologne, sous l'influence de son ministre Guillaume de Furstenberg, était allié de la France ; à travers son territoire, on pouvait faire passer les troupes en Hollande sans traverser les Pays-Bas.

Page 388.

1. Mme de Sévigné est *fâchée* parce que cela lui fait de la peine, et *occupée*, c'est-à-dire préoccupée parce que cela risque de retarder son départ pour la Provence.
2. *Pierrot* : plaisanterie déjà évoquée, par allusion à une aventure du chancelier Séguier (voir la lettre 37 et la note 1, p. 154).

TABLE DES LETTRES

Dans la même collection

ABÉLARD ET HÉLOÏSE. *Correspondance*. Préface d'Étienne Gilson. Édition établie et annotée par Édouard Bouyé. Traduction d'Octave Gréard.

BAUDELAIRE. *Correspondance*. Préface de Jérôme Thélot. Choix et édition de Claude Pichois et Jérôme Thélot.

DIDEROT. *Lettres à Sophie Volland*. Choix et présentation de Jean Varloot.

FLAUBERT. *Correspondance*. Choix et présentation de Bernard Masson. Texte établi par Jean Bruneau.

MALLARMÉ. *Correspondance complète* (1862-1871) suivi de *Lettres sur la poésie (1872-1898)*, avec des lettres inédites. Préface d'Yves Bonnefoy. Édition de Bertrand Marchal.

MADAME DE SÉVIGNÉ. *Lettres choisies*. Édition présentée et établie par Roger Duchêne.

GEORGE SAND. *Lettres d'une vie*. Choix et présentation de Thierry Bodin.

NIETZSCHE. *Lettres choisies*. Édition de Marc de Launay. Traduction de Marc de Launay, Maurice de Gandillac, Henri-Alexis Baatsch et Jean Bréjoux.

STENDHAL. *Aux âmes sensibles. Lettres choisies (1800-1842)*. Choix d'Emmanuel Boudot-Lamotte. Édition établie, présentée et annotée par Mariella Di Maio.

COLLECTION FOLIO

Dernières parutions

5251. Pierre Péju	*La Diagonale du vide*
5252. Philip Roth	*Exit le fantôme*
5253. Hunter S. Thompson	*Hell's Angels*
5254. Raymond Queneau	*Connaissez-vous Paris ?*
5255. Antoni Casas Ros	*Enigma*
5256. Louis-Ferdinand Céline	*Lettres à la N.R.F.*
5257. Marlena de Blasi	*Mille jours à Venise*
5258. Éric Fottorino	*Je pars demain*
5259. Ernest Hemingway	*Îles à la dérive*
5260. Gilles Leroy	*Zola Jackson*
5261. Amos Oz	*La boîte noire*
5262. Pascal Quignard	*La barque silencieuse (Dernier royaume, VI)*
5263. Salman Rushdie	*Est, Ouest*
5264. Alix de Saint-André	*En avant, route !*
5265. Gilbert Sinoué	*Le dernier pharaon*
5266. Tom Wolfe	*Sam et Charlie vont en bateau*
5267. Tracy Chevalier	*Prodigieuses créatures*
5268. Yasushi Inoué	*Kôsaku*
5269. Théophile Gautier	*Histoire du Romantisme*
5270. Pierre Charras	*Le requiem de Franz*
5271. Serge Mestre	*La Lumière et l'Oubli*
5272. Emmanuelle Pagano	*L'absence d'oiseaux d'eau*
5273. Lucien Suel	*La patience de Mauricette*
5274. Jean-Noël Pancrazi	*Montecristi*
5275. Mohammed Aïssaoui	*L'affaire de l'esclave Furcy*
5276. Thomas Bernhard	*Mes prix littéraires*
5277. Arnaud Cathrine	*Le journal intime de Benjamin Lorca*
5278. Herman Melville	*Mardi*
5279. Catherine Cusset	*New York, journal d'un cycle*
5280. Didier Daeninckx	*Galadio*
5281. Valentine Goby	*Des corps en silence*

5282. Sempé-Goscinny — *La rentrée du Petit Nicolas*
5283. Jens Christian Grøndahl — *Silence en octobre*
5284. Alain Jaubert — *D'Alice à Frankenstein (Lumière de l'image, 2)*
5285. Jean Molla — *Sobibor*
5286. Irène Némirovsky — *Le malentendu*
5287. Chuck Palahniuk — *Pygmy* (à paraître)
5288. J.-B. Pontalis — *En marge des nuits*
5289. Jean-Christophe Rufin — *Katiba*
5290. Jean-Jacques Bernard — *Petit éloge du cinéma d'aujourd'hui*
5291. Jean-Michel Delacomptée — *Petit éloge des amoureux du silence*
5292. Mathieu Terence — *Petit éloge de la joie*
5293. Vincent Wackenheim — *Petit éloge de la première fois*
5294. Richard Bausch — *Téléphone rose* et autres nouvelles
5295. Collectif — *Ne nous fâchons pas ! Ou L'art de se disputer au théâtre*
5296. Collectif — *Fiasco ! Des écrivains en scène*
5297. Miguel de Unamuno — *Des yeux pour voir*
5298. Jules Verne — *Une fantaisie du docteur Ox*
5299. Robert Charles Wilson — *YFL-500*
5300. Nelly Alard — *Le crieur de nuit*
5301. Alan Bennett — *La mise à nu des époux Ransome*
5302. Erri De Luca — *Acide, Arc-en-ciel*
5303. Philippe Djian — *Incidences*
5304. Annie Ernaux — *L'écriture comme un couteau*
5305. Élisabeth Filhol — *La Centrale*
5306. Tristan Garcia — *Mémoires de la Jungle*
5307. Kazuo Ishiguro — *Nocturnes. Cinq nouvelles de musique au crépuscule*
5308. Camille Laurens — *Romance nerveuse*
5309. Michèle Lesbre — *Nina par hasard*
5310. Claudio Magris — *Une autre mer*
5311. Amos Oz — *Scènes de vie villageoise*

5312. Louis-Bernard Robitaille	*Ces impossibles Français*
5313. Collectif	*Dans les archives secrètes de la police*
5314. Alexandre Dumas	*Gabriel Lambert*
5315. Pierre Bergé	*Lettres à Yves*
5316. Régis Debray	*Dégagements*
5317. Hans Magnus Enzensberger	*Hammerstein ou l'intransigeance*
5318. Éric Fottorino	*Questions à mon père*
5319. Jérôme Garcin	*L'écuyer mirobolant*
5320. Pascale Gautier	*Les vieilles*
5321. Catherine Guillebaud	*Dernière caresse*
5322. Adam Haslett	*L'intrusion*
5323. Milan Kundera	*Une rencontre*
5324. Salman Rushdie	*La honte*
5325. Jean-Jacques Schuhl	*Entrée des fantômes*
5326. Antonio Tabucchi	*Nocturne indien* (à paraître)
5327. Patrick Modiano	*L'horizon*
5328. Ann Radcliffe	*Les Mystères de la forêt*
5329. Joann Sfar	*Le Petit Prince*
5330. Rabaté	*Les petits ruisseaux*
5331. Pénélope Bagieu	*Cadavre exquis*
5332. Thomas Buergenthal	*L'enfant de la chance*
5333. Kettly Mars	*Saisons sauvages*
5334. Montesquieu	*Histoire véritable et autres fictions*
5335. Chochana Boukhobza	*Le Troisième Jour*
5336. Jean-Baptiste Del Amo	*Le sel*
5337. Bernard du Boucheron	*Salaam la France*
5338. F. Scott Fitzgerald	*Gatsby le magnifique*
5339. Maylis de Kerangal	*Naissance d'un pont*
5340. Nathalie Kuperman	*Nous étions des êtres vivants*
5341. Herta Müller	*La bascule du souffle*
5342. Salman Rushdie	*Luka et le Feu de la Vie*
5343. Salman Rushdie	*Les versets sataniques*
5344. Philippe Sollers	*Discours Parfait*
5345. François Sureau	*Inigo*

Composition Nord Compo
Impression Maury-Imprimeur
45330 Malesherbes
le 23 juillet 2013.
Dépôt légal : juillet 2013.
1er dépôt légal dans la collection : mai 2012.
Numéro d'imprimeur : 183665.

ISBN 978-2-07-044719-0. / Imprimé en France.